The Fiftieth Gate

ליקוטי תפילות

Likutey Tefilot

The Fiftieth Gate

ליקוטי תפילות

Likutey Tefilot

Reb Noson's Prayers

Volume 4, Prayers 67-110

Translated by Yaacov David Shulman

BRESLOV RESEARCH INSTITUTE
Jerusalem / New York

ISBN 978-1-928822-56-1

First edition

For further information:
Breslov Research Institute
POB 5370
Jerusalem, Israel
or:
Breslov Research Institute
POB 587
Monsey, NY 10952-0587
USA

Printed in Israel

A woman of valor who can find? She is worth far more than pearls. Her husband has full confidence in her and lacks nothing of value. She brings him good, not harm, all the days of her life.

(Proverbs 31:10-12)

This Holy Book is Published in Memory of

Carol Ann Tanenbaum – Channa Tzippi (*z"l*)

Beloved wife, mother, grandmother and sister

By an adoring husband
Harvey Tanenbaum

Their wonderful children
Matthew and Barbra Tanenbaum and
Oren and Nicole Eisenberg

Grandchildren
Jack, Lucas and Madison Tanenbaum and
Ellie Carol Eisenberg

And brother and sister-in-law
Arthur and Judy Canter

Precious families that will carry her name forward

Contents

A Basic Guide

What is *Likutey Tefilot*?

Likutey Tefilot is a collection of personal prayers composed by Reb Noson of Breslov (1780-1844), the leading disciple of the outstanding Chassidic luminary, Rebbe Nachman of Breslov (1772-1810). The Hebrew original of *Likutey Tefilot* consists of two parts containing 152 and 58 prayers respectively—a total of 210 prayers. This work is a free translation of the fourth portion of Part One of *Likutey Tefilot* (Prayers 67-110).

For complete details about *Likutey Tefilot* and Reb Noson, see "The Power of Prayer: A General Introduction to *The Fiftieth Gate*" by Avraham Greenbaum, in *The Fiftieth Gate*, Vol. 1.

Personal Prayer

Rebbe Nachman taught that besides reciting the mandatory daily prayer services contained in the *siddur*, we should supplement them with our own individual prayers. In *Likutey Tefilot*, Reb Noson made his personal prayers available to us to use at our discretion in our own sessions of private prayer. *Likutey Tefilot* is not a book to read through for information. The prayers were written to be *said* rather than *read*. This is an inspirational text for use when we wish to reach out to God and express our personal needs and spiritual yearnings—whether at home, in the synagogue, in the office, in a quiet park or out in the countryside.

How to Find What You Want in This Book

Each of Reb Noson's prayers in *Likutey Tefilot* is based on one of Rebbe Nachman's lessons in *Likutey*

Moharan. The prayer is a request for God's help in achieving the spiritual ideals explained in Rebbe Nachman's lesson. It is not necessary to study the relevant lesson before reciting the prayer. Nevertheless, it is helpful to realize that the structure of each prayer and the way its themes are developed are governed by Rebbe Nachman's treatment in the corresponding lesson.

• **Index of Topics (pp. *xiii-xvi*)**

This is an alphabetical listing of all the main topics covered in the prayers in this volume. Consult this index to find the prayers dealing with the themes you want to pray about. If you cannot find a listing for a given topic, can you think of a synonymous term or related idea that is included?

• **Contents of the Prayers**

Each prayer is headed by a list of its main topics. Note: Topics are not necessarily listed in the order they appear in the prayer, nor does the list indicate which are the central themes of the prayer and which are subsidiary topics.

• **Synopses of the Lessons in *Likutey Moharan***

At the start of each prayer appears a synopsis of the corresponding lesson in *Likutey Moharan*. This is not intended to be an abstract of the lesson as such, but rather a guide to the way the main concepts found in Reb Noson's prayer relate to one another; how key ideas may be understood; and how these concepts are explained and developed in Rebbe Nachman's original lesson. Readers who seek the connection between the concepts of the prayers may refer to the English translation of the *Likutey Moharan*, published by the Breslov Research Institute, which contains full explanatory notes.

• **Section Headings**

These have been introduced in the longer prayers to indicate a transition in the development of the prayer, or the introduction of a fresh topic.

Numbering of Prayers

The first 70 prayers of Part One of *Likutey Tefilot* correlate to the first 70 lessons in Part One of the *Likutey Moharan*. Beginning with Prayer 71, Reb Noson did not keep to the order of Rebbe Nachman's lessons. We have indicated the lesson upon which each prayer is based in parentheses next to the prayer number.

About this Translation

This is a free rendition of *Likutey Tefilot*, aimed at conveying the content and spirit of the original in readable, idiomatic English, so that English-speaking readers may recite the prayers meaningfully. This does not purport to be a definitive scholarly translation. The facing Hebrew text has been provided for the benefit of those who wish to say all or part of the prayers in the original, but readers should not expect to find a direct English equivalent for every single Hebrew word and phrase.

Tefilot ve-Tachanunim

Selections from the work of Rabbi Nachman Goldstein, best known as the Rav of Tcherin, a disciple of Reb Noson, also appear in this collection. In his *Tefilot ve-Tachanunim* (Prayers and Supplications),

Rabbi Goldstein wrote prayers for certain passages of Rebbe Nachman's lessons upon which Reb Noson did not write a prayer, and inserted them at the appropriate places in the *Likutey Tefilot*. These selections have been inserted directly into the prayers.

How to Say the Prayers

You are free to choose sections of a prayer according to your personal needs and preferences, time constraints, etc. Nevertheless, each of Reb Noson's prayers is an organic whole and there is a benefit in reciting it in its entirety. It is perfectly in order to improvise and add your own personal prayers and requests at any point during your recital of these prayers.

Brokenheartedness versus Depression

Reb Noson gives profoundly honest expression to the awe of a mortal creature approaching the Infinite Creator, his sense of his own smallness, and his shame at his shortcomings, failures and transgressions. Rebbe Nachman taught that true brokenheartedness leads to ultimate joy. For some people, however, dwelling on such feelings can be counterproductive, engendering negativity and depression. If this happens, Reb Noson would have been the first to say: Turn to something more positive!

Contents of the Prayers

Index of Topics

(Numbers refer to the prayers)

ליקוטי תפילות
Likutey Tefilot

67

The Root of All Souls / Receiving Honor in This World with Holiness / Eating Properly / Insolent Leaders / Giving Charity / Overcoming Spiritual Enemies / Giving Birth to and Bringing Up Honor / Helping an Elder Who Has Forgotten His Torah Learning

---

A person's soul comes from a realm called "honor." The dynamic of that realm appears on all levels of existence—including the expression of honor as we know it.

When a person receives honor in this world, it is for one of two reasons. First, he might be about to die, and so honor has come to gather in his soul. Usually, however, this is not the case, since the universe functions on the principle that overall, good prevails. Thus, it is more likely that this honor is coming to bring this person to a new, higher level of soul. In either case, he must receive that honor with holiness—that is to say, solely for the sake of God.

When a person eats improperly, he can lose a measure of honor. The reason for this is as follows. When a person eats properly—that is to say, when he has broken his lust for eating—he attains an elevated countenance. The table on which he eats stands before God and it, too, has a countenance of holiness. But if this person has a lust for food, his honor is damaged and consequently lacks a countenance of holiness. When honor is damaged, it falls to a level where insolent people can reach it and use it to gain power in the form of sovereignty without a crown. When these people gain honor, they become the leaders of the generation.

The word *tzedek* (strict judgment) is related to the phenomenon of insolent people receiving honor.

The first letter in the word *tzedek* is a *tzadi*. This letter is a combination of two letters: *yod* and *nun*, so arranged that the *yod* is turned away from the *nun*. The *yod* corresponds to the countenance of holiness. It turns away because at present it is hidden. The *nun* represents sovereignty.

The second letter in the word *tzedek* is *dalet*. The word *dal* means "poor," and so the *dalet* corresponds to an impoverished honor, one that falls to the Side of Evil.

In that realm, insolent people imitate good people, like a monkey imitating a human being. The Hebrew word for monkey is *kof*. This is also the name of the last letter in the word *tzedek*, which is *kuf*. Just as the letter *kuf* has a long, descending leg, so too, the "feet" of honor now descend to death.

Therefore, at present, when good Jews wish to

protect the Jewish religion against attack, they must descend spiritually and seek the help of the gentile authorities.

A person raises honor and sovereignty from insolent people when he gives charity—which, states the verse, "saves from death." Then the word *tzedek* has the letter *hei* added to it. The letter *hei* has the numerical value of five, corresponding to the five times that the word *tzedakah* (charity) is mentioned in the Torah. This added *hei* turns *tzedek* into *tzedekah*. Then its feet are raised from death.

The person who eats properly or gives charity and thus restores honor is a wise person. Unfortunately, demonic enemies cluster about him in order to derive energy from him. But this can actually help him, because these enemies siphon off his unholy consciousness, leaving him with a pure and holy consciousness.

As mentioned above, usually when a person receives a new measure of honor, that serves as a container for a holy soul that he about to receive. That honor is comparable to a pregnant woman, and the new soul to the fetus within her. A person must make sure to give this soul an easy birth. Should the birth be difficult, both the mother (honor) and child (soul) may die, and then the person himself will die. And once the soul is born, the person must raise it as one raises a child.

A person facilitates the birth of this soul, as well as the growth of holy honor and God's sovereignty, by giving charity. In regard to this latter point, it is the custom to give charity at the section in the prayers that states, "You are sovereign over all."

When a person's "honor" is dislocated from his soul, he may forget his wisdom and Torah learning, or he may grow weary. Sometimes an elder forgets his Torah learning because he has prayed without the intent of his heart. Prayer corresponds to honor, and the heart to the soul. Now that they are separated, the elder loses his wisdom. Similarly, it may be that a younger person has prayed without feeling, as a result of which his soul is far from its "mother," honor. Consequently, his soul grows weary. To rectify this, he must give honor to the elder who forgot his Torah learning. By giving honor to that elder, he revitalizes his own soul. This is because he creates "thunder," which causes "cool water" to revive and heal his soul.

This idea is based on the following understanding of how thunder works. Hot vapor enters a cloud and explodes. That tears open the cloud in a burst of thunder. And as that thunder rips open the cloud, it causes the cloud to distribute rain wherever it is needed.

The elder's forgetting Torah is comparable to a cloud. Just as a cloud obscures the sun, so too, his forgetfulness obscures his ability to see—i.e., to access his knowledge. The honor that someone gives him is comparable to hot vapor entering a cloud. Then the elder's mind and memory are restored. This is comparable to the cloud tearing open with a clap of thunder. Now the old man's knowledge is distributed to everyone who needs it. This is comparable to the rain falling out of the cloud. When that "cool water" reaches the younger person who had prayed without the intent of his heart, it revives and rectifies his soul. It revives his bones that had previously been blemished. Then he can pray with all his bones.

The same effect is brought about when a person hears Torah from a true Tzaddik, in contrast to learning Torah from a book. When one learns from a book, he does not know how much to learn in order to revive his soul. But when he hears Torah from the Tzaddik, the Tzaddik gives him exactly the amount of Torah—or "cool water"—that he needs.

"תִּיקַר נָא נַפְשִׁי בְּעֵינֶיךָ".

יְיָ אֱלֹהַי וֵאלֹהֵי אֲבוֹתַי, חוּס וַחֲמֹל נָא עַל נַפְשׁוֹת עַמְּךָ יִשְׂרָאֵל בְּרַחֲמִים רַבִּים וּבְחֶמְלָה גְדוֹלָה. חוּס וְרַחֵם וַחֲמֹל עַל נַפְשׁוֹת יִשְׂרָאֵל הַיְקָרוֹת מִפָּז וּמִפְּנִינִים נְפָשׁוֹת הַחֲצוּבוֹת מִתַּחַת כִּסֵּא כְבוֹדֶךָ, נְפָשׁוֹת קְדוֹשׁוֹת הַכְּלוּלִים בְּשִׁמְךָ, הַנִּקְרָאִים חֵלֶק אֱלוֹהַּ מִמַּעַל. נְפָשׁוֹת עֶלְיוֹנוֹת אֲשֶׁר הָיִיתָ מִשְׁתַּעְשֵׁעַ בָּהֶם מִקֶּדֶם, נְפָשׁוֹת אֲשֶׁר עָלוּ בְּמַחֲשָׁבָה תְּחִלָּה, נְפָשׁוֹת שֶׁהֵם לְמַעְלָה מִכָּל הָעוֹלָמוֹת כֻּלָּם, אֲשֶׁר בָּהֶם נִמְלַכְתָּ וּבָרָאתָ אֶת הָעוֹלָם.

יֶהֱמוּ נָא מֵעֶיךָ יִכָּמְרוּ רַחֲמֶיךָ עַל יוֹצְאֵי חֲלָצֶיךָ, עַל בָּנֶיךָ הַנֶּאֱהָבִים וְהַנְּעִימִים, "הָעֲמֻסִים מִנִּי בֶטֶן הַנְּשׂוּאִים מִנִּי רָחַם", הַנִּקְרָאִים בְּכָל לְשׁוֹנוֹת שֶׁל חִבָּה, בָּנִים, אַחִים, רֵעִים וַאֲהוּבִים.

נְפָשׁוֹת הַיְקָרוֹת אֲשֶׁר לֹא הָיִיתָ זָז מֵחַבְּבָם עַד שֶׁקְּרָאתָם בִּתִּי וַאֲחוֹתִי וְאִמִּי, כְּמוֹ שֶׁאָמְרוּ רַבּוֹתֵינוּ זִכְרוֹנָם לִבְרָכָה לֹא זָז מֵחַבְּבָהּ עַד שֶׁקְּרָאָהּ בִּתִּי, שֶׁנֶּאֱמַר: "שִׁמְעִי בַת וּרְאִי

The Precious Souls of the Jewish People

"May my soul be precious in Your eyes."

HaShem, my God and God of my fathers, You are gracious and compassionate. You care for Jewish souls—souls more precious than gold and pearls, souls who were carved out from beneath Your throne of glory, holy souls who are absorbed into Your Name, who are called "a portion of Godliness above," supernal souls in whom You took delight at the very beginning of Creation, souls who were the first to arise in Your thought, souls who are higher than all worlds, souls with whom You took counsel in order to create the universe.

Arouse Your compassion on behalf of these souls who came forth from You. They are Your beloved and pleasant children, "who are borne by You from the belly, carried by You from the womb," whom You refer to with every term of endearment—"children, brothers, friends, beloved"—precious souls whom You have never ceased to love.

You have loved these souls of the Jewish people so much that You have called them "daughter," "sister" and "mother." As our sages said, "He loved her so much that He called her

וְהַטִּי אָזְנֵךְ וְשִׁכְחִי עַמֵּךְ וּבֵית אָבִיךְ", לֹא זָז מְחַבְּבָהּ עַד שֶׁקְּרָאָהּ אֲחוֹתִי, שֶׁנֶּאֱמַר: "פִּתְחִי לִי אֲחוֹתִי רַעְיָתִי יוֹנָתִי תַמָּתִי", לֹא זָז מְחַבְּבָהּ עַד שֶׁקְּרָאָהּ אִמִּי שֶׁנֶּאֱמַר: "שִׁמְעוּ אֵלַי עַמִּי וּלְאוּמִּי אֵלַי הַאֲזִינוּ".

רַחֵם נָא עַל הוֹד יְקָרַת תִּפְאֶרֶת קְדֻשַּׁת נַפְשֵׁינוּ בְּשָׁרְשֵׁנוּ הָעֶלְיוֹן, כַּאֲשֶׁר אַתָּה לְבַד יָדַעְתָּ מֵהֵיכָן נִמְשָׁכוֹת נַפְשׁוֹתֵינוּ הַיְקָרוֹת הָעוֹלוֹת לְמַעְלָה לְמַעְלָה עַל כָּל הָעוֹלָמוֹת וְעַל כָּל הַקְּדֻשּׁוֹת כֻּלָּם.

וְעָזְרֵנוּ וְזַכֵּנוּ וְהוֹשִׁיעֵנוּ בַּחֲנִינוֹתֶיךָ הָאֲמִתִּיּוֹת שֶׁנִּזְכֶּה לְהִתְגַּבֵּר בְּכָל עֹז לִשְׁמֹר אֶת נַפְשׁוֹתֵינוּ בִּשְׁמִירָה גְּדוֹלָה וּמְעֻלָּה בְּכָל עֵת, לְהַחֲזִיקָהּ אֶצְלֵנוּ, לְאֹרֶךְ יָמִים וְשָׁנִים, בִּקְדֻשָּׁה וּבְטָהֳרָה גְּדוֹלָה, בִּזְרִיזוּת וּנְקִיּוּת וְטָהֳרָה וּפְרִישׁוּת וּקְדֻשָּׁה וַעֲנָוָה וְיִרְאַת חֵטְא וַחֲסִידוּת.

וְתַעֲזֹר לָנוּ וְתוֹשִׁיעֵנוּ שֶׁנִּזְכֶּה לְהִתְרַחֵק וְלִבְרֹחַ מִן הַכָּבוֹד בֶּאֱמֶת בְּתַכְלִית הָרִחוּק. וְלֹא יַעֲלֶה עַל דַּעְתֵּנוּ שׁוּם רָצוֹן וְתַאֲוָה וְחֶמְדָּה לְשׁוּם כָּבוֹד כְּלָל. וּתְרַחֵם עָלֵינוּ וְתוֹשִׁיעֵנוּ תָּמִיד בְּכָל עֵת שֶׁתִּשְׁלַח לָנוּ בְּרַחֲמֶיךָ וּבַחֲסָדֶיךָ הָרַבִּים אֵיזֶה כָּבוֹד שֶׁנִּזְכֶּה אָז לִשְׁמֹר אֶת עַצְמֵנוּ וְאֶת נַפְשׁוֹתֵינוּ מְאֹד מְאֹד לְבַל נִהְיֶה נִלְכָּדִים חַס וְשָׁלוֹם כְּלָל עַל יְדֵי הַכָּבוֹד.

'My daughter,' as in the verse, 'Hear, daughter, and see, incline your ear and forget your nation and the house of your father.' He loved her so much that He called her 'My sister,' as in the verse, 'Open to me, my sister, my friend, my dove, my perfect one.' And He loved her so much that He called her 'My mother,' as in the verse, 'Listen to Me, My nation, and attend to Me, My mother.'"

Have compassion on our souls, which possess a lovely, precious, holy beauty at their supernal root. Only You know the source of our precious souls, which is beyond all worlds and all stages of holiness.

Help us attain every sort of strength so that we will guard our souls at every moment. May we bind ourselves to our own souls for the days and years to come with holiness, purity, alacrity, cleanliness, abstinence, humility, fear of sin and piety.

Honor Belongs to HaShem

Help us flee from honor as much as possible. May we never have the slightest desire for any honor whatsoever. Every time You grant us honor, protect us so that we will not be enmeshed in it. May we not use it for our

וְלֹא נְקַבֵּל אֶת הַכָּבוֹד בִּשְׁבִילֵנוּ כְּלָל, וְלֹא נִשְׁתַּמֵּשׁ בּוֹ לְצֹרֶךְ עַצְמֵנוּ כְּלָל, וְלֹא יַגִּיעַ לָנוּ שׁוּם הֲנָאָה כְּלָל מֵהַכָּבוֹד.

רַק נִזְכֶּה לְהַעֲלוֹת כָּל הַכָּבוֹד אֵלֶיךָ לְבַד, וְנַחֲזִיר כָּל הַכָּבוֹד לְמֶלֶךְ הַכָּבוֹד, לְמִי שֶׁכָּל הַכָּבוֹד שֶׁלּוֹ לְבַד.

וְתַעַזְרֵנוּ וְתִשְׁמְרֵנוּ בִּשְׁמִירָה עֶלְיוֹנָה שֶׁלֹּא נִפְגֹּם בִּקְדֻשַּׁת הַכָּבוֹד כְּלָל, רַק נִזְכֶּה לְקַבֵּל אֶת הַכָּבוֹד בִּקְדֻשָּׁה וּבְטָהֳרָה גְדוֹלָה לְשִׁמְךָ וְלַעֲבוֹדָתְךָ לְבַד בְּלִי שׁוּם פְּגַם תַּאֲוָתֵנוּ כְּלָל.

וְתַחְמֹל עָלֵינוּ בְּכָל עֵת שֶׁתִּשְׁלַח לָנוּ כָּבוֹד חָדָשׁ שֶׁלֹּא יָבֹא הַכָּבוֹד בִּשְׁבִיל הִסְתַּלְּקוּת נֶפֶשׁ חַס וְשָׁלוֹם, רַק נִזְכֶּה שֶׁיָּבֹא הַכָּבוֹד אֵלֵינוּ לְטוֹבָה וְלֹא לְרָעָה חַס וְשָׁלוֹם.

שֶׁנִּזְכֶּה עַל־יְדֵי הַכָּבוֹד לְקַבֵּל בְּכָל עֵת נְפָשׁוֹת חֲדָשׁוֹת בִּקְדֻשָּׁה וּבְטָהֳרָה גְדוֹלָה, וְיִתּוֹסֵף וְיִתְגַּדֵּל נַפְשׁוֹתֵינוּ בְּכָל עֵת בְּתוֹסְפוֹת אוֹר קְדֻשָּׁה וְטָהֳרָה, וְתִשְׁלַח לָנוּ בְּכָל עֵת נְפָשׁוֹת חֲדָשׁוֹת קְדוֹשׁוֹת וִיקָרוֹת לְאֹרֶךְ יָמִים וְשָׁנִים טוֹבִים בְּתוֹרָתְךָ וַעֲבוֹדָתְךָ וְיִרְאָתֶךָ:

וּבְכֵן תְּרַחֵם עָלֵינוּ וְתוֹשִׁיעֵנוּ, וְתִהְיֶה בְּעֶזְרֵנוּ מֵעַתָּה שֶׁנִּזְכֶּה לְשַׁבֵּר בֶּאֱמֶת תַּאֲוַת אֲכִילָה וּשְׁתִיָּה. וְנִזְכֶּה לְהִסְתַּפֵּק

own purposes or receive any benefit from it whatsoever.

Instead, may we raise and restore all honor to You alone, the King of honor and glory, the only One to Whom all honor and glory are due.

From the greatest heights, guard us so that we will not damage the holiness of honor, but receive it with sanctity and purity for the sake of Your Name, with the sole intent of serving You without any blemished desires of our own.

Whenever You send us a new instance of honor, may it not result in our souls being removed from this world. May honor come to us only for good and not for evil.

Together with that honor, may we always receive a new spirit of holiness and purity, in the light of which our souls will expand and grow.

Always send us a new and precious spirit, so that for the days and years to come, we will learn Your Torah and serve You with awe.

Holy Eating and the Honor of God

From this moment on, help us break our desire for eating and drinking. May we be satisfied with a little, and eat that with holiness. May we be so exacting with ourselves that we do not

בְּמְעָט, לֶאֱכֹל מְעַט בִּקְדֻשָּׁה גְדוֹלָה וּלְהִסְתַּפֵּק מִמֶּנּוּ. וּנְדַקְדֵּק עַל עַצְמֵנוּ מִכַּזַּיִת וְעַד כְּבֵיצָה, לְבִלְתִּי לֶאֱכֹל אֲפִלּוּ מַשֶּׁהוּ יוֹתֵר מֵהַמֻּכְרָח לָנוּ בִּשְׁבִיל קִיּוּם הַגּוּף.

וְנֹאכַל לְבַד לְקִיּוּם גּוּפֵנוּ.

וּנְמַעֵט תַּאֲוַת טִבְעֵנוּ, וְנִזְכֶּה לִהְיוֹת בִּכְלָל הַצַּדִּיקִים הָאוֹכְלִים לְשֹׂבַע נַפְשָׁם דִּקְדֻשָּׁה, כְּמוֹ שֶׁכָּתוּב: "צַדִּיק אֹכֵל לְשֹׂבַע נַפְשׁוֹ", עַד שֶׁנִּזְכֶּה שֶׁתִּשָּׂא לָנוּ פָּנִים וּתְחָנֵּנוּ, כְּמוֹ שֶׁכָּתוּב: "יִשָּׂא יְיָ פָּנָיו אֵלֶיךָ, וְיָשֵׂם לְךָ שָׁלוֹם". וְנִזְכֶּה לְהַמְשִׁיךְ הֶאָרַת פָּנִים אֶל הַכָּבוֹד דִּקְדֻשָּׁה.

וְתַצִּיל אוֹתָנוּ וְאֶת כָּל עַמְּךָ בֵּית יִשְׂרָאֵל מֵעַזֵּי פָנִים וּמֵעַזּוּת פָּנִים, וְתַעֲלֶה וּתְסַלֵּק אֶת הַכָּבוֹד מִן הָעַזֵּי פָנִים שֶׁבַּדּוֹר, וְלֹא יִהְיֶה לָהֶם שׁוּם כָּבוֹד וְהִתְנַשְּׂאוּת וּפְקִידוּת וְהִתְמַנּוּת וּשְׂרָרָה כְּלָל. וּתְרַחֵם עָלֵינוּ וְעַל כָּל עַמְּךָ בֵּית יִשְׂרָאֵל, וְתַצִּיל אוֹתָנוּ מִכָּל הַמַּנְהִיגִים וְהַמְפֻרְסָמִים שֶׁל שֶׁקֶר, הַגּוֹרְמִים לָנוּ מַה שֶּׁגּוֹרְמִים, כַּאֲשֶׁר אַתָּה לְבַד יָדַעְתָּ.

כִּי בַּעֲווֹנוֹתֵינוּ הָרַבִּים נָפַל וְיָרַד הַכָּבוֹד דִּקְדֻשָּׁה מְאֹד. דַּל כְּבוֹדֵנוּ בַּגּוֹיִם וְשִׁקְּצוּנוּ כְּטֻמְאַת הַנִּדָּה.

eat even the smallest amount beyond what we need to sustain our health. May our intention in eating be solely to maintain our well-being.

May we reduce our natural desires. May we be counted among the righteous who eat only to satisfy their holy souls—as in the verse, "The righteous man eats to satisfy his soul"—until You will raise Your countenance to us and be gracious to us, in keeping with the verse, "May HaShem raise His countenance to you and grant you peace." And may we draw the illumination of Your countenance to holy honor.

Save us and Your entire nation, the House of Israel, from arrogant people. Remove the honor from their insolent countenances so that they will no longer have any glory, elevation or positions of leadership.

Have compassion on us and on Your entire nation, the House of Israel. Save us from false leaders—even if they are celebrated—who cause us so much grief, the extent of which You alone know.

Because of our many sins, holy honor has fallen to the depths. "Our honor is belittled by the nations, who abhor us as being repulsive."

וְנָפַל הַכָּבוֹד בֵּין הָעַכּוּ"ם וְהָרְשָׁעִים וְהַשַּׁקְרָנִים וְהָעַזֵּי פָּנִים שֶׁבַּדּוֹר, שֶׁהֵם מְקַבְּלִין לְעַצְמָן כָּל הַכָּבוֹד וְחוֹלְקִין כָּבוֹד לְעַצְמָן, וְעַמְּךָ יִשְׂרָאֵל הַכְּשֵׁרִים וְהַצַּדִּיקִים בֶּאֱמֶת לְחֶרְפָּה וּלְבִזָּיוֹן וּלְלַעַג וָקֶלֶס.

אָנָּא יְיָ מָלֵא רַחֲמִים מֶלֶךְ הַכָּבוֹד סֶלָה, חוּס וַחֲמֹל עַל כְּבוֹדְךָ הַגָּדוֹל וְהַקָּדוֹשׁ.

וְהַצֵּל אֶת נַפְשׁוֹתֵינוּ מֵהֶם וּמֵהֲמוֹנָם, וְתוֹצִיא אֶת הַכָּבוֹד מִבֵּינֵיהֶם, וְתַעֲלֶה אֶת הַכָּבוֹד מִבֵּין הַקְּלִפּוֹת.

וּתְרַחֵם עַל שְׁכִינַת עֻזְּךָ אֲשֶׁר הוּרַד כְּבוֹדָהּ וּגְאוֹנָהּ וְיָרְדָה וְנִדַּלְדְּלָה.

כִּי בַּעֲווֹנוֹתֵינוּ הָרַבִּים הִסְתַּרְתָּ פָּנֶיךָ מִכְּבוֹדְךָ הַגָּדוֹל, וּכְבוֹדְךָ וּמַלְכוּתְךָ נִתְרַחֵק מֵאִתְּךָ כִּבְיָכוֹל, וְיָרַד וְנָפַל עַד שֶׁהִגִּיעַ כָּל הַכָּבוֹד לְהָעַכּוּ"ם וְהָרְשָׁעִים וְהָעַזֵּי פָּנִים שֶׁבַּדּוֹר.

"וַיִּדַּל יִשְׂרָאֵל מְאֹד", וְנַהֲפוֹךְ כָּל הַכָּבוֹד לְזָרִים אֲשֶׁר אֵין

Honor has passed on to idolaters, to wicked people, liars and the insolent of the generation who distribute it among themselves, while the worthy and righteous of Your nation, the Jewish people, are insulted, disdained, scorned and ridiculed.

Redeeming Honor from Its Exile

HaShem, You Who are filled with compassion, You Who are the King of honor, have mercy on Your great and holy honor.

Save our souls from the multitude of wicked people by removing honor from their midst. Raise it up so that it will no longer reside amid the "husks" of evil.

Have compassion on Your mighty Divine Presence, Whose honor and eminence has been cast down, reduced and cheapened.

Because of our many sins, You have hidden Your countenance from Your great honor. Thus, Your honor and sovereignty have been distanced from You, as it were. They have descended and fallen so low that all honor has been given to the idolaters, evildoers and insolent people of the generation.

"Israel has become exceedingly impoverished." All honor has been turned over to strangers who

לָהֶם חֵלֶק בְּשֵׂכֶל וּפָנִים דִּקְדֻשָּׁה, שֶׁהֵם הָעַזֵּי פָּנִים שֶׁבַּדּוֹר, שֶׁהֵם דּוֹמִין כְּקוֹף בִּפְנֵי אָדָם:

רַחֲמָן מָלֵא רַחֲמִים, רַחֲמָן מָלֵא רַחֲמִים, רַחֵם עַל כְּבוֹדְךָ הַגָּדוֹל וְהַקָּדוֹשׁ, וְזַכֵּנוּ וְעָזְרֵנוּ שֶׁנִּזְכֶּה לְהַעֲלוֹת וּלְהַחֲזִיר כָּל הַכָּבוֹד אֶל הַקְּדֻשָּׁה.

וְזַכֵּנוּ בְּרַחֲמֶיךָ הָרַבִּים לְהַרְבּוֹת בִּצְדָקָה תָּמִיד, לִתֵּן צְדָקָה הַרְבֵּה לַעֲנִיִּים הֲגוּנִים הַרְבֵּה, בְּשִׂמְחָה וּבְטוּב לֵבָב בֶּאֱמֶת, וּבִשְׁלֵמוּת גָּדוֹל כִּרְצוֹנְךָ הַטּוֹב, בְּאֹפֶן שֶׁנִּזְכֶּה עַל יְדֵי הַצְּדָקָה לְהַמְשִׁיךְ אוֹר הַפָּנִים אֶל הַכָּבוֹד.

וּתְבָרֵךְ אוֹתָנוּ כֻּלָּנוּ יַחַד בְּאוֹר פָּנֶיךָ, וְתַמְשִׁיךְ עָלֵינוּ חֲסָדֶיךָ הָרַבִּים הַכְּלוּלִים בְּשִׁמְךָ הַגָּדוֹל, וְתָאִיר עָלֵינוּ כָּל הַחֲסָדִים הַכְּלוּלִים בַּחֲמִשָּׁה חֲסָדִים כְּנֶגֶד חֲמִשָּׁה פְּעָמִים צְדָקָה שֶׁנִּזְכַּר בְּתוֹרָתְךָ הַקְּדוֹשָׁה. וִיקֻיַּם בָּנוּ מִקְרָא שֶׁכָּתוּב: "אֲנִי בְּצֶדֶק אֶחֱזֶה פָּנֶיךָ אֶשְׂבְּעָה בְהָקִיץ תְּמוּנָתֶךָ".

וְנִזְכֶּה לְהַעֲלוֹת אֶת הַכָּבוֹד וְהַמַּלְכוּת מִצֶּדֶק לִצְדָקָה.

have no portion in wisdom and the countenance of holiness. They are the insolent people of the generation, who imitate the righteous like a monkey imitating a human being.

We Redeem God's Honor by Giving Charity

Have compassion on Your great and holy honor by helping us raise it and return it to holiness.

Guide us to bring the light of Your countenance to Your honor by giving a great deal of charity to worthy poor people with joy and a good heart. May we do so perfectly, in accordance with Your beneficent will.

Bless all of us in the light of Your countenance and send us Your vast kindness, which is part of Your great Name. Shine upon us all of the kindness that is an expression of the five types of kindness, which correspond to the five times that "charity" is mentioned in Your holy Torah.

May we exemplify the verse, "I shall behold Your countenance in righteousness; when I arise, I shall be satisfied with Your image."

May we raise Your honor and sovereignty from the relatively low state called "righteousness" to the higher state called "charity."

וְתַעַזְרֵנוּ וְתוֹשִׁיעֵנוּ לְהוֹצִיא כָּל הַכָּבוֹד מִן הָעַזֵּי פָּנִים, וּלְהַחֲזִיר כָּל הַכָּבוֹד אֶל הַמְּבִינֵי מַדָּע דִּקְדֻשָּׁה, וְיַחֲזֹר כָּל הַגְּדֻלָּה וְהַכָּבוֹד לְצַדִּיקֵי הַדּוֹר וּכְשֵׁרֵי הַדּוֹר הָאֲמִתִּיִּים, הַנִּקְרָאִים פְּנֵי הַדּוֹר בֶּאֱמֶת:

וּבְכֵן תְּרַחֵם עָלֵינוּ וְעַל כָּל עַמְּךָ יִשְׂרָאֵל, וְתָשִׂים שָׁלוֹם בֵּין כָּל עַמְּךָ יִשְׂרָאֵל לְעוֹלָם, וּתְבַטֵּל כָּל מִינֵי מַחֲלֹקֶת מֵעַמְּךָ יִשְׂרָאֵל.

וְלֹא יִהְיֶה שׁוּם קִנְאָה וְשִׂנְאָה וְקִנְטוּר, וְלֹא שׁוּם מְרִיבָה וּמַחֲלֹקֶת עַל עַמְּךָ יִשְׂרָאֵל הַכְּשֵׁרִים הַחֲפֵצִים וּמִשְׁתּוֹקְקִים וּמִתְגַּעְגְּעִים לְעָבְדְּךָ בֶּאֱמֶת, וּבִפְרָט עַל הַצַּדִּיקִים וְהַחֲכָמִים הָאֲמִתִּים. כִּי בַּעֲווֹנוֹתֵינוּ הָרַבִּים נִתְרַבָּה עַכְשָׁו הַמַּחֲלֹקֶת וְהַקָּטֵגוֹרְיָא בֵּין הַתַּלְמִידֵי חֲכָמִים.

"וְלַיּוֹצֵא וְלַבָּא אֵין שָׁלוֹם", וְכָל הָעוֹלָם מָלֵא מַחֲלֹקֶת, אֲשֶׁר זֹאת הַמַּחֲלֹקֶת מַזֶּקֶת לָנוּ הַרְבֵּה לַעֲבוֹדָתְךָ בֶּאֱמֶת, כַּאֲשֶׁר אַתָּה יָדַעְתָּ.

וּבִפְרָט עֹצֶם הַמַּחֲלֹקֶת שֶׁמִּתְגַּבֵּר בְּכָל עֵת עַל הָרְחוֹקִים הַבָּאִים לָשׁוּב אֵלֶיךָ וּלְהִתְקָרֵב לְשִׁמְךָ הַגָּדוֹל וּלְעָבְדְּךָ בֶּאֱמֶת, אֲשֶׁר רַבּוּ הַחוֹלְקִים עֲלֵיהֶם וְעַל הָעוֹסְקִים לְקָרְבָם, חִנָּם עַל לֹא דָבָר:

Help us extract greatness and honor from insolent people, restoring these qualities to the people of our generation who understand holy knowledge, who are righteous and worthy, and who are justifiably called "the countenance of the generation."

Overcoming Dispute

Remove every sort of dispute from Your nation, the Jewish people, so that we will enjoy peace among ourselves forever.

May there be no jealousy, hatred, irritation, argument or dispute regarding any righteous and wise members of Your worthy nation of Israel who yearn to serve You—particularly at this time, when because of our many sins, dispute and dissension among Torah sages have increased.

"There is no peace for those who go out and for those who come in." The entire world is filled with dispute, which damages our ability to serve You, as You well know.

This is particularly true regarding dispute that is instigated against those who were far from You and have returned to You in order to serve You. Without reason or justification, dispute has arisen against them, as well as against those who work to bring them back.

אָנָּא יְיָ מָלֵא רַחֲמִים אֲדוֹן הַשָּׁלוֹם מֶלֶךְ שֶׁהַשָּׁלוֹם שֶׁלּוֹ, הַצִּילֵנוּ מֵרִיב וּמַחֲלֹקֶת וְזַכֵּנוּ לְמֹחַ וָדַעַת וְשֵׂכֶל צַח וָזַךְ בְּלִי פְּסֹלֶת כְּלָל, וּתְזַכֵּנוּ שֶׁיִּהְיֶה מֹחֵנוּ שָׁקִיט וְשָׁכִיךְ, וְלֹא יִהְיֶה מֹחֵנוּ מְבֻלְבָּל כְּלָל.

וְיִתְבַּטְּלוּ כָּל הַפְּסֹלֶת וְהַמּוֹתָרוֹת שֶׁבַּמֹּחַ, עַד שֶׁנִּזְכֶּה שֶׁיִּתְבַּטְּלוּ וְיִכְלוּ וְיִפְּלוּ הָאוֹיְבִים וְהַשּׂוֹנְאִים הַיּוֹנְקִים מִן מֹחֵנוּ.

כִּי אֵין בָּנוּ שׁוּם דַּעַת אֵיךְ לִלְחֹם עִם שׂוֹנְאֵינוּ וְרוֹדְפֵינוּ חִנָּם וְאֵיךְ לְהִתְנַהֵג עִמָּהֶם, כִּי כַּוָּנָתֵנוּ רְצוּיָה לְשֵׁם שָׁמַיִם וְאָנוּ חֲפֵצִים לְעָבְדְךָ בֶּאֱמֶת, וְלָשׁוּב אֵלֶיךָ בִּתְשׁוּבָה שְׁלֵמָה מְהֵרָה, וְאֵין אָנוּ חֲפֵצִים שׁוּם מַחֲלֹקֶת כְּלָל.

מָלֵא רַחֲמִים חֲמֹל עַל עֲנִיֵּי הַצֹּאן, עַל עַם מְמֻשָּׁךְ וּמְמֹרָט. עַם עָנִי וְאֶבְיוֹן.

וְרַחֵם וְהוֹשִׁיעַ וְהַצֵּל חֲלוּשֵׁי כֹחַ כָּאֵלֶּה מֵרִיב וּמַחֲלֹקֶת, כִּי אֵין לָנוּ עַל מִי לְהִשָּׁעֵן כִּי אִם עַל אָבִינוּ שֶׁבַּשָּׁמַיִם. עָלֶיךָ לְבַד הִשְׁלַכְנוּ אֶת יְהָבֵנוּ, עָלֶיךָ לְבַד אָנוּ נִשְׁעָנִים, אֵלֶיךָ תְּלוּיוֹת עֵינֵינוּ עַד שֶׁתְּחָנֵּנוּ.

Being Delivered from Dispute

HaShem, You Who are filled with compassion, You Who are the King and Master of peace, deliver us from argument and dispute. Grant us a consciousness that is lucid, calm, tranquil and unruffled.

May all of the impurities in our mind be removed until the hostile forces that derive sustenance from it cease to exist.

Our enemies persecute us for no reason and we do not know how to fight them. Our only intent is to please You, to serve You and return to You with complete repentance. We have no desire whatsoever to engage in any type of dispute.

You Who are filled with compassion, have mercy on us, the impoverished members of Your flock, a poor people who are pulled and torn apart.

Rescue us. Argument and dispute have deprived us of our strength. We have no one to rely on but You, our Father in Heaven. We cast our burden upon You alone, and we raise our eyes to You until You will be gracious to us.

וּבְכֵן תְּרַחֵם עָלֵינוּ אֲדוֹן מָלֵא רַחֲמִים, וְתַעֲזוֹר וְתוֹשִׁיעַ לָנוּ וּלְכָל עַמְּךָ בֵּית יִשְׂרָאֵל, שֶׁנִּזְכֶּה כֻּלָּנוּ לְהוֹלִיד וּלְגַדֵּל אֶת הַנְּפָשׁוֹת הַקְּדוֹשׁוֹת הַנִּמְשָׁכוֹת לָנוּ בְּכָל עֵת עַל־יְדֵי הַכָּבוֹד דִּקְדֻשָּׁה, שֶׁנִּזְכֶּה לְהוֹלִיד הַנְּפָשׁוֹת בְּנָקֵל בְּלִי קִשּׁוּי הוֹלָדָה כְּלָל. וְנִזְכֶּה לְגַדְּלָם בְּנַחַת וּבְשָׁלוֹם בְּלִי שׁוּם צַעַר גִּדּוּל בָּנִים כְּלָל.

וְתַשְׁפִּיעַ עָלֵינוּ בְּרַחֲמֶיךָ הָרַבִּים יִרְאָה וְאַהֲבָה, וְנִזְכֶּה לְיִרְאָה וּלְאַהֲבָה אֶת שִׁמְךָ בֶּאֱמֶת, וְעַל־יְדֵי־זֶה תַּמְשִׁיךְ עָלֵינוּ כֹּחַ הַיָּדַיִם הָעֶלְיוֹנִים הַקְּדוֹשִׁים, יָד הַחֲזָקָה וְיָד הַגְּדוֹלָה.

וְעַל־ יְדֵי־זֶה נִזְכֶּה לְהוֹלִיד וּלְגַדֵּל אֶת הַנֶּפֶשׁ בְּנַחַת וְשַׁלְוָה, בְּלִי שׁוּם קִשּׁוּי הוֹלָדָה וּבְלִי שׁוּם צַעַר גִּדּוּל בָּנִים כְּלָל.

להתפלל על אלו שיש להם צער ויסורים מגידול בנים ר"ל

אָנָּא יְיָ רַחֲמָן מָלֵא רַחֲמִים, אַתָּה יוֹדֵעַ אֶת צָרוֹתָם וּמַכְאוֹבָם שֶׁל עַמְּךָ יִשְׂרָאֵל שֶׁיֵּשׁ לָהֶם צַעַר גִּדּוּל בָּנִים רַחֲמָנָא לִצְלָן.

אֲשֶׁר כְּבָר הִפְלֵאתָ אֶת מַכּוֹתָם, וְלָקַחְתָּ מֵהֶם מַחְמַד עֵינֵיהֶם, וּמַשָּׂא נַפְשָׁם בָּנִים וּבָנוֹת הַיְקָרִים הַמְסֻלָּאִים בַּפָּז, נְפָשׁוֹת יְקָרוֹת וַחֲבִיבוֹת, יוֹנְקֵי שָׁדַיִם שֶׁלֹּא חָטְאוּ, גְּמוּלֵי

Nurturing Holy Spirits Within Ourselves

Master of compassion, help us and Your entire nation, the House of Israel, make use of "holy honor" to easily parent and raise holy spirits that are drawn into us. Let us do so without birth pangs and the difficulties associated with raising children.

Help us fear and love Your Name. In this way, draw onto us the power of the supernal, holy "strong hand" and "great hand."

May we parent and raise these spirits with calmness and tranquility, without any difficulty in birth or hardship of raising children.

A Prayer on Behalf of Those Who Have Difficulty Raising Children

HaShem, You know the suffering of Your nation, the Jewish people.

You have worsened their wounds by taking away the beloved of their eyes and the cherished of their souls: their sons and daughters, who are as precious as fine gold—beloved souls, babies and toddlers who never did wrong,

חָלָב שֶׁלֹּא פָּשְׁעוּ, תִּינוֹקוֹת שֶׁל בֵּית רַבָּן אֲשֶׁר הֵם מְקַיְּמִין אֶת הָעוֹלָם בְּהֶבֶל פִּיהֶם שֶׁאֵין בּוֹ חֵטְא.

רַק בַּעֲווֹנוֹתֵינוּ וּבַעֲווֹנוֹת אֲבוֹתָם פָּגַעְתָּ בָּהֶם.

רִבּוֹנוֹ שֶׁל עוֹלָם רִבּוֹנוֹ שֶׁל עוֹלָם, אַתָּה יָדַעְתָּ אֶת צַעֲרָם וּמַכְאוֹבָם הַקָּשֶׁה שֶׁל הַיְלָדִים הָרַכִּים הָאֵלֶּה, וְצַעַר וּמַכְאוֹב שֶׁל אֲבִיהֶם וְאִמָּם וְכָל קְרוֹבֵיהֶם וְכָל הַמִּצְטַעֲרִים בְּצָרָתָם, כִּי רַע וּמַר כִּי נָגַע עַד הַנֶּפֶשׁ.

בָּכֹה יִבְכּוּ הַרְבֵּה בֶּכֶה, וְדִמְעָתָם עַל לֶחָיָם. אַתָּה אֵל רָאִי הָרוֹאֶה "אֶת דִּמְעַת הָעֲשׁוּקִים הָאֵלֶּה וּמִיַּד עוֹשְׁקֵיהֶם כֹּחַ, וְאֵין לָהֶם מְנַחֵם".

חֲמֹל עַל רְתִיחַת דִּמְעָתָם וְאֶנְקָתָם וֶאֱמֹר לְצָרוֹתָם דַּי.

וְאַל תַּעֲשֶׂה לָהֶם כְּחֶטְאָם וְלֹא כַּעֲווֹנוֹתֵיהֶם תִּגְמֹל לָהֶם. "כִּי אַתָּה יְיָ טוֹב וְסַלָּח וְרַב חֶסֶד לְכָל קוֹרְאֶיךָ".

וְאַתָּה מְקַיֵּם אֶת הָעוֹלָם בַּחֲסָדֶיךָ, וְכַמָּה עַכּוּ"ם וּרְשָׁעִים גְּמוּרִים מְגַדְּלִים אֶת בְּנֵיהֶם, כִּי אַתָּה חָפֵץ בְּקִיּוּם הָעוֹלָם, וְאֵין אַתָּה חָפֵץ בְּהַשְׁחָתַת הָעוֹלָם.

schoolchildren whose sinless breath maintains the existence of the world.

Because of their fathers' sins, You struck at them.

Master of the world, You know the suffering of these tender children, of their fathers and mothers and all their relatives, and of everyone who is touched by their evil, bitter and profound troubles.

They weep, and the tears run down their cheeks. God, You see the tears of these suffering people, "whose oppressors are empowered and who have no one to comfort them."

Have mercy on their tears and sighs, and declare an end to their suffering.

Do not treat them in accordance with their transgressions, "for You, HaShem, are good, forgiving and exceedingly kind to all who call out to You."

You maintain the world in Your kindness. There are so many non-Jews and wicked people whom You allow to raise their children, because You desire the world's existence, not its destruction.

חוּס וְרַחֵם וַחֲמֹל עַל נַפְשׁוֹת עַמְּךָ יִשְׂרָאֵל וְתֹאמַר לַמַּלְאָךְ הֶרֶף יָדֶיךָ, וְיָשׁוּב חַרְבּוֹ אֶל נְדָנָהּ.

יְעוֹרְרוּ רַחֲמֶיךָ וַחֲנִינוֹתֶיךָ בְּאַהֲבָה וּבְחֶמְלָה יְתֵרָה עַל עַמְּךָ יִשְׂרָאֵל הַקָּדוֹשׁ, וְתַעֲזֹר וְתוֹשִׁיעַ וְתָגֵן עֲלֵיהֶם, שֶׁיִּזְכּוּ כֻלָּם לְגַדֵּל אֶת כָּל בְּנֵיהֶם וּבְנוֹתֵיהֶם בְּנַחַת וּבְשָׁלוֹם וְשַׁלְוָה בְּלִי שׁוּם צַעַר כְּלָל, לְתוֹרָה וּלְחֻפָּה וּלְמַעֲשִׂים טוֹבִים לְאֹרֶךְ יָמִים וְשָׁנִים טוֹבִים. וְתַמְשִׁיךְ עֲלֵיהֶם חַיִּים וַאֲרִיכוּת יָמִים וְשָׁנִים מֵאִתְּךָ מִמְּקוֹר הַחַיִּים.

(וּבִפְרָט עַל פלוני בן פלוני וְכוּ'). רַחֵם נָא קְהַל עֲדַת יְשֻׁרוּן, סְלַח וּמְחַל עֲווֹנָם.

וְהוֹשִׁיעֵנוּ אֱלֹהֵי יִשְׁעֵנוּ, שֶׁנִּזְכֶּה כֻלָּנוּ אֲנַחְנוּ וְכָל עַמְּךָ בֵּית יִשְׂרָאֵל, לְגַדֵּל אֶת כָּל בָּנֵינוּ וּבְנוֹתֵינוּ בְּנַחַת לְחַיִּים טוֹבִים אֲרוּכִים וּלְשָׁלוֹם.

וַעֲשֵׂה לְמַעַן אֲבוֹתֵינוּ וּלְמַעַן כָּל הַצַּדִּיקִים אֲמִתִּיִּים שֶׁבְּכָל דּוֹר וָדוֹר וְשֶׁבַּדּוֹר הַזֶּה, וְתַחְמֹל וּתְרַחֵם וְתוֹשִׁיעַ וְתַצִּיל אֶת יֶתֶר הַפְּלֵטָה, אֶת הַיְלָדִים שֶׁנּוֹלְדוּ כְּבָר וַאֲשֶׁר עֲתִידִין לְהִוָּלֵד, וְתַצִּילֵם מֵחֳלִי הַמָּאזְלִין וְהַפָּאקִין וּמִכָּל מִינֵי מַחֲלָה וּכְאֵב וּמֵחוּשׁ שֶׁבָּעוֹלָם.

Have pity on the souls of Your nation, the Jewish people. Instruct the angel to lower his hand and return his sword to its sheath.

Arouse Your compassion and graciousness with love and pity for Your holy Jewish people. Shield them so that they will all be able to raise their sons and daughters in peace and tranquility, without any trouble at all, so that these children may learn Torah, marry and engage in good deeds for many years to come. You Who are the Source of life, send these children long life.[1]

Have compassion on the Jewish people. Forgive their sins.

Save us, God of our salvation, so that we and Your entire nation, the House of Israel, will raise our sons and daughters in tranquility for a good, long and peaceful life.

Act for the sake of our fathers and for the sake of all the true Tzaddikim in every generation, including our own. Have pity and rescue the children of today and of tomorrow. Deliver them from epidemics, disease and pain.

---

1 If you wish at this point to pray on behalf of an individual, add here, "and in particular, [name], son/daughter of [father's name]."

וּתְחַזְּקֵם וְתַבְרִיאֵם וּתְחַיֵּם וְתַחֲלִימֵם.

וְתַעֲזֹר לַאֲבִיהֶם וְאִמָּם שֶׁיִּזְכּוּ לְגַדְּלָם בְּנַחַת וּלְחַנְּכָם בַּעֲבוֹדָתֶךָ וְיִרְאָתֶךָ לְאֹרֶךְ יָמִים וְשָׁנִים טוֹבִים.

וְיִזְכּוּ לִרְאוֹת מֵהֶם בָּנִים וּבְנֵי בָנִים עוֹסְקִים בַּתּוֹרָה וּבַמִּצְוֹת לְדוֹרֵי דוֹרוֹת עַד סוֹף כָּל הַדּוֹרוֹת. וְיִתְרַבּוּ עַמְּךָ בֵּית יִשְׂרָאֵל "כְּחוֹל הַיָּם אֲשֶׁר לֹא יִמַּד וְלֹא יִסָּפֵר מֵרֹב".

רַחֵם רַחֵם אָב הָרַחֲמָן, אַב הַחֶמְלָה אַב הַחֲנִינָה אַב הַחֶסֶד, רַחֵם נָא עַל יוֹנָה אִלֶּמֶת כָּמוֹנוּ הַיּוֹם.

כִּי אֵין מִי יַעֲמֹד בַּעֲדֵנוּ אֶלָּא שִׁמְךָ הַגָּדוֹל יַעֲמֹד לָנוּ בְּעֵת צָרָה, חוּסָה עָלֵינוּ וְעַל כָּל יִשְׂרָאֵל בְּרַחֲמֶיךָ הָרַבִּים, וְאַל תִּשְׁפֹּךְ חֲרוֹנְךָ עָלֵינוּ כִּי שִׁמְךָ נִקְרָא עָלֵינוּ. אַל תַּנִּיחֵנוּ וְאַל תַּעַזְבֵנוּ וְאַל תִּטְּשֵׁנוּ.

יֶהֱמוּ נָא מֵעֶיךָ וְרַחֲמֶיךָ עָלֵינוּ, וְאַל תֵּפֶן אֶל רִשְׁעֵנוּ וְאַל תַּסְתֵּר פָּנֶיךָ מִמֶּנּוּ, וְאַל תִּתְעַלֵּם מִתְּחִנָּתֵנוּ.

יְהִי נָא חַסְדְּךָ לְנַחֲמֵנוּ, טֶרֶם נִקְרָא אֵלֶיךָ עֲנֵנוּ, טֶרֶם נְדַבֵּר אַתָּה תִשְׁמַע.

Strengthen them, heal them and invigorate them.

Help their parents raise them in peace and educate them to serve You and fear You for good and long lives.

May these children grow to see their own children and grandchildren learning Torah and performing mitzvot, to the end of all generations. May Your nation, the House of Israel, increase "like the sand of the sea that cannot be measured or counted, because it is so much."

Gracious and kind Father of mercy, save a mute dove as I am today.

Only Your great Name protects us at a time of trouble. Have mercy on us and on all the Jewish people. Do not pour Your wrath upon us, for we are called by Your Name. Do not leave us, abandon us or spurn us.

Arouse Your inner being and compassion on our behalf. Do not look at our evil. Do not hide Your countenance from us and our pleas.

In Your kindness, console us. Even before we call out to You, answer us. Even before we speak, take heed of us.

רַחֲמָנָא דְעָנֵי לַעֲנִיֵּי עֲנִינָא, רַחֲמָנָא דְעָנֵי לִתְבִירֵי לִבָּא עֲנִינָא, רַחֲמָנָא דְעָנֵי לְמַכִּיכֵי רוּחָא עֲנִינָא, רַחֲמָנָא עֲנִינָא, רַחֲמָנָא חוּס, רַחֲמָנָא פְּרֹק, רַחֲמָנָא שְׁזִיב, רַחֲמָנָא רַחֵם עֲלָן, הַשְׁתָּא בַּעֲגָלָא וּבִזְמַן קָרִיב.

(עַד כָּאן):

חוּס וַחֲמֹל וְרַחֵם עָלֵינוּ וּמַלֵּא מִשְׁאֲלוֹתֵינוּ לְטוֹבָה בְּרַחֲמִים, וְזַכֵּנוּ לְהַרְבּוֹת בִּצְדָקָה תָּמִיד לַעֲנִיִּים הֲגוּנִים בֶּאֱמֶת כִּרְצוֹנְךָ הַטּוֹב.

וְנִזְכֶּה לִתֵּן צְדָקָה בִּשְׁעַת הַתְּפִלָּה בְּעֵת שֶׁאָנוּ אוֹמְרִים פָּסוּק "וְאַתָּה מוֹשֵׁל בַּכֹּל", עַד שֶׁנִּזְכֶּה לְהַעֲלוֹת הַמֶּמְשָׁלָה וְהַכָּבוֹד וְהַמַּלְכוּת מִן הַקְּלִפָּה, לְהַעֲלוֹת וּלְהוֹצִיא וּלְסַלֵּק כָּל הַכָּבוֹד וְהַגְּדֻלָּה וְהַמֶּמְשָׁלָה מִן הָעַכּוּ"ם וְהָרְשָׁעִים וְהָעַזֵּי פָנִים שֶׁבַּדּוֹר, וּלְהַחֲזִיר כָּל הַכָּבוֹד וְהַמַּלְכוּת אֶל הַקְּדֻשָּׁה. וְיָשׁוּב הַכָּבוֹד אֶל הַמְּבִינֵי מַדָּע אֶל הַצַּדִּיקִים וְהַחֲכָמִים הָאֲמִתִּיִּים דִּקְדֻשָּׁה.

וְנִזְכֶּה לְשַׁבֵּר תַּאֲוַת אֲכִילָה וּלְהַמְשִׁיךְ פָּנִים אֶל הַכָּבוֹד.

"Compassionate One Who answers the poor, answer us. Compassionate One Who answers those whose hearts are broken, answer us. Compassionate One Who answers those whose spirit is beaten, answer us. Compassionate One, answer us, Compassionate One, have mercy on us. Compassionate One, liberate us. Compassionate One, save us. Compassionate One, have compassion on us—now and at every moment to come."

Raising Honor to Its Root

Help us give much charity to the worthy poor, in accordance with Your beneficent will.

May we give charity during prayer when we recite the verse, "You rule over all,"[2] until we will raise and extract power, honor, greatness and sovereignty from the "husk" of evil—the non-Jews, the wicked, and the insolent people of the generation—and restore all of that honor and sovereignty to holiness, to those who understand knowledge: the true Tzaddikim and sages of holiness.

May we break our desire for eating and thereby draw Your countenance to Your honor.

2 This verse is recited during the *Pesukey de-Zimra* prayers.

וְתַצִּילֵנוּ מֵרִיב וּמַחֲלֹקֶת תָּמִיד.

וְתַעֲזֹר לָנוּ שֶׁיָּבוֹאוּ לָנוּ נְפָשׁוֹת רַבּוֹת חֲדָשׁוֹת דִּקְדֻשָּׁה עַל־יְדֵי הַכָּבוֹד דִּקְדֻשָּׁה.

וְנִזְכֶּה לְיִרְאָה וְאַהֲבָה בִּשְׁלֵמוּת, וְעַל־יְדֵי־זֶה נִזְכֶּה לְהוֹלִיד וּלְגַדֵּל אֶת הַנֶּפֶשׁ בְּלִי שׁוּם קֹשִׁי הוֹלָדָה וּבְלִי שׁוּם צַעַר גִּדּוּל בָּנִים כְּלָל.

רִבּוֹנוֹ שֶׁל עוֹלָם, אֵל הַכָּבוֹד, "לְךָ יְיָ הַמַּמְלָכָה וְהַמִּתְנַשֵּׂא לְכֹל לְרֹאשׁ, וְהָעֹשֶׁר וְהַכָּבוֹד מִלְּפָנֶיךָ, וְאַתָּה מוֹשֵׁל בַּכֹּל, וּבְיָדְךָ כֹּחַ וּגְבוּרָה וּבְיָדְךָ לְגַדֵּל וּלְחַזֵּק לַכֹּל".

זַכֵּנוּ לְהַעֲלוֹת כָּל הַכָּבוֹד לְשָׁרְשׁוֹ שֶׁבִּקְדֻשָּׁה.

וּבְכֵן תְּרַחֵם עַל נַפְשִׁי הָעֲיֵפָה מְאֹד, הַיְגֵעָה מְאֹד, וְתַשְׁפִּיעַ עָלַי מַיִם קָרִים לְהַחֲיוֹת וּלְהָשִׁיב וּלְהַבְרִיא אֶת נַפְשִׁי הָעֲיֵפָה וְהַיְגֵעָה מְאֹד מְאֹד.

כִּי זֶה יָמִים וְשָׁנִים אֲשֶׁר אֲנִי מִתְפַּלֵּל בְּלֹא לֵב, וְאֵינִי זוֹכֶה לְהַכְנִיס כָּל כַּוָּנַת לִבִּי לְתוֹךְ הַתְּפִלָּה וְלִבִּי רָחוֹק מִדִּבּוּרֵי הַתְּפִלָּה, אֲשֶׁר בִּגְלַל הַדָּבָר הַזֶּה נַפְשִׁי עֲיֵפָה מְאֹד.

אָנָּא בְּרַחֲמֶיךָ הָרַבִּים זַכֵּנִי לְתַקֵּן זֹאת, עָזְרֵנִי לְהִתְפַּלֵּל בְּכַוָּנַת הַלֵּב. זַכֵּנִי שֶׁיִּהְיֶה פִּי וְלִבִּי שָׁוִין בִּשְׁעַת הַתְּפִלָּה,

Rescue us from all conflict and dispute.

Help us so that by means of holy honor, many new souls of holiness will come to us.

May we attain complete awe and love of You. As a result, may we bring into being and develop a new spirit within ourselves, without any pangs of birth or difficulties of childrearing.

Master of the world, God of honor, "Yours, HaShem, is the sovereignty, and You are exalted as the head above all. Wealth and honor are before You, and You rule over all. In Your hand are power and might, and You have the power to enhance and strengthen everything."

Help us raise all honor to its root in holiness.

Praying with the Heart

Have compassion on my tired spirit. Pour refreshing water upon me to revive my weary soul.

For years I have failed to bring the intent of my heart to my prayers. And because my heart is so far from my prayers, my spirit is exhausted.

In Your vast compassion, help me rectify this. Help me pray with the intent of my heart, so that my mouth and heart will be in alignment.

שֶׁאֶזְכֶּה לְהַכְנִיס כָּל כַּוָּנוֹת לְבָבִי וְדַעְתִּי בְּתוֹךְ דִבּוּרֵי הַתְּפִלָּה. וְתִהְיֶה תְפִלָּתִי בְּכַוָּנָה גְדוֹלָה.

וְלֹא יֵצֵא שׁוּם דִּבּוּר מִפִּי בְּלִי כַּוָּנַת הַלֵּב, וְלֹא תִתְרַחֵק הַנֶּפֶשׁ מִן הַכָּבוֹד כְּלָל לְעוֹלָם.

וּתְזַכֵּנוּ לְהִזָּהֵר בִּכְבוֹד הַזָּקֵן שֶׁשָּׁכַח תַּלְמוּדוֹ, לְכַבְּדוֹ וּלְהַדְּרוֹ בְּכָל מִינֵי כָּבוֹד.

עַד שֶׁנִּזְכֶּה עַל־יְדֵי־זֶה לְהַמְשִׁיךְ רְעָמִים דִּקְדֻשָּׁה, וְעַל־יְדֵי־זֶה יִתְבַּקְּעוּ וְיִשְׁתַּבְּרוּ כָּל הָעֲנָנִין דִּמְכַסְיָן עַל עַיְנִין, וְיִתְגַּלֶּה דַּעַת הַזְּקֵנִים דִּקְדֻשָּׁה, וְיֵצְאוּ מַיִם רַבִּים מֵימֵי הַדַּעַת וְתִמָּלֵא הָאָרֶץ דֵּעָה אֶת יְיָ כַּמַּיִם לַיָּם מְכַסִּים.

וְתַמְשִׁיךְ עָלֵינוּ מֵימֵי הַדַּעַת מֵהַזְּקֵנִים דִּקְדֻשָּׁה, וְיִתְחַלְּקוּ מֵימֵי הַדַּעַת לְכָל אֶחָד וְאֶחָד לְפִי בְּחִינָתוֹ כָּרָאוּי לוֹ בֶּאֱמֶת.

וְנִזְכֶּה לְקַבֵּל וְלִשְׁאֹב מֵימֵי הַדַּעַת מִפִּי הַזְּקֵנִים דִּקְדֻשָּׁה בְּעַצְמָן, עַד שֶׁנִּזְכֶּה עַל־יְדֵי־זֶה לְהַמְשִׁיךְ מַיִם קָרִים עַל נַפְשׁוֹתֵינוּ הָעֲיֵפוֹת וְהַיְגֵעוֹת מְאֹד מְאֹד.

Bring all of the intentions of my heart and mind into my words of prayer so that I will speak to You with great feeling.

May I never utter a single word without the intent of my heart, and may my soul never be distant from Your honor.

Honoring Old People and Rectifying Blemished Prayer

Help us honor old people who have forgotten their learning.

As a result of our doing so, may we draw down the holy thunder that removes and shatters the clouds that cover our eyes, so that the holy consciousness of the elders will be revealed. Then a multitude of waters of knowledge will emerge so that "the earth will be filled with the knowledge of HaShem as water covers the seabed."

Draw onto us—to each individual on his level—the waters of knowledge of the elders of holiness.

May we convey the waters of knowledge from the mouths of the elders of holiness so that we will bring refreshing waters to our weary souls.

וְנִזְכֶּה לְתַקֵּן פְּגַם הַתְּפִלָּה, וְתַעַזְרֵנוּ בְּכָל עֵת לְהִתְפַּלֵּל תָּמִיד בְּכַוָּנוֹת הַלֵּב, בִּשְׁלֵמוּת בְּכָל לְבָבֵנוּ וּבְכָל נַפְשֵׁנוּ וּבְכָל מְאֹדֵנוּ בְּלִי שׁוּם פְּנִיּוֹת וּמַחֲשָׁבוֹת זָרוֹת כְּלָל, עַד שֶׁנִּזְכֶּה לְהַרְגִּישׁ כָּל דִּבּוּרֵי הַתְּפִלָּה בְּכָל עַצְמוֹתֵינוּ כְּמוֹ שֶׁכָּתוּב: "כָּל עַצְמוֹתַי תֹּאמַרְנָה יְיָ מִי כָמוֹךָ", וִידֻשְּׁנוּ כָּל עַצְמוֹתֵינוּ עַל־יְדֵי דִּבּוּרֵי הַתְּפִלָּה בִּשְׁלֵמוּת בְּכַוָּנַת הַלֵּב בֶּאֱמֶת.

חוּס וַחֲמֹל וְרַחֵם עָלַי, "תִּנָּתֶן לִי נַפְשִׁי בִּשְׁאֵלָתִי, וְעַמִּי בְּבַקָּשָׁתִי.

חָנֵּנִי יְיָ כִּי אֻמְלַל אָנִי, רְפָאֵנִי יְיָ כִּי נִבְהֲלוּ עֲצָמָי. וְנַפְשִׁי נִבְהֲלָה מְאֹד, וְאַתָּה יְיָ עַד מָתָי, שׁוּבָה יְיָ חַלְּצָה נַפְשִׁי, הוֹשִׁיעֵנִי לְמַעַן חַסְדֶּךָ.

נַפְשִׁי יְשׁוֹבֵב, יַנְחֵנִי בְמַעְגְּלֵי צֶדֶק לְמַעַן שְׁמוֹ.

שׁוּבִי נַפְשִׁי לִמְנוּחָיְכִי, כִּי יְיָ גָּמַל עָלָיְכִי. כִּי חִלַּצְתָּ נַפְשִׁי מִמָּוֶת, אֶת עֵינִי מִן דִּמְעָה, אֶת רַגְלִי מִדֶּחִי, אֶתְהַלֵּךְ לִפְנֵי יְיָ בְּאַרְצוֹת הַחַיִּים.

May we rectify blemished prayer. Help us always pray with the intent of our heart—with all our heart, soul and might—without any ulterior motives or foreign thoughts whatsoever, until we will feel all of the words of prayer in our bones. As the verse states, "All of my bones will proclaim, 'HaShem, who is like You!'" May our bones be enriched as a result of our words of prayer that have been perfected by the true intent of our heart.

Restore My Soul

Have mercy on me. "May my life be given to me at my petition and my nation at my request."

"Be gracious to me, HaShem, for I am languishing away. Heal me, HaShem, for my bones are shuddering. My soul shudders greatly. And You, HaShem, how long? Return, HaShem, rescue my soul. Save me for the sake of Your kindness."

"Restore my soul. Guide me on the paths of justice for the sake of Your Name."

"My soul, return to your rest, for HaShem has dealt bountifully with you. HaShem, You have rescued my soul from death, my eye from tears, my foot from stumbling. I shall walk before HaShem in the lands of life."

כִּי לֹא תַעֲזֹב נַפְשִׁי לִשְׁאֹל, לֹא תִתֵּן חֲסִידְךָ לִרְאוֹת שָׁחַת. אַךְ אֱלֹהִים יִפְדֶּה נַפְשִׁי, מִיַּד שְׁאוֹל כִּי יִקָּחֵנִי סֶלָה".

צוּר הָעוֹלָמִים אֲדוֹן כָּל הַבְּרִיּוֹת אֱלוֹהַּ כָּל הַנְּפָשׁוֹת, זַכֵּנִי לְהָשִׁיב וּלְהַחֲיוֹת וּלְהַבְרִיא אֶת נַפְשִׁי הָעֲיֵפָה וְהַיְגֵעָה מְאֹד, הָרְחוֹקָה מִתְּפִלָּה בְּכַוָּנָה מְאֹד.

עָזְרֵנִי וְהוֹשִׁיעֵנִי וְזַכֵּנִי לְהִתְעוֹרֵר וּלְהִתְחַזֵּק וּלְהִתְאַמֵּץ בְּכָל עֹז מֵעַתָּה לְהִתְפַּלֵּל בְּכַוָּנָה גְּדוֹלָה בְּכָל נַפְשִׁי וּלְבָבִי בֶּאֱמֶת.

"אֵלֶיךָ יְיָ נַפְשִׁי אֶשָּׂא. אֵלֶיךָ יְיָ נַפְשִׁי אֶשָּׂא. אֵלֶיךָ נָשָׂאתִי אֶת עֵינַי הַיּוֹשְׁבִי בַּשָּׁמָיִם", אֵלֶיךָ שִׁטַּחְתִּי אֶת כַּפַּי, "פֵּרַשְׂתִּי יָדַי כָּל הַיּוֹם, נַפְשִׁי כְּאֶרֶץ עֲיֵפָה לְךָ סֶלָה.

שַׂמֵּחַ נֶפֶשׁ עַבְדֶּךָ, כִּי אֵלֶיךָ יְיָ נַפְשִׁי אֶשָּׂא".

שַׂבְּעֵנִי מִטּוּבֶךָ וְשַׂמַּח נַפְשִׁי בִּישׁוּעָתֶךָ וְטַהֵר לִבִּי לְעָבְדְךָ בֶּאֱמֶת, וִיקֻיַּם בִּי מִקְרָא שֶׁכָּתוּב: "וְנַפְשִׁי תָּגִיל בַּיהוָה תָּשִׂישׂ בִּישׁוּעָתוֹ, כָּל עַצְמֹתַי תֹּאמַרְנָה יְיָ מִי כָמוֹךָ, מַצִּיל עָנִי מֵחָזָק מִמֶּנּוּ וְעָנִי וְאֶבְיוֹן מִגֹּזְלוֹ.

"Do not abandon my soul to the grave. Do not allow Your pious one to experience destruction," but "redeem my soul from the power of the grave when You take me."

Rock of worlds, Master of all creatures, God of all people! Restore, revive and heal my weary soul, which is so far from meaningful prayer.

Help me awaken, encourage and strengthen myself, so that from this moment on I will pray with fervor, with all my heart and soul.

"To You, HaShem, do I lift my soul." "I lift my eyes to You Who sit in Heaven." To You have I stretched out my hands. "I stretch out my hands all day long."

"My soul turns to You like a tired land."

"Give joy to the soul of Your servant because, HaShem, I lift my soul to You."

Satiate me with Your goodness. Give joy to my soul with Your salvation and purify my heart to serve You in truth. "My soul will be joyous in HaShem, it will rejoice in His salvation. All of my bones will proclaim, 'HaShem, Who is like You? You save the poor person from the one who is stronger than he, and the poor man and the impoverished man from the one who robs him.'"

מַה תִּשְׁתּוֹחֲחִי נַפְשִׁי וּמַה תֶּהֱמִי עָלָי הוֹחִילִי לֵאלֹהִים כִּי עוֹד אוֹדֶנּוּ, יְשׁוּעוֹת פָּנַי וֵאלֹהָי.

יִהְיוּ לְרָצוֹן אִמְרֵי פִי וְהֶגְיוֹן לִבִּי לְפָנֶיךָ יְיָ צוּרִי וְגוֹאֲלִי.

בָּרוּךְ יְיָ אֱלֹהִים אֱלֹהֵי יִשְׂרָאֵל עוֹשֵׂה נִפְלָאוֹת לְבַדּוֹ, וּבָרוּךְ שֵׁם כְּבוֹדוֹ לְעוֹלָם, וְיִמָּלֵא כְבוֹדוֹ אֶת כָּל הָאָרֶץ, אָמֵן וְאָמֵן".

"Why do You prostrate yourself, my soul, and moan within me? Hope in God. I will yet praise Him for the salvations that come from His countenance."

"May the words of my mouth and the meditation of my heart be acceptable before You, HaShem, my Rock and my Redeemer."

Blessed is HaShem, God of Israel, Who alone does wonders. Blessed is the Name of His honor forever, and may His honor fill the entire land. Amen, amen!

68-69

The Source of the Soul and Money / Desiring the Source of Money / A Person's Anger Diverts Anger Away from Him / A Thief Can Rob His Victim of His Children and His Wife / The Damage Caused by Coveting / The Love of Money Can Cause a Person to Have Enemies

---

The soul and money share the same holy root, which is the realm of supernal judgments.

Therefore, because all souls desire to reach that holy source, they desire money and even desire the company of a person who has money. But because money grows coarse after it descends, a person should desire only the source from which money comes.

Even in this-worldly terms, it would be fitting that all Jews have money. However, there is a character trait that a person possesses from childhood and onward that keeps money away from him. This trait is difficult to overcome, even if he intends to do so in order to attain money. This trait is anger, which also comes from the same source as money and the soul.

When the Side of Evil sees that a person is due to receive money, it entices him to grow angry, and that prevents him from receiving money. *CheiMaH* (anger) destroys the *ChoMaH* (wall) that had been protecting him spiritually. Even if a person is already receiving an abundance of money, when he gets very angry, he may lose it.

*

When a male child enters the world, he is assigned his wife-to-be, the amount of money he will attain, and the children he will father.

These are analogous to three parts of a tree. His wife is the tree trunk, his money the branches, and his children the fruits. Also, his *nefesh*—the feminine portion of his soul—is associated with his wife, and thus with the tree trunk.

When a thief robs his victim, he steals the branches of his victim's tree. If the victim's children (who are compared to the fruits) still need to be nurtured by their mother (who corresponds to the tree trunk), they might die. If the victim does not yet have children, he may remain childless.

Also, when the thief robs his victim, he comes to desire the victim's wife. This is because he wants everything that is associated with his victim's soul. If the thief is married, he may lose his own wife. He may reject his wife and take his victim's wife, or he may try to possess them both. If the thief is unmarried, he may lose the woman who had been destined to be his wife. In addition, once a psychic link is established between the thief and his victim's wife, she may feel attracted to him.

Sometimes the victim's soul constricts its light in order to keep the thief from attacking it. In that case, the thief cannot harm his victim's children or his soul. Then, even if the thief does rob his victim, the money that he takes is spiritually not considered to be money, but dust.

Even coveting someone else's property can deprive the victim of his money and children. The covetous person can rectify that by giving charity, and he may then keep the money that he gained as a result of his covetousness. (However, in case of literal thievery, a person must return what he stole.)

If someone has no money, it is because evil "husks" surround his soul and reduce its light. By giving charity, a person retrieves his soul from these husks.

When a person's mind is spiritually obscured, he desires money. Because his mind is unclear, his enemies gain strength. Sometimes such a person loves money so much and so foolishly that he acquires enemies who hate him for no reason at all. A wise person, however, shares the wealth of his wisdom with others in order to bring them close to God.

יְהִי רָצוֹן מִלְּפָנֶיךָ יְיָ אֱלֹהֵינוּ וֵאלֹהֵי אֲבוֹתֵינוּ, שֶׁתְּרַחֵם עָלַי בְּרַחֲמֶיךָ הָרַבִּים, וְתֵטִיב עִמִּי בְּטוּבְךָ הָאֲמִתִּי, וְתַצִּילֵנִי וְתִשְׁמְרֵנִי תָמִיד מֵעֲוֹן הַכַּעַס הֶחָמוּר מְאֹד.

כִּי אַתָּה יָדַעְתָּ כִּי מִדָּה הָרָעָה הַזֹּאת שֶׁל כַּעַס וּקְפֵדוּת נִתְאַחֲזָה בָּנוּ מִנְּעוּרֵינוּ, וּכְבָר הֻרְגַּלְתִּי בֶּעָוֹן זֶה מְאֹד, וְעָבַרְתִּי וְשָׁנִיתִי וְשִׁלַּשְׁתִּי בּוֹ כַּמָּה פְּעָמִים אֵין מִסְפָּר, עַד שֶׁנַּעֲשָׂה לִי כְּהֶתֵּר.

וְאַתָּה יוֹדֵעַ גֹּדֶל עֹצֶם הַפְּגָמִים שֶׁפָּגַמְתִּי עַל־יְדֵי הֶעָוֹן הֶחָמוּר הַזֶּה שֶׁל הַכַּעַס, שֶׁהוּא אֵל זָר עֲבוֹדָה זָרָה מַמָּשׁ, כְּמוֹ שֶׁכָּתוּב: "לֹא יִהְיֶה בְךָ אֵל זָר, וְלֹא תִשְׁתַּחֲוֶה לְאֵל נֵכָר".

וְעַל־יְדֵי־זֶה טוֹרְפִים הַנֶּפֶשׁ מַמָּשׁ, כְּמוֹ שֶׁכָּתוּב: "טוֹרֵף נַפְשׁוֹ בְּאַפּוֹ", וּשְׁאָר כָּל הַפְּגָמִים הָעֲצוּמִים הַנַּעֲשִׂים עַל־יְדֵי־זֶה בְּכָל הָעוֹלָמוֹת. "יְיָ אֱלֹהִים אַתָּה יָדַעְתָּ", וּבַעֲווֹנוֹתַי הָרַבִּים אֵינִי יוֹדֵעַ שׁוּם דֶּרֶךְ אֵיךְ לְהַצִּיל נַפְשִׁי מֵעֲוֹון הֶחָמוּר הַזֶּה, אֲשֶׁר הֻרְגַּלְתִּי בּוֹ מְאֹד מְאֹד.

רִבּוֹנוֹ שֶׁל עוֹלָם, טוֹב וּמֵטִיב לַכֹּל חוּס וַחֲמֹל עָלַי, וְלַמְּדֵנִי דַּרְכֵי טוּבְךָ בְּאֹפֶן שֶׁאֶזְכֶּה לֶאֱחֹז בְּמִדּוֹתֶיךָ הַקְּדוֹשִׁים, לִהְיוֹת

The Grave Sin of Anger

HaShem, my God and God of my fathers, protect me always from the grave sin of anger.

You know that the evil traits of anger and irritability have clung to me from my youth. I have become so accustomed to them and have transgressed so many times that I have come to view them as being permissible.

You know how many blemishes I have incurred because of the grave sin of anger, which is a foreign god, idolatry itself, as in the verse, "You shall not have a foreign god, and you shall not bow to a foreign god."

When a person is angry, his soul is literally torn apart, as in the verse, "He tears his soul in his anger." In addition to that, a great many blemishes are created that traverse all worlds, as You know, HaShem.

Because of my many wrongdoings, I do not know how to rescue my soul from this grave sin to which I have grown accustomed.

Overcoming Anger

Master of the world, You are good and do good to all. Teach me the ways of Your goodness so that I will be able to emulate Your holy

טוֹב לַכֹּל תָּמִיד, וּלְשַׁבֵּר מִדַּת הַכַּעַס וְהַחָרוֹן אַף וְהַקְפָּדוֹת לְגַמְרֵי שֶׁלֹּא יִהְיֶה בְּלִבִּי שׁוּם צַד כַּעַס כְּלָל.

וּבְכָל עֵת שֶׁיִּרְצֶה הַיֵּצֶר לְהָסִית אוֹתִי לִכְעֹס חַס וְשָׁלוֹם אֶזְכֶּה לָדַעַת וּלְהַאֲמִין בֶּאֱמוּנָה שְׁלֵמָה, שֶׁבְּשָׁעָה זוֹ רוֹצִים לְהַשְׁפִּיעַ לִי עֲשִׁירוּת גָּדוֹל, וְהַיֵּצֶר הָרָע רוֹצֶה לְקַלְקֵל חַס וְשָׁלוֹם זֹאת הַהַשְׁפָּעָה שֶׁל הָעֲשִׁירוּת, וְלַעֲשׂוֹת מִמֶּנָּה כַּעַס, וְלִטְרֹף אֶת נַפְשִׁי חַס וְשָׁלוֹם עַל־יְדֵי־זֶה.

וְעַל־יְדֵי־זֶה אֶזְכֶּה לְהִתְחַזֵּק וּלְהִתְגַּבֵּר לְשַׁבֵּר וּלְבַטֵּל הַכַּעַס לְגַמְרֵי, וְלַהֲפֹךְ הַכַּעַס לְרַחֲמָנוּת. וְאֶזְכֶּה עַל־יְדֵי־זֶה לַעֲשִׁירוּת גָּדוֹל דִּקְדֻשָּׁה, שֶׁהוּא שֹׁרֶשׁ הַנְּפָשׁוֹת.

וְלֹא יִהְיֶה שׁוּם כֹּחַ לְהַבַּעַל דָּבָר לְקַלְקֵל הַשְׁפָּעַת הָעֲשִׁירוּת חַס וְשָׁלוֹם עַל־יְדֵי הַכַּעַס וְהַחֵמָה חַס וְשָׁלוֹם, רַק נִזְכֶּה שֶׁיִּמְשַׁךְ עָלֵינוּ הַחוֹמָה שֶׁל עֲשִׁירוּת כְּמוֹ שֶׁכָּתוּב: "הוֹן עָשִׁיר קִרְיַת עֻזּוֹ, וּכְחוֹמָה נִשְׂגָּבָה בְּמַשְׂכִּתוֹ",

וְהַחוֹמָה שֶׁל עֲשִׁירוּת תָּגֵן עָלֵינוּ וְתִשְׁמְרֵנוּ מִכָּל מִינֵי כַּעַס וְחֵמָה, שֶׁהִיא עִיר פְּרוּצָה אֵין חוֹמָה, כְּמוֹ שֶׁכָּתוּב: "עִיר פְּרוּצָה אֵין חוֹמָה אִישׁ אֲשֶׁר אֵין מַעְצָר לְרוּחוֹ":

traits by being good to all people always. May I completely break the traits of anger and irritability until my heart does not contain the slightest trace of anger.

Whenever my evil inclination entices me to grow angry, may I know and believe with complete faith that at this moment, Heaven wishes to pour great wealth onto me, and that the evil inclination desires to ruin that influx of wealth and turn it into anger, in order to rip apart my soul.

With this awareness, may I strengthen myself to eradicate that anger and transform it into compassion. And in this way, may I attain great wealth of holiness, which is the root of souls.

May the power of evil have no power to damage the flow of wealth by means of anger. May the wall of wealth surround me, as in the verse, "The wealth of a rich man is his mighty city; it is like a high wall in his inlaid chamber."

May the wall of wealth protect me against every type of anger—that being a breached city without a wall, as in the verse, "A breached city without a wall: that is a man who cannot control his spirit."

רִבּוֹנוֹ שֶׁל עוֹלָם, אַתָּה יוֹדֵעַ כַּמָּה וְכַמָּה אִבַּדְתִּי בְּלִי שִׁעוּר עַל־יְדֵי הַכַּעַס, כַּמָּה נְפָשׁוֹת אִבַּדְתִּי, כַּמָּה עֲשִׁירוּת דִּקְדֻשָּׁה אִבַּדְתִּי, בְּכַמָּה וְכַמָּה עוֹלָמוֹת פָּגַמְתִּי עַל־יְדֵי־זֶה.

רִבּוֹנוֹ שֶׁל עוֹלָם רִבּוֹנוֹ שֶׁל עוֹלָם, מֵחֲמַת בִּלְבּוּל עֲכִירַת דַּעְתִּי מִתְעוֹרֵר וּמִתְגַּבֵּר הַכַּעַס וְהַקְפֵּדוּת בְּכָל פַּעַם, עַד אֲשֶׁר יִתְחַמֵּץ לְבָבִי בְּעַקְמִימִיּוּת גָּדוֹל וּמְבַלְבֵּל אוֹתִי מְאֹד מְאֹד, וְאֵינִי יוֹדֵעַ מַה לַּעֲשׂוֹת, וּבַעֲווֹנוֹתַי הָרַבִּים דַּעְתִּי קְצָרָה לְסַדֵּר תְּפִלָּתִי לְפָנֶיךָ לְהַצִּילֵנִי מֵעָוֹן הֶחָמוּר וְהַנּוֹרָא הַזֶּה, אֲשֶׁר עַל יָדוֹ נִטְרְדוּ כַּמָּה אֲנָשִׁים מִשְּׁנֵי עוֹלָמוֹת רַחֲמָנָא לִצְלַן, כַּאֲשֶׁר אַתָּה יָדַעְתָּ.

וְאֵינִי יוֹדֵעַ מַה לְּדַבֵּר, כִּי אִם הוֹשִׁיעֵנִי. הוֹשִׁיעָה הַמֶּלֶךְ, הוֹשִׁיעָה אָבִי אֲדוֹנִי מַלְכִּי וֵאלֹהָי.

זַכֵּנִי לְשַׁבֵּר וּלְבַטֵּל מִדַּת הַכַּעַס לְגַמְרֵי מֵאִתִּי. זַכֵּנִי לַעֲשִׁירוּת דִּקְדֻשָּׁה שֶׁהוּא שֹׁרֶשׁ הַנְּפָשׁוֹת.

עָזְרֵנִי לְשַׁבֵּר תַּאֲוַת מָמוֹן בִּשְׁלֵמוּת, וְלֹא אֶכְסֹף וְלֹא אֶחְמֹד הַמָּמוֹן כְּלָל, מִכָּל־שֶׁכֵּן שֶׁלֹּא אֶחְמֹד מָמוֹן אֲחֵרִים כְּלָל, רַק אֶזְכֶּה לִכְסֹף לְשֹׁרֶשׁ הַנְּפָשׁוֹת דִּקְדֻשָּׁה.

Anger and the Desire for Money

Master of the world, You know how immeasurably much I have lost, due to my anger—how many spirits I destroyed, how much holy wealth I forfeited, how many worlds I damaged.

Master of the world, because of the confusion of my mind, my anger and irritation are constantly aroused and grow stronger, until my heart has turned sour, contorted and confused, and I do not know what to do.

Because of my many sins, my mind is so constricted that I cannot even arrange the words of prayer to ask You to save me from this grave and terrible sin, which has driven many people from both worlds, as You well know.

All that I am capable of saying is, "Save me, my Father, my Master, my King and God!"

Help me eradicate the trait of anger. Help me attain wealth of holiness, which is the root of souls.

Help me break my desire for money, so that I will not desire money at all—and certainly not that of others—but will yearn only for the root of souls of holiness.

וְאֶזְכֶּה לְכַבֵּד עֲשִׁירִים כִּרְצוֹנְךָ הַטּוֹב, וְכָל אַהֲבָתִי לְהָעֲשִׁירִים וְכָל הַכָּבוֹד שֶׁאֲחַלֵּק לָהֶם, הַכֹּל יִהְיֶה לְשֵׁם שָׁמַיִם בֶּאֱמֶת, בִּשְׁבִיל קְדֻשַּׁת שֹׁרֶשׁ הַנְּפָשׁוֹת אֲשֶׁר אַתָּה מַשְׁפִּיעַ עֲלֵיהֶם, אֲשֶׁר מִשָּׁם מְקַבְּלִים עֲשִׁירוּתָם.

וְלֹא יִהְיֶה לִי שׁוּם תַּאֲוָה לְמָמוֹן הַגַּשְׁמִי כְּלָל, רַק לְשִׁמְךָ וּלְזִכְרְךָ תִּתְאַוֶּה נַפְשִׁי תָּמִיד:

וּבְכֵן תְּרַחֵם עָלַי בְּרַחֲמֶיךָ הָרַבִּים, וְתִשְׁמְרֵנִי וְתַצִּילֵנִי תָּמִיד מֵעָוֹן הֶחָמוּר שֶׁל גְּזֵלָה, שֶׁלֹּא אֶגְזֹל אֶת חֲבֵרִי אֲפִלּוּ שָׁוֶה פְּרוּטָה, וְלֹא אֶחְמֹד וְלֹא אֶתְאַוֶּה אֶת בֵּית רֵעִי, שׁוֹרוֹ וַחֲמוֹרוֹ וְעַבְדּוֹ וַאֲמָתוֹ כְּלֵי כַסְפּוֹ וּזְהָבוֹ, תַּכְשִׁיטָיו וּבְגָדָיו וּכְלֵי בֵיתוֹ, וְכֹל אֲשֶׁר לְרֵעִי, הַכֹּל כַּאֲשֶׁר לַכֹּל, אֶהְיֶה נִשְׁמַר תָּמִיד לִבְלִי לְהִתְאַוּוֹת לָהֶם, לֹא מֵהֶם וְלֹא מִקְצָתָם:

רִבּוֹנוֹ שֶׁל עוֹלָם אַתָּה יוֹדֵעַ כַּמָּה נְפָשׁוֹת שֶׁקָּעוּ בֶּעָוֹן זֶה שֶׁל תַּאֲוַת מָמוֹן, אֲשֶׁר עַל־יְדֵי־זֶה נוֹפְלִים קְצָתָם בִּגְזֵלוֹת מַמָּשׁ, וּקְצָתָם בַּחֲמָדוֹת וְתַאֲוֹת גְּדוֹלוֹת לְמָמוֹן חַבְרֵיהֶם שֶׁגַּם זֶה נֶחְשָׁב לִגְזֵלָה מַמָּשׁ.

רִבּוֹנוֹ שֶׁל עוֹלָם, שָׁמְרֵנִי וְהַצִּילֵנִי מִזֶּה. שָׁמְרָה נַפְשִׁי וְהַצִּילֵנִי מִכָּל מִינֵי גְזֵלוֹת, הֵן מִגְּזֵלוֹת מַמָּשׁ, שֶׁלֹּא אֶגְזֹל אֶת חֲבֵרִי אֲפִלּוּ שָׁוֶה פְּרוּטָה, אֲפִלּוּ בְּשׁוֹגֵג וּבְטָעוּת, וְאֶזְכֶּה

May I honor wealthy people in accordance with Your will. And may all of my love for wealthy people and all of the honor that I accord them be for the sake of Heaven, for the sake of the holiness coming from the root of souls that You pour onto them, from which they receive their wealth.

May I have no desire for material wealth, but may my soul desire only Your Name and a constant awareness of You.

Protection from Covetousness and Dishonesty

Have compassion on me. Rescue me always from the grave sin of dishonesty so that I will not steal even something worth as little as a penny, and that I will not desire anything that belongs to anyone else, in whole or in part.

Master of the world, many people have sunk so far that they commit the sin of lusting after money. Some of them engage in actual robbery and others covet other people's money, which is also considered a form of robbery.

Master of the world, keep me from engaging in any sort of dishonesty. May I never steal in the literal sense—even as little as a penny, even by accident or by mistake. If need be, to

לְוַתֵּר מִשֶּׁלִּי, וְהֵן מִגְזֵלוֹת עַל־יְדֵי חֶמְדָּה וְתַאֲוָה חַס וְשָׁלוֹם, שֶׁגַּם עַל־יְדֵי־זֶה יְכוֹלִין לִגְזֹל חַס וְשָׁלוֹם, כַּאֲשֶׁר הוֹדַעְתָּנוּ עַל־יְדֵי חֲכָמֶיךָ הַקְּדוֹשִׁים.

זַכֵּנִי לְהִנָּצֵל מִכָּל זֶה, זַכֵּנִי שֶׁאֶהְיֶה נָקִי מִכָּל מִינֵי גָּזֵל שֶׁבָּעוֹלָם. עָזְרֵנִי שֶׁלֹּא אֶסְתַּכֵּל כְּלָל עַל מַה שֶּׁיֵּשׁ לַחֲבֵרִי, וְלֹא אֶכְסֹף וְלֹא אֶחְמֹד אֶת שֶׁלּוֹ כְּלָל.

וְתַצִּילֵנִי וְתִשְׁמְרֵנִי בְּרַחֲמֶיךָ הָרַבִּים, שֶׁגַּם לֹא יִהְיֶה כֹּחַ לְשׁוּם אָדָם שֶׁבָּעוֹלָם לִגְזֹל אוֹתִי כְּלָל, לֹא בְּיָדַיִם וְלֹא עַל־יְדֵי חֶמְדָּה, מִכָּל־שֶׁכֵּן שֶׁלֹּא יִהְיֶה לוֹ כֹּחַ לִגַּע בְּנַפְשִׁי חַס וְשָׁלוֹם, אוֹ בְּנֶפֶשׁ אִשְׁתִּי וּבָנַי וּבְנוֹתַי וְיוֹצְאֵי חֲלָצַי.

רַק תִּתֵּן כֹּחַ לְנַפְשִׁי וּלְכָל הַנְּפָשׁוֹת הַתְּלוּיִים בִּי, שֶׁנִּזְכֶּה לְהִתְגַּבֵּר כְּנֶגֶד כָּל הַגַּזְלָנִים הָעוֹמְדִים עָלֵינוּ כְּרוֹצְחֵי נְפָשׁוֹת חַס וְשָׁלוֹם, לְהַכְנִיעָם וּלְהַשְׁפִּילָם עַד עָפָר, וּלְהוֹצִיא בִּלְעָם מִפִּיהֶם.

וְלֹא יִהְיֶה לָהֶם שׁוּם כֹּחַ לִגַּע בָּנוּ וּבְמָמוֹנֵינוּ כְּלָל:

וְזַכֵּנוּ לְהַרְבּוֹת בִּצְדָקָה תָּמִיד, וְעַל־יְדֵי־זֶה תַּרְוִיחַ לָנוּ בְּכָל עֲסָקֵינוּ.

וְתַזְמִין לָנוּ פַּרְנָסוֹתֵינוּ קֹדֶם שֶׁנִּצְטָרֵךְ לָהֶם. וְתִתֵּן לָנוּ עֲשִׁירוּת גָּדוֹל דִּקְדֻשָּׁה, עֹשֶׁר וְכָבוֹד וְחַיִּים.

avoid that, may I prefer to give up something of my own. And may I never engage in the type of thievery that results from coveting—with which a person can also rob, as our holy sages have taught us.

Protect me so that no one else will have the power to rob me—whether literally or by means of coveting. May no one have the power to harm my soul or that of my wife, my children or my descendants.

Strengthen my soul and the souls of all of those who depend on me so that we may overcome all the thieves who attack us in order to murder our souls. May we may overcome them, cast them to the dust, and extract their ill-gotten gain from their mouths.

May they have no power whatsoever to harm us and take our money.

Overcoming Dishonesty and Gaining Abundance

Help us always give a great deal of charity. As a result, may we prosper in all of our business dealings.

Provide us with our income before we need it. Send us an abundance of holiness, wealth, honor and life.

רִבּוֹנוֹ שֶׁל עוֹלָם אַתָּה יוֹדֵעַ חֶסְרוֹן הַפַּרְנָסָה בָּעֵת הַזֹּאת, אֲשֶׁר "כָּשַׁל כֹּחַ הַסַּבָּל", כִּי חַיֵּינוּ תְלוּיִם מִנֶּגֶד, וְאֵין אָנוּ יוֹדְעִים שׁוּם דֶּרֶךְ אֵיךְ לְהַשִּׂיג פַּרְנָסָה, כִּי אִם עָלֶיךָ לְבַד אָנוּ נִשְׁעָנִים.

כִּי מִמִּי אֶשְׁאַל לַחְמִי וּפַרְנָסָתִי, וְכָל צָרְכֵי הַמְרֻבִּים מְאֹד, הֲלֹא מִמְּךָ לְבַד, אֲשֶׁר אַתָּה מְפַרְנֵס וּמְכַלְכֵּל מִקַּרְנֵי רְאֵמִים עַד בֵּיצֵי כִנִּים.

חֲמֹל עָלַי וְהוֹשִׁיעֵנִי, וְתֵן לִי פַּרְנָסָה בְּרֶוַח מִתַּחַת יָדְךָ הָרְחָבָה וְהַמְלֵאָה, וְאַל תַּצְרִיכֵנִי לֹא לִידֵי מַתְּנַת בָּשָׂר וָדָם וְלֹא לִידֵי הַלְוָאָתָם. וְעָזְרֵנִי לְסַלֵּק כָּל הַחוֹבוֹת שֶׁאֲנִי חַיָּב מִכְּבָר, וּמֵעַתָּה תַּצִּילֵנִי שֶׁלֹּא אָבֹא לִידֵי שׁוּם חוֹב וְהַלְוָאָה כְּלָל.

וְתִהְיֶה בְּעֶזְרִי שֶׁאֶזְכֶּה מְהֵרָה לְתַקֵּן פְּגַם כָּל הַגְּזֵלוֹת שֶׁבְּיָדִי מֵעוֹדִי עַד הַיּוֹם הַזֶּה, וְאֶזְכֶּה לְהָשִׁיב אֶת כָּל הַגְּזֵלוֹת אֲשֶׁר גָּזַלְתִּי, אוֹ אֶת הָעֹשֶׁק אֲשֶׁר עָשַׁקְתִּי, בֵּין בְּשׁוֹגֵג בֵּין בְּמֵזִיד בֵּין בְּאֹנֶס בֵּין בְּרָצוֹן. וְכָל מִינֵי סִכְסוּכִים בְּעִסְקֵי מָמוֹן, שֶׁנִּשְׁאַר בְּיָדִי אֵיזֶה מָמוֹן שֶׁל חֲבֵרִי עַל יְדֵי אֵיזֶה טָעוּת וְהַעְלָמָה מֵאֵיזֶה מַשָּׂא וּמַתָּן וְחוֹב וְכַדּוֹמֶה, הֵן מַה שֶּׁאֲנִי זוֹכֵר עֲדַיִן הֵן מַה שֶּׁנִּשְׁכַּח מִמֶּנִּי, הַכֹּל אֶזְכֶּה לְסַלֵּק וּלְשַׁלֵּם לְבַעֲלֵיהֶם חִישׁ קַל מְהֵרָה.

Master of the world, You know how difficult it is to earn a living nowadays, when "the strength of the porter has collapsed." Our lives hang by a thread. We know of no way to earn a living, and so we rely on You alone.

Whom shall I ask to give me bread and an income with which to take care of my many needs? I turn to You alone, Who sustains and supports all creatures, from the greatest beast to the tiniest insect.

Have mercy on me and save me. Provide me with a generous income from Your full and open hand. May I never need to depend on people's gifts and loans. Help me repay all of my debts and never again need to borrow money.

Help me quickly rectify the blemish of any dishonesty of which I was ever guilty. May I return everything that I ever stole and restore whatever I took unfairly—by accident or on purpose, against my will or willingly. May I quickly repay any money that I owe due to any monetary dispute, perhaps as a result of a mistake caused by forgetfulness, in regard to any business deal, loan and the like—that which I remember and that which I have forgotten.

וְתַשְׁפִּיעַ לִי בְּרַחֲמֶיךָ מָמוֹן הַרְבֵּה, בְּאֹפֶן שֶׁאֶזְכֶּה לָצֵאת יְדֵי חוֹבָתִי לְסַלֵּק לְכָל מִי שֶׁנָּגַעְתִּי בְּמָמוֹנוֹ וַחֲפָצָיו שׁוּם צַד נְגִיעָה בָּעוֹלָם.

וְאִם חַס וְשָׁלוֹם יֵשׁ בְּיָדִי אֵיזֶה גְּזֵלָה וָחוֹב שֶׁאֵינִי יוֹדֵעַ בְּעַצְמִי לְמִי גָזַלְתִּי, תַּעַזְרֵנִי בְּרַחֲמֶיךָ הָרַבִּים שֶׁאֶזְכֶּה לַעֲשׂוֹת מֵהֶם צָרְכֵי רַבִּים, כַּאֲשֶׁר צִוִּיתָנוּ עַל יְדֵי חֲכָמֶיךָ הַקְּדוֹשִׁים, בְּאֹפֶן שֶׁאֶזְכֶּה מְהֵרָה בְּחַיַּי לְתַקֵּן וּלְהַחֲזִיר כָּל הַגְּזֵלוֹת וְהַחוֹבוֹת שֶׁבְּיָדִי.

כִּי אַתָּה יוֹדֵעַ חֹמֶר אִסּוּר גְּזֵלָה, שֶׁנֶּחְשַׁב כְּאִלּוּ גּוֹזֵל נַפְשׁוֹ וָנֶפֶשׁ בָּנָיו וּבְנוֹתָיו, וּכְאִלּוּ בָּא עַל אֵשֶׁת אִישׁ.

מָלֵא רַחֲמִים חוּס וַחֲמֹל עַל נַפְשִׁי, וְעָזְרֵנִי לְתַקֵּן פְּגַם כָּל הַגְּזֵלוֹת וְהַחוֹבוֹת שֶׁבְּיָדִי, וְתַרְחִיב אֶת יָדִי, וְתַעַזְרֵנִי וּתְזַכֵּנִי לִתֵּן צְדָקָה הַרְבֵּה לַעֲנִיִּים הֲגוּנִים הַרְבֵּה.

בְּאֹפֶן שֶׁאֶזְכֶּה לְתַקֵּן עַל יְדֵי זֶה פְּגַם הַגְּזֵלוֹת שֶׁבְּיָדִי עַל יְדֵי חֶמְדָּה, מַה שֶּׁהָיִיתִי חוֹמֵד וּמִתְאַוֶּה אֶת שֶׁל חֲבֵרִי עַד שֶׁגָּזַלְתִּי אוֹתוֹ עַל־יְדֵי־זֶה. אָנָּא יְיָ זַכֵּנִי לְתַקֵּן זֹאת עַל יְדֵי צְדָקָה:

Send me an abundant income so that I will be able to repay my debts and restore any money or possessions that I owe.

If I am holding onto any money that I gained dishonestly or that I owe, and I myself do not know whom I robbed or whom I owe, help me spend it on public needs, as You commanded us through Your holy sages, so that I will quickly rectify and return all of my gains from theft and unpaid debts.

Theft is such a grave sin that a thief is considered to have robbed the soul of his victim and of his victim's sons and daughters, and he is even considered as though he has had relations with his victim's wife.

Overcoming Dishonesty and Giving Charity

Help me rectify the blemishes in my life caused by my possession of any money that I gained dishonestly or that I owe. Help me generously open my hand to give a great deal of charity to many worthy poor people.

And when I give charity, may I rectify the blemish caused by my possession of money that came to me as a result of having coveted someone else's possessions—for that attitude resulted in my gaining those possessions in a manner that is considered dishonest.

וּבְכֵן יְהִי רָצוֹן מִלְּפָנֶיךָ מָלֵא רַחֲמִים, שֶׁאֶזְכֶּה לְתִקּוּן הַבְּרִית בִּשְׁלֵמוּת, וְאֶזְכֶּה לְקַדֵּשׁ אֶת עַצְמִי בַּמֻּתָּר לִי.

וְתַצִּילֵנִי וְתִשְׁמְרֵנִי מִתַּאֲוַת הַמִּשְׁגָּל וּמִתַּאֲוַת מָמוֹן, וְתִתֵּן לִי כֹּחַ לְשַׁבֵּר אֵלּוּ הַתַּאֲווֹת לְגַמְרֵי. וְתִשְׁמְרֵנִי בְּרַחֲמֶיךָ הָרַבִּים וְתַצִּילֵנִי מֵהִרְהוּרִים רָעִים וּמִמַּחֲשָׁבוֹת רָעוֹת. וְאֶזְכֶּה שֶׁיִּהְיֶה מֹחִי וְדַעְתִּי זַךְ וְנָקִי מִכָּל מִינֵי הִרְהוּרִים וּמִכָּל מִינֵי פְּסֹלֶת.

וְתַכְנִיעַ וְתַשְׁפִּיל וּתְבַטֵּל אֶת כָּל אוֹיְבַי וְשׂוֹנְאַי הַקָּמִים עָלַי חִנָּם, כִּי אַתָּה יוֹדֵעַ כִּי "רַבּוּ מִשַּׂעֲרוֹת רֹאשִׁי שֹׂנְאַי חִנָּם, עָצְמוּ מַצְמִיתַי אוֹיְבַי שֶׁקֶר, אֲשֶׁר לֹא גָזַלְתִּי אָז אָשִׁיב":

רִבּוֹנוֹ שֶׁל עוֹלָם הַצִּילֵנִי מֵהֶם, "הַצִּילֵנִי מֵאוֹיְבַי אֱלֹהָי, מִמִּתְקוֹמְמַי תְּשַׂגְּבֵנִי".

רוֹאֶה בְּעֶלְבּוֹן עֲלוּבִים, "רְאֵה עָנְיִי וַעֲמָלִי, רְאֵה אוֹיְבַי כִּי רַבּוּ וְשִׂנְאַת חָמָס שְׂנֵאוּנִי.

Sanctification and Rescue from Enemies

May it be Your will that I attain a complete rectification of the covenant of sexual purity, and sanctify myself in that which is permitted to me.

Rescue me from the lust for marital relations and the lust for money. Give me the ability to completely break these desires.

Guard me against evil musings. May my mind be pure of all such mental rubbish.

May I overcome all of my enemies, people who hate me and rise up against me for no reason. "More than the hairs of my head are those who hate me without cause. Those who would cut me off, my deceitful enemies, have increased. Shall I return to them that which I did not steal?"

Refuge in HaShem

Master of the world, "rescue me from my enemies; my God, lift me above those who have risen against me."

I have been disgraced. Look upon my shame. "See my affliction and my weariness...See how many are my enemies, those who hate me with a cruel hatred."

יְיָ, מָה רַבּוּ צָרָי, רַבִּים קָמִים עָלָי, רַבִּים אוֹמְרִים לְנַפְשִׁי, אֵין יְשׁוּעָתָה לּוֹ בֵאלֹהִים סֶלָה.

שָׁמְרָה נַפְשִׁי וְהַצִּילֵנִי, אַל אֵבוֹשׁ כִּי חָסִיתִי בָךְ".

עָזְרֵנִי, שָׁמְרֵנִי וְהַצִּילֵנִי, הַצִּילֵנִי תָמִיד מֵרִיב וּמַחֲלֹקֶת, תֶּן לִי רַחֲמִים וַחֲנִינָה, זַכֵּנִי שֶׁאֶמְצָא חֵן וְשֵׂכֶל טוֹב בְּעֵינֵי אֱלֹהִים וְאָדָם.

וְיִהְיוּ דְבָרַי נִשְׁמָעִים לַעֲבוֹדָתֶךָ וּלְיִרְאָתֶךָ:

וְרַחֵם עָלֵינוּ וְזַכֵּנוּ שֶׁנִּזְכֶּה לִמְצֹא וּלְהַשִּׂיג שַׁעֲרֵי הַחָכְמָה וְהַמַּדָּע שֶׁפָּתְחוּ הַצַּדִּיקִים בָּעוֹלָם, עַל־יְדֵי טוּבָם הַגָּדוֹל, שֶׁצִּמְצְמוּ אֶת עַצְמָן וְהוֹרִידוּ אֶת עַצְמָן, וְהִלְבִּישׁוּ שִׂכְלָם הַנּוֹרָא בְּכַמָּה לְבוּשִׁים וְצִמְצוּמִים, עַד אֲשֶׁר פָּתְחוּ לָנוּ שַׁעֲרֵי אוֹרָה שַׁעֲרֵי הַחָכְמָה וְהַמַּדָּע עַל יְדֵי תוֹרָתָם וְשִׂיחָתָם שֶׁגִּלּוּ לָנוּ בְּסִפְרֵיהֶם הַקְּדוֹשִׁים וְהַנּוֹרָאִים מְאֹד.

זַכֵּנוּ שֶׁנִּזְכֶּה לַעֲסֹק בָּהֶם כָּל יְמֵי חַיֵּינוּ בְּאֹפֶן שֶׁנִּזְכֶּה לְקַיְּמָם בֶּאֱמֶת. וְנִזְכֶּה לִלְמֹד וּלְלַמֵּד לִשְׁמֹר וְלַעֲשׂוֹת וּלְקַיֵּם אֶת כָּל דִּבְרֵי תוֹרָתָם בְּאַהֲבָה:

"HaShem, how many are my adversaries, how many rise against me. How many say about me, 'There is no salvation for him from God'?"

"Guard my soul and rescue me. May I never be ashamed, for I have taken refuge in You."

Save me always from arguments and disputes. Be compassionate and gracious to me. Help me find favor in everyone's eyes. May I be wise in Your eyes and in the eyes of man.

Hear my words. Help me serve You and fear You.

Studying the Words of the Tzaddikim

Help me reach the gates of light, wisdom and knowledge.

The Tzaddikim opened up these gates in their wondrous goodness by constricting and lowering themselves, clothing their awesome consciousness in numerous garments—which is to say, in the teachings that they revealed to us in their holy and awesome books.

Help me study their books all the days of our lives. May I lovingly learn, teach, practice and actualize every word of their teachings.

וְזַכֵּנוּ לְקַיֵּם מִצְוַת תְּפִלִּין בִּשְׁלֵמוּת כָּרָאוּי בְּכָל פְּרָטֶיהָ וְדִקְדּוּקֶיהָ וְכַוָּנוֹתֶיהָ וְתַרְיַ"ג מִצְוֹת הַתְּלוּיִים בָּהּ, בְּשִׂמְחָה גְדוֹלָה וּבְחֶדְוָה רַבָּה וַעֲצוּמָה.

וְתַשְׁפִּיעַ וְתָאִיר עָלֵינוּ אוֹר הַתְּפִלִּין וְהָרְצוּעוֹת הַקְּדוֹשִׁים מִשָּׁרְשָׁם הָעֶלְיוֹן.

בְּאֹפֶן שֶׁנִּזְכֶּה לְתַקֵּן פְּגַם כָּל הַגְּזֵלוֹת וּפְגַם כָּל תַּאֲוַת מָמוֹן וְכָל מִינֵי פְּגַם הַדַּעַת וְהַמֹּחַ, שֶׁהוּא כְּלַל הַתּוֹרָה הַקְּדוֹשָׁה.

הַכֹּל נִזְכֶּה לְתַקֵּן עַל יְדֵי קְדֻשַּׁת הַמֹּחִין וּקְדֻשַּׁת הַמּוֹתְרֵי מֹחִין שֶׁיִּמְשְׁכוּ עָלֵינוּ עַל יְדֵי קְדֻשַּׁת הַתְּפִלִּין וְהָרְצוּעוֹת הַקְּדוֹשִׁים וְהַנּוֹרָאִים, שֶׁתְּזַכֵּנוּ לְקַיְּמָם בִּשְׁלֵמוּת בְּשִׂמְחָה כִּרְצוֹנְךָ הַטּוֹב.

The Light of the Holy Tefilin

Help me put on tefilin[3] in a perfect and beautiful way, taking care with every detail, bearing in mind the deepest meanings associated with them and gaining access to the energy of all 613 commandments that are embedded in them. May I do this with great joy.

From their supernal root, shine the light of the holy tefilin and their straps onto me.

Then I will rectify the blemishes of dishonesty and the desire for money, and every other blemish of the mind—that rectification constituting the entirety of the holy Torah.

May I rectify all of this by means of the holiness within my mind and the holiness that emanates from my mind—which are drawn onto me as a result of my wearing holy and awesome tefilin, together with their straps. Help me keep this mitzvah perfectly and joyously, in accordance with Your beneficent will.

---

3 Tefilin are special leather boxes containing biblical verses declaring the Oneness of God and the miracles of the Exodus from Egypt, worn by Jewish males aged thirteen and over on the head and the arm during morning prayers (except on Shabbat and Festivals).

וְתִשְׁמְרֵנוּ מִכָּל מִינֵי הִרְהוּרִים רָעִים, וּמִכָּל מִינֵי מַחֲשָׁבוֹת רָעוֹת וּמִכָּל מִינֵי פְּגַם הַדַּעַת. וְנִזְכֶּה לִלְמֹד תּוֹרָה בְּטָהֳרָה, בְּמַחֲשָׁבוֹת זַכּוֹת צַחוֹת וּנְכוֹנוֹת, בְּלִי שׁוּם תַּעֲרוֹבוֹת פְּסֹלֶת וַעֲכִירַת הַדַּעַת כְּלָל.

וְתָבִיא לָנוּ אֶת מְשִׁיחַ צִדְקֵנוּ, וְתִשְׁלַח לָנוּ מְהֵרָה אֶת אֵלִיָּהוּ הַנָּבִיא לְבַשְּׂרֵנוּ, וּמִפִּי אֲרָיוֹת יַצִּילֵנוּ, וְאָבוֹת עַל בָּנִים יְשַׂמְּחֵנוּ, בִּמְהֵרָה בְיָמֵינוּ, אָמֵן כֵּן יְהִי רָצוֹן:

Guard me from all sorts of evil thoughts and blemishes of the mind. May I learn Torah in purity, with thoughts that are clean, lucid and proper, without any unclean admixture that might pollute my mind.

Bring our righteous Mashiach. Quickly send us Elijah the prophet with glad tidings. Save us from the mouth of lions. Give joy to all of us, parents and children, quickly and in our day. Amen, so may it be Your will.

70

Everything Depends on the Tzaddik / Giving Charity to the Tzaddik / Those Who Push a Person Away from the Tzaddik / The Tzaddik and the Tabernacle / Honor

All objects are sustained by the earth. They are pulled to the earth and rest upon it, and can be detached from it only when a force temporarily pushes them away.

The unique Tzaddik, to whom all other Tzaddikim are secondary, is comparable to the earth in a number of ways. Just as all objects stand upon the earth, so does everything depend on this Tzaddik. Just as the earth is lowly, so is this Tzaddik humble. Just as the earth's soil sustains all plant life, so does this Tzaddik bring sustenance and abundance to the universe.

When a person gives charity to this Tzaddik, he is blessed immediately, for he is sowing in the fertile earth. But if a person gives charity to someone who is not comparable to the earth, that does not bear fruit.

Just as a force can push an object off the earth, there is a force that can push people away from this Tzaddik. That force is to be found in people who endeavor to discourage others from going to the Tzaddik.

The Mishkan (Tabernacle) was comparable to the Tzaddik. It, too, possessed the power of attraction, in the sense that it attracted Godliness to where it stood amid the Jews, even if they had sinned.

Because the Tabernacle is comparable to that unique Tzaddik, only he can build it. In particular, since the Tabernacle embodied the trait of humility, it was built by Moses, who was the most humble of men.

Another characteristic shared by the Tabernacle and the unique Tzaddik is honor. Today, when there is no Tabernacle, honor resides only with that Tzaddik, and all people derive honor from him.

לראש־חודש ניסן

"מָשְׁכֵנִי אַחֲרֶיךָ נָּרוּצָה".

כְּבוֹדְךָ הַגָּדוֹל וְהַקָּדוֹשׁ הָעִירָה וְהָקִיצָה, רִבּוֹנוֹ שֶׁל עוֹלָם מֶלֶךְ הַכָּבוֹד, אֲשֶׁר מְלֹא כָל הָאָרֶץ כְּבוֹדְךָ.

וּבְחַסְדְּךָ הַגָּדוֹל נָתַתָּ לָנוּ צַדִּיקִים אֲמִתִּיִּים בְּכָל דּוֹר וָדוֹר, אֲשֶׁר כְּבוֹדְךָ הַגָּדוֹל וְהַקָּדוֹשׁ שׁוֹכֵן אֶצְלָם, וּבְרַחֲמֶיךָ הָרַבִּים הוֹדַעְתָּ לָנוּ כִּי אֵין דּוֹר יָתוֹם, וְגַם בַּדּוֹרוֹת הַלָּלוּ הִפְלֵאתָ חַסְדְּךָ עִמָּנוּ, וְנָתַתָּ לָנוּ צַדִּיקִים אֲמִתִּיִּים גְּדוֹלִים וְנוֹרָאִים, קָדוֹשׁ וְנוֹרָא שְׁמָם, אֲשֶׁר כָּל הַכָּבוֹד דִּקְדֻשָּׁה שׁוֹכֵן אֶצְלָם.

כִּי הֵם בְּחִינַת מִשְׁכַּן כְּבוֹדֶךָ, אֲשֶׁר קְדֻשַּׁת שְׁכִינַת אֱלֹהוּתְךָ נִמְשָׁךְ וְשׁוֹכֵן אֶצְלָם תָּמִיד.

כִּי הֵם עֲנָוִים בֶּאֱמֶת שֶׁמְּשִׂימִים עַצְמָם כֶּעָפָר.

אֲשֶׁר כָּל הַבְּרִיאָה עִם כָּל פְּרָטֶיהָ, הַכֹּל כַּאֲשֶׁר לַכֹּל עוֹמֵד עֲלֵיהֶם, וְהַכֹּל נִמְשָׁךְ מֵהֶם, כִּי הֵם צַדִּיקֵי יְסוֹדֵי עוֹלָם שֶׁהֵם יְסוֹד כָּל הַבְּרִיאָה, וְהַכֹּל צְרִיכִים לִמְשֹׁךְ אֲלֵיהֶם לְקַבֵּל חַיּוּת וְקִיּוּם מֵהֶם, כִּי עֲלֵיהֶם עוֹמֵד הַכֹּל.

For Rosh Chodesh Nisan

"Draw me, we will run after You."

Master of the world and King of glory, arouse Your glory, which fills the world.

In particular, Your glory and honor reside with the true Tzaddikim, whom You have kindly placed in every generation. As You have taught us, there is no orphaned generation. Even now You have sent us Your true, great and awesome Tzaddikim, in whom all of the glory and honor of holiness resides.

These Tzaddikim are like the Tabernacle. The holy presence of Your Godliness is drawn to them and dwells within them always.

And this is because they are humble. They make themselves like the earth.

Just as all objects stand upon the earth, so too, all of creation, with all of its particulars, stands upon these Tzaddikim. And just as plants grow forth from the earth, so too, all beings come forth from these Tzaddikim. These Tzaddikim are the foundation of the universe. Therefore, everything must be drawn to them to receive life and existence.

וְכָל יִשְׂרָאֵל כֻּלָּם הֵם עֲנָפִים מֵהֶם, וְנִמְשָׁכִים אֲלֵיהֶם וּמְקַבְּלִים כָּל הַחִיּוּת וְהַשֶּׁפַע מֵהֶם, כִּי הֵם מְחַיִּין אֶת כֻּלָּם.

וְיֵשׁ לָהֶם כֹּחַ הַמּוֹשֵׁךְ לְהַמְשִׁיךְ אֱלֹהוּת אֶצְלָם, וּלְהַמְשִׁיךְ כָּל בְּנֵי הָעוֹלָם אֶצְלָם, לְקָרְבָם כֻּלָּם אֵלֶיךָ תִּתְבָּרַךְ לָנֶצַח.

רִבּוֹנוֹ שֶׁל עוֹלָם רִבּוֹנוֹ שֶׁל עוֹלָם, יְיָ אֱלֹהִים אֱמֶת, אַתָּה יָדַעְתָּ אֶת הַצַּדִּיקִים הָאֲמִתִּיִּים הָאֵלֶּה שֶׁיֵּשׁ לָהֶם זֶה הַכֹּחַ. אַתָּה יָדַעְתָּ גְּדֻלָּתָם וּגְבוּרָתָם וְתִפְאַרְתָּם וְתָקְפָּם לָנֶצַח, וְעֹצֶם כֹּחָם שֶׁיֵּשׁ לָהֶם לְהַמְשִׁיךְ אֲלֵיהֶם וּלְתוֹרָתָם הַקְּדוֹשָׁה וּלְדַרְכֵיהֶם וַעֲצוֹתֵיהֶם הַנִּפְלָאוֹת, כָּל הָעוֹלָם כֻּלּוֹ. וְכַמָּה טוֹבוֹת הָיוּ נִצְמָחִים עַל יְדֵי זֶה לָנֶצַח.

כִּי תִּקּוּן כָּל הָעוֹלָמוֹת וּגְאֻלָּה הַשְּׁלֵמָה הַמְעֻתֶּדֶת לָבוֹא, הַכֹּל תָּלוּי בָּזֶה. כִּי בִּיאַת הַמָּשִׁיחַ תָּלוּי, בְּקִרְבַת הַצַּדִּיקִים.

אֲבָל אַתָּה יָדַעְתָּ רִבּוֹנוֹ דְּעָלְמָא כֻּלָּא, גֹּדֶל עֹצֶם וְרִבּוּי הַכֹּחוֹת הַמַּכְרִיחִים הַמַּרְחִיקִים בְּכָל הַכֹּחוֹת מִלְּהִתְקָרֵב לַצַּדִּיקִים, כִּי הַכֹּחַ הַמַּכְרִיחַ מִתְגַּבֵּר בְּכָל עֵת לְהַפְסִיק וּלְהַרְחִיק מֵהַצַּדִּיקִים.

רִבּוֹנוֹ שֶׁל עוֹלָם, "יְיָ אִישׁ מִלְחָמָה", מָרוֹם וְקָדוֹשׁ, פּוֹעֵל

In particular, every Jew is a branch that comes from them and is drawn to them, and receives all of his vitality and flow of abundance from them, for they give life to all.

They have the power to draw Godliness and all people to them, with the goal of binding them all to You.

The Holy Tzaddikim

Master of the world, these powerful Tzaddikim possess an eternal greatness, might, beauty and strength. They have the ability to draw the entire world to them and to their holy teachings, wondrous ways and advice. This results in much goodness that lasts forever.

The rectification of all worlds, the perfect redemption that is destined to arrive and the coming of the Mashiach, all depend on people coming close to these Tzaddikim.

But unfortunately, a multitude of powerful forces are working to push people away from the Tzaddikim and keep them from ever approaching them.

Struggling to Come Close to the Tzaddikim

Master of the world, "HaShem, God of battle," You Who are elevated and holy, bringing about

גְּבוּרוֹת, עוֹשֶׂה חֲדָשׁוֹת, בַּעַל מִלְחָמוֹת, אַתָּה יוֹדֵעַ אֶת כָּל תֹּקֶף הַמִּלְחָמָה הַגְּדוֹלָה וְהַנּוֹרָאָה הַזֹּאת שֶׁיֵּשׁ בְּכָל עֵת בְּכָל דּוֹר וָדוֹר, בֵּין כֹּחַ הַמּוֹשֵׁךְ שֶׁל צַדִּיקֵי אֱמֶת, שֶׁיֵּשׁ לָהֶם כֹּחַ לְהַמְשִׁיךְ כָּל הָעוֹלָם אֶצְלָם לְקָרְבָם לְהַבּוֹרֵא יִתְבָּרַךְ שְׁמוֹ לָנֶצַח, וּבֵין הַכֹּחַ הַמַּכְרִיחַ הַמִּתְגַּבֵּר בְּכָל עֵת נֶגֶד הַכֹּחַ הַמּוֹשֵׁךְ, לְהַפְסִיק וּלְהַרְחִיק מֵהַצַּדִּיקִים וּמֵהַשֵּׁם יִתְבָּרַךְ.

וְכַמָּה וְכַמָּה נְפָשׁוֹת שָׁקְעוּ בַּמִּלְחָמָה הַזֹּאת, אֲשֶׁר נִטְרְדוּ מִשְּׁנֵי עוֹלָמוֹת עַל־יְדֵי הַכֹּחַ הַמַּכְרִיחַ הַמַּפְסִיק שֶׁהִרְחִיקָם מִן הַצַּדִּיקִים הָאֲמִתִּיִּים.

וַאֲנַן יַתְמֵי דְּיַתְמֵי, מַה נַּעֲשֶׂה וּמַה נִּפְעַל, מִי יִלְחוֹם בַּעֲדֵנוּ, לְהַכְנִיעַ וּלְשַׁבֵּר וּלְבַטֵּל כֹּחַ הַמַּכְרִיחַ, כְּנֶגֶד כֹּחַ הַמּוֹשֵׁךְ שֶׁל הַצַּדִּיקִים:

רִבּוֹנוֹ שֶׁל עוֹלָם, "יְיָ עִזּוּז וְגִבּוֹר, יְיָ גִּבּוֹר מִלְחָמָה", עָלֶיךָ הִשְׁלַכְנוּ אֶת יְהָבֵינוּ, שֶׁאַתָּה תִּלְחוֹם בַּעֲדֵנוּ, יְיָ יָרִיב אֶת רִיבֵנוּ, וְיִלְחֹם אֶת לוֹחֲמֵנוּ, כִּי "אַתָּה מָרוֹם לְעוֹלָם יְיָ", וּלְעוֹלָם יָדְךָ עַל הָעֶלְיוֹנָה.

new and mighty things! You know the intensity of the struggle that is being waged at every moment and in every generation between the power of the true Tzaddikim, who have the ability to draw all people to them in order to bring them close to You, and the opposite force that distances the world from the Tzaddikim and from You.

Many souls have fallen in this war. They have been driven from both worlds as a result of that force, which separated them from the true Tzaddikim.

And we are the most orphaned of all. What shall we do and how shall we act? Who will fight on our behalf to overcome that force, which pushes away the power of attraction of the Tzaddikim?

Overcoming the Force That Separates Us from the Tzaddikim

"HaShem, strong and mighty, HaShem Who is mighty in war," we have cast our burden upon You. Please fight on our behalf. You are elevated forever, HaShem, and You always have the upper hand.

חוּס וְחָנֵּנוּ וְרַחֵם עָלֵינוּ, וְעָזְרֵנוּ וְהוֹשִׁיעֵנוּ בִּזְכוּת הַצַּדִּיקִים הָאֲמִתִּיִּים שֶׁיֵּשׁ לָהֶם כֹּחַ הַמּוֹשֵׁךְ בֶּאֱמֶת, שֶׁיִּתְגַּבֵּר בְּהִתְגַּבְּרוּת גָּדוֹל וְנוֹרָא הַכֹּחַ הַמּוֹשֵׁךְ עַל הַכֹּחַ הַמַּכְרִיחַ הַמַּפְסִיק, עַד שֶׁיִּפֹּל וְיִתְבַּטֵּל הַכֹּחַ הַמַּכְרִיחַ הָרוֹצֶה לְהַפְסִיק מֵהַצַּדִּיקִים וּמֵהַשֵּׁם יִתְבָּרַךְ חַס וְשָׁלוֹם.

שֶׁהֵם כְּלַל כָּל הַמְּנִיעוֹת וְהַהַרְחָקוֹת וְהַהֲסָתוֹת וְהַפִּתּוּיִים וְהַסְּפֵקוֹת וְכָל מִינֵי מַחֲלֹקֶת וְקֻשְׁיוֹת וְכָל הַתַּאֲוֹת וּמִדּוֹת רָעוֹת וְכָל מִינֵי מְנִיעוֹת שֶׁבָּעוֹלָם, שֶׁכֻּלָּם נִמְשָׁכִים מִכֹּחַ הַמַּכְרִיחַ הָרוֹצֶה לְהַפְסִיק מֵהַצַּדִּיקִים וּמֵהַשֵּׁם יִתְבָּרַךְ. וְכֻלָּם יִפְּלוּ וְיִתְבַּטְּלוּ בְּבִטּוּל גָּמוּר כְּנֶגֶד הַכֹּחַ הַמּוֹשֵׁךְ שֶׁל הַצַּדִּיקִים הָאֲמִתִּיִּים.

עַד אֲשֶׁר נִזְכֶּה אֲנַחְנוּ וְזַרְעֵינוּ וְכָל זֶרַע עַמְּךָ בֵּית יִשְׂרָאֵל וְכָל הָעוֹלָם כֻּלּוֹ לִהְיוֹת נִמְשָׁכִים וּכְרוּכִים תָּמִיד אַחֲרֵי צַדִּיקֵי אֱמֶת, וְיַשְׁלִיכוּ כֻּלָּם אֶת אֱלִילֵי כַסְפָּם וֶאֱלִילֵי זְהָבָם וְכָל תַּאֲוֹתָם, וְיֵלְכוּ וְיָרוּצוּ אַחֲרֵי צַדִּיקִים אֲמִתִּיִּים. וְנִזְכֶּה כֻּלָּנוּ לְהִתְקָרֵב לְהַצַּדִּיקִים אֲמִתִּיִּים בְּהִתְקָרְבוּת גָּדוֹל, וְלִשְׁמֹעַ תּוֹרָתָם הַקְּדוֹשָׁה וְלִלְמֹד סִפְרֵיהֶם הַקְּדוֹשִׁים, וּלְקַיֵּם אֶת כָּל דִּבְרֵיהֶם וַעֲצוֹתֵיהֶם וְשִׂיחוֹתֵיהֶם הַקְּדוֹשׁוֹת בִּשְׁלֵמוּת בֶּאֱמֶת וּבִתְמִימוּת כִּרְצוֹנְךָ וְכִרְצוֹנָם הַקָּדוֹשׁ, עַד אֲשֶׁר נִזְכֶּה עַל־יְדֵי־זֶה לָשׁוּב אֵלֶיךָ בִּתְשׁוּבָה שְׁלֵמָה מְהֵרָה בֶּאֱמֶת וּבְלֵב שָׁלֵם, "בְּשִׂמְחָה וּבְטוּב לֵבָב מֵרֹב כֹּל":

Save us in the merit of the true Tzaddikim. May their power of attraction overcome the force that wants to separate us from them and from You, until that force will at last fall and disappear.

That force is a combination of obstructions, distractions, temptations, doubts, disputes, lusts and other evil traits. May the power of attraction of the true Tzaddikim cause all of these to fall and be eradicated.

In the end, may we, our families, the Jewish people and the entire world be drawn to and cling to the true Tzaddikim. Then everyone will cast away his gods of silver and gold—which is to say, his desires—and instead pursue the true Tzaddikim. We will all heed their words, learn their books and follow all of their holy advice in accordance with Your will and their holy will, until we will return to You with all our hearts—"with joy and with a glad heart, because there is such abundance."

וּתְזַכֵּנוּ לְשַׁבֵּר וּלְבַטֵּל כָּל הַתַּאֲווֹת רָעוֹת וְכָל הַמִּדּוֹת רָעוֹת.

וְנִזְכֶּה לְבַטֵּל עַצְמֵנוּ לְגַמְרֵי, עַד אֲשֶׁר נִזְכֶּה לַעֲנָוָה אֲמִתִּיִּית בִּבְחִינַת עָפָר מַמָּשׁ, עַד שֶׁנִּזְכֶּה שֶׁיִּהְיֶה לָנוּ גַּם כֵּן כֹּחַ הַמּוֹשֵׁךְ, וְנִזְכֶּה לְהַמְשִׁיךְ אֱלֹהוּתְךָ וּקְדֻשָּׁתְךָ אֵלֵינוּ, וּלְהַמְשִׁיךְ כָּל הָעוֹלָם כֻּלּוֹ לֶאֱמוּנָתְךָ הַקְּדוֹשָׁה וּלְצַדִּיקֶיךָ הָאֲמִתִּיִּים וְלַעֲבוֹדָתְךָ וּלְתוֹרָתְךָ הַקְּדוֹשָׁה, אֲשֶׁר גִּלִּיתָ לָנוּ עַל יְדֵי מֹשֶׁה נְבִיאֶךָ, וְעַל יְדֵי כָּל צַדִּיקֵי הַדּוֹר הָאֲמִתִּיִּים:

וְזַכֵּנוּ בְּרַחֲמֶיךָ הָרַבִּים לִתֵּן צְדָקָה הַרְבֵּה לַעֲנִיִּים הֲגוּנִים, וּבִפְרָט לְהַצַּדִּיקִים אֲמִתִּיִּים וְלִבְנֵי הַצַּדִּיקִים. וְעָזְרֵנוּ וְהוֹשִׁיעֵנוּ שֶׁנִּזְכֶּה לִתֵּן לָהֶם בְּכָבוֹד גָּדוֹל, וּלְהַסְפִּיק לָהֶם כָּל צָרְכֵיהֶם בְּכָבוֹד, וְתַצְלִיחַ אוֹתָנוּ שֶׁנִּזְכֶּה לִתֵּן כָּל הַצְּדָקוֹת שֶׁלָּנוּ לְהַצַּדִּיקִים אֲמִתִּיִּים שֶׁהֵם עֲנָוִים בֶּאֱמֶת בִּבְחִינַת עָפָר.

וְעַל־יְדֵי־זֶה נִזְכֶּה שֶׁהַצְּדָקָה שֶׁלָּנוּ תַּעֲשֶׂה פֵּרוֹת מִיָּד, כְּמוֹ שֶׁכָּתוּב: "זִרְעוּ לָכֶם לִצְדָקָה קִצְרוּ לְפִי חֶסֶד".

וְתַצְמִיחַ לָנוּ עַל־יְדֵי הַצְּדָקָה כָּל טוּב, שֶׁפַע טוֹבָה וּבְרָכָה וְרַחֲמִים וְחַיִּים וְשָׁלוֹם, בְּנֵי חַיֵּי וּמְזוֹנֵי וְכָל טוּב לָנֶצַח.

Overcoming Our Evil Traits

Help us eradicate our lusts and evil traits.

Help us nullify our egos until we attain true humility and we are like the earth itself, possessing the power to draw Your Godliness and holiness to ourselves, to draw the entire world to Your holy faith, to draw all people to the true Tzaddikim, to Your holy service and to Your holy Torah, which You revealed to us through Moses and through all of the true Tzaddikim of each generation.

Giving Charity

Help us give much charity to worthy poor people—particularly to the true Tzaddikim who are as humble as the earth, and to their children—in an honorable way, and may our charity never reach any unworthy poor person.

As a result, may our charity bear fruit immediately. As the verse states, "Sow for yourselves for charity; reap in accordance with kindness."

May giving charity bring us only goodness, abundance, blessing, compassion, life, peace, children and income forever.

וּבְרַחֲמֶיךָ הָרַבִּים תִּשְׁמְרֵנוּ וְתַצִּילֵנוּ שֶׁלֹּא נִכָּשֵׁל לְעוֹלָם בַּעֲנִיִּים שֶׁאֵינָם מְהֻגָּנִים, וּתְסַבֵּב בְּרַחֲמֶיךָ בְּאֹפֶן שֶׁלֹּא יַגִּיעוּ הַצְּדָקוֹת שֶׁלָּנוּ לְשׁוּם עָנִי שֶׁאֵינוֹ הָגוּן, רַק נִזְכֶּה לְהַרְבּוֹת בִּצְדָקָה לַעֲנִיִּים הֲגוּנִים וּלְצַדִּיקִים אֲמִתִּיִּים. עָזְרֵנוּ לְמַעַן שְׁמֶךָ, חוּסָה עָלֵינוּ כְּרֹב רַחֲמֶיךָ, וְזַכֵּנוּ לָבוֹא לְכָל זֶה מְהֵרָה:

וְעָזְרֵנוּ וְזַכֵּנוּ לִבְרֹחַ מִן הַכָּבוֹד בְּתַכְלִית הָאֱמֶת.

וְתַמְשִׁיךְ עָלֵינוּ כָּבוֹד דִּקְדֻשָּׁה לְמַעַן שִׁמְךָ בֶּאֱמֶת, כָּבוֹד הַנִּמְשָׁךְ מֵהַצַּדִּיק הָאֱמֶת שֶׁיֵּשׁ לוֹ כֹּחַ הַמּוֹשֵׁךְ, אֲשֶׁר הוּא מֵקִים אֶת הַמִּשְׁכָּן תָּמִיד, וְאֶצְלוֹ שׁוֹכֵן כָּל הַכָּבוֹד הָאֱמֶת דִּקְדֻשָּׁה.

אֲשֶׁר כָּל זִקְנֵי יִשְׂרָאֵל וְרָאשָׁיו וְשׁוֹטְרָיו וְשׁוֹפְטָיו מִקָּטָן וְעַד גָּדוֹל כֻּלָּם מְקַבְּלִים כָּל כְּבוֹדָם וּגְדֻלָּתָם מִמֶּנּוּ.

זַכֵּנוּ לְכָבוֹד דִּקְדֻשָּׁה כָּזֶה אֲשֶׁר עַל יָדוֹ יִתְגַּלֶּה וְיִתְגַּדֵּל וְיִתְקַדֵּשׁ כְּבוֹדְךָ הַגָּדוֹל בָּעוֹלָם תָּמִיד, וְתִמְלֹךְ עַל כָּל הָעוֹלָם כֻּלּוֹ בִּכְבוֹדֶךָ מְהֵרָה, וּכְבוֹדְךָ יִמָּלֵא כָּל הָאָרֶץ. וִיקֻיַּם מִקְרָא שֶׁכָּתוּב: "אֲנִי יְיָ הוּא, שְׁמִי וּכְבוֹדִי לְאַחֵר לֹא אֶתֵּן, וּתְהִלָּתִי לַפְּסִילִים".

וְנֶאֱמַר: "סַפְּרוּ בַגּוֹיִם אֶת כְּבוֹדוֹ, בְּכָל הָעַמִּים נִפְלְאוֹתָיו. כְּבוֹד מַלְכוּתְךָ יֹאמֵרוּ, וּגְבוּרָתְךָ יְדַבֵּרוּ".

בָּרוּךְ יְיָ אֱלֹהִים אֱלֹהֵי יִשְׂרָאֵל עֹשֵׂה נִפְלָאוֹת לְבַדּוֹ, וּבָרוּךְ שֵׁם כְּבוֹדוֹ לְעוֹלָם, וְיִמָּלֵא כְבוֹדוֹ אֶת כָּל הָאָרֶץ אָמֵן וְאָמֵן:

Protect us from giving charity to those who are undeserving, and help us increase our charity to worthy poor people and true Tzaddikim.

God's Honor Will Fill the World

Help us flee from personal honor.

Instead, grant us holy honor for the sake of Your Name, honor that is derived from the true Tzaddik who possesses the power of attraction and who sets up the Tabernacle.

All Jewish leaders, from small to great, receive their honor and greatness from him.

May that honor be revealed, magnified and sanctified. May Your honor fill the world, in accordance with the verse, "I am HaShem. That is My Name, and I will not give My honor to another, nor My praise to idols."

"Proclaim among the nations His honor, among all the peoples His wonders." "They will speak of the honor of Your sovereignty and tell of Your might."

Blessed is HaShem, God of Israel, Who alone does wonders. Blessed is the Name of His glory forever; may His glory fill the entire world. Amen and amen.

71 (105)

God's Simple Compassion and His Great Compassion / God's Prayer / We Repent by Learning Torah / Three Phases of Learning Torah / God "Prays" on Our Behalf

---

God has two types of compassion: Simple Compassion and, higher than that, Great Compassion.

We need God's Great Compassion to help us in both the spiritual and material realms. But although everyone wants that Great Compassion and it stands before everyone's eyes, no one knows where it is, no one can pray and draw it down, because—due to our oppressive exile—no one recognizes God's greatness. Therefore, God Himself must pray for this. And what brings Him to pray? Our repentance, which we attain by learning Torah.

The mechanism behind this is as follows.

Every person possesses a portion of the spiritual worlds in the form of holy "letters" and permutations of holy energies. One connects these to whatever he chooses to cling to. If he pursues base desires, he connects them to the Side of Evil. Then the holy letters and permutations of holy energies are confused, and consequently, his mind is confused. That constitutes the exile of God's Divine Presence. Then, because one lacks proper awareness, he lacks access to God's Great Compassion.

This person must study Torah, proceeding through three phases.

First, when he sits down to learn, he brings all of his thoughts and consciousness into the Torah so that he is contained within in it like a fetus in its mother's womb. Second, he learns Torah and comes to understand it—that is called birth and nursing. And third, he infers one matter from another and creates original insights—that is the level of independent intelligence.

When this person proceeds through these three phases of learning Torah, he attains complete repentance. He now restores the holy letters and permutations of holy energies to their root. In doing so, he becomes a new person. His awareness is whole and, as a result, God has compassion on him.

Now God prays on his behalf. That means that God's Simple Compassion awakens His Great Compassion.

This may be conceptualized as follows. A certain person is in need of a great deal of charity. There are two philanthropists in his community. One is accessible, but does not have enough money to help him. The other does have enough money to help him, but is accessible only to the first philanthropist. The person therefore asks the first philanthropist to petition the wealthier philanthropist on his behalf.

In the same way, we ask God to arouse His Simple Compassion on our behalf so that it will draw down His Great Compassion.

יְהִי רָצוֹן מִלְּפָנֶיךָ יְיָ אֱלֹהֵינוּ וֵאלֹהֵי אֲבוֹתֵינוּ, שֶׁתְּרַחֵם עָלֵינוּ וְתַעַזְרֵנוּ שֶׁנִּזְכֶּה לַעֲסֹק בְּתוֹרָתְךָ הַקְּדוֹשָׁה תָּמִיד יוֹמָם וָלַיְלָה. לֹא יָמוּשׁ סֵפֶר הַתּוֹרָה הַזֶּה מִפִּינוּ וּמִפִּי זַרְעֵנוּ עַד עוֹלָם.
וְנִזְכֶּה לְהָבִין וּלְהַשְׂכִּיל אֶת כָּל דִּבְרֵי תוֹרָתֶךָ, לְהָבִין כָּל דִּבְרֵי הַתּוֹרָה הַקְּדוֹשָׁה עַל בֻּרְיָן וַאֲמִתָּתָן בִּמְהִירוּת גָּדוֹל.

וְנִזְכֶּה לְהָבִין דָּבָר מִתּוֹךְ דָּבָר, וּלְחַדֵּשׁ תָּמִיד חִדּוּשִׁים אֲמִתִּיִּים בְּתוֹרָתְךָ הַקְּדוֹשָׁה, חִדּוּשִׁים שֶׁיִּהְיוּ לְךָ לְנַחַת וּלְרָצוֹן לִפְנֵי כִּסֵּא כְבוֹדֶךָ.

וּתְזַכֵּנוּ עַל־יְדֵי עֵסֶק הַתּוֹרָה, שֶׁנִּזְכֶּה עַל־יְדֵי־זֶה לִתְשׁוּבָה שְׁלֵמָה בֶּאֱמֶת. עַל כָּל חֲטָאֵינוּ וַעֲווֹנוֹתֵינוּ וּפְשָׁעֵינוּ, שֶׁחָטָאנוּ וְשֶׁעָוִינוּ וְשֶׁפָּשַׁעְנוּ לְפָנֶיךָ מִיּוֹם הֱיוֹתֵינוּ עַל הָאֲדָמָה עַד הַיּוֹם הַזֶּה, וְהַמָּאוֹר שֶׁבַּתּוֹרָה יַחֲזִירֵנוּ לְמוּטָב בֶּאֱמֶת לַאֲמִתּוֹ.

וְנִזְכֶּה עַל־יְדֵי עֵסֶק הַתּוֹרָה הַקְּדוֹשָׁה, לְבָרֵר וּלְלַקֵּט וּלְהַעֲלוֹת כָּל נִיצוֹצוֹת הַקְּדוֹשִׁים וְכָל הַצֵּרוּפִים מִכְּלָלִיּוּת כָּל הָעוֹלָמוֹת שֶׁנָּפְלוּ עַל יָדֵינוּ בֵּין הַקְּלִפּוֹת, וְנִתְפַּזְּרוּ לְמָקוֹם שֶׁנִּתְפַּזְּרוּ, וְנָפְלוּ לְמָקוֹם שֶׁנָּפְלוּ:

אָנָּא יְיָ מָלֵא רַחֲמִים, חוֹשֵׁב מַחֲשָׁבוֹת לְבַל יִדַּח מִמְּךָ נִדָּח.

Learning Torah

HaShem, our God and God of our fathers, help us learn Your holy Torah always, day and night. May this book of the Torah never leave our mouths or the mouths of our children.

May we understand the truth of all the words of Your holy Torah clearly and swiftly.

May we comprehend their implications and always create original, true insights that will rise before the throne of Your glory to give You satisfaction and gain Your approval.

As a result of learning the Torah, may we repent completely of all our sins that we committed throughout the course of our lives. May the light within the Torah transform and improve us.

And as a result of learning the holy Torah, may we extract, gather and raise all of the holy sparks and permutations of sparks that come from all levels of creation, sparks that fell because of our sins until they were scattered among the "husks."

Redeeming Exiled Holiness

HaShem, You conceive thoughts so that no one will be cast aside from You.

אַתָּה יָדַעְתָּ כִּי אִי אֶפְשָׁר לָנוּ לְבָרְרָם וּלְהַעֲלוֹתָם בְּעַצְמֵנוּ, רַחֲמֶיךָ רַבִּים יְיָ, רַחֲמֶיךָ רַבִּים מְאֹד, רַחֵם עָלֵינוּ וְעַל הַנִּיצוֹצוֹת הַקְּדוֹשׁוֹת וְעַל הָאוֹתִיּוֹת הַקְּדוֹשִׁים הַמְפֻזָּרִים וּמְפֹרָדִים בֵּין הַגּוֹיִם וְהַקְּלִפּוֹת.

וְעָזְרֵנוּ לָשׁוּב בִּתְשׁוּבָה שְׁלֵמָה לְפָנֶיךָ בֶּאֱמֶת, וּתְמַהֵר וְתָחִישׁ לְבָרֵר וּלְלַקֵּט וְלִגְאֹל אֶת כָּל הַנִּיצוֹצוֹת הַקְּדוֹשׁוֹת מִן הַגָּלוּת, וּתְשִׁיבֵם לִמְקוֹמָם בְּשָׁלוֹם. וְתַחֲזֹר וְתַשְׁלִים פְּגַם כָּל הָעוֹלָמוֹת כֻּלָּם, וְכָל הַשֵּׁמוֹת הַקְּדוֹשִׁים שֶׁפָּגַמְנוּ בַּעֲווֹנוֹתֵינוּ.

וְיָשִׁיב הַמֶּלֶךְ אֶת נִדָּחָיו, וְתַחֲזֹר וּתְקַבְּצֵם בִּקְדֻשָּׁה שֵׁנִית, וִיקֻיַּם מִקְרָא שֶׁכָּתוּב: "וְשָׁב יְיָ אֱלֹהֶיךָ אֶת שְׁבוּתְךָ וְרִחֲמֶךָ וְשָׁב וְקִבֶּצְךָ מִכָּל הָעַמִּים אֲשֶׁר הֱפִיצְךָ יְיָ אֱלֹהֶיךָ שָׁמָּה. אִם יִהְיֶה נִדַּחֲךָ בִּקְצֵה הַשָּׁמַיִם מִשָּׁם יְקַבֶּצְךָ יְיָ אֱלֹהֶיךָ וּמִשָּׁם יִקָּחֶךָ".

וְתַעֲלֶה אֶת הַשְּׁכִינָה מִגָּלוּתָהּ וּתְקִימָהּ מֵעָפָרָהּ.

וְתַשְׁלִים אֶת הַדַּעַת הַקָּדוֹשׁ, וְתַמְשִׁיךְ דַּעַת דִּקְדֻשָּׁה וְרַחֲמִים גְּדוֹלִים בָּעוֹלָם. וּתְבַטֵּל כַּעַס וְאַכְזָרִיּוּת מִן הָעוֹלָם,

Since You know that we cannot extract and raise these sparks ourselves, have compassion on us and on the holy sparks associated with us, which are holy letters, now scattered and alienated among the various nations and "husks."

Return us to You fully by swiftly extracting, gathering and redeeming all of these holy sparks from their exile and bringing them back to their proper place. In this way, You will restore all of the worlds and all of the holy names that were blemished as a result of our sins.

Our King, restore, return and gather into holiness all those who were separated from You. As the verse states, "HaShem your God will bring back your exiles and have compassion on you. He will once again gather you from all of the nations to which HaShem your God scattered you. If your exiles will be at the end of the heavens, from there HaShem your God will gather you and He will take you from there."

Raise Your Divine Presence from its exile and lift it from its dust.

Bring our holy consciousness to perfection. Imbue the world with that consciousness and with great compassion. Eradicate anger and cruelty. Then, at last, "no one will cause damage

וִיקַיֵּם מִקְרָא שֶׁכָּתוּב: "לֹא יָרֵעוּ וְלֹא יַשְׁחִיתוּ בְּכָל הַר קָדְשִׁי, כִּי מָלְאָה הָאָרֶץ דֵּעָה אֶת יְיָ, כַּמַּיִם לַיָּם מְכַסִּים".

וּבְרַחֲמֶיךָ הָרַבִּים תְּרַחֵם עָלֵינוּ, וְתִתְפַּלֵּל בְּעַצְמְךָ עָלֵינוּ, וּתְעוֹרֵר בְּרַחֲמֶיךָ הַפְּשׁוּטִים אֶת רַחֲמֶיךָ הַגְּדוֹלִים, רַחֲמֶיךָ הָרַבִּים, וִיקַיֵּם מִקְרָא שֶׁכָּתוּב: "וּבְרַחֲמִים גְּדוֹלִים אֲקַבְּצֵךְ".

כִּי אַתָּה יָדַעְתָּ יְיָ אֱלֹהֵינוּ, כִּי אֵין מִי שֶׁיַּעֲמוֹד בַּעֲדֵנוּ שֶׁיּוּכַל לְעוֹרֵר רַחֲמִים עָלֵינוּ בָּעֵת הַזֹּאת, אֲשֶׁר נִתְרַחַקְנוּ מִמְּךָ מְאֹד כְּמוֹ שֶׁנִּתְרַחַקְנוּ כַּאֲשֶׁר אַתָּה יָדַעְתָּ, וְאֵין מִי שֶׁיֵּדַע עַכְשָׁו לְעוֹרֵר רַחֲמִים עָלֵינוּ כִּי אִם אַתָּה לְבַד, אָבִינוּ מַלְכֵּנוּ.

"הִתְפַּלֵּל נָא בַּעֲדֵנוּ, וְנִחְיֶה וְלֹא נָמוּת וְהָאֲדָמָה לֹא תֵשָׁם", וִיקַיֵּם מִקְרָא שֶׁכָּתוּב: "וְיִתְפַּלֵּל בַּעֲדוֹ תָמִיד כָּל הַיּוֹם יְבָרְכֶנְהוּ".

וּתְעוֹרֵר בְּרַחֲמֶיךָ הַפְּשׁוּטִים אֶת רַחֲמֶיךָ הָרַבִּים, רַחֲמֶיךָ הַגְּדוֹלִים, רַחֲמִים גְּדוֹלִים וַעֲצוּמִים כָּל כָּךְ, שֶׁיֵּשׁ לָהֶם כֹּחַ לְרַחֵם וּלְקָרֵב אֲפִלּוּ אוֹתִי אֵלֶיךָ, רַחֲמִים שֶׁאֵין בָּהֶם שׁוּם אֲחִיזַת דִּין כְּלָל.

כִּי אֵין לָנוּ עַל מִי לְהִשָּׁעֵן כִּי אִם עַל אָבִינוּ שֶׁבַּשָּׁמַיִם. חוּס וְחָנֵּנוּ וְרַחֵם עָלֵינוּ, וְהוֹשִׁיעֵנוּ מְהֵרָה לְמַעַן שְׁמֶךָ.

or destruction on Your entire holy mountain," because "the earth will be filled with the knowledge of HaShem as water covers the seabed."

God's Compassion on Our Behalf

You Yourself pray on our behalf, meaning that Your Simple Compassion arouses Your Great Compassion. And then, as the verse states, "With great compassion I will gather you."

HaShem, You know that no one at this time is capable of standing up on our behalf to arouse that compassion. We have been so alienated from You that only You, our Father and King, can arouse compassion on our behalf.

Therefore, please pray on our behalf so that "we will live and not die, and the earth will not be desolate." As the verse states, "He prays on his behalf always; all the days, He blesses him."

With Your Simple Compassion, arouse Your vast, Great Compassion—a compassion so intense that it has the power to draw us close to You, a compassion that does not contain the slightest trace of judgment.

We have no one on whom to rely but You, our Father in Heaven. Have mercy on us and save us quickly, for the sake of Your Name.

"רַחֲמֶיךָ רַבִּים יְיָ כְּמִשְׁפָּטֶיךָ חַיֵּנִי. רַחוּם וְחַנּוּן יְיָ אֶרֶךְ אַפַּיִם וְרַב חָסֶד. טוֹב יְיָ לַכֹּל וְרַחֲמָיו עַל כָּל מַעֲשָׂיו.

כְּחַסְדְּךָ חַיֵּנִי וְאֶשְׁמְרָה עֵדוּת פִּיךָ. חַסְדְּךָ יְיָ מָלְאָה הָאָרֶץ חֻקֶּיךָ לַמְּדֵנִי".

וְקַיֵּם לָנוּ מִקְרָא שֶׁכָּתוּב: "וַהֲבִיאוֹתִים אֶל הַר קָדְשִׁי וְשִׂמַּחְתִּים בְּבֵית תְּפִלָּתִי, עוֹלֹתֵיהֶם וְזִבְחֵיהֶם לְרָצוֹן עַל מִזְבְּחִי, כִּי בֵיתִי בֵּית תְּפִלָּה יִקָּרֵא לְכָל הָעַמִּים.

יִהְיוּ לְרָצוֹן אִמְרֵי פִי וְהֶגְיוֹן לִבִּי לְפָנֶיךָ יְיָ צוּרִי וְגֹאֲלִי":

"Your compassion is abundant, HaShem. Give me life in accordance with Your way." "HaShem is compassionate and gracious, long-suffering and exceedingly kind." "HaShem is good to all, and His compassion rests upon all of His works."

"In accordance with Your kindness, give me life, and I will keep the testimony of Your mouth." "HaShem, Your kindness fills the earth; teach me Your rules."

And then at last, "I will bring them to My holy mountain and give them joy in My House of Prayer. Their burnt-offerings and sacrifices will be accepted upon My Altar, for My House shall be called a House of Prayer for all nations."

"May the words of my mouth and the meditation of my heart be acceptable before You, HaShem, my Rock and my Redeemer."

72 (109)

The Effect of a Sigh

A person can choose to either sanctify himself or pollute himself.

Through his breath—in particular, his sigh—he connects his soul to that which he is seeking, whether that be good or evil. A person's sigh marks the expiration of his body and the transformation of his soul.

If someone was wicked throughout his entire life and he now sighs in regret and repentance, that sigh nullifies and removes the evil within him, and he clings to holiness. That sigh is more efficacious than any number of afflictions and fasts. For the latter affect only a person's body, but a sigh also transforms his soul from evil to good.

Conversely, if a righteous person regrets his blameless past and he sighs, that sigh is an impure breath, and he then clings to impurity.

יְהִי רָצוֹן מִלְּפָנֶיךָ יְיָ אֱלֹהֵינוּ וֵאלֹהֵי אֲבוֹתֵינוּ, שֶׁתַּעַזְרֵנִי לָשׁוּב בִּתְשׁוּבָה שְׁלֵמָה לְפָנֶיךָ בֶּאֱמֶת.

רִבּוֹנוֹ שֶׁל עוֹלָם אַתָּה יָדַעְתָּ גֹּדֶל הִתְרַחֲקוּתִי מִמְּךָ עַל־יְדֵי עֲווֹנוֹתַי וּפְשָׁעַי הָרַבִּים וְהָעֲצוּמִים מְאֹד עַד גָּבְהֵי שָׁמַיִם.

עַד אֲשֶׁר אֵינִי יוֹדֵעַ שׁוּם דֶּרֶךְ אֵיךְ לָשׁוּב אֵלֶיךָ, כִּי גַּשְׁמִיּוּת עֲכִירַת הַחֹמֶר וְתַאֲווֹתָיו הָרָעִים נֶאֱחָז וְנִדְבָּק בִּי מְאֹד, וְדַעְתִּי נִתְעַרְבֵּב וְנִתְעַכֵּר וְנִתְגַּשֵּׁם מְאֹד.

מָרָא דְעָלְמָא כֻּלָּא חוּס וַחֲמֹל עָלַי, וְתֶן לִי עֵצָה טוֹבָה אֵיךְ לְחַפֵּשׂ וּלְבַקֵּשׁ וְלַחְתֹּר וְלִמְצֹא אֵיזֶה דֶּרֶךְ וּנְתִיב וּשְׁבִיל בְּאֹפֶן שֶׁאֶזְכֶּה לָשׁוּב אֵלֶיךָ מֵעַתָּה. וְזַכֵּנִי בְּרַחֲמֶיךָ הָרַבִּים לִהְיוֹת רָגִיל לְהִתְאַנֵּחַ לְפָנֶיךָ בֶּאֱמֶת מֵעֹמֶק הַלֵּב, עַל גֹּדֶל הִתְרַחֲקוּתִי מִמְּךָ, וְשֶׁתְּזַכֵּנִי לְהִתְקָרֵב אֵלֶיךָ בֶּאֱמֶת. וְאֶהְיֶה מִתְאַנֵּחַ עַל זֶה בֶּאֱמֶת בְּכָל עֵת עַד שֶׁיִּהְיֶה נִשְׁבָּר כָּל גּוּפִי עַל־יְדֵי כָּל אֲנָחָה וַאֲנָחָה.

וְאֶזְכֶּה עַל־יְדֵי אַנְחוֹתַי לְהוֹצִיא מִמֶּנִּי הָרוּחַ וְהַהֶבֶל דְּסִטְרָא אַחֲרָא, וּלְהַכְנִיס בְּקִרְבִּי רוּחַ וָהֶבֶל דִּקְדֻשָּׁה.

A Plea to Repent

HaShem, my God and God of my fathers, help me return to You completely.

Master of the world, You know how far I am from You because of my transgressions and willful sins, which are many and intense, reaching to the heights of the heavens.

I do not know any way to return to You. The denseness of matter and its evil lusts have grasped and clung to me so strongly that my mind is confused, dirtied and obscured.

A Sigh of Holiness

Master of the world, advise me how to return to You. Help me make it a regular practice to sigh from the depths of my heart as I think of how far I am from You, until my entire body is wracked and broken.

With these sighs, may I expel the spirit of the Side of Evil and instead infuse myself with the spirit of holiness.

וְעַל־יְדֵי־זֶה אֶזְכֶּה לַעֲקֹר וּלְהַפְסִיק חֶבֶל הַטֻּמְאָה שֶׁנִּקְשַׁר בִּי בַּעֲווֹנוֹתַי הָרַבִּים, וְתַעַזְרֵנִי מְהֵרָה שֶׁאֶזְכֶּה לְהַפְסִיק וּלְנַתֵּק עַצְמִי לְגַמְרֵי מֵחֶבֶל הַטֻּמְאָה, וַאֲדַבֵּק וַאֲקַשֵּׁר עַצְמִי בְּקֶשֶׁר אַמִּיץ וְחָזָק לְחֶבֶל הַקְּדֻשָּׁה, לְעוֹלְמֵי עַד וּלְנֵצַח נְצָחִים.

וְתַפְסִיק וּתְגָרֵשׁ וּתְבַטֵּל מִמֶּנִּי מִגּוּפִי וְנַפְשִׁי וְרוּחִי וְנִשְׁמָתִי כָּל מִינֵי טֻמְאוֹת וְסִטְרִין אוּחֲרָנִין, וּתְקָרְבֵנִי וּתְקַשְּׁרֵנִי בְּרַחֲמֶיךָ לְחֶבֶל הַקְּדֻשָּׁה בֶּאֱמֶת, בְּקֶשֶׁר אַמִּיץ וְחָזָק מֵעַתָּה וְעַד עוֹלָם.

וּמֵעַתָּה תַּמְשִׁיךְ עָלַי חַיִּים טוֹבִים וַאֲרוּכִים דֶּרֶךְ הַחֶבֶל שֶׁבִּקְדֻשָּׁה, וּתְחָנֵּנוּ מֵאִתְּךָ שֶׁפַע טוֹבָה וּבְרָכָה וְרַחֲמִים וְחַיִּים וְשָׁלוֹם וְכָל טוֹב, חַיִּים אֲמִתִּיִּים חַיִּים דִּקְדֻשָּׁה חַיִּים שֶׁיֵּשׁ בָּהֶם יִרְאַת שָׁמַיִם, חַיִּים שֶׁנִּזְכֶּה בָּהֶם לִתְשׁוּבָה שְׁלֵמָה בֶּאֱמֶת וְלַעֲבֹד אוֹתְךָ תָּמִיד, וּלְהִתְדַּבֵּק בָּהֶם בְּחֵי הַחַיִּים.

אֵל חַי חֶלְקֵנוּ צוּרֵנוּ הַחֲיֵינוּ בְּאוֹר פָּנֶיךָ. הֲקִימֵנִי וְאֶחְיֶה חַיִּים דִּקְדֻשָּׁה.

עָזְרֵנִי וְחָנֵּנִי וְדַבֵּק לִבִּי בְּמִצְוֹתֶיךָ. זַכֵּנִי לִהְיוֹת דָּבוּק בְּךָ תָּמִיד לְעוֹלָם וָעֶד.

In this way, may I cut myself free from the rope of pollution that was tied to me because of my many sins, and instead bind myself to the rope of holiness, forever and ever.

Expel from my body and soul every type of impurity and aspect of evil. Tie me to the rope of holiness strongly, from now and forever.

Grant me a good and long life through my connection to the rope of holiness. Graciously send me an abundant flow of goodness, blessing, compassion, life and peace. May I lead a life of holiness, a life filled with the fear of Heaven, a life in which I will attain complete repentance and serve You always.

May I then cling to You, the living God, my Portion, my Rock. Grant me life in the light of Your countenance. Lift me up so that I will live a life of holiness.

May my heart adhere to Your commandments. May I cling to You forever.

וְתִשְׁמְרֵנִי וְתַצִּילֵנִי בְּרַחֲמֶיךָ מֵאֲנָחוֹת דְּסִטְרָא אַחֲרָא שֶׁלֹּא יֵצֵא מִמֶּנִּי הֶבֶל וַאֲנָחָה לְתַאֲוֹת עוֹלָם הַזֶּה וַהֲבָלָיו חַס וְשָׁלוֹם, רַק כָּל אַנְחוֹתַי וְגַעֲגוּעַי וּתְשׁוּקָתִי יִהְיוּ רַק לְשִׁמְךָ וְלַעֲבוֹדָתְךָ לְהִתְקָרֵב אֵלֶיךָ בֶּאֱמֶת.

וְאֶזְכֶּה לְהִתְדַּבֵּק בְּךָ תָּמִיד וִיקֻיַּם בִּי מִקְרָא שֶׁכָּתוּב: "וְאַתֶּם הַדְּבֵקִים בַּיהוָה אֱלֹהֵיכֶם חַיִּים כֻּלְּכֶם הַיּוֹם", אָמֵן וְאָמֵן:

Save me from the sighs of the Side of Evil, so that I never breathe a sigh of yearning for the pleasures and vanities of this world. May all of my sighs and longing be only for Your Name, in order to serve You and come close to You.

May I cling to You always. May the verse be realized in me, "You who cling to HaShem your God are alive, all of you, today." Amen and amen.

73 (129)

Becoming Absorbed into Faith / Faith in the Tzaddik

A person must attain a holy consciousness that will consume him until his body has the same awareness as his holy soul.

Just as a person absorbs food into his body, so too, a believer's faith assimilates him into itself. Similarly, the holiness of the Land of Israel assimilates a person who lives in it until he partakes of its nature, and a Tzaddik assimilates a person who clings to him and believes in him until that person attains the Tzaddik's nature.

Thus, it is good for a person to be a Tzaddik's follower, even if he receives no tangible benefit thereby, because simply having faith in the Tzaddik helps him serve God.

All of this depends on this person's will. If he has a strong desire to come close to God and serve Him, then even though it is hard for him to break the desires of his body, by coming close to and believing in a Tzaddik, he is transformed into the nature of the Tzaddik.

But if he does not want to serve HaShem, then coming close to a Tzaddik will not help him. Not only will he not be digested but, to the contrary, he will be vomited out.

יְהִי רָצוֹן מִלְּפָנֶיךָ יְיָ אֱלֹהֵינוּ וֵאלֹהֵי אֲבוֹתֵינוּ, אֵל אֱמוּנָה, שֶׁתְּזַכֵּנוּ בְּרַחֲמֶיךָ הָרַבִּים וּבַחֲסָדֶיךָ הָעֲצוּמִים, לֶאֱמוּנָה שְׁלֵמָה בֶּאֱמֶת וּבְלֵב שָׁלֵם, שֶׁאֶזְכֶּה לְהַאֲמִין בְּךָ וּבְצַדִּיקֶיךָ הָאֲמִתִּיִּים בֶּאֱמוּנָה שְׁלֵמָה בֶּאֱמֶת.

וְאֶזְכֶּה לִכְנֹס וּלְהִתְדַּבֵּק וּלְהִכָּלֵל בְּתוֹךְ שְׁלֵמוּת הָאֱמוּנָה הַקְּדוֹשָׁה, וְאֶהְיֶה חָזָק וְאַמִּיץ בְּהָאֱמוּנָה הַקְּדוֹשָׁה, עַד אֲשֶׁר אֶזְכֶּה לְהִתְהַפֵּךְ מִגַּשְׁמִיּוּת גּוּפִי, לְמַהוּת הָאֱמוּנָה הַקְּדוֹשָׁה.

וְהָאֱמוּנָה הַקְּדוֹשָׁה תֹּאכַל אוֹתִי עַד שֶׁיִּהְיֶה נֶאֱכָל וְנִתְבַּטֵּל כָּל הָרַע הַנֶּאֱחַז בִּי, וְאֶזְכֶּה לְהִתְהַפֵּךְ מֵרַע לְטוֹב, עַל־יְדֵי שְׁלֵמוּת הָאֱמוּנָה שֶׁתְּזַכֵּנִי לְהִכָּלֵל וּלְהִתְבַּטֵּל בְּתוֹךְ הָאֱמוּנָה הַקְּדוֹשָׁה בְּבִטּוּל גָּמוּר.

וּתְזַכֵּנִי מְהֵרָה לָבוֹא לְאֶרֶץ יִשְׂרָאֵל בְּשָׁלוֹם בְּלִי פֶּגַע, וּלְהִתְקָרֵב וּלְהִתְדַּבֵּק בַּצַּדִּיקִים אֲמִתִּיִּים בִּדְבֵקוּת גָּדוֹל וּבֶאֱמוּנָה שְׁלֵמָה בֶּאֱמֶת.

וְתַחְמֹל עָלַי בְּחֶמְלָתְךָ הַגְּדוֹלָה, וְאַל תַּעֲשֶׂה עִמִּי כַּחֲטָאַי וְאַל תְּדִינֵנִי כְּמִפְעָלַי, וּתְזַכֵּנִי בְּרַחֲמֶיךָ, וְתִפְתַּח לִי שַׁעֲרֵי הָאֱמוּנָה הַקְּדוֹשָׁה.

Holy Faith

HaShem, my God and God of my fathers, help me attain faith with all my heart. Help me believe fully in You and in your true Tzaddikim.

May my faith be so strong and firm that I no longer identify myself with the physicality of my body, but with the quality of holy faith.

May that faith consume me until all of the evil that grasps me is nullified and I will be transformed from evil to good.

The Holy Land

Help me come to the Land of Israel in peace, without misadventure. And help me cling to the true Tzaddikim with complete faith.

Do not treat me in accordance with my transgressions. Do not judge me in accordance with my deeds. In Your compassion, open the gates of holy faith.

וְתַעַזְרֵנִי לִכְנוֹס לְתוֹךְ הָאֱמוּנָה בֶּאֱמֶת, וּלְהִכָּלֵל בְּתוֹכָהּ בִּכְלָלִיּוּת גָּדוֹל, עַד שֶׁאֶזְכֶּה לִהְיוֹת נֶאֱכָל לְהָאֱמוּנָה וּלְהִתְהַפֵּךְ לְמַהוּתָהּ הַקָּדוֹשׁ, לְמַהוּת קְדֻשַּׁת אֶרֶץ־יִשְׂרָאֵל הַקְּדוֹשָׁה, וּלְמַהוּת קְדֻשַּׁת הַצַּדִּיקִים הָאֲמִתִּיִּים.

וְלֹא תָקִיא אוֹתִי הָאָרֶץ וְהָאֱמוּנָה הַקְּדוֹשָׁה כַּאֲשֶׁר קָאָה אֶת הַגּוֹי אֲשֶׁר מִלְּפָנַי.

וְאַף־עַל־פִּי שֶׁאֵינִי כְּדַאי וְרָאוּי לִגַּע בְּהָאֱמוּנָה הַקְּדוֹשָׁה, וּבְאֶרֶץ־יִשְׂרָאֵל הַקְּדוֹשָׁה, וּלְהִתְקָרֵב לְהַצַּדִּיקִים הָאֲמִתִּיִּים, כִּי הֲרֵעוֹתִי אֶת מַעֲשַׂי מְאֹד, וְקִפַּחְתִּי אֶת קְדֻשָּׁתִי, אַף־עַל־פִּי־כֵן רַחֲמֶיךָ רַבִּים יְיָ, רַחֲמֶיךָ רַבִּים מְאֹד, זַכֵּנִי בְּרַחֲמֶיךָ וְעָזְרֵנִי וְהוֹשִׁיעֵנִי, שֶׁתּוּכַל הָאֱמוּנָה הַקְּדוֹשָׁה לִסְבֹּל אוֹתִי בְּתוֹכָהּ, וּלְהַחֲזִיק אוֹתִי תָמִיד, עַד אֲשֶׁר אֶהְיֶה נֶאֱכָל וְנִתְהַפֵּךְ לְמַהוּת קְדֻשַּׁת הָאֱמוּנָה בֶּאֱמֶת:

מָלֵא רַחֲמִים, זַכֵּנִי לֶאֱמוּנָה שְׁלֵמָה בְּכָל הַבְּחִינוֹת.

כִּי אֵין לָנוּ שׁוּם תִּקְוָה וּסְמִיכָה עַכְשָׁו כִּי אִם עַל הָאֱמוּנָה הַקְּדוֹשָׁה, כְּמוֹ שֶׁכָּתוּב: "וְצַדִּיק בֶּאֱמוּנָתוֹ יִחְיֶה".

כִּי אַתָּה יוֹדֵעַ עֹצֶם הִתְגַּבְּרוּת עֹל גָּלוּת הַנֶּפֶשׁ, עַל־יְדֵי תַּאֲוֹת הַגּוּף הַמִּתְגַּבְּרִים בְּכָל עֵת, וּבַעֲווֹנוֹתֵינוּ הָרַבִּים

Help me be absorbed into faith until I will be transformed into its holy quality, which is the quality of the holy Land of Israel and the true Tzaddikim.

May the Land and holy faith not vomit me out as it vomited out others before me.

I am not worthy to come to holy faith, to the holy Land of Israel and to true Tzaddikim, for I have acted wrongly and thus deprived myself of holiness. Nevertheless, Your compassion is vast, HaShem. With that compassion, help me so that holy faith will embrace me until I am transformed into its quality.

Absorbed into Faith

Help me attain complete faith on every level.

At present, I rely solely on holy faith. As the verse states, "The Tzaddik lives by his faith."

As a result of the desires of the body that rise up within me at every moment, my spirit has gone deeper into exile. Due to my many sins, my

תַּשׁ כֹּחֵנוּ וּמָטָה יָדֵינוּ מְאֹד, לַעֲמֹד כְּנֶגְדָּם לְשַׁבְּרָם וּלְבַטְּלָם לְגַמְרֵי, כִּי אִם בְּכֹחַ הָאֱמוּנָה הַקְּדוֹשָׁה.

שֶׁתְּזַכֵּנוּ לִכְנֹס וּלְהִכָּלֵל בְּתוֹךְ הָאֱמוּנָה בִּכְלָלִיּוּת גָּדוֹל, עַד שֶׁנִּזְכֶּה לִהְיוֹת נֶאֱכָל לְהָאֱמוּנָה, וּלְהִתְהַפֵּךְ לְמַהוּת הָאֱמוּנָה הַקְּדוֹשָׁה. וְנִזְכֶּה לְקַיֵּם מִקְרָא שֶׁכָּתוּב: "בְּטַח בַּיהֹוָה וַעֲשֵׂה טוֹב, שְׁכָן אֶרֶץ וּרְעֵה אֱמוּנָה".

"יְיָ, עֵינֶיךָ הֲלֹא לֶאֱמוּנָה". זַכֵּנִי בְּרַחֲמֶיךָ לֶאֱמוּנָה הַקְּדוֹשָׁה בִּשְׁלֵמוּת בֶּאֱמֶת כִּרְצוֹנְךָ הַטּוֹב.

"כָּל מִצְוֹתֶיךָ אֱמוּנָה, שֶׁקֶר רְדָפוּנִי עָזְרֵנִי.

יְיָ שְׁמַע תְּפִלָּתִי, הַאֲזִינָה אֶל תַּחֲנוּנַי, בֶּאֱמֻנָתְךָ עֲנֵנִי בְּצִדְקָתֶךָ".

וִיקֻיַּם מִקְרָא שֶׁכָּתוּב: "וְיוֹדוּ שָׁמַיִם פִּלְאֲךָ יְיָ, אַף אֱמוּנָתְךָ בִּקְהַל קְדוֹשִׁים".

וְנֶאֱמַר: "וֶאֱמוּנָתִי וְחַסְדִּי עִמּוֹ וּבִשְׁמִי תָּרוּם קַרְנוֹ".

וְנֶאֱמַר: "לְעוֹלָם אֶשְׁמָר לוֹ חַסְדִּי וּבְרִיתִי נֶאֱמֶנֶת לוֹ.

strength has subsided and my hands tremble. Only with the power of holy faith can I oppose and eliminate these desires.

Help me be absorbed into faith until I will be transformed into its holy quality. As the verse states, "Trust in HaShem and do good. Dwell in the Land and shepherd with faith."

"HaShem, Your eyes are turned to faith." Help me attain holy faith, in accordance with Your beneficent will.

"All of Your commandments are faithful. When falsehood pursues me, help me, HaShem!"

"Hear my prayer, listen to my supplications; answer me in Your faithfulness, in Your righteousness."

May the verse be realized, "The heavens will praise Your wonders, HaShem, even Your faithfulness amid the holy congregation."

"My faithfulness and my kindness shall be with him, and through My Name, his might shall be elevated."

And the verse states, "Forever will I guard My kindness for him, and My covenant is faithful to him."

וְחַסְדִּי לֹא אָפִיר מֵעִמּוֹ וְלֹא אֲשַׁקֵּר בֶּאֱמוּנָתִי.

חַסְדֵי יְיָ עוֹלָם אָשִׁירָה לְדוֹר וָדוֹר אוֹדִיעַ אֱמוּנָתְךָ בְּפִי, כִּי אָמַרְתִּי עוֹלָם חֶסֶד יִבָּנֶה שָׁמַיִם תָּכִין אֱמוּנָתְךָ בָהֶם.

יְיָ אֱלֹהֵי צְבָאוֹת מִי כָמוֹךָ חֲסִין יָהּ וֶאֱמוּנָתְךָ סְבִיבוֹתֶיךָ".

וְקַיֵּם לָנוּ מִקְרָא שֶׁכָּתוּב: "וְאֵרַשְׂתִּיךְ לִי לְעוֹלָם, וְאֵרַשְׂתִּיךְ לִי בְּצֶדֶק וּבְמִשְׁפָּט בְּחֶסֶד וּבְרַחֲמִים, וְאֵרַשְׂתִּיךְ לִי בֶּאֱמוּנָה, וְיָדַעַתְּ אֶת יְיָ.

אַל תַּעַזְבֵנִי יְיָ, אֱלֹהַי אַל תִּרְחַק מִמֶּנִּי, חוּשָׁה לְעֶזְרָתִי אֲדֹנָי תְּשׁוּעָתִי, בָּרוּךְ יְיָ לְעוֹלָם אָמֵן וְאָמֵן":

"I will not break My kindness off from him and I will not be false to My faithfulness."

"I will sing the kindnesses of HaShem forever; for all generations, I will make Your faithfulness known with my mouth. For I have said that the world is built upon kindness; as for the heavens, You establish Your faithfulness in them."

"HaShem, God of Hosts, who is like You, mighty God? Your faithfulness surrounds You."

Realize on our behalf the verse, "I will betroth you to Me forever; I will betroth you to Me with righteousness and with justice, with kindness and with compassion. I will betroth you to Me with faith, and you will know HaShem."

"Do not abandon me, HaShem! My God, do not be far from me. Hurry to help me, God, my salvation."

Blessed is HaShem forever. Amen and amen.

74 (209)

Rectifying Improper Prayers / Hosting a Torah Scholar

Every individual, at some point, offers an inappropriate prayer. For example, our sages teach that before breaking into a house, a thief asks God to help him succeed.

Afterward, when a person wishes to pray properly, his previous improper prayers come and confound him.

He can rectify that by hosting a Torah scholar. Then he is also considered as if he had brought a continual offering upon the Altar.

יְהִי רָצוֹן מִלְּפָנֶיךָ יְיָ אֱלֹהֵינוּ וֵאלֹהֵי אֲבוֹתֵינוּ, שֶׁתַּעַזְרֵנִי בְּרַחֲמֶיךָ הָרַבִּים, וּתְזַכֵּנִי לְהַכְנִיס אוֹרְחִים תַּלְמִידֵי חֲכָמִים בְּתוֹךְ בֵּיתִי, וְאֶזְכֶּה לְקַבְּלָם בְּכָבוֹד גָּדוֹל וּלְכַבְּדָם בְּכָל עֹז וּפְאֵר עַד שֶׁיַּעֲלֶה לְפָנֶיךָ מִצְוָה זוֹ שֶׁל הַכְנָסַת אוֹרְחִים תַּלְמִידֵי חֲכָמִים כְּאִלּוּ הִקְרַבְתִּי תְּמִידִין כְּסִדְרָן.

וּבִזְכוּת זֶה תַּעַזְרֵנִי שֶׁאֶזְכֶּה לְהִתְפַּלֵּל תְּפִלָּתִי לְפָנֶיךָ בְּכַוָּנָה גְדוֹלָה בְּכָל לֵב וָנֶפֶשׁ, וּבְמַחֲשָׁבָה זַכָּה וּנְכוֹנָה לְשִׁמְךָ הַגָּדוֹל לְבַד בֶּאֱמֶת, וּבְלִי שׁוּם בִּלְבּוּל וְעִרְבּוּב הַדַּעַת, וּבְלִי שׁוּם מַחֲשָׁבוֹת זָרוֹת כְּלָל.

וְתִשְׁמְרֵנִי וְתַצִּילֵנִי מִתְּפִלּוֹת רָעוֹת, וְלֹא יְבַלְבְּלוּ הַתְּפִלּוֹת רָעוֹת אֶת תְּפִלָּתִי הַקְּדוֹשָׁה.

וּתְתַקֵּן וּתְזַכֵּךְ אֶת תְּפִלָּתִי, וְתִהְיֶה תְּפִלָּתִי שְׁלֵמָה וּסְדוּרָה בְּפִי, וְיִהְיוּ נָא אֲמָרַי לְרָצוֹן לִפְנֵי אֲדוֹן כֹּל. וְתַעֲלֶה תְּפִלָּתִי לְפָנֶיךָ לְרָצוֹן לְמַעְלָה לְמַעְלָה, וְתַעֲלֶה וְתִנָּשֵׂא לִהְיוֹת כֶּתֶר לְרֹאשְׁךָ.

וּתְמַלֵּא כָּל מִשְׁאֲלוֹתַי לְטוֹבָה בְּרַחֲמִים.

"הַאֲזִינָה יְיָ תְּפִלָּתִי וְהַקְשִׁיבָה בְּקוֹל תַּחֲנוּנוֹתָי.

Hosting Torah Scholars

HaShem, my God and God of my fathers, help me host Torah scholars in my home. May I accord them so much honor that You will consider my performance of this mitzvah as being equivalent to having offered sacrifices in the Temple.

In the merit of performing this mitzvah, please grant me the ability to pray to You with great feeling, with all my heart and soul, with a pure and proper focus on Your great Name alone, without any confusion or foreign thoughts.

Rescue me from engaging in wrong prayers. And even if I do engage in such prayers, may they not contaminate my holy prayer.

Rectify and purify my prayer so that it will be perfected and fluent in my mouth.

May my words be acceptable before You, Master of all. May I elevate my prayer before You, so that You accept it and elevate it to be the crown on Your head.

Fulfill all of my requests for the good.

"HaShem, listen to my prayer; take heed of the voice of my pleadings."

וַאֲנִי תְפִלָּתִי לְךָ יְיָ עֵת רָצוֹן, אֱלֹהִים בְּרָב חַסְדֶּךָ עֲנֵנִי בֶּאֱמֶת יִשְׁעֶךָ.

יֶעֱרַב עָלָיו שִׂיחִי, אָנֹכִי אֶשְׂמַח בַּיהֹוָה. יִתַּמּוּ חַטָּאִים מִן הָאָרֶץ, וּרְשָׁעִים עוֹד אֵינָם, בָּרְכִי נַפְשִׁי אֶת יְיָ, הַלְלוּיָהּ":

"As for me, my prayer comes before You, HaShem, at a time of acceptance; God, in Your vast kindness, answer me in the truth of Your salvation."

"May my speech be sweet to Him; I will rejoice in HaShem. Sinners will be erased from the land and the wicked will be no more. My spirit, bless HaShem. Halleluyah!"

75 (210)

Doing Business Honestly Sanctifies the Name of God / Income Without Toil

When a person does business honestly, he keeps the commandment, "You shall love HaShem your God," in keeping with our sages' interpretation, "You shall cause God's Name to be beloved." Thus, he sanctifies the name of Heaven and, as a result, he enjoys an income without toil. The reason for this is as follows.

Our sages teach that earning a living is as difficult as the splitting of the Red Sea. The entire night preceding the Splitting of the Sea, the prosecuting angels argued that the Israelites were no better than their Egyptian pursuers and were not worthy of redemption. Therefore, the Splitting of the Sea was "difficult" for God, for God's attribute of judgment demanded retribution from the Jews. But in the morning, God recalled the merit of Abraham, who had risen in the morning to do God's will.[4] Abraham's merit transformed the "difficulty" of the Red Sea into mitigated judgment, and then the sea split easily. Abraham is

---

4 Genesis 22:3.

also identified with the commandment, "You shall love HaShem your God," since he is associated with the trait of kindness.

When a person does business honestly, he keeps the commandment, "You shall love HaShem your God." In so doing, he attaches himself to Abraham and to the morning. Then earning a living is not difficult for him, just as the splitting of the Red Sea was not difficult when the morning arrived.

יְהִי רָצוֹן מִלְּפָנֶיךָ יְיָ אֱלֹהֵינוּ וֵאלֹהֵי אֲבוֹתֵינוּ, שֶׁתְּרַחֵם עָלַי וְתַעַזְרֵנִי וְתוֹשִׁיעֵנִי שֶׁאֶזְכֶּה לָסוּר מֵרָע וְלַעֲשׂוֹת הַטּוֹב בְּעֵינֶיךָ תָּמִיד, וְתִתְּנֵנִי לְאַהֲבָה לְחֵן וּלְחֶסֶד וּלְרַחֲמִים בְּעֵינֶיךָ וּבְעֵינֵי כָּל רוֹאַי, וְתִגְמְלֵנִי חֲסָדִים טוֹבִים.

וְאֶזְכֶּה לְקַיֵּם בִּשְׁלֵמוּת מִצְוַת "וְאָהַבְתָּ אֶת יְיָ אֱלֹהֶיךָ", שֶׁיִּהְיֶה שֵׁם שָׁמַיִם מִתְאַהֵב עַל יָדִי.

שֶׁיִּהְיֶה מַשָּׂאִי וּמַתָּנִי בֶּאֱמוּנָה, וְדִבּוּרִי בְּנַחַת עִם הַבְּרִיּוֹת. וְיִהְיֶה רוּחַ הַמָּקוֹם וְרוּחַ הַבְּרִיּוֹת נוֹחָה הֵימֶנִּי. וְאֶהְיֶה אָהוּב לְמַעְלָה וְנֶחְמָד לְמַטָּה.

וְאֶמְצָא חֵן וְשֵׂכֶל טוֹב בְּעֵינֵי אֱלֹהִים וְאָדָם.

וּתְרַחֵם עָלַי וְתַזְמִין לִי פַּרְנָסָתִי בְּרֶוַח, וְתִתֶּן לִי כָּל צְרָכַי וְכָל צָרְכֵי אַנְשֵׁי בֵיתִי קֹדֶם שֶׁאֶצְטָרֵךְ לָהֶם, בְּלִי יְגִיעָה וָטֹרַח וְעָמָל כְּלָל.

רִבּוֹנוֹ שֶׁל עוֹלָם אַתָּה יָדַעְתָּ כִּי קָשִׁין מְזוֹנוֹתֵינוּ כִּקְרִיעַת יַם סוּף.

Dealing Pleasantly with People

HaShem, my God and God of my fathers, help me turn away from evil. May I always do that which is good in Your eyes. Then may You and all who see me love me and treat me graciously, kindly and compassionately.

May I keep the mitzvah of "You shall love HaShem your God" fully, as our sages interpret it, to make the Name of Heaven beloved through my deeds.

In that spirit, may I engage in business honestly and speak pleasantly with others. Then Your spirit and the spirit of people will be pleased with me, and I will be beloved in Heaven and esteemed on earth.

Help me find such favor so that I will be wise in Your eyes and in the eyes of man.

Send me a comfortable income. Give me everything I require. Attend to all of the needs of my family, even before they grow urgent—without my having to engage in any toil or hardship.

Earning a Living

Master of the world, You know that earning a living is as difficult as the splitting of the Red Sea.

אֲבָל גָּדוֹל אַתָּה וְרַב כֹּחַ, וּבְכֹחֲךָ הַגָּדוֹל וּבַחֲסָדֶיךָ הָרַבִּים, גַּם קְרִיעַת יַם סוּף קַל לְפָנֶיךָ.

כִּי מִי יֹאמַר לְךָ מַה תַּעֲשֶׂה וְאֵין דָּבָר נִמְנָע מִמְּךָ.

עַל כֵּן רַחֵם עָלֵינוּ בִּזְכוּת אָבִינוּ הָרִאשׁוֹן אַבְרָהָם אִישׁ הַחֶסֶד, וַעֲשֵׂה לְמַעַן אַהֲבָתוֹ, וְתֵן לָנוּ פַּרְנָסוֹתֵינוּ בְּהַרְחָבָה גְדוֹלָה בְּלִי יְגִיעָה וָטֹרַח וּבְלִי שׁוּם טִרְדָּא כְּלָל.

וְאַל תַּצְרִיכֵנִי לֹא לִידֵי מַתְּנַת בָּשָׂר וָדָם וְלֹא לִידֵי הַלְוָאָתָם, בְּאֹפֶן שֶׁאֶזְכֶּה לִשְׁמֹר מִצְוֹתֶיךָ וְלַעֲשׂוֹת רְצוֹנְךָ וְלַעֲסֹק בְּתוֹרָתְךָ תָּמִיד כָּל יְמֵי חַיַּי אֲנִי וְזַרְעִי וְזֶרַע זַרְעִי וְכָל זֶרַע עַמְּךָ בֵּית יִשְׂרָאֵל מֵעַתָּה וְעַד עוֹלָם.

וִיקֻיַּם בִּי מִקְרָא שֶׁכָּתוּב: "הַשְׁלֵךְ עַל יְיָ יְהָבְךָ וְהוּא יְכַלְכְּלֶךָ, לֹא יִתֵּן לְעוֹלָם מוֹט לַצַּדִּיק.

עֵינֵי כֹל אֵלֶיךָ יְשַׂבֵּרוּ, וְאַתָּה נוֹתֵן לָהֶם אֶת אָכְלָם בְּעִתּוֹ. פּוֹתֵחַ אֶת יָדֶךָ, וּמַשְׂבִּיעַ לְכָל חַי רָצוֹן".

But You are great and mighty, and in Your power and kindness, even the Splitting of the Sea was easy for You.

Who will question You and ask You, "What are You doing?" Nothing is impossible for You.

Have compassion on us in the merit of Abraham, the man of kindness. Act on behalf of Your love for him and give us our income with great generosity—without any toil, trouble or hardship.

May I not be dependent on people's gifts or loans. May I have sufficient funds to be able to keep Your commandments, do Your will and learn Your Torah always, all the days of my life—and may this be true as well for my children and grandchildren, and for all the children of Your nation, the House of Israel, from now and forever.

May the verse be realized in me, "Cast your burden upon HaShem and He will support you. He will never allow the righteous man to stumble."

"The eyes of all turn to You, and You give them their food in its time. You open Your hand and satisfy the will of all living beings."

אָבִי אָב הָרַחֲמָן פַּרְנְסֵנִי וְכַלְכְּלֵנִי בְּרַחֲמֶיךָ הָרַבִּים לְבַד, לֹא כְמַעֲשַׂי וּכְרֹעַ מַעֲלָלַי, רַק כְּחַסְדְּךָ עֲשֵׂה עִמִּי, כְּמוֹ שֶׁכָּתוּב: "נוֹתֵן לֶחֶם לְכָל בָּשָׂר כִּי לְעוֹלָם חַסְדּוֹ".

וְאַל תַּעַזְבֵנִי וְאַל תִּטְּשֵׁנִי, עָזְרֵנִי כִּי עָלֶיךָ נִשְׁעַנְתִּי, "אַל תַּעַזְבֵנִי יְיָ, אֱלֹהַי אַל תִּרְחַק מִמֶּנִּי, חוּשָׁה לְעֶזְרָתִי אֲדֹנָי תְּשׁוּעָתִי":

My compassionate Father, grant me income. Support me in Your vast compassion—not in accordance with my deeds and the evil of my actions, but solely in accordance with Your kindness. "He gives bread to all flesh, for His kindness is forever."

Never abandon me. Help me, for I rely on You. "Do not abandon me, HaShem; my God, do not be far from me. Hurry to help me, God Who is my salvation."

76 (211)

Sweetening Judgments at Their Root / Sanctifying One's Thoughts / Binding Oneself to Tzaddikim / Rosh HaShanah

---

In order to sweeten the judgments against him, a person must rise to their root, which is the realm of thought. In other words, he must sanctify and purify his thoughts.

In order to do that, he must bind himself to the Tzaddikim.

Rosh HaShanah is the source of judgments for the entire year to come. And so people travel to spend Rosh HaShanah in the company of Tzaddikim. In this way, they can rectify their thoughts—and that, in turn, sweetens any judgments against them for the coming year.

לראש־השנה

יְהִי רָצוֹן מִלְּפָנֶיךָ יְיָ אֱלֹהֵינוּ וֵאלֹהֵי אֲבוֹתֵינוּ, שֶׁתְּזַכֵּנִי בְּרַחֲמֶיךָ הָרַבִּים לֵילֵךְ וְלִנְסֹעַ לְצַדִּיקִים אֲמִתִּיִּים עַל רֹאשׁ הַשָּׁנָה, וְלִהְיוֹת מְקֻשָּׁר תָּמִיד לְצַדִּיקִים אֲמִתִּיִּים. וְעַל־יְדֵי־זֶה אֶזְכֶּה לְקַדֵּשׁ אֶת דַּעְתִּי וּמַחְשְׁבֹתַי בִּקְדֻשָּׁה גְּדוֹלָה.

וְתַחְמֹל עָלַי בְּחֶמְלָתְךָ הַגְּדוֹלָה, וְתִהְיֶה בְּעֶזְרִי וְתַצִּילֵנִי מֵעַתָּה מִכָּל מִינֵי מַחֲשָׁבוֹת זָרוֹת וּמִכָּל מִינֵי פְּגַם הַדַּעַת שֶׁבָּעוֹלָם. וּתְחָנֵּנִי מֵאִתְּךָ חָכְמָה דֵּעָה בִּינָה וְהַשְׂכֵּל, וּתְזַכֵּנִי מְהֵרָה לִקְדֻשַּׁת הַמַּחֲשָׁבָה בִּשְׁלֵמוּת בֶּאֱמֶת.

וּבְרַחֲמֶיךָ הָרַבִּים תַּמְתִּיק וּתְבַטֵּל כָּל הַדִּינִים מֵעָלֵינוּ וּמֵעַל כָּל עַמְּךָ בֵּית יִשְׂרָאֵל מֵעַתָּה וְעַד עוֹלָם.

וְנִזְכֶּה לְקַבֵּל קְדֻשַּׁת רֹאשׁ הַשָּׁנָה עַל יְדֵי הַצַּדִּיקִים אֲמִתִּיִּים, וּלְתַקֵּן כָּל הַתִּקּוּנִים שֶׁצְּרִיכִין לְתַקֵּן בְּרֹאשׁ הַשָּׁנָה שֶׁהוּא מְקוֹר הַדִּינִים שֶׁל כָּל הַשָּׁנָה.

וְתִהְיֶה מַחֲשַׁבְתֵּנוּ קְדוֹשָׁה וּטְהוֹרָה תָּמִיד, וּבִפְרָט בְּרֹאשׁ־הַשָּׁנָה הַקָּדוֹשׁ. אָנָּא רַחוּם בְּרַחֲמֶיךָ הָרַבִּים תְּרַחֵם עָלֵינוּ, וּתְזַכֵּנוּ וּתְחָנֵּנוּ אָז לִקְדֻשַּׁת הַמַּחֲשָׁבָה בְּיוֹתֵר, וְתִשְׁמְרֵנוּ וְתַצִּילֵנוּ שֶׁלֹּא יַעֲלֶה אָז עַל מַחֲשַׁבְתֵּנוּ שׁוּם מַחֲשָׁבָה זָרָה

For Rosh HaShanah

HaShem, my God and God of my fathers, help me spend Rosh HaShanah in the company of true Tzaddikim. And, in general, may I always be connected to them. With that bond, may I sanctify my mind and my thoughts.

Deliver me from every sort of foreign thought and mental blemish. Grant me wisdom, knowledge, understanding and insight until I attain complete holiness of thought.

Sweeten and nullify all judgments against me and against Your nation, the House of Israel, from now and forever.

May we receive the holiness of Rosh HaShanah by means of the true Tzaddikim. May we rectify everything that we need to rectify on Rosh HaShanah, which is the source of judgments for the entire year.

May our thoughts always be holy and pure, particularly on Rosh HaShanah. Guard us so that no foreign or external thoughts enter our minds.

וְחִיצוֹנָה כְּלָל, רַק בְּשִׁמְךָ נָגִיל כָּל הַיּוֹם בְּאֵימָה וּבְיִרְאָה בִּקְדֻשָּׁה וּבְטָהֳרָה גְדוֹלָה, בְּמַחֲשָׁבוֹת קְדוֹשׁוֹת וְזַכּוֹת וְצַחוֹת בְּתַכְלִית הַזַּכּוּת וְהַבְּהִירוּת, עַד שֶׁנִּזְכֶּה בְּכֹחַ הִתְקַשְּׁרוּת הַצַּדִּיקִים הָאֲמִתִּיִּים, לְתַקֵּן וּלְבָרֵר כָּל הַבֵּרוּרִים בְּרֹאשׁ־הַשָּׁנָה, לְבָרֵר כָּל נִיצוֹצוֹת הַקְּדֻשָּׁה מֵעִמְקֵי הַקְּלִפּוֹת, וּלְהַמְתִּיק וּלְבַטֵּל כָּל הַדִּינִים שֶׁבָּעוֹלָם מֵעָלֵינוּ וּמֵעַל כָּל עַמְּךָ בֵּית יִשְׂרָאֵל.

וְיִמְשַׁךְ עָלֵינוּ אַךְ טוֹב וָחֶסֶד וִישׁוּעָה וְרַחֲמִים גְּדוֹלִים, "מֵרֵשִׁית הַשָּׁנָה וְעַד אַחֲרִית שָׁנָה".

וְתִכְתְּבֵנוּ וְתַחְתְּמֵנוּ אָז לְחַיִּים טוֹבִים אֲרוּכִים וּלְשָׁלוֹם, לְחַיִּים אֲמִתִּיִּים חַיִּים שֶׁיֵּשׁ בָּהֶם יִרְאַת שָׁמַיִם, חַיִּים שֶׁנִּזְכֶּה בָּהֶם לִשְׁמֹר מִצְווֹתֶיךָ וְלַעֲשׂוֹת רְצוֹנְךָ בֶּאֱמֶת וּבְלֵב שָׁלֵם, וּלְתַקֵּן כָּל מַה שֶּׁפָּגַמְנוּ מֵעוֹדֵנוּ עַד הַיּוֹם הַזֶּה.

וְתַשְׁפִּיעַ עָלֵינוּ פַּרְנָסָה טוֹבָה וְרַחֲמִים וְחַיִּים וְשָׁלוֹם וְכָל טוֹב.

רִבּוֹנוֹ שֶׁל עוֹלָם, אַתָּה יוֹדֵעַ גֹּדֶל הַחִיּוּב לִנְסֹעַ עַל רֹאשׁ־הַשָּׁנָה לְצַדִּיקִים אֲמִתִּיִּים, וְגַם אַתָּה יוֹדֵעַ אֶת עֹצֶם רִבּוּי הַמְּנִיעוֹת שֶׁמִּתְגַּבְּרִים עַל זֶה מִכָּל הַצְּדָדִים.

May we rejoice solely in Your Name—with awe, holiness, purity and clear thoughts—until, strengthened by our connection to the true Tzaddikim, we rectify all that needs to be clarified on Rosh HaShanah, extracting all the sparks of holiness from the depths of the "husks," sweetening and nullifying all judgments from Your entire nation, the House of Israel.

May only goodness, kindness, salvation and compassion be drawn upon us, "from the beginning of the year until the end of the year."

At that time, write and seal us for peace and a good, long life of truth imbued with the fear of Heaven—a life in which we will keep Your commandments and do Your will with all our hearts, and rectify everything that we blemished from the beginning of our lives until this day.

And send us a good income, life, peace and everything good.

Traveling to Tzaddikim on Rosh HaShanah

Master of the world, every person has an obligation to travel to true Tzaddikim for Rosh HaShanah—but many obstacles on every side prevent us from doing so.

חוֹמֵל דַּלִּים חוּס וַחֲמֹל עָלֵינוּ, וְעָזְרֵנוּ וְזַכֵּנוּ לְשַׁבֵּר כָּל הַמְּנִיעוֹת, וְהוֹרֵנוּ דְּרָכֶיךָ, וְהַדְרִיכֵנוּ בַּאֲמִתֶּךָ וְלַמְּדֵנוּ, שֶׁנִּזְכֶּה לֵילֵךְ וְלִנְסֹעַ לְצַדִּיקִים אֲמִתִּיִּים עַל רֹאשׁ־הַשָּׁנָה, בְּאֹפֶן שֶׁנִּזְכֶּה עַל יָדָם לִקְדֻשַּׁת הַמַּחֲשָׁבָה בֶּאֱמֶת.

כִּי אַתָּה יוֹדֵעַ שֶׁעַכְשָׁו בְּעוּקְבוֹת מְשִׁיחָא, עִקַּר סְמִיכָתֵנוּ וִישׁוּעָתֵנוּ הִיא רַק עַל יְמֵי רֹאשׁ־הַשָּׁנָה הַקְּדוֹשִׁים, אֲשֶׁר בָּהֶם אָנוּ נִשְׁעָנִים לְהִתְקָרֵב אֵלֶיךָ, וּלְהַמְשִׁיךְ אֱלֹהוּתְךָ וּמַלְכוּתְךָ עָלֵינוּ מֵרֹאשׁ הַשָּׁנָה עַל כָּל הַשָּׁנָה כֻּלָּהּ.

וַאֲנַחְנוּ לֹא נֵדַע מַה נַּעֲשֶׂה בִּימֵי רֹאשׁ־הַשָּׁנָה הַקְּדוֹשִׁים, וְאֵיךְ לְרַצּוֹת אוֹתְךָ אָז כָּרָאוּי, שֶׁנִּזְכֶּה לְהַמְלִיכְךָ עָלֵינוּ בְּאֵימָה וּבְיִרְאָה, וְאֵיךְ לַעֲמֹד כְּנֶגֶד כָּל הַשּׂוֹנְאִים וְהַמְקַטְרְגִים לִסְתֹּם פִּי מַסְטִינֵנוּ וּמְקַטְרְגֵינוּ.

כִּי־אִם בִּזְכוּת וְכֹחַ הַצַּדִּיקִים אֲמִתִּיִּים, עֲלֵיהֶם אָנוּ נִשְׁעָנִים וּבָהֶם אָנוּ סְמוּכִים, כִּי הֵם יִלָּחֲמוּ לְפָנֵינוּ, וְיַכְנִיעוּ וְיַפִּילוּ כָּל שׂוֹנְאֵינוּ וְרוֹדְפֵינוּ, וְיַמְשִׁיכוּ עָלֵינוּ קְדֻשַּׁת רֹאשׁ־הַשָּׁנָה בִּשְׁלֵמוּת.

עַל כֵּן רַחֵם עָלֵינוּ לְמַעַן שְׁמֶךָ, וֶהְיֵה בְּעֶזְרֵנוּ שֶׁנִּזְכֶּה לְשַׁבֵּר כָּל הַמְּנִיעוֹת וְנִזְכֶּה לָבוֹא לְצַדִּיקִים אֲמִתִּיִּים עַל רֹאשׁ־הַשָּׁנָה, וּלְהִתְקַשֵּׁר אֲלֵיהֶם בֶּאֱמֶת, וְלִזְכּוֹת לִקְדֻשַּׁת

Help us break through all of these obstacles so that we will travel to true Tzaddikim for Rosh HaShanah and, through them, attain holy thought.

At this time, in the days before the Mashiach comes, our principal support and redemption may be found only in the holy days of Rosh HaShanah. We rely on those days to come close to You and to draw Your Godliness and sovereignty onto ourselves throughout the entire year.

In the merit of the true Tzaddikim, may we please You on the holy days of Rosh HaShanah so that we will gain the power to crown You as our awesome King and close the mouths of our enemies.

We rely on the true Tzaddikim to overcome all of our persecutors and draw the holiness of Rosh HaShanah onto us.

Help us break through every obstacle so that we will reach true Tzaddikim on Rosh HaShanah and connect ourselves to them. In that way, may we sanctify our thoughts, sweeten and nullify all judgments, and draw Your kindness to ourselves.

הַמַּחֲשָׁבָה בִּשְׁלֵמוּת עַל יָדָם. וְנִזְכֶּה לְהַמְתִּיק וּלְבַטֵּל כָּל הַדִּינִים, וּלְהַמְשִׁיךְ עָלֵינוּ חֲסָדִים טוֹבִים.

וּתְזַכֵּנוּ לְהַכִּיר וְלָדַעַת רוֹמְמוּתְךָ וּמֶמְשַׁלְתְּךָ עָלֵינוּ, וְתִמְלֹךְ עָלֵינוּ בִּכְבוֹדְךָ מְהֵרָה.

"וְיֵדַע כָּל פָּעוּל כִּי אַתָּה פְּעַלְתּוֹ, וְיָבִין כָּל יְצוּר כִּי אַתָּה יְצַרְתּוֹ, וְיֹאמַר כָּל אֲשֶׁר נְשָׁמָה בְּאַפּוֹ, יְיָ אֱלֹהֵי יִשְׂרָאֵל מֶלֶךְ וּמַלְכוּתוֹ בַּכֹּל מָשָׁלָה".

וּתְטַהֲרֵנוּ וּתְקַדְּשֵׁנוּ בִּקְדֻשָּׁתְךָ הָעֶלְיוֹנָה מֵעַתָּה וְעַד עוֹלָם אָמֵן סֶלָה:

Help us recognize how exalted You are, our glorious King.

"Every created being will know that You made him, and every creature will understand that You created him, and all that has a soul in his nostrils will say, 'HaShem, God of Israel, is King and His sovereignty rules over all.'"

Purify and sanctify us in Your supernal sanctity, from now and forever. Amen.

77 (221)

Tithing One's Income and Being Saved from One's Enemies

When a person tithes his income, God saves him from any enemies who may be pursuing him, even if they are righteous.

If this person is himself righteous, he is close to God and so God easily covers him with His "great hand." But if he is wicked and far from God, God saves him by stretching out His "great hand" to cover him.

In addition, that "great hand" provides him with a sense of contentment.

רִבּוֹנוֹ שֶׁל עוֹלָם זַכֵּנִי בְּרַחֲמֶיךָ הָרַבִּים, וְעָזְרֵנִי וְהוֹשִׁיעֵנִי וְתֵן לִי לֵב טוֹב שֶׁאֶזְכֶּה לְהַרְבּוֹת בִּצְדָקָה, וּתְזַכֵּנִי לִתֵּן מַעֲשֵׂר מִמָּעוֹתַי וּמִכָּל מַה שֶּׁתְּחָנֵּנִי בְּרַחֲמֶיךָ.

וְתַזְמִין לִי עֲנִיִּים הֲגוּנִים לִזְכּוֹת בָּהֶם. וְעַל יְדֵי זֶה תַּצִּילֵנִי מִשּׂוֹנְאַי וּמֵרוֹדְפַי, כִּי דַּרְכְּךָ לְבַקֵּשׁ אֶת הַנִּרְדָּף, אֲפִלּוּ צַדִּיק רוֹדֵף אֶת הָרָשָׁע.

חוּס וַחֲמֹל וְרַחֵם עָלַי לְמַעַן שְׁמֶךָ, וֶהְיֵה בְּעֶזְרִי וְהוֹשִׁיעֵנִי וְחַזֵּק אֶת לְבָבִי, שֶׁאֶזְכֶּה לִתֵּן תָּמִיד מַעֲשֵׂר מִכָּל מַה שֶּׁתְּחָנֵּנִי בְּרַחֲמֶיךָ הָרַבִּים.

וְתִפְשֹׁט יָדְךָ הַגְּדוֹלָה עָלַי, וְתַזְמִין לִי פַּרְנָסָתִי מֵאִתְּךָ, וְתַסְפִּיק לִי כָּל צְרָכַי וְכָל צָרְכֵי בֵּיתִי בְּהַרְחָבָה גְדוֹלָה קֹדֶם שֶׁאֶצְטָרֵךְ לָהֶם, מִתַּחַת יָדְךָ הָרְחָבָה וְהַמְּלֵאָה.

וְקַיֵּם בָּנוּ מִקְרָא שֶׁכָּתוּב: "וַהֲרִיקֹתִי לָכֶם בְּרָכָה עַד בְּלִי דָי". וְאֶזְכֶּה לִהְיוֹת שָׂמֵחַ בְּחֶלְקִי תָּמִיד, וּלְהִסְתַּפֵּק בַּמֶּה שֶׁתְּחָנֵּנִי, וְלֹא אֶהְיֶה נִבְהָל לְהוֹן חַס וְשָׁלוֹם.

וּבְצֵל כְּנָפֶיךָ תַּסְתִּירֵנִי, וְתָגֵן עָלַי בְּצֵל יָדְךָ הַגְּדוֹלָה, וּתְכַסֶּה עָלַי וְתַצִּילֵנִי מִכָּל שׂוֹנְאַי וְרוֹדְפַי בְּגַשְׁמִיּוּת וְרוּחָנִיּוּת.

Giving Charity to Worthy People

Master of the world, give me a good heart so that I will distribute much charity—a tenth of all the money that You bestow upon me.

Send me worthy poor people through whom I may gain merit by giving them charity. As a result of that, rescue me from my enemies and persecutors. Our sages teach that You protect a persecuted person, even if he is wicked and he is being pursued by a righteous person.

Strengthen my heart so that I will always give a tenth of everything that You grant me to charity.

Open Your "great hand" to provide me with my income. Generously satisfy all of my needs and all of the needs of my family, even before we feel their lack.

May I experience the verse, "I will pour forth upon you blessing without cease." May I always rejoice in my portion and be satisfied with what You graciously give me. May I never grow frantic to gain wealth.

Hide me in the shadow of Your wings. Shield me in the shadow of Your "great hand." Protect me from all of my physical and spiritual enemies.

ויקַיֵּם בָּנוּ מִקְרָא שֶׁכָּתוּב: "וָאָשִׂים דְּבָרַי בְּפִיךָ וּבְצֵל יָדִי כִּסִּיתִיךָ לִנְטֹעַ שָׁמַיִם וְלִיסוֹד אָרֶץ וְלֵאמֹר לְצִיּוֹן עַמִּי אָתָּה".

וְתָשִׂים שָׁלוֹם בָּעוֹלָם, וִיקַיֵּם מִקְרָא שֶׁכָּתוּב: "אֱמֶת מֵאֶרֶץ תִּצְמָח, וְצֶדֶק מִשָּׁמַיִם נִשְׁקָף. חֶסֶד וֶאֱמֶת נִפְגָּשׁוּ, צֶדֶק וְשָׁלוֹם נָשָׁקוּ".

וְנֶאֱמַר: "בִּצְדָקָה תִּכּוֹנָנִי, רַחֲקִי מֵעֹשֶׁק כִּי לֹא תִירָאִי, וּמִמְּחִתָּה, כִּי לֹא תִקְרַב אֵלָיִךְ".

עָזְרֵנִי כִּי עָלֶיךָ נִשְׁעַנְתִּי, "קָרְבָה אֶל נַפְשִׁי גְאָלָהּ לְמַעַן אוֹיְבַי פְּדֵנִי.

יִהְיוּ לְרָצוֹן אִמְרֵי פִי וְהֶגְיוֹן לִבִּי לְפָנֶיךָ יְיָ צוּרִי וְגֹאֲלִי":

Bring about the prophecy, "I will place My words in your mouth, and in the shadow of My hand I will cover you, so that I may plant the heavens and establish the earth and say to Zion, 'You are My people.'"

Bring peace to the world. Then "truth will blossom from the earth and justice will gaze down from Heaven." "Kindness and truth will meet, justice and peace will kiss."

"Establish yourself with righteousness; distance yourself from oppression, for you shall not fear it, and from ruin, for it will not approach you."

Help me, for I rely on You. "Bring close to my spirit its redemption; despite my enemies, redeem me."

"May the words of my mouth and the meditation of my heart be acceptable before You, HaShem, my Rock and my Redeemer."

78 (242)

Giving Charity Saves a Person from Licentious Thoughts

The elements of the world of holiness have their analog in the realm of impurity. This includes the level of Divine manifestation called Arikh Anpin (literally, the "Long Face").

There is an Arikh Anpin of the "husks," which appears embodied in a licentious woman. A man who meets such a woman will find it hard to avoid entertaining lustful thoughts about her. No matter what he does, she will not leave his mind. She is "long" in the sense that she reaches out to stand before his thoughts constantly.

Giving charity will save this man from the filth and spiritual death of these licentious thoughts. This is not to say that one may rely on giving charity to make himself at home in the presence of women. At the very least, however, even if he does indulge in their company, it will not damage him so much.

As for engaging in necessary conversation with women, that will not harm him at all.

יְהִי רָצוֹן מִלְּפָנֶיךָ יְיָ אֱלֹהֵינוּ וֵאלֹהֵי אֲבוֹתֵינוּ, "אֵל אֶרֶךְ אַפַּיִם וְרַב חֶסֶד וֶאֱמֶת", שֶׁתָּחוֹס וְתַחְמֹל עָלַי כְּגֹדֶל חֲנִינוּתֶיךָ וְתַעַזְרֵנִי וְתוֹשִׁיעֵנִי וּתְזַכֵּנִי לִתֵּן צְדָקָה הַרְבֵּה לַעֲנִיִּים הֲגוּנִים הַרְבֵּה לִשְׁמְךָ לְבַד בֶּאֱמֶת לַאֲמִתּוֹ, בְּלִי שׁוּם פְּנִיּוֹת וּבְלִי שׁוּם שְׁקָרִים כְּלָל. וְתִהְיֶה יָדִי פְּתוּחָה לְפַזֵּר וְלִתֵּן לְאֶבְיוֹנִים הֲגוּנִים צְדָקָה הַרְבֵּה, כָּל מַה שֶּׁיֶּחְסַר לָהֶם, בְּשִׂמְחָה רַבָּה וּבְחֶדְוָה גְדוֹלָה וּבְלֵב טוֹב וּבְסֵבֶר פָּנִים יָפוֹת.

וְאֶזְכֶּה לְהַרְבּוֹת בִּצְדָקָה תָּמִיד לִשְׁמְךָ לְבַד כִּרְצוֹנְךָ הַטּוֹב, עַד שֶׁאֶזְכֶּה בְּכֹחַ הַצְּדָקָה הַקְּדוֹשָׁה לְהַכְנִיעַ וּלְשַׁבֵּר וּלְבַטֵּל כֹּחַ הַצְּדָקָה שֶׁל הָרְשָׁעִים הַמִּתְנַגְּדִים אֶל הַקְּדֻשָּׁה, אֲשֶׁר אַתָּה מַכְשִׁילָם בַּעֲנִיִּים שֶׁאֵינָם הֲגוּנִים. "וְלֹא תַעֲשֶׂינָה יְדֵיהֶם תּוּשִׁיָּה".

וְלֹא יִהְיֶה לָהֶם שׁוּם כֹּחַ נֶגֶד עַמְּךָ יִשְׂרָאֵל הַחֲפֵצִים לְעָבְדְךָ בֶּאֱמֶת.

וְתַמְשִׁיךְ עָלֵינוּ קְדֻשָּׁתְךָ הַגְּדוֹלָה, וְתַשְׁפִּיעַ עָלֵינוּ כֹּחַ וְאֹמֶץ מֵהַצַּדִּיקִים הָאֲמִתִּיִּים זְקֵנִים שֶׁבִּקְדֻשָּׁה, וּבִזְכוּתָם וְכֹחָם נִזְכֶּה לְהַכְנִיעַ וּלְשַׁבֵּר וּלְבַטֵּל מֶלֶךְ זָקֵן וּכְסִיל, לְגָרֵשׁ אוֹתוֹ וְאֶת חֲיָלוֹתָיו מֵעָלֵינוּ וּמֵעַל גְּבוּלֵנוּ. וְאֶת רוּחַ הַטֻּמְאָה תְּבַעֵר מִן הָאָרֶץ. וּתְבַטֵּל מֵעָלֵינוּ כָּל מִינֵי הִרְהוּרִים רָעִים

Charity and Holy Thoughts

"God, long-suffering, filled with kindness and truth," help me give charity with a generous hand to many worthy poor people so that I may fulfill their needs for the sake of Your Name, without any ulterior motives—joyfully, with a good heart and with a pleasant expression.

May I always give a great deal of charity for the sake of Your Name, in accordance with Your beneficent will, until with the power of that holy charity, I will be able to nullify the power gained by wicked people when they give charity. Cause them to stumble by inducing them to give money to unworthy poor people, so that "their hand will not act wisely."

May they have no power to act against Your nation, the Jewish people, who desire to serve You.

Draw Your great holiness upon us. Pour onto us strength that comes from the true Tzaddikim, the elders of holiness. In the merit and power of these Tzaddikim, may we overcome the "old and foolish king." May we expel him and his troops from our border, burn the spirit of impurity from the land, and nullify all types of evil

הָרוֹדְפִים אַחֲרֵינוּ בְּכָל עֵת, וּבְיוֹתֵר אַחֲרֵי הַחֲפֵצִים בֶּאֱמֶת לְהִתְקָרֵב אֵלֶיךָ.

כַּאֲשֶׁר נִגְלָה לְפָנֶיךָ אֲדוֹן כָּל מָלֵא רַחֲמִים.

וְנִזְכֶּה לְהַמְשִׁיךְ עָלֵינוּ אוֹר פְּנֵי מֶלֶךְ חַיִּים, אוֹר הַפָּנִים דִּקְדֻשָּׁה הַנִּמְשָׁךְ מֵאָרִיךְ אַנְפִּין דִּקְדֻשָּׁה.

וְתַעַזְרֵנוּ לְהַכְנִיעַ וּלְשַׁבֵּר וּלְגָרֵשׁ וּלְבַטֵּל מֵאִתָּנוּ כָּל הַהִרְהוּרִים רָעִים הַנִּמְשָׁכִין מֵאָרִיךְ אַנְפִּין דִּקְלִפָּה.

וְתָגֵן בַּעֲדֵנוּ שֶׁלֹּא תִפְגַּע בָּנוּ שׁוּם אִשָּׁה רָעָה אֲשֶׁר שָׁרְשָׁהּ נִמְשֶׁכֶת מִשָּׁם, וְלֹא שׁוּם הִרְהוּר רָע הַנִּמְשָׁךְ מִשָּׁם מֵאָרִיךְ אַנְפִּין דִּקְלִפָּה.

אֲשֶׁר אִי אֶפְשָׁר לְהִתְחַבֵּא וְלִבְרֹחַ מֵהִרְהוּרִים הָאֵלֶּה הַנִּמְשָׁכִין מִשָּׁם, כִּי בְּכָל צַד שֶׁפּוֹנִים, הֵם מִזְדַּמְּנִים וּבָאִים לְשָׁם.

אָנָּא הַשֵּׁם, מָלֵא רַחֲמִים וְרַב חֶסֶד וֶאֱמֶת, חֲמֹל עָלֵינוּ וְהַצִּילֵנוּ מִסִּטְרָא דְמוֹתָא, מֵהִרְהוּרֵי נִאוּף, שֶׁהֵם נִקְרָאִים סִטְרָא דְּמוֹתָא וְהֵם מָרִים מִמָּוֶת, וְהֵם נִקְרָאִים אֲבִי אֲבוֹת הַטֻּמְאָה.

חוֹמֵל דַּלִּים, חוֹשֵׁב מַחֲשָׁבוֹת לְבַל יִדַּח מִמְּךָ נִדָּח, הַצִּילֵנוּ מֵהֶם שָׁמְרֵנוּ מֵהֶם.

thoughts that pursue people constantly—particularly those people who desire to come close to You.

May we draw onto ourselves the Light of the Face of the King of life, the light of the countenance of holiness that is drawn from the Arikh Anpin of holiness.

Help us eradicate all evil thoughts that derive from the unholy aspect of reality called the Arikh Anpin of the "husk."

Shield us so that we will never be harmed by any "evil woman" or any evil thought—both of which are at the root drawn from the Arikh Anpin of the "husk."

It is impossible to avoid the thoughts that are drawn from there, because they are present wherever we turn.

Protection Against Unholy Thoughts

HaShem, filled with compassion, kind and true, rescue us from licentious thoughts, which are the greatest source of impurity and are more bitter than death.

You Who have pity for the poor, You Who devise thoughts so that no one will remain cast away from You, rescue us from these thoughts.

רַחֵם עַל חֲלוּשֵׁי כֹּחַ כָּמוֹנוּ הַיּוֹם בַּדּוֹר הַזֶּה, בְּעִקְּבוֹת מְשִׁיחָא, אֲשֶׁר יָרַדְנוּ מַטָּה מָטָּה, בְּאֵין עוֹזֵר וְסוֹמֵךְ. טָבַעְנוּ בִּיוֵן מְצוּלָה וְאֵין מָעֳמָד, בָּאנוּ בְמַעֲמַקֵּי מַיִם וְשִׁבֹּלֶת שְׁטָפָתְנוּ.

חוּסָה עָלֵינוּ כְּרֹב רַחֲמֶיךָ, וְתֵן לָנוּ חֲנִינָה וְלֹא נֹאבֵד, וְתֵן לָנוּ כֹּחַ לְהַכְנִיעַ וּלְשַׁבֵּר וּלְגָרֵשׁ וּלְבַטֵּל אֲרִיךְ אַנְפִּין דִּקְלִפָּה מֵעָלֵינוּ וּמֵעַל גְּבוּלֵנוּ, וְלֹא יָבֹא עָלֵינוּ שׁוּם הִרְהוּר רָע הַנִּמְשָׁךְ מִשָּׁם.

בְּצִדְקָתְךָ תְּחַיֵּינוּ וְתוֹצִיא מִצָּרָה נַפְשֵׁנוּ, כִּי אַתָּה לְבַד יוֹדֵעַ מִי וָמִי עוֹמְדִים עָלֵינוּ בְּכָל עֵת וּבְכָל יוֹם וּבְכָל שָׁעָה, עַל כָּל הַחֲפֵצִים לָשׁוּב אֵלֶיךָ וּלְהִתְקָרֵב אֵלֶיךָ, שֶׁמִּתְגַּבְּרִים עַל כָּל אֶחָד וְאֶחָד בְּיִחוּד בְּהִתְגַּבְּרוּת גָּדוֹל מְאֹד, וְרוֹדְפִים אַחֲרֵינוּ "כַּאֲשֶׁר יִרְדֹּף הַקֹּרֵא בֶּהָרִים".

"גְּדֹל הָעֵצָה וְרַב הָעֲלִילִיָּה", רַחֵם עַל פְּלֵטָה הַנִּשְׁאֶרֶת, וְהַצִּילֵנוּ מִמָּוֶת וּפְדֵנוּ מִשַּׁחַת, "הַצִּילָה מֵחֶרֶב נַפְשִׁי מִיַּד כֶּלֶב יְחִידָתִי".

Have compassion on us, we who are so weak in this generation before the coming of the Mashiach. We have descended lower and lower. Lacking assistance, we have sunken into the muddy depths of the water, and the waves have washed over us so that we cannot stand.

Be gracious to us so that we will not be lost. Give us the power to overcome the Arikh Anpin of the "husk" and expel it from our border. May no evil thought, which is drawn from there, come upon us.

In Your righteousness, give us life. Draw our spirit forth from suffering. Only You can identify those who at every moment oppose those of us who desire to return to You. Those people rise up against us and pursue us, "as the one who hunts the partridge in the mountains."

God, You Who are "great in counsel and mighty in deed," have compassion on the remnant of Your people. Rescue us from death and redeem us from destruction. "Save my spirit from the sword, my soul from the hand of the dog."

וְתַשְׁפִּיעַ עָלֵינוּ עֵצוֹת קְדוֹשׁוֹת אֲמִתִּיּוֹת בְּכָל עֵת, בְּאֹפֶן שֶׁנִּזְכֶּה לְהִנָּצֵל בֶּאֱמֶת מִכָּל מִינֵי הִרְהוּרִים שֶׁבָּעוֹלָם, וְלֹא יַעֲלוּ וְלֹא יָבוֹאוּ עַל לִבֵּנוּ כְּלָל, וְנִזְכֶּה לִקְדֻשַּׁת הַמַּחְשָׁבָה בֶּאֱמֶת.

מְחַיֵּה מֵתִים בְּרַחֲמִים רַבִּים, הֲקִימֵנוּ וְנִחְיֶה בְּאוֹר פָּנֶיךָ, וְנִחְיֶה וְלֹא נָמוּת מִיתַת עוֹלָם חַס וְשָׁלוֹם.

זַכֵּנוּ בְּרַחֲמֶיךָ הָרַבִּים לְהַרְבּוֹת בִּצְדָקָה לִשְׁמְךָ לְבַד בֶּאֱמֶת, וּבִזְכוּת הַצְּדָקָה דִקְדֻשָּׁה תַּצִּילֵנוּ מִמָּוֶת, שֶׁהֵם הַהִרְהוּרִים רָעִים שֶׁנִּקְרָאִים טֻמְאַת מֵת כְּמוֹ שֶׁכָּתוּב: "וּצְדָקָה תַּצִּיל מִמָּוֶת".

וְתִשְׁמְרֵנִי תָמִיד שֶׁלֹּא אֶהְיֶה מְעֹרָב בֵּין הַנָּשִׁים, וְלֹא אַרְבֶּה שִׂיחָה עִמָּהֶם. וַאֲפִלּוּ עִם אִשְׁתִּי אֲמַעֵט בְּשִׂיחָה בְּכָל מַה דְּאֶפְשָׁר.

וּמַה שֶּׁמֻּכְרָח לְדַבֵּר עִמָּהֶם לִפְעָמִים, תָּגֵן בַּעֲדִי וְתִשְׁמְרֵנִי בְּרַחֲמֶיךָ שֶׁלֹּא אֶהְיֶה נִלְכָּד עַל־יְדֵי־זֶה חַס וְשָׁלוֹם בְּשׁוּם הִרְהוּר רָע חַס וְשָׁלוֹם, וְתַצִּילֵנִי מֵהִסְתַּכְּלוּת רָעִים וּמֵהִרְהוּרִים רָעִים, וְלֹא אָתוּר אַחַר לְבָבִי וְאַחַר עֵינַי.

עָזְרֵנוּ כִּי עָלֶיךָ נִשְׁעַנְנוּ, כִּי אֵין לָנוּ עַל מִי לְהִשָּׁעֵן כִּי אִם עַל אָבִינוּ שֶׁבַּשָּׁמַיִם.

Send us holy, true advice at every moment, so that we will be saved from all types of evil thoughts, so that they will not arise and enter our hearts. Instead, may we attain holy thoughts.

You Who revive the dead, elevate us so that we will live in the light of Your countenance and not die an eternal death.

Avoiding the Company of the Opposite Sex

Help us give a great deal of charity for the sake of Your Name. As the verse states, "Charity saves from death." In the merit of giving such holy charity, save us from evil thoughts, which possess the impurity of death.

Guard me always from mingling with women and from speaking with them at length. May I reduce idle chatter with any woman—even with my wife—as much as possible.

When, at times, it is necessary for me to speak with women, guard me in Your compassion so that I will not come to have any evil thoughts. Save me from gazing at any woman and from having inappropriate thoughts. May I not stray after my heart and my eyes.

Help us, for we rely on You alone. We have no one on whom to rely but You, our Father in Heaven.

"הַצִּילֵנִי מִטִּיט וְאַל אֶטְבָּעָה אִנָּצְלָה מִשֹּׂנְאַי וּמִמַּעֲמַקֵּי מָיִם.

אַל תִּשְׁטְפֵנִי שִׁבֹּלֶת מַיִם וְאַל תִּבְלָעֵנִי מְצוּלָה וְאַל תֶּאְטַר עָלַי בְּאֵר פִּיהָ.

פְּנֵה אֵלַי וְחָנֵּנִי, תְּנָה עֻזְּךָ לְעַבְדֶּךָ וְהוֹשִׁיעָה לְבֶן אֲמָתֶךָ.

עֲשֵׂה עִמִּי אוֹת לְטוֹבָה וְיִרְאוּ שֹׂנְאַי וְיֵבוֹשׁוּ כִּי אַתָּה יְיָ עֲזַרְתַּנִי וְנִחַמְתָּנִי.

אֲנִי בְּצֶדֶק אֶחֱזֶה פָנֶיךָ אֶשְׂבְּעָה בְהָקִיץ תְּמוּנָתֶךָ":

"Rescue me from the mud so that I will not sink. May I be delivered from my enemies and from the depths of the water."

"May the waves of water not pour over me, may the depths not swallow me up, and may the wellspring not shut its mouth upon me."

"Turn to me and be gracious to me. Grant Your might to Your servant; save the son of Your maidservant."

"Send me a sign for the good; let my enemies see it and be ashamed, because You, HaShem, help me and console me."

"I will gaze upon Your countenance in righteousness; I will be satisfied when I awaken with Your image."

79 (251)

Silence and Reliance on God Eliminates Heretical Thoughts / A Man of Truth Overcomes Wicked People Who Give Charity

When dispute exists, the heretical thoughts of wicked people can affect good and pious people. To get rid of these thoughts, a good person must be silent and rely on God to fight on his behalf. Then the thoughts of idolatry are eliminated and his own thoughts are elevated.

However, when wicked people give charity, their thoughts have the power to persist. The influence of their charity can then be overcome by a man of truth—someone who performs mitzvot wholeheartedly and carefully, whether in the presence of others or alone before God. Such a person has the power to draw all charity to himself, for charity is attracted to truth. In particular, this person draws the charity of wicked people to himself, for it is already standing far from them, since they are far from truth.

As this man of truth draws the charity of those wicked people to himself, its power is nullified and their evil thoughts and heresies can no longer affect good and pious people.

״חַלְּצֵנִי יְיָ מֵאָדָם רָע מֵאִישׁ חֲמָסִים תִּנְצְרֵנִי. אֲשֶׁר חָשְׁבוּ רָעוֹת בְּלֵב כָּל יוֹם יָגוּרוּ מִלְחָמוֹת. כָּל הַיּוֹם דְּבָרַי יְעַצֵּבוּ, עָלַי כָּל מַחְשְׁבוֹתָם לָרָע״.

רִבּוֹנוֹ שֶׁל עוֹלָם מָרֵיהּ דְּעָלְמָא כֹּלָּא, אַתָּה יוֹדֵעַ אֶת עֹצֶם רִבּוּי הַמַּחֲלֹקֶת שֶׁהִתְגַּבְּרָה בָּעוֹלָם עַכְשָׁו, וּמֵחֲמַת זֶה נוֹפְלִים עָלֵינוּ מַחֲשָׁבוֹת רָעוֹת רַבּוֹת מְאֹד, בְּלִי שִׁעוּר וָעֵרֶךְ. וּבַעֲווֹנוֹתֵינוּ הָרַבִּים עַל־יְדֵי עֹצֶם הַמַּחֲלֹקֶת בָּאִים מַחֲשָׁבוֹת שֶׁל כְּפִירוֹת עַל הַכְּשֵׁרִים שֶׁבַּדּוֹר, כַּאֲשֶׁר גִּלִּיתָ לָנוּ עַל־יְדֵי חֲכָמֶיךָ הַקְּדוֹשִׁים.

וּבְגֹדֶל דַּלּוּתֵנוּ וַחֲלִישׁוּתֵינוּ אֵין אָנוּ יוֹדְעִין שׁוּם עֵצָה וְתַחְבּוּלָה לַעֲמֹד נֶגֶד הַמַּחֲשָׁבוֹת רָעוֹת וְהַבִּלְבּוּלִים הָרַבִּים הַשּׁוֹטְפִים עָלֵינוּ בְּכָל עֵת.

וְאֵין לָנוּ עַל מִי לְהִשָּׁעֵן כִּי אִם עַל אָבִינוּ שֶׁבַּשָּׁמַיִם.

וְהִנְנוּ מַשְׁלִיכִים עַצְמֵנוּ עָלֶיךָ לְבַד, בְּיָדְךָ נַפְקִיד רוּחֵנוּ, וְאָנוּ מוֹסְרִים כָּל הַמִּלְחָמָה עָלֶיךָ לְבַד, וְאַתָּה תִּלְחוֹם בַּעֲדֵנוּ, כִּי אַתָּה הוּא אִישׁ מִלְחָמָה, כְּמוֹ שֶׁכָּתוּב: ״יְיָ אִישׁ מִלְחָמָה, יְיָ שְׁמוֹ״, וּמִי יַעֲמֹד נֶגְדְּךָ.

מָלֵא רַחֲמִים חוֹמֵל דַּלִּים, קָרוֹב לְקוֹרְאָיו בֶּאֱמֶת, חוּס

HaShem Protects Us from Dispute

"HaShem, rescue me from evil people; protect me from men of violence. They meditate evils in their heart; every day they stir up strife." "The entire day they trouble my affairs; all of their thoughts are against me for evil."

Master of the world, You know the prevalence and intensity of disputatiousness. As a result, thoughts of heresy attack even the pious people of the generation—and so we ourselves are subject to a limitless amount of such thoughts.

And because we are so impoverished and weak, we have no idea how to withstand these evil thoughts and confusions, which sweep over us constantly.

We have no one on whom to rely but You, our Father in Heaven. Therefore, we cast ourselves upon You alone. We commit our spirits to You. We place the entire struggle in Your hands. Fight on our behalf, for You are a warrior. As the verse states, "HaShem is a warrior, HaShem is His Name." No one can stand against You.

You Who are filled with compassion, You Who have pity on the poor, You Who are close to those who call upon You in truth, look upon

וַחֲמֹל עָלֵינוּ וּרְאֵה נָא בְעָנְיֵנוּ וְרִיבָה רִיבֵנוּ, "רִיבָה יְיָ אֶת יְרִיבַי, לְחַם אֶת לוֹחֲמָי, הַחֲזֵק מָגֵן וְצִנָּה וְקוּמָה בְּעֶזְרָתִי".

וְהִלָּחֵם בַּעֲדֵנוּ נֶגֶד צוֹרְרֵנוּ, וִיקַיֵּם בָּנוּ מִקְרָא שֶׁכָּתוּב: "יְיָ יִלָּחֵם לָכֶם וְאַתֶּם תַּחֲרִישׁוּן".

עָזְרֵנוּ כִּי עָלֶיךָ נִשְׁעָנְנוּ דַּלּוּ עֵינֵינוּ לַמָּרוֹם יְיָ, עָשְׁקָה לָנוּ עָרְבֵנוּ.

רְאֵה "כִּי אָזְלַת יָד וְאֶפֶס עָצוּר וְעָזוּב". חָנֵּנוּ אֱלֹהִים כִּי שְׁאָפַנוּ אֱנוֹשׁ כָּל הַיּוֹם לוֹחֵם יִלְחָצֵנוּ. "וַאֲנַחְנוּ לֹא נֵדַע מַה נַּעֲשֶׂה כִּי עָלֶיךָ עֵינֵינוּ".

עֲשֵׂה לְמַעַנְךָ וְלֹא לְמַעֲנֵנוּ:

וְזַכֵּנוּ בְּרַחֲמֶיךָ הָרַבִּים לִתֵּן צְדָקָה הַרְבֵּה לַעֲנִיִּים הֲגוּנִים לְשִׁמְךָ לְבַד בְּלִי שׁוּם שְׁקָרִים וּבְלִי שׁוּם פְּנִיּוֹת.

וְתַעַזְרֵנוּ תָמִיד לְקַיֵּם מִצְוַת צְדָקָה כָּרָאוּי כִּרְצוֹנְךָ הַטּוֹב בִּקְדֻשָּׁה וְטָהֳרָה גְדוֹלָה בְּשִׂמְחָה וּבְטוּב לֵבָב.

our impoverishment and fight on our behalf. "HaShem, fight those who fight against me; battle those who battle against me. Take hold of the shield and buckler and rise to help me."

Fight on our behalf against our persecutors. As the verse states, "HaShem will fight for you, as you remain silent."

Help us, for we rely on You. "My eyes fail with looking upwards; Master, I am oppressed. Be my surety."

"The enemy's hand gains strength and there is no savior to strengthen us." Be gracious to us, God, for wicked people yearn to destroy us; they fight and oppress us all day long. "We do not know what to do, and so our eyes are turned to You."

Act for Your own sake and not for ours.

Giving Charity Properly

Help us give a great deal of charity to worthy poor people for the sake of Your Name alone, without any ulterior motives.

Help us always perform the mitzvah of charity properly, in accordance with Your beneficent will, with holiness and purity, with joy and a good heart.

וְתַצִּיל אֶת נַפְשׁוֹתֵינוּ שֶׁלֹּא נִכָּשֵׁל לְעוֹלָם בַּעֲנִיִּים שֶׁאֵינָם הֲגוּנִים, וְתִשְׁמְרֵנוּ מִצְּדָקוֹת הָרָעוֹת שֶׁאֵינָם כִּרְצוֹנֶךָ, וְתַחְמֹל עָלֵינוּ בְּחֶמְלָתְךָ וְתָגֵן בַּעֲדֵנוּ וְתַצִּילֵנוּ שֶׁלֹּא יַזִּיקוּ לָנוּ כְּלָל הַצְּדָקוֹת הָרָעוֹת שֶׁאֵינָם כִּרְצוֹנְךָ בֶּאֱמֶת, הַגּוֹרְמִים מַה שֶּׁגּוֹרְמִים.

אָנָּא רַחוּם, בְּרַחֲמֶיךָ הָרַבִּים הַצִּילֵנוּ וְשָׁמְרֵנוּ מֵהֶם, וְתִתֵּן כֹּחַ לְהַצַּדִּיקִים אֲמִתִּיִּים אַנְשֵׁי אֱמֶת שֶׁיַּמְשִׁיכוּ לְעַצְמָם כָּל הַצְּדָקוֹת שֶׁבָּעוֹלָם, הָעוֹמְדִים מֵרָחוֹק מֵעֲדוּרֵי אֱמֶת.

וְתַעַזְרֵנוּ בְּרַחֲמֶיךָ הָרַבִּים שֶׁנִּזְכֶּה לְהִכָּלֵל בְּמִדָּתוֹ שֶׁל יַעֲקֹב אָבִינוּ עָלָיו הַשָּׁלוֹם, שֶׁהָיָה מִדָּתוֹ אֱמֶת, וְנִזְכֶּה לְמִדַּת אֱמֶת בִּשְׁלֵמוּת.

וּתְזַכֵּנוּ לַעֲשׂוֹת כָּל הַמִּצְווֹת לִפְנֵי יְיָ אֱלֹהֵינוּ כַּאֲשֶׁר צִוָּנוּ, עִם כָּל פְּרָטֵיהֶם וְדִקְדּוּקֵיהֶם, לְשִׁמְךָ לְבַד בֶּאֱמֶת, בְּלִי שׁוּם פְּנִיָּה וּבְלִי שׁוּם מַחֲשָׁבָה זָרָה בִּשְׁבִיל בְּנֵי אָדָם חַס וְשָׁלוֹם.

וְנִזְכֶּה לִהְיוֹת הַצְנֵעַ לֶכֶת בֶּאֱמֶת, לְדַקְדֵּק בְּכָל הַמִּצְווֹת בֵּינֵינוּ לְבֵין קוֹנֵנוּ, לַעֲשׂוֹתָם בְּתַכְלִית הַשְּׁלֵמוּת לְשִׁמְךָ לְבַד בֶּאֱמֶת לַאֲמִתּוֹ.

וְתַעַזְרֵנוּ לְהִתְדַּבֵּק וּלְהִכָּלֵל בְּצַדִּיקִים אֲמִתִּיִּים וּבַאֲנָשִׁים כְּשֵׁרִים אַנְשֵׁי אֱמֶת.

Protect our spirits by keeping us from giving money to unworthy poor people and unworthy charities that are not in accordance with Your will.

Charity and Truth

Enable the true Tzaddikim, who are men of truth and who stand far from those who lack truth, to draw all charity to themselves.

Help us be absorbed into the trait of Jacob, which is the trait of truth.

Help us perform all of the commandments with all of their details for the sake of Your Name, without any ulterior motives and without any intent to curry favor with people.

May we walk humbly and be exacting in all of the commandments between man and God, performing them perfectly for Your sake alone.

Help us cling to true Tzaddikim and all pious men of truth.

וִיקֻיַּם בָּנוּ מִקְרָא שֶׁכָּתוּב: "וּצְדָקָה תִּהְיֶה לָנוּ, כִּי נִשְׁמֹר לַעֲשׂוֹת אֶת כָּל הַמִּצְוָה הַזֹּאת לִפְנֵי יְיָ אֱלֹהֵינוּ, כַּאֲשֶׁר צִוָּנוּ".

וְנֶאֱמַר: "וְזָרְחָה לָכֶם יִרְאֵי שְׁמִי שֶׁמֶשׁ צְדָקָה וּמַרְפֵּא בִּכְנָפֶיהָ".

וְנֶאֱמַר: "תִּתֵּן אֱמֶת לְיַעֲקֹב, חֶסֶד לְאַבְרָהָם, אֲשֶׁר נִשְׁבַּעְתָּ לַאֲבוֹתֵינוּ מִימֵי קֶדֶם".

עָזְרֵנוּ עָזְרֵנוּ חָנֵּנוּ חָנֵּנוּ, הַצִּילֵנוּ מֵרִיב לְשׁוֹנוֹת, הַצִּילֵנוּ וְשָׁמְרֵנוּ שֶׁלֹּא יַזִּיק לָנוּ כְּלָל לַעֲבוֹדָתֵנוּ הַמַּחֲלֹקֶת הַגְּדוֹלָה שֶׁיֵּשׁ עַכְשָׁו בָּעוֹלָם, וּבִפְרָט הַקָּטֵגוֹרְיָא שֶׁיֵּשׁ עַתָּה בֵּין הַתַּלְמִידֵי חֲכָמִים וְהַכְּשֵׁרִים שֶׁבַּדּוֹר.

חוּס וַחֲמֹל עָלֵינוּ שֶׁלֹּא יַזִּיקוּ לָנוּ שׁוּם מַחֲלֹקֶת לֹא בְּגַשְׁמִיּוּת וְלֹא בְּרוּחָנִיּוּת.

וּתְגָרֵשׁ וּתְבַטֵּל כָּל הַמַּחֲשָׁבוֹת רָעוֹת מֵעָלֵינוּ וּמֵעַל גְּבוּלֵנוּ, כִּי אֵין לָנוּ שׁוּם עֵצָה וְתַחְבּוּלָה נֶגְדָּם כִּי אִם עָלֶיךָ לְבַד אָנוּ מַשְׁלִיכִים כָּל יְהָבֵינוּ, וְאַתָּה תִּלְחוֹם בַּעֲדֵנוּ, כְּמוֹ שֶׁכָּתוּב: "יוֹם אִירָא אֲנִי אֵלֶיךָ אֶבְטָח.

כִּי רַבּוּ מְשַׂעֲרוֹת רֹאשִׁי שׂוֹנְאַי חִנָּם, יְיָ מָה רַבּוּ צָרָי רַבִּים קָמִים עָלָי.

"May it be charity to us when we make sure to keep all of this commandment before HaShem our God, as He has commanded us."

"May the sun of charity, with healing in its wings, shine upon you who fear My Name."

"Give truth to Jacob, kindness to Abraham, as You promised our fathers from the earliest days."

Help us, be gracious to us, and rescue us from argumentative tongues. Protect us so that the great contentiousness that now exists in the world—in particular, the disputes among the Torah sages and pious people—will not interfere with our serving You.

May no dispute, in either the physical or the spiritual realms, harm us.

Expel all evil thoughts from our borders. We have no counsel or plan to deal with such thoughts, except to cast our entire burden upon You alone and ask You to fight on our behalf. As the verse states, "On the day that I fear, I will place my trust in You."

"More than the hairs of my head are those who hate me for no reason." "HaShem, how many are my adversaries, how many rise against me!"

רַבַּת צְרָרוּנִי מִנְּעוּרָי גַּם לֹא יָכְלוּ לִי, עַל גַּבִּי חָרְשׁוּ חוֹרְשִׁים הֶאֱרִיכוּ לְמַעֲנִיתָם, יְיָ צַדִּיק קִצֵּץ עֲבוֹת רְשָׁעִים. יֵבֹשׁוּ וְיִכָּלְמוּ מְבַקְשֵׁי נַפְשִׁי יִסּוֹגוּ אָחוֹר וְיַחְפְּרוּ חוֹשְׁבֵי רָעָתִי.

וְנַפְשִׁי תָּגִיל בַּיהוָה תָּשִׂישׂ בִּישׁוּעָתוֹ. כָּל עַצְמוֹתַי תֹּאמַרְנָה יְיָ מִי כָמוֹךָ, מַצִּיל עָנִי מֵחָזָק מִמֶּנּוּ וְעָנִי וְאֶבְיוֹן מִגּוֹזְלוֹ".

רְאֵה דִּמְעָתִי וְאַנְחָתִי וְאֶנְקָתִי וּמְרִירוּת לְבָבִי וְכִלְיוֹן עֵינַי לִישׁוּעָתְךָ הָאֲמִתִּיִּית, "אַל תַּעַזְבֵנִי יְיָ, אֱלֹהַי אַל תִּרְחַק מִמֶּנִּי, חוּשָׁה לְעֶזְרָתִי אֲדֹנָי תְּשׁוּעָתִי. יִהְיוּ לְרָצוֹן אִמְרֵי פִי וְהֶגְיוֹן לִבִּי לְפָנֶיךָ יְיָ צוּרִי וְגוֹאֲלִי":

"Much have they tormented me from my youth—but they have not overcome me. Upon my back have the plowers plowed; they have lengthened their furrows. HaShem is righteous; He has cut the ropes of the wicked." "Those who seek my life will be ashamed and crestfallen; those who plan my ruin will be turned back and humiliated."

"Then my spirit will be glad in HaShem; it will rejoice in His salvation. All of my bones will say, 'HaShem, Who is like You? You save the poor person from the one who is stronger than he, and the poor man and the impoverished man from the one who robs him.'"

Take heed of my tears, sighs, groans, the bitterness of my heart and the yearning of my eyes for Your true salvation. "Do not abandon me, HaShem, my God; do not be far from me. Rush to help me, Master of my salvation."

"May the words of my mouth and the meditation of my heart be acceptable before You, HaShem, my Rock and my Redeemer."

80 (78)

With Our Holy Speech, We Can Return to God / The Universal Spirit of Holiness

When God created the world, He constricted His sovereignty within it in the realm called "speech," which is associated with the Divine Presence. God then brought down the souls of the Jewish people so that they might draw that sovereignty to themselves.

Today, however, the Divine Presence is in exile, and so the light and power of God's sovereignty are diminished.

However, there is a positive aspect to this. Because God loves the Jewish people, His Presence—or holy speech—accompanies each individual Jew even into the filthiest place, like a mother accompanying her child wherever he goes. And so no matter how low a person falls, with holy speech, he can recall God and take strength in Him.

One way that a person can return to God through speech is to confess his sins to Him. Also, one can rectify the realm of speech by learning Torah, reciting the words of the prayer service, and engaging in his own prayers to God.

When a person learns Torah or prays, he clothes his body in the holy letters of Torah and prayer. As a result, he protects his body from the fire of his heart—whether that fire is for the sake of holiness or for the sake of the things of this world.

God Himself is at present "clothed" within the worlds that He created. But when the holy spirit of life drawn down by Torah and prayer will one day grow universally accessible, we will recognize God as transcending all worlds, without any garment or image.

יְהִי רָצוֹן מִלְּפָנֶיךָ יְיָ אֱלֹהֵינוּ וֵאלֹהֵי אֲבוֹתֵינוּ, שֶׁתַּעַזְרֵנִי בְּרַחֲמֶיךָ הָרַבִּים, וּתְזַכֵּנִי לְקַדֵּשׁ אֶת דִּבּוּר פִּי תָּמִיד, וְאֶזְכֶּה לְדַבֵּר תָּמִיד דִּבּוּרִים קְדוֹשִׁים הַרְבֵּה בְּכָל יוֹם וָיוֹם, שֶׁאֶזְכֶּה לְהַרְבּוֹת בְּלִמּוּד הַתּוֹרָה הַקְּדוֹשָׁה וּבִתְפִלּוֹת וּתְחִנּוֹת וּבַקָּשׁוֹת הַרְבֵּה בְּכָל יוֹם וָיוֹם, וְלֹא אַפְסִיק פִּי מִגִּרְסָא וְלִמּוּד וּתְפִלּוֹת וּבַקָּשׁוֹת וְשִׁירוֹת וְתִשְׁבָּחוֹת לְשִׁמְךָ הַגָּדוֹל וְהַקָּדוֹשׁ. וְכָל הַיּוֹם תִּהְיֶה שִׂיחָתִי וְדִבּוּרִי בְּתוֹרָה וּתְפִלָּה.

וְאֶזְכֶּה לְהִתְוַדּוֹת וִדּוּי דְּבָרִים לְפָנֶיךָ בְּכָל יוֹם עַל כָּל מַה שֶּׁפָּגַמְתִּי נֶגְדְּךָ, וּלְפָרֵשׁ חֲטָאַי לְפָנֶיךָ בְּפֶה מָלֵא בְּפֵרוּשׁ. וְאֶזְכֶּה לְהַרְבּוֹת בְּהִתְבּוֹדְדוּת תָּמִיד, עַד שֶׁהַדִּבּוּר דִּקְדֻשָּׁה זָכוֹר יִזְכְּרֵנִי לְטוֹבָה וִישִׁיבֵנִי אֵלֶיךָ בֶּאֱמֶת וּבְלֵב שָׁלֵם, בִּתְשׁוּבָה שְׁלֵמָה לְפָנֶיךָ.

וְאַל תִּשְׁכָּחֵנִי חָלִילָה בְּאֵלּוּ הַמְּקוֹמוֹת הַמְגֻנִּים שֶׁנִּלְכַּדְתִּי בָּהֶם בַּעֲווֹנוֹתַי הָרַבִּים, וּתְמַהֵר לְזָכְרֵנִי וּלְהוֹצִיאֵנִי מֵהֶם חִישׁ קַל מְהֵרָה.

וּתְקַיֵּם בִּי מִקְרָא שֶׁכָּתוּב: "הֲבֵן יַקִּיר לִי אֶפְרַיִם אִם יֶלֶד שַׁעֲשׁוּעִים, כִּי מִדֵּי דַבְּרִי בּוֹ זָכֹר אֶזְכְּרֶנּוּ עוֹד, עַל כֵּן הָמוּ מֵעַי לוֹ רַחֵם אֲרַחֲמֶנּוּ נְאֻם יְיָ".

וּבְרַחֲמֶיךָ הָרַבִּים תְּרַחֵם עַל שְׁכִינַת עֻזְּךָ אֲשֶׁר הִיא שׁוֹכֶנֶת עִמָּנוּ בְּגָלוּת גָּדוֹל, וְהַדִּבּוּר דִּקְדֻשָּׁה בַּגָּלוּת, וְתַעַזְרֵנוּ שֶׁנִּזְכֶּה

Holy Speech

HaShem, my God and God of my fathers, help me always sanctify my speech. Every day, may I speak many holy words of Torah and prayer, making requests of You and praising Your great and holy Name. Moreover, may all of my words relate to Torah and prayer.

May I use my speech to confess my sins to You every day. May I engage in a great deal of my own prayers to You, until my holy words will attract Your positive attention to me and help me return to You with all my heart.

Do not forsake me in those low places to which I have fallen and where I was trapped because of my many sins. Remember me and bring me forth from there.

Think of me with love, as in the verse, "Ephraim is a precious son to Me, a child of delights; every time I speak of him, I recall him more; therefore, I yearn for him; I will surely have compassion on him, says HaShem."

Have compassion on Your Divine Presence, which dwells with us in exile. In particular, have compassion on the holiness related to speech, which has gone into exile because we have not spoken holy words. Help us bring that speech

לְהוֹצִיא הַדִּבּוּר מֵהַגָּלוּת. וְתָגֵן בַּעֲדֵנוּ וְתִשְׁמְרֵנוּ תָּמִיד שֶׁלֹּא יֵצֵא מִפִּינוּ לְעוֹלָם שׁוּם דִּבּוּר שֶׁאֵינוֹ כִּרְצוֹנְךָ.

וְלֹא נִפְגֹּם דִּבּוּר פִּינוּ לְעוֹלָם, רַק נִזְכֶּה לְקַדֵּשׁ אֶת דִּבּוּר פִּינוּ תָּמִיד, וּלְהַרְבּוֹת בְּדִבּוּרֵי תוֹרָה וּתְפִלָּה וּשְׁאָר דִּבּוּרִים קְדוֹשִׁים:

אָבִי אָב הָרַחֲמָן, קָרְבֵנִי לְתוֹרָתְךָ הַקְּדוֹשָׁה, וְזַכֵּנִי לַהֲגוֹת בְּתוֹרָתְךָ יוֹמָם וָלַיְלָה, עַד שֶׁאֶזְכֶּה לְקָרֵר כָּל חֲמִימוּתִי עַל יְדֵי דִבּוּר פִּי בְּתוֹרָה וּתְפִלָּה.

כִּי אַתָּה יוֹדֵעַ עֹצֶם תַּבְעֵרַת מְדוּרַת לְבָבִי, אֲשֶׁר לְבָבִי בּוֹעֵר מְאֹד בְּרִשְׁפֵּי שַׁלְהֶבֶת, לִפְעָמִים לְבָבִי בּוֹעֵר מְאֹד אֵלֶיךָ כִּיקוֹד יְקוֹד אֵשׁ, "כִּי עַזָּה כַמָּוֶת אַהֲבָה קָשָׁה כִשְׁאוֹל קִנְאָה רְשָׁפֶיהָ רִשְׁפֵּי אֵשׁ שַׁלְהֶבֶת יָהּ", אֲבָל הוּא יוֹתֵר מֵהַמִּדָּה, עַד שֶׁיָּכוֹל לְאוֹקִיד כָּל גּוּפִי חַס וְשָׁלוֹם.

וּבְתוֹךְ כַּךְ נִתְבַּלְבֵּל דַּעְתִּי וְחוֹזֵר וּבוֹעֵר לִבִּי חַס וְשָׁלוֹם אֶל הַתַּאֲווֹת עוֹלָם הַזֶּה כְּלַפִּיד אֵשׁ, "כְּמוֹ תַנּוּר בּוֹעֵרָה מֵאֹפֶה", עַד אֲשֶׁר רוֹצִים חַס וְשָׁלוֹם לֶאֱכֹל וְלִשְׂרֹף אֶת גּוּפִי וְנַפְשִׁי חַס וְשָׁלוֹם.

וְאֵינִי יוֹדֵעַ לְהֵיכָן לִבְרֹחַ וּלְהִטָּמֵן מִפְּנֵי הָאֵשׁ הַגְּדוֹלָה הַזֹּאת, וַאֲנִי הוֹלֵךְ נָע וָנָד בָּאֶרֶץ הַנְּשָׁמָה הַזֹּאת וְאֵין לִי שׁוּם

forth from exile by never saying a single word that is not in accordance with Your will.

May we never say anything that stains our speech. Rather, may we sanctify our speech by learning Torah, praying and using our words for holy purposes.

Reducing an Overwhelming Passion for Holiness

Compassionate Father, bring me close to Your holy Torah. Help me study Your Torah day and night until I mitigate my passions.

My heart burns for You with great flames, a blazing inferno. "Mighty as death is love, harsh as the grave is jealousy—its flashes are flashes of fire, a torch of God."

That fire has gone so far beyond the proper measure that it might devour my body.

As a result, my mind is confused and my heart begins to burn for the things of this world like a fiery flame, "like an oven heated by the baker," until my desires threaten to consume and burn my body and soul.

I do not know where to flee in order to hide from this great fire. I wander in a desolate land

מְנוּחָה מֵרוֹדְפַי, "שָׁקַדְתִּי וָאֶהְיֶה כְּצִפּוֹר בּוֹדֵד עַל גָּג", כִּסְפִינָה הַמִּטֹּרֶפֶת בְּלֵב יַמִּים, עוֹלֶה שָׁמַיִם וְיוֹרֵד תְּהוֹמוֹת, כִּי הָעֲלִיָּה הִיא שֶׁלֹּא כְּסֵדֶר וְהַיְרִידָה שֶׁלֹּא כְּסֵדֶר. "כְּאִישׁ שִׁכּוֹר וּכְגֶבֶר עֲבָרוֹ יָיִן".

וְדַעְתִּי עֲכוּרָה וְכָל חָכְמָתִי תִּתְבַּלָּע. כִּי כָל מַה שֶּׁרָצִיתִי לְהִתְחַכֵּם בְּתַחְבּוּלוֹת וְעֵצוֹת כְּנֶגֶד אוֹיְבֵי נַפְשִׁי, לֹא עָלְתָה בְּיָדִי מְאוּמָה.

אָנָּא יְיָ אַתָּה יָדַעְתָּ אֶת כָּל אֲשֶׁר נַעֲשָׂה עִמִּי מֵעוֹדִי עַד הַיּוֹם הַזֶּה, "וְעַתָּה יְיָ אֱלֹהֵינוּ אָבִינוּ אָתָּה, אֲנַחְנוּ הַחֹמֶר וְאַתָּה יוֹצְרֵנוּ וּמַעֲשֵׂה יָדְךָ כֻּלָּנוּ".

הִנְנִי בְּיָדְךָ כַּחֹמֶר בְּיַד הַיּוֹצֵר, כִּי עַתָּה אֵין לִי שׁוּם חָכְמָה וְאֵין תְּבוּנָה וְאֵין עֵצָה, כִּי אִם לִזְעֹק וְלִצְעֹק אֵלֶיךָ לְבַד, עַד שֶׁתְּחָנֵּנִי בְּרַחֲמֶיךָ הָרַבִּים וּבְחֶמְלָתְךָ הַגְּדוֹלָה, וּתְקָרְבֵנִי אֵלֶיךָ לְמַעַנְךָ לְבַד.

מָלֵא רַחֲמִים תֶּן לִי בֵּית מָנוֹס לְתוֹךְ דִּבּוּרֵי תוֹרָה וּתְפִלָּה, שֶׁאֶזְכֶּה לְהַרְבּוֹת בְּדִבּוּרֵי תוֹרָה וּתְפִלָּה בְּכָל יוֹם וָיוֹם. וְרוּחַ אֱלֹהִים שֶׁל הַדִּבּוּר הַקָּדוֹשׁ יְרַחֵף עָלַי וְיָגֵן בַּעֲדִי וְיַצִּילֵנִי.

but I gain no rest from my pursuers. "I have been diligent, but I remain like a bird alone on the roof." I am like a ship foundering in the heart of the seas, rising to heaven and descending to the depths, because there is no order to my ascents and descents—"like a drunken man, a man whom wine has overcome."

My mind is befuddled, and all of my wisdom is swallowed up.

I wanted to implement plans and ideas that would outsmart the enemies of my soul, but none of them succeeded.

HaShem, You know everything that I have gone through from my birth to this day. "HaShem our God, You are our Father. We are the clay and You are our Maker, and all of us are the work of Your hand."

I am in Your hand like clay in the hand of the potter. I have no wisdom, understanding or counsel. All I can do is cry out to You alone, until You will graciously bring me close to You, for Your sake alone.

A New Heart

Help me find refuge in the words of Torah and prayer that I speak every day. May the Divine spirit of holy speech hover over me,

וְיִנָּשֵׁב עַל לִבִּי, וְיִכַּבֶּה אֵשׁ הַתַּאֲווֹת, עַד שֶׁיִּתְבַּטְּלוּ כָּל הַתַּאֲווֹת מִמֶּנִּי מֵעַתָּה וְעַד עוֹלָם.

וְאֶזְכֶּה עַל יְדֵי הַתּוֹרָה הַקְּדוֹשָׁה לְצַמְצֵם גַּם אֶת הַהִתְלַהֲבוּת דִּקְדֻשָּׁה אֵלֶיךָ, שֶׁיִּהְיֶה הַהִתְלַהֲבוּת אֵלֶיךָ בְּהַדְּרָגָה וּבְמִדָּה כִּרְצוֹנְךָ הַטּוֹב בֶּאֱמֶת לַאֲמִתּוֹ. וְלֹא אֵצֵא חוּץ מֵהַמִּדָּה כְּלָל.

וְתַצִּילֵנִי בִּזְכוּת הַדִּבּוּר הַקָּדוֹשׁ, בִּזְכוּת הַתּוֹרָה הַקְּדוֹשָׁה, מִכָּל מִינֵי חֲטָאִים וַעֲווֹנוֹת וּפְשָׁעִים וּמִכָּל הַתַּאֲווֹת רָעוֹת. וּתְגָרֵשׁ הָרוּחַ שְׁטוּת מִמֶּנִּי. וּתְזַכֵּנִי לְהַמְשִׁיךְ עָלַי רוּחַ חַיִּים, רוּחַ הַקֹּדֶשׁ דֶּרֶךְ הַחֶבֶל דִּקְדֻשָּׁה, עַל יְדֵי הַדִּבּוּר דִּקְדֻשָּׁה.

וּתְקַיֵּם בָּנוּ מִקְרָא שֶׁכָּתוּב: "וְנָתַתִּי לָכֶם לֵב חָדָשׁ וְרוּחַ חֲדָשָׁה אֶתֵּן בְּקִרְבְּכֶם וַהֲסִירוֹתִי אֶת לֵב הָאֶבֶן מִבְּשַׂרְכֶם וְנָתַתִּי לָכֶם לֵב בָּשָׂר, וְאֶת רוּחִי אֶתֵּן בְּקִרְבְּכֶם וְעָשִׂיתִי אֶת אֲשֶׁר בְּחֻקַּי תֵּלֵכוּ וּמִשְׁפָּטַי תִּשְׁמְרוּ וַעֲשִׂיתֶם".

וְנִזְכֶּה לְהַעֲלוֹת הַמַּלְכוּת דִּקְדֻשָּׁה מֵהַגָּלוּת. וּתְזַכֶּה אוֹתָנוּ וְאֶת כָּל עַמְּךָ בֵּית יִשְׂרָאֵל, שֶׁנִּזְכֶּה כָּל אֶחָד וְאֶחָד לְגַלּוֹת חֶלְקֵי קְדֻשַּׁת מָשִׁיחַ הַמֻּשְׁרָשׁ בְּקֶרֶב כָּל אֶחָד וְאֶחָד מִיִּשְׂרָאֵל.

protect me and blow upon my heart to extinguish the fire of my desires, until all of my lusts will be eradicated forever.

In addition, as a result of my study of the holy Torah, may I constrict my holy fervor for You so that it will always be measured, in accordance with Your wishes.

In the merit of my holy speech, part of which is the utterance of the words of Torah, rescue me from every sort of sin and lust. Chase the spirit of foolishness away from me and instead—by means of the rope of holiness, which is holy speech—help me connect myself to a spirit of life and holiness.

As You have promised, "I will give you a new heart and place a new spirit in your midst. I will remove the heart of stone from your flesh and give you a heart of flesh. I will place My spirit in your midst and cause you to obey My ordinances and keep and perform My laws."

May we raise Your holy sovereignty from its exile. May every member of Your nation, the House of Israel, reveal the Messianic holiness rooted within himself.

וְתַמְשִׁיךְ עָלֵינוּ חַיִּים טוֹבִים וַאֲרוּכִים וּתְזַכֵּנוּ לְחַיִּים נִצְחִיִּים, וְתַחְמֹל עָלֵינוּ וְתוֹשִׁיעֵנוּ וּתְזַכֵּנוּ לַעֲמֹד וְלָקוּם בִּתְחִיַּת הַמֵּתִים לְחַיֵּי עוֹלָם עִם שְׁאָר הַצַּדִּיקִים וְהַחֲסִידִים וְהַתְּמִימִים וְהַכְּשֵׁרִים:

יְהִי רָצוֹן מִלְּפָנֶיךָ יְיָ אֱלֹהֵינוּ וֵאלֹהֵי אֲבוֹתֵינוּ, שֶׁנִּשְׁמֹר חֻקֶּיךָ וּמִצְוֹתֶיךָ בָּעוֹלָם הַזֶּה, וְנִזְכֶּה וְנִחְיֶה וְנִרְאֶה וְנִירַשׁ טוֹבָה וּבְרָכָה לִשְׁנֵי יְמוֹת הַמָּשִׁיחַ וּלְחַיֵּי הָעוֹלָם הַבָּא.

וְנִזְכֶּה לְהַגְדִּיל וּלְנַשֵּׂא וּלְפָאֵר וּלְרוֹמֵם מַלְכוּתְךָ בָּעוֹלָם, וּלְגַלּוֹת וּלְפַרְסֵם מַלְכוּתְךָ לְכָל בָּאֵי עוֹלָם. וּלְהַעֲלוֹת הַמַּלְכוּת דִּקְדֻשָּׁה לְשָׁרְשָׁהּ, וְתָשִׁיב אֶל דּוֹדָהּ בְּאַהֲבָה וְאַחֲוָה וְרֵעוּת. וִיהְיֶה נַעֲשֶׂה יִחוּד קֻדְשָׁא בְּרִיךְ הוּא וּשְׁכִינְתֵּיהּ בְּיִחוּדָא שְׁלִים עַל יָדֵינוּ תָּמִיד.

"יִמָּלֵא פִי תְּהִלָּתֶךָ, כָּל הַיּוֹם תִּפְאַרְתֶּךָ. אֲבָרְכָה אֶת יְיָ בְּכָל עֵת, תָּמִיד תְּהִלָּתוֹ בְּפִי. תְּהִלַּת יְיָ יְדַבֶּר פִּי, וִיבָרֵךְ כָּל בָּשָׂר שֵׁם קָדְשׁוֹ לְעוֹלָם וָעֶד. וַאֲנַחְנוּ נְבָרֵךְ יָהּ, מֵעַתָּה וְעַד עוֹלָם, הַלְלוּיָהּ".

Give us a good and long life. More than that, give us eternal life, so that we will rise at the time of the resurrection of the dead together with the Tzaddikim and all pious and whole-hearted Jews.

Proclaiming that God is King

HaShem, our God and God of our fathers, help us keep Your laws and commandments in this world. Then may we live to experience and inherit goodness and blessing at the time of the Mashiach and, following that, during the life of the World to Come.

May we magnify, elevate and glorify Your sovereignty throughout the world, revealing and publicizing Your holy sovereignty to all people. May we raise Your sovereignty to its root, so that there will be brought about, with love, friendship and warmth, a perfect unification of Your transcendent holiness with Your Divine Presence.

"May my mouth be filled with Your praise, the entire day with Your glory." "I will bless HaShem at all times; His praise is always in my mouth." "May my mouth speak the praise of HaShem, and all flesh bless His holy Name forever and ever." "We will bless God from now and forever, Halleluyah."

וְאֶזְכֶּה לְקַיֵּם מִקְרָא שֶׁכָּתוּב: "לֹא יָמוּשׁ סֵפֶר הַתּוֹרָה הַזֶּה מִפִּיךָ, וְהָגִיתָ בּוֹ יוֹמָם וָלַיְלָה". וְנֶאֱמַר: "וַאֲנִי זֹאת בְּרִיתִי אוֹתָם אָמַר יְיָ, רוּחִי אֲשֶׁר עָלֶיךָ וּדְבָרַי אֲשֶׁר שַׂמְתִּי בְּפִיךָ, לֹא יָמוּשׁוּ מִפִּיךָ, וּמִפִּי זַרְעֲךָ, וּמִפִּי זֶרַע זַרְעֲךָ אָמַר יְיָ מֵעַתָּה וְעַד עוֹלָם".

וְנִזְכֶּה לְהַכִּיר אוֹתְךָ בֶּאֱמֶת לְמַעְלָה מִכָּל הָעוֹלָמוֹת. וִיקֻיַּם מְהֵרָה מִקְרָא שֶׁכָּתוּב: "וְיִתֶּן עֹז לְמַלְכּוֹ וְיָרֵם קֶרֶן מְשִׁיחוֹ.

כִּי לַיהֹוָה הַמְּלוּכָה וּמוֹשֵׁל בַּגּוֹיִם. וְעָלוּ מוֹשִׁיעִים בְּהַר צִיּוֹן לִשְׁפֹּט אֶת הַר עֵשָׂו וְהָיְתָה לַיהֹוָה הַמְּלוּכָה. וְהָיָה יְיָ לְמֶלֶךְ עַל כָּל הָאָרֶץ בַּיּוֹם הַהוּא יִהְיֶה יְיָ אֶחָד וּשְׁמוֹ אֶחָד":

May I learn Torah in such a way that "this book of the Torah will not leave your mouth, and you shall study it day and night." And "as for Me, this is My covenant with them, says HaShem. My spirit that is resting upon you and My words that I have placed in your mouth will not leave your mouth or the mouth of your offspring, or the mouth of the offspring of your offspring, says HaShem, from now and forever."

May we recognize You Who are higher than all of the worlds.

May the verse quickly be realized, "He will give power to His king and elevate the horn of His anointed one."

"HaShem's is the sovereignty and He rules the nations." "Saviors will arise on Mount Zion to judge Mount Esau, and HaShem's will be the kingship." "Then HaShem will be King over all the land; on that day, HaShem will be One and His Name will be One."

81 (79)

Temporary and Permanent Repentance / The Tzaddik Sees His Smallness and the Greatness of the Jewish People / Repentance and the Shabbat / Repentance and Income

---

A person must make sure that nothing within him prevents the coming of the Mashiach. In other words, he must repent.

There are two types of repentance. The first kind is temporary. A person engages in business and the vanities of this world and, in the midst of that, he thinks of repenting—but then he returns to his original ways. He may flip back and forth repeatedly in this manner—between life and death, kosher and non-kosher, clean and unclean, forbidden and permitted. This type of repentance corresponds to the six days of the week.

The second type of repentance is permanent. In this case, evil is entirely expelled. This type of repentance corresponds to the Shabbat, and is associated with the level of Moses and Mashiach. Thus, Moses carried the staff of God in his hand, with which he transformed reality from evil to good.

On the Shabbat, a Tzaddik repents completely and then he can see how small he is and how great the Jewish people are. That is why every true Tzaddik—principally Moses—dedicates himself to helping the Jewish people.

When a person sees his lowliness, no one can deprive him of his livelihood by attempting to remove him from his place. Because he is humble to the point of nothingness, he has no characteristic corresponding to "place."

"בַּיהֹוָה חָסִיתִי אֵיךְ תֹּאמְרוּ לְנַפְשִׁי נוּדִי הַרְכֶם צִפּוֹר, שָׁקַדְתִּי וָאֶהְיֶה כְּצִפּוֹר בּוֹדֵד עַל גָּג, כָּל הַיּוֹם חֵרְפוּנִי אוֹיְבָי מְהוֹלָלַי בִּי נִשְׁבָּעוּ, כִּי אֵפֶר כַּלֶּחֶם אָכָלְתִּי וְשִׁקֻּוַי בִּבְכִי מָסָכְתִּי. מִפְּנֵי זַעַמְךָ וְקִצְפֶּךָ, כִּי נְשָׂאתַנִי וַתַּשְׁלִיכֵנִי".

כִּי אֲנִי הוֹלֵךְ בָּעוֹלָם, נָע וָנָד בָּאָרֶץ. וְאֵין לִי שׁוּם מְנוּחָה וְהַשְׁקֵט. כִּי הָרוּחַ סְעָרָה הוֹלֵךְ וְסוֹעֵר, וַאֲנִי מְבֻלְבָּל וּמְטֹרָף מְאֹד יוֹתֵר מִסְּפִינָה הַתּוֹעָה בְּלֶב יָם.

אֶת מְרִירוּת עֵץ הַדַּעַת טוֹב וָרָע טָעַמְתִּי, וְנִתְעָרֵב בִּי מְאֹד הַטּוֹב וְהָרָע יַחַד, וְאֵין לִי שׁוּם מְנוּחָה וְהַשְׁקֵט.

לִפְעָמִים מִתְעוֹרֵר בִּי הַטּוֹב, וּמַגִּיעַ לִי הִרְהוּר תְּשׁוּבָה, וַאֲנִי מַתְחִיל לְהַרְגִּיל עַצְמִי בְּדַרְכֵי יְיָ בְּדַרְכֵי הַתּוֹרָה הַקְּדוֹשָׁה, וְלִכְסֹף לִתְשׁוּבָה שְׁלֵמָה בֶּאֱמֶת.

אַךְ הוּא לַמִּצְעָר מְאֹד, וּבְתוֹךְ כָּךְ מִתְעוֹרֵר חַס וְשָׁלוֹם אֵשׁ הַתַּאֲווֹת, וַאֲנִי הוֹלֵךְ וְתוֹעֶה עוֹלֶה וְיוֹרֵד יוֹרֵד וְעוֹלֶה, וְהַשְׁקֵט לֹא אוּכָל.

Storm-Tossed by This World

"I have taken refuge in HaShem. How shall you say to my soul, flee to your mountain like a bird?" Yet although "I have been diligent, I remain like a bird alone on the roof. All day long my enemies revile me; those who are crazed against me curse me. I have eaten ashes like bread and mingled my drink with weeping, because of Your anger and Your wrath—for You lifted me up and then cast me down."

I wander throughout the world without rest or quiet, in the midst of a storm that grows ever wilder. I am tossed about and torn asunder, more so than a ship driven off course in the heart of the sea.

Because I tasted the bitter fruit of the Tree of Knowledge, good and evil have mingled together within me until I have no peace and quiet.

Sometimes a little bit of goodness is aroused in me. Then I experience a thought of repentance and I decide to follow the ways of HaShem, the ways of the holy Torah, and I yearn for complete repentance.

But in the midst of that, my fiery lusts are aroused until I stray.

אוֹי לִי מִיִּצְרִי אוֹי לִי מִיּוֹצְרִי. כְּאֶבֶן הַנָּתוּן בְּתוֹךְ כַּף הַקֶּלַע, כֵּן נַפְשִׁי מְטֹרֶפֶת בְּיָוֵן מְצוּלוֹת טִיט עֲכִירַת תַּאֲוֹת עוֹלָם הַזֶּה וַהֲבָלָיו. וּבֶאֱמֶת אֵין לִי שׁוּם מָשָׁל וְדִמְיוֹן לְכַנּוֹת וּלְהַדַּמּוֹת עֹצֶם הָרַחֲמָנוּת שֶׁעָלַי. מִיּוֹם הֱיוֹתִי עַל הָאֲדָמָה עַד הַיּוֹם הַזֶּה, "לֹא שָׁלַוְתִּי וְלֹא שָׁקַטְתִּי וְלֹא נָחְתִּי וַיָּבֹא רֹגֶז":

עַל כֵּן בָּאתִי לְהַפִּיל תְּחִנָּתִי לְפָנֶיךָ יְיָ אֱלֹהַי וֵאלֹהֵי אֲבוֹתַי מָלֵא רַחֲמִים, שֶׁתַּמְצִיא לִי בְּרַחֲמֶיךָ מְנוּחָה וְהַשְׁקֵט, וּתְזַכֵּנִי בִּתְשׁוּבָה שְׁלֵמָה לְפָנֶיךָ בֶּאֱמֶת.

אֵל שַׁדַּי יִתֵּן לִי רַחֲמִים. הָאוֹמֵר לְעוֹלָמוֹ דַּי, יֹאמַר לְצָרוֹתַי דַּי.

הָאוֹמֵר לַיָּם עַד פֹּה תָבֹא, הוּא יִגְעוֹר בְּהַיֵּצֶר הָרַע שֶׁלִּי וּבְכָל הָרוֹדְפִים אוֹתִי שֶׁיִּסְתַּלְּקוּ מִמֶּנִּי וְיִתְבַּטְּלוּ מִמֶּנִּי, וַיַּנִּיחוּנִי לְעָבְדוֹ בִּקְבִיעוּת בֶּאֱמֶת וּבְלֵב שָׁלֵם, בְּשׁוּבָה וָנַחַת אִוָּשֵׁעַ, בְּהַשְׁקֵט וּבְבִטְחָה תִּהְיֶה גְבוּרָתִי.

And so I rise and descend, descend and rise, and I cannot gain equanimity.

Woe to me because of my evil inclination! Woe to me before my Maker!

My soul is like a stone shot from a slingshot, like a body flung about by monstrous waves streaked with the mud of the meaningless lusts of this world.

I have no way to describe my pitiable state from the day that I entered the world until this day. "I have had no tranquility and no quiet, and have not rested; and trouble has come."

To Live Permanently with God

Therefore, I plead before You, HaShem my God and God of my fathers, to bring me peace and quiet, and may I merit to repent before You with a complete repentance.

You Who told Your world to cease expanding with the word "Enough!"—tell my troubles, "Enough!"

You Who told the sea at the shore, "Do not cross this point!"—rebuke my evil inclination and all those who pursue me, so they will leave me alone and cease to exist, and I will be able to serve You with all my heart. May I be saved and gain peace. May I find my power in tranquility and confidence.

וְלֹא אֵלֵךְ עוֹד עִמְּךָ בְּקֶרִי וּבְמִקְרֶה חַס וְשָׁלוֹם. וְלֹא אֶהְיֶה כְּגַלְגַּל הַחוֹזֵר חַס וְשָׁלוֹם, כְּמַטֶּה הַמִּתְהַפֵּךְ, פַּעַם כָּשֵׁר וּפַעַם פָּסוּל, פַּעַם טָהוֹר וּפַעַם טָמֵא חַס וְשָׁלוֹם.

רַק אֶזְכֶּה בְּרַחֲמֶיךָ לַעֲשׂוֹת תּוֹרָתִי קֶבַע. וְלִקְבֹּעַ עַצְמִי בִּקְבִיעוּת גָּמוּר בְּתוֹךְ קְדֻשָּׁתְךָ בֶּאֱמֶת מֵעַתָּה וְעַד עוֹלָם, וְלַעֲשׂוֹת תְּשׁוּבָה שְׁלֵמָה בֶּאֱמֶת, וְלַעֲבֹד אוֹתְךָ תָּמִיד יוֹמָם וָלַיְלָה בְּכָל לֵב וָנֶפֶשׁ בִּשְׁנֵי יְצָרַי בֶּאֱמֶת.

לְשַׁבָּת-קוֹדֶשׁ

וְתַעֲלֵנִי מְהֵרָה מִטֻּמְאָה לְטָהֳרָה מֵחֹל לְקֹדֶשׁ מִשֵּׁשֶׁת יְמֵי הַחֹל לִקְדֻשַּׁת שַׁבַּת קֹדֶשׁ.

וּתְזַכֵּנִי לְקַבֵּל שַׁבַּת קֹדֶשׁ בְּשִׂמְחָה גְדוֹלָה, וּבְחֶדְוָה רַבָּה וַעֲצוּמָה וּבְכָל מִינֵי כָּבוֹד וְעֹנֶג שַׁבָּת, וּקְדֻשָּׁה וְטָהֳרָה גְדוֹלָה כִּרְצוֹנְךָ הַטּוֹב בֶּאֱמֶת. וְאֶזְכֶּה לְהִכָּלֵל בִּקְדֻשַּׁת שַׁבַּת תָּמִיד לְעוֹלָם וָעֶד, וּלְהַמְשִׁיךְ הַקְּדֻשָּׁה שֶׁל שַׁבָּת לְשֵׁשֶׁת יְמֵי הַחֹל.

וְאֶזְכֶּה לִתְשׁוּבָה שֶׁל שַׁבַּת קֹדֶשׁ, וְלָנוּחַ מֵעַתָּה מִכָּל עִנְיָנֵי חֹל. וְלַהֲפֹךְ פָּנַי לְגַמְרֵי מִתַּאֲווֹת עוֹלָם הַזֶּה וַהֲבָלָיו, וְלִקְבֹּעַ

May I no longer experience You as ruling my life with arbitrary occurrences. May I no longer be like a turning wheel or a flung staff, so that one moment I am worthy and the next moment unworthy, one moment pure and the next moment impure.

Help me make Torah an unchanging part of my life and place myself permanently within Your holiness. May I repent completely and serve You always, day and night, with all my heart and soul, with both my good and evil inclinations.

The Holy Shabbat

Raise me quickly from impurity to purity, from the mundane to holiness, from the six days of the week to the holy Shabbat.

Help me celebrate the holy Shabbat with joy and happiness, honor and delight, and holiness and piety, in accordance with Your beneficent will.

May I be absorbed into the holiness of the Shabbat always, until I draw that holiness to the six days of the week.

May I attain the repentance of the holy Shabbat and refrain from all mundane matters. May I turn away entirely from the lusts and

עַצְמִי בֶּאֱמֶת בְּתוֹךְ הַקְּדֻשָּׁה בִּמְנוּחָה וְהַשְׁקֵט, בִּמְנוּחַת אַהֲבָה וּנְדָבָה, מְנוּחַת אֱמֶת וֶאֱמוּנָה מְנוּחַת שָׁלוֹם וְשַׁלְוָה הַשְׁקֵט וָבֶטַח, מְנוּחָה שְׁלֵמָה שֶׁאַתָּה רוֹצֶה בָּהּ. וְלֹא יִהְיֶה בְּרוּחִי רְמִיָּה כְּלָל, וְלֹא אָשׁוּב עוֹד לְכִסְלָה לְעוֹלָם:

וְאִם הִרְבֵּיתִי אַשְׁמָה, עַד אֲשֶׁר חֲטָאַי לֹא יִמַּדּוּ וְלֹא יִסָּפְרוּ, וְכָבְדוּ מֵחוֹל יַמִּים, וְאֵין שׁוּם לָשׁוֹן בָּעוֹלָם לְכַנּוֹת בּוֹ רִבּוּי וְעֹצֶם פְּשָׁעַי וּפְגָמַי נֶגְדְּךָ.

אוֹי לִי כִּי חָטָאתִי אוֹי מֶה עָשִׂיתִי, אוֹי לִי אֵיךְ לֹא חַסְתִּי עַל נַפְשִׁי הַיְקָרָה מְאֹד. אֵיךְ הָיִיתִי אַכְזָר עַל נַפְשִׁי יוֹתֵר מִכָּל מִינֵי רוֹצְחִים וְאַכְזָרִים שֶׁבָּעוֹלָם.

וְאִלּוּ הָיוּ מִתְקַבְּצִים עָלַי יַחַד כָּל הָרוֹצְחִים וְהַגַּזְלָנִים וְהָאַכְזָרִים שֶׁבָּעוֹלָם לֹא הָיוּ יְכוֹלִים לַעֲשׂוֹת לִי בְּאֶלֶף שָׁנִים מַה שֶּׁאָנֹכִי עָשִׂיתִי לִי בְּעַצְמִי עַל־יְדֵי חֵטְא וּפְגַם אֶחָד שֶׁחָטָאתִי נֶגְדְּךָ.

מִכָּל שֶׁכֵּן כִּי חֲטָאַי רַבּוּ מִסְּפֹר. אוֹי אוֹי וַאֲבוֹי. אוֹי לִי וַי וְאַלְלַי.

vanities of his world and plant myself within holiness, with tranquility and quiet—a tranquility of love and generosity, a tranquility of truth and faith, a tranquility of peace and calm, quiet and confidence, a complete tranquility that You desire.

May there be no falsehood in my spirit. May I never return to foolishness.

I Have Harmed Myself

My transgressions cannot be measured or counted. They are more numerous than the grains of sand in the sea. There are no words to describe the multitude and intensity of my terrible sins against You.

Woe to me, because I transgressed! Woe, what have I done? How could it be that I did not have pity on my precious spirit? How could it be that I was crueler to my spirit than murderers and sadists?

If all of the murderers, thieves and sadists in the world would gather against me, they would not be able to do to me in a thousand years what I did to myself with a single sin.

And I committed so many sins—so many that they are too numerous to count. Woe is me!

מִי יִתֵּן רֹאשִׁי מַיִם וְעֵינִי מְקוֹר דִּמְעָה וְאֶבְכֶּה יוֹמָם וָלַיְלָה עַל חֲלָלַי. כִּי חִלַּלְתִּי אֶת קָדְשָׁתִי, וְטָרַפְתִּי אֶת נַפְשִׁי בְּאַפִּי, וְעִנֵּיתִי אֶת נַפְשִׁי בְּכָל מִינֵי עִנּוּיִים מָרִים וְקָשִׁים שֶׁבָּעוֹלָם.

הֲרֵינִי לְפָנֶיךָ מָלֵא רַחֲמִים. אֲנִי מָלֵא עָוֹן וְאַתָּה מָלֵא רַחֲמִים. אֲנִי מָלֵא בִּלְבּוּלִים וּמַחֲשָׁבוֹת רָעוֹת וְעַקְמִימִיּוּת שֶׁבַּלֵּב, וְאַתָּה מָלֵא טוֹב וָיֹשֶׁר וֶאֱמֶת וָחֶסֶד וְרַחֲמִים וְחַיִּים וְשָׁלוֹם:

רִבּוֹנוֹ שֶׁל עוֹלָם עֲשֵׂה עִמִּי פֶּלֶא לְחַיִּים לְבַל אֶהְיֶה כַּמֵּת בְּחַיֵּי חַס וְשָׁלוֹם.

עֲשֵׂה מַה שֶּׁתַּעֲשֶׂה בְּרַחֲמֶיךָ הָרַבִּים, בְּאֹפֶן שֶׁאֶזְכֶּה לִתְשׁוּבָה שְׁלֵמָה לְפָנֶיךָ בֶּאֱמֶת, לִתְשׁוּבָה שֶׁל שַׁבָּת קֹדֶשׁ. וְאֶזְכֶּה לִקְבֹּעַ עַצְמִי עַל הַתּוֹרָה וְעַל הָעֲבוֹדָה, וְלִהְיוֹת כָּל יָמַי בִּתְשׁוּבָה שְׁלֵמָה בִּקְבִיעוּת גָּדוֹל. וּלְהַכְלִל תָּמִיד גַּם בְּשֵׁשֶׁת יְמֵי הַמַּעֲשֶׂה בִּקְדֻשַּׁת שַׁבָּת קֹדֶשׁ.

וְאֶזְכֶּה עַל־יְדֵי קְדֻשַּׁת שַׁבָּת קֹדֶשׁ לִרְאוֹת שִׁפְלוּתִי בֶּאֱמֶת. וּתְזַכֵּנִי לַעֲנָוָה אֲמִתִּיִּית, וְאֶהְיֶה שָׁפָל בְּעֵינַי לְמַטָּה מִמַּדְרֵגָתִי הַשְּׁפָלָה מְאֹד. וְעַל כָּל פָּנִים לֹא אֵצֵא מִמְּקוֹמִי

"Who will make my head water and my eye a source of tears?" I will weep day and night over my profanations. I have abused my holiness and torn apart my spirit in my anger.

I oppressed my soul with bitter and hard afflictions.

I come before You filled with sin, and You are filled with compassion. I am filled with confusion, evil thoughts and a twisted heart, and You are filled with goodness, decency, truth, kindness, compassion, life and peace.

Renewal and Humility

Master of the world, grant me a miracle so that I will not be like the dead even in my lifetime.

Help me attain complete repentance—the repentance of the holy Shabbat. Help me place myself permanently within the world of Torah and Divine service. May I spend all of my days in repentance, so that even during the six days of the week, I will be absorbed into the holiness of the Shabbat. By means of that holiness, may I recognize how lowly I am. Grant me true humility to be even lower in my eyes than I really am. At any rate, may I not rise above myself and

וְלֹא אֶטְעֶה חַס וְשָׁלוֹם בְּעַצְמִי. וְאֶהְיֶה מַכִּיר אֶת מְקוֹמִי הַשָּׁפָל וְנָמוּךְ מְאֹד, בְּלִי שִׁעוּר וָעֵרֶךְ וּמִסְפָּר.

וְלֹא יִהְיֶה בְּלִבִּי גַּאֲוָה טְמוּנָה חַס וְשָׁלוֹם. וְתַצִּילֵנִי מִגֵּאוּת וְגַבְהוּת וּמִגַּסּוּת הָרוּחַ תָּמִיד.

אָבִי שֶׁבַּשָּׁמַיִם זַכֵּנִי לְעַיִן שֶׁל שַׁבָּת, עַד שֶׁאֶזְכֶּה לִרְאוֹת שִׁפְלוּתִי בֶּאֱמֶת תָּמִיד.

כִּי אַתָּה יוֹדֵעַ עֹצֶם שִׁפְלוּתִי בְּלִי שִׁעוּר, וְאַף־עַל־פִּי־כֵן מְבַלְבְּלִים דַּעְתִּי מִיַּד בִּפְנִיּוֹת וְגֵאוּת בְּלִי שִׁעוּר. וְאֵינִי יוֹדֵעַ שׁוּם דֶּרֶךְ מִדַּרְכֵי הָעֲנָוָה.

יְיָ אֱלֹהִים אַתָּה יָדַעְתָּ אֶת לְבָבִי. אַתָּה יָדַעְתָּ חֶרְפָּתִי וּבָשְׁתִּי וּכְלִמָּתִי נֶגְדְּךָ כָּל צֹרְרָי.

הַחֲזִירֵנִי בִּתְשׁוּבָה שְׁלֵמָה לְפָנֶיךָ בֶּאֱמֶת. וְהַצִּילֵנִי מִגֵּאוּת וְגַבְהוּת וּמֵרָמוּת רוּחָא. וְזַכֵּנִי לַעֲנָוָה אֲמִתִּיִּית, עַד שֶׁאֶזְכֶּה לִרְאוֹת שִׁפְלוּתִי, וְגַדְלוּת וַחֲשִׁיבוּת יִשְׂרָאֵל עַם קָדוֹשׁ, וְלִמְסֹר נַפְשִׁי עֲבוּרָם תָּמִיד:

overestimate myself, but recognize that I am on a level that is immeasurably humble.

May no hidden pride reside in my heart. Save me from egotism, haughtiness and coarseness of spirit.

Humility and Loving the Jewish People

My Father in Heaven, help me attain the ability to see with the eyes of the Shabbat, so that I will be able to recognize my lowliness.

I am infinitely low. Nevertheless, my ulterior motives and boundless pride confuse my mind so that I do not know anything of humility.

HaShem, You know my heart. You know how disgrace, shame and humiliation torment me.

Help me return to You with complete repentance. Rescue me from egotism, haughtiness and an arrogant spirit. Help me attain true humility until I will see how small I am and how great the holy people of Israel are, and may I dedicate myself to them always.

לז׳ אדר, הילולא דמשה רבינו ע״ה

וְתִשְׁמְרֵנִי בְּרַחֲמֶיךָ הָרַבִּים וּתְזַכֵּנִי שֶׁמִּצִּדִּי לֹא יִהְיֶה עִכּוּב בִּיאַת מָשִׁיחַ חַס וְשָׁלוֹם, כִּי אַתָּה יָדַעְתָּ אֶת אֲשֶׁר כְּבָר גָּרַמְנוּ בְּמַעֲשֵׂינוּ הָרָעִים עִכּוּב בִּיאַת מָשִׁיחַ כַּמָּה פְּעָמִים. וְהֶאֱרַכְנוּ אֶת הַגָּלוּת בַּעֲווֹנוֹתֵינוּ הָרַבִּים.

אֱמֹר לְצָרוֹתֵינוּ דַּי.

וְשָׁמְרֵנוּ וְהַצִּילֵנוּ מֵעַתָּה מֵחֲטָאִים וַעֲווֹנוֹת וּפְשָׁעִים וּמֵהִרְהוּרִים רָעִים וּמִמַּחֲשָׁבוֹת רָעוֹת, וּמִכָּל מִינֵי בִּלְבּוּל הַדַּעַת, וְזַכֵּנוּ לְמַחֲשָׁבוֹת זַכּוֹת לְמַחֲשָׁבוֹת קְדוֹשׁוֹת צַחוֹת וּנְכוֹנוֹת.

מָלֵא רַחֲמִים, קָרְבֵנִי אֵלֶיךָ בֶּאֱמֶת וְזַכֵּנִי לָלֶכֶת בְּדַרְכֵי יְשָׁרִים לְפָנֶיךָ. הָפְכֵנִי מֵרַע לְטוֹב גָּמוּר. הַט לְבָבִי אֵלֶיךָ בֶּאֱמֶת. זַכֵּנִי לְטוֹב אֲמִתִּי לְטוֹב הַנִּצְחִי.

הָקֵם ״עַל סֶלַע רַגְלַי כּוֹנֵן אֲשׁוּרָי״, שֶׁאֶזְכֶּה לִהְיוֹת קָבוּעַ לָנֶצַח בַּעֲבוֹדָתְךָ וּבְתוֹרָתְךָ וּבְיִרְאָתְךָ בֶּאֱמֶת וּבְלֵב שָׁלֵם.

״בִּנְאוֹת דֶּשֶׁא יַרְבִּיצֵנִי עַל מֵי מְנוּחוֹת יְנַהֲלֵנִי. נַפְשִׁי יְשׁוֹבֵב, יַנְחֵנִי בְמַעְגְּלֵי צֶדֶק לְמַעַן שְׁמוֹ״.

For the Seventh of Adar, the Yahrtzeit of Moses

May we not impede the coming of the Mashiach. A number of times in the past, with our evil deeds and many sins, we obstructed his coming and lengthened the exile.

Now tell our troubles, "Enough!"

Keep us from committing any more sins, from engaging in any more evil thoughts, and from suffering any more confusion. Help us attain pure, holy, lucid and proper thoughts.

Bring me close to You. Help me walk before You on a straight path. Transform me from evil to absolute good. Turn my heart to You. Help me attain true and eternal goodness.

"He sets my feet upon the rock; He firmly establishes my steps." May I be set forever in Your service, in Your Torah and in the fear of You.

"He causes me to lie down upon lush meadows, He leads me alongside the tranquil waters, He restores my spirit. He leads me upon paths of justice for the sake of His Name."

וְזַכֵּנִי לְהִתְקָרֵב לְצַדִּיקִים אֲמִתִּיִּים וְלִתְמִימִים וִישָׁרִים בְּלִבּוֹתָם בֶּאֱמֶת.

וְתֵן לָנוּ בְּרַחֲמֶיךָ מַנְהִיג אֲמִתִּי רוֹעֶה נֶאֱמָן, כְּמוֹ מֹשֶׁה רַבֵּנוּ עָלָיו הַשָּׁלוֹם רַעְיָא מְהֵימְנָא, אֲשֶׁר יִשָּׂא אוֹתָנוּ "כַּאֲשֶׁר יִשָּׂא הָאֹמֵן אֶת הַיֹּנֵק", עַד אֲשֶׁר יְבִיאֵנוּ לְתוֹךְ הַקְּדֻשָּׁה וְהַתְּשׁוּבָה בֶּאֱמֶת.

וּתְמַהֵר וְתָחִישׁ לְגָאֳלֵנוּ וְתָבִיא לָנוּ אֶת מְשִׁיחַ צִדְקֵנוּ. וְתַעַזְרֵנוּ לִהְיוֹת כִּרְצוֹנְךָ הַטּוֹב כָּל יְמֵי חַיֵּינוּ, וְנִזְכֶּה לְקַיֵּם מִקְרָא שֶׁכָּתוּב: "בְּטַח בַּיהוָה וַעֲשֵׂה טוֹב, שְׁכָן אֶרֶץ וּרְעֵה אֱמוּנָה.

הֲשִׁיבֵנוּ יְיָ אֵלֶיךָ וְנָשׁוּבָה, חַדֵּשׁ יָמֵינוּ כְּקֶדֶם":

Help me come close to true Tzaddikim, to wholehearted people whose hearts are upright.

Send us a true leader, a faithful shepherd like Moses, who will carry us "as the nurse carries the suckling child," until he will bring us to holiness and repentance.

Quickly redeem us. Bring us our righteous Mashiach. Help us live in accordance with Your beneficent will all the days of our lives. May we realize the verse, "Trust in HaShem and do good. Dwell in the Land and shepherd with faith."

"Bring us back to You, HaShem, and we will return; renew our days as of old."

82 (77)

We Reveal God's Sovereignty When We Learn Torah / Torah Study Creates Worlds

---

When a Jews prays or learns Torah, he reveals God's sovereignty.

His breath corresponds to the letter *hei,* and his voice, which draws out the breath, corresponds to the letter *yod*. When a person learns Torah or prays with awe and love of God, these two letters join together to form God's Name.

A person who learns *halakhah* (Jewish law) in this way creates a world; when he learns a tractate, he creates an even greater universe.

"צָמְאָה נַפְשִׁי לֵאלֹהִים לְאֵל חָי מָתַי אָבוֹא וְאֵרָאֶה פְּנֵי אֱלֹהִים. רַחֲמֶיךָ רַבִּים יְיָ כְּמִשְׁפָּטֶיךָ חַיֵּנִי".

רִבּוֹנוֹ שֶׁל עוֹלָם, זַכֵּנִי לִתְשׁוּבָה שְׁלֵמָה לְפָנֶיךָ בֶּאֱמֶת וּבְלֵב שָׁלֵם. וְאֶזְכֶּה לִתְשׁוּבָה מֵאַהֲבָה בֶּאֱמֶת, לְמַעַן תִּמְחוֹל לִי עַל כָּל עֲווֹנוֹתַי וְלֹא יִהְיֶה נִשְׁאָר מֵהֶם שׁוּם רֹשֶׁם כְּלָל. וְיִהְיוּ כָּל עֲווֹנוֹתַי נִתְהַפְּכִין לִזְכִיּוֹת.

וּתְזַכֵּנִי לְמֹחִין וְשֵׂכֶל דִּקְדֻשָּׁה, לְשֵׂכֶל צַח וָזַךְ וְנָקִי מִכָּל סִיג וּפְסֹלֶת כְּכֶסֶף טָהוֹר, כְּכֶסֶף צָרוּף מְזֻקָּק שִׁבְעָתַיִם.

וְאֶזְכֶּה לְחַדֵּשׁ מֹחִי בְּכָל עֵת בִּקְדֻשָּׁה וּבְטָהֳרָה גְּדוֹלָה. וְתַעַזְרֵנִי וְתוֹשִׁיעֵנִי תָּמִיד שֶׁאֶזְכֶּה לִלְמֹד וּלְלַמֵּד בְּשֵׂכֶל צַח וָזַךְ. וְאֶזְכֶּה לְהָבִין תָּמִיד בִּמְהִירוּת גָּדוֹל בְּכָל מָקוֹם שֶׁאֶלְמוֹד וְלֹא אֶצְטָרֵךְ לְעַיֵּן כְּלָל.

וִיהְיֶה שִׂכְלִי הוֹלֵךְ וְגָדוֹל בִּקְדֻשָּׁה גְדוֹלָה וּבִזְרִיזוּת גָּדוֹל בְּצַחוּת וּבִבְהִירוּת. וְאֶזְכֶּה לִהְיוֹת מָהִיר בִּמְלֶאכֶת שָׁמַיִם, וּלְהָבִין כָּל דָּבָר לַאֲשׁוּרוֹ וְלַאֲמִתָּתוֹ בְּדִבְרֵי תוֹרָתְךָ הַקְּדוֹשָׁה בִּמְהִירוּת גָּדוֹל, בְּלִי שׁוּם בִּלְבּוּל כְּלָל.

Yearning for Holiness

"My spirit thirsts for God, for the living God. When will I come and see the face of God?" "Your compassion is abundant, HaShem. Give me life in accordance with Your judgment."

Master of the world, help me attain complete, heartfelt repentance motivated by love. Then forgive all my sins so that no impression will be left of them at all. Moreover, may they all be transformed to merits.

Help me attain a state of mind that is holy, clear, pure and clean of dross, like silver refined seven times.

May I constantly renew my mind with sanctity and purity, so that I always learn and teach Torah with a mind that is clear and pure. May I swiftly understand everything that I learn, so that I do not need to delve into it at all.

May my mind grow in holiness and energy, with purity and clarity. May I be swift in the work of Heaven and understand everything in the words of Your holy Torah quickly, without any confusion whatsoever.

וּבְכֵן תְּזַכֵּנִי בְּרַחֲמֶיךָ הָרַבִּים וְתוֹרֵנִי וּתְלַמְּדֵנִי בְּכָל עֵת שֶׁאֶזְכֶּה לֵידַע בֶּאֱמֶת אֵיךְ לְהִתְנַהֵג בְּכָל דָּבָר, וּבְלִמּוּד הַתּוֹרָה הַקְּדוֹשָׁה, אֵיךְ לָתֵת קִצְבָה וּגְבוּל לְלִמּוּדִי. שֶׁאֵדַע מָתַי לִלְמֹד, וּמָתַי לְבַטֵּל בְּעֵת הַהֶכְרֵחַ, בְּאֹפֶן שֶׁיִּתְקַיֵּם מֹחִי וְשִׂכְלִי בִּשְׁלֵמוּת גָּדוֹל בִּקְדֻשָּׁה גְדוֹלָה כִּרְצוֹנְךָ הַטּוֹב. וְלֹא יַזִּיק לִי חַס וְשָׁלוֹם רִבּוּי הַלִּמּוּד וְהָעֵסֶק חוּץ מֵהַגְּבוּל.

כְּמוֹ שֶׁכָּתוּב: "עֵת לַעֲשׂוֹת לַיהוָה הֵפֵרוּ תּוֹרָתֶךָ", וְאָמְרוּ רַבּוֹתֵינוּ זִכְרוֹנָם לִבְרָכָה פְּעָמִים בִּטּוּלָהּ שֶׁל תּוֹרָה זֶהוּ קִיּוּמָהּ.

"כִּי בַעַר אָנֹכִי מֵאִישׁ וְלֹא בִינַת אָדָם לִי", וְאֵינִי יוֹדֵעַ כְּלָל אֵיךְ לְהִתְנַהֵג בָּזֶה כִּרְצוֹנְךָ הַטּוֹב בֶּאֱמֶת. כִּי לִפְעָמִים אֲנִי מִתְבַּטֵּל לְגַמְרֵי מִלִּמּוּדִי יוֹתֵר מֵהָרָאוּי, וְלִפְעָמִים נַפְשִׁי בּוֹעֵר וּמִתְלַהֵב וּמִשְׁתּוֹקֵק מְאֹד לִלְמֹד תָּמִיד בְּלִי הֶפְסֵק וּבִטּוּל כְּלָל. וּבֶאֱמֶת גַּם זֶה אֵינוֹ טוֹב, כִּי רְצוֹנְךָ לָתֵת גְּבוּל לְכָל דָּבָר.

עַל כֵּן אֲנִי מַפִּיל תְּחִנָּתִי לְפָנֶיךָ וּפוֹרֵשׂ כַּפַּי אֵלֶיךָ, אָבִי אָב הָרַחֲמָן, הָרוֹאֶה וּמַבִּיט וְצוֹפֶה וְיוֹדֵעַ סִתְרֵי תַעֲלוּמוֹת לִבִּי, שֶׁתְּרַחֵם עָלַי בְּרַחֲמֶיךָ הָרַבִּים וּבַחֲסָדֶיךָ הָעֲצוּמִים וְהַנּוֹרָאִים וְהַגְּדוֹלִים מְאֹד, וְתַשְׁפִּיעַ עָלַי שֵׂכֶל דִּקְדֻשָּׁה.

Knowing When to Study Torah

Teach me how to act in every aspect of my life—particularly in my Torah study, so that I will know when to learn Torah and when to set it aside in order to keep my mind fresh and holy, in accordance with Your beneficent will, so that I do not engage in too much learning, which would harm my mind.

As the verse states, "It is a time to act for HaShem, they have violated Your directives." Our sages explain that this means that "at times, the nullification of Torah is its preservation."

"I am more animal than man, and I lack human understanding." I have no idea how to conduct myself in this matter in accordance with Your will. Therefore, at times I set my learning aside entirely when I shouldn't do so, and at other times my soul burns so fervently so that I learn without cease—but that, too, is not good, because it is Your will to place boundaries on everything.

Holiness of Mind

Therefore, I stretch my hands out to You, my compassionate Father Who knows the secrets of my heart, and plead with You to bless me with holiness of the mind.

וְתַדְרִיכֵנִי בַּאֲמִתְּךָ וּתְלַמְּדֵנִי בְּכָל עֵת אֵיךְ לְהִתְנַהֵג בְּעִנְיַן הַלִּמּוּד וּבְכָל הַדְּבָרִים שֶׁבִּקְדֻשָּׁה. אֵיךְ וּמָתַי וְכַמָּה לִלְמֹד וּלְלַמֵּד וְלַעֲשׂוֹת וְלַעֲסֹק בַּעֲבוֹדָתְךָ הַקְּדוֹשָׁה, וּמָתַי לִפְסֹק וּלְבַטֵּל קְצָת כְּפִי הַהֶכְרֵחַ כִּרְצוֹנְךָ הַטּוֹב, כְּדֵי לָתֵת נַיְיחָא לְהַמֹּחִין, כְּדֵי שֶׁלֹּא לְהִתְבַּטֵּל לְגַמְרֵי חַס וְשָׁלוֹם עַל־יְדֵי רִבּוּי הָעֵסֶק חוּץ מֵהַמִּדָּה, כַּאֲשֶׁר אַתָּה יָדַעְתָּ, חוּס וַחֲמֹל עָלַי.

כִּי אַתָּה יוֹדֵעַ כַּמָּה בִּלְבּוּלִים וּסְפֵקוֹת יֵשׁ לָנוּ בְּעִנְיָן זֶה, לְכָל אֶחָד לְפִי מַדְרֵגָתוֹ, וְאֵין אִתָּנוּ יוֹדֵעַ עַד מָה, לָשִׁית עֵצוֹת בְּנַפְשֵׁנוּ בְּעִנְיָן זֶה כְּלָל.

רַחֵם עָלַי לְמַעַן שְׁמֶךָ וְהוֹרֵנִי דַּרְכֶּךָ, שֶׁאֶזְכֶּה תָּמִיד לְכַוֵּן בְּכָל עִנְיְנֵי הַנְהָגוֹתַי הָאֱמֶת לַאֲמִתּוֹ. "הוֹרֵנִי יְיָ דַּרְכֶּךָ וּנְחֵנִי בְּאֹרַח מִישׁוֹר לְמַעַן שׁוֹרְרָי. הוֹרֵנִי יְיָ דַּרְכֶּךָ אֲהַלֵּךְ בַּאֲמִתֶּךָ, יַחֵד לְבָבִי לְיִרְאָה שְׁמֶךָ. הַדְרִיכֵנִי בַאֲמִתֶּךָ וְלַמְּדֵנִי כִּי אַתָּה אֱלֹהֵי יִשְׁעִי, אוֹתְךָ קִוִּיתִי כָּל הַיּוֹם":

וּבְכֵן תְּרַחֵם עָלַי מָלֵא רַחֲמִים, וּתְזַכֵּנִי לְמִדַּת הַבִּטָּחוֹן בֶּאֱמֶת בִּשְׁלֵמוּת גָּדוֹל. וְאֶהְיֶה חָזָק וְאַמִּיץ בְּבִטָּחוֹן לִבְטֹחַ בֶּאֱמֶת בַּחֲסָדֶיךָ הָרַבִּים, שֶׁתָּשׁוּב וּתְרַחֵם עָלַי, וְתַשְׁפִּיעַ וְתִתֶּן לִי כָּל צְרָכַי בְּגַשְׁמִיּוּת וּבְרוּחָנִיּוּת. וְתִתֶּן לִי פַּרְנָסָתִי בִּשְׁלֵמוּת, פַּרְנָסַת הַנֶּפֶשׁ וּפַרְנָסַת הַגּוּף, בִּקְדֻשָּׁה וּבְטָהֳרָה גְּדוֹלָה וְתִתֶּן לִי כָּל צְרָכַי בְּמוֹעֲדוֹ וּבִזְמַנּוֹ.

Teach me how to act in regard to Torah study and other holy endeavors—in what manner, when, how much—and particularly when to interrupt, in accordance with Your beneficent will, in order to rest my mind, so that I do not end up abandoning my Torah study altogether.

Everyone is unclear about this. There is no one who can give us clear advice.

Teach me Your ways, so that in everything that I do, my goal will be ultimate truth. "HaShem, teach me Your ways. Guide me on a path that is straight, despite my enemies who gaze upon me." "HaShem, teach me Your ways. I will walk in Your truth. Unite my heart to fear Your Name." "Guide me in Your truth and teach me, for You are the God of my salvation; it is for You that I have hoped all day long."

HaShem Sustains Us

Help me firmly trust that You will give me all that I need in both the physical and spiritual realms. Give me all that I need to sustain my soul and body with holiness and purity, granting me everything in its proper time.

כְּמוֹ שֶׁכָּתוּב: "עֵינֵי כֹל אֵלֶיךָ יְשַׂבֵּרוּ וְאַתָּה נוֹתֵן לָהֶם אֶת אָכְלָם בְּעִתּוֹ".

וְאַף־עַל־פִּי שֶׁעָשִׂיתִי מַה שֶּׁעָשִׂיתִי, וְקִלְקַלְתִּי מַה שֶּׁקִּלְקַלְתִּי, וּפָגַמְתִּי מַה שֶּׁפָּגַמְתִּי, וַהֲרֵעוֹתִי אֶת מַעֲשַׂי וְקִפַּחְתִּי אֶת פַּרְנָסָתִי אֲשֶׁר לְפִי מַעֲשֵׂי הָרָעִים אֲנִי רָחוֹק מְאֹד מִפַּרְנָסָה, אַף־עַל־פִּי־כֵן אֶבְטַח בְּךָ כִּי לֹא תַעַזְבֵנִי לְעוֹלָם בַּחֲסָדֶיךָ.

כִּי רַחֲמֶיךָ רַבִּים יְיָ, רַחֲמֶיךָ רַבִּים מְאֹד, וְאַתָּה טוֹב וּמֵטִיב לָרָעִים וְלַטּוֹבִים. טוֹב לַכֹּל, כְּמוֹ שֶׁכָּתוּב: "טוֹב יְיָ לַכֹּל וְרַחֲמָיו עַל כָּל מַעֲשָׂיו".

וּבְטוּבְךָ הַגָּדוֹל אַתָּה זָן אֶת כָּל הָעוֹלָם כֻּלּוֹ בְּחֵן וּבְחֶסֶד וּבְרַחֲמִים אַתָּה נוֹתֵן לֶחֶם לְכָל בָּשָׂר כִּי לְעוֹלָם חַסְדֶּךָ.

אָנָּא בְּרַחֲמֶיךָ הָרַבִּים, אַל תַּעֲשֶׂה עִמִּי כַּחֲטָאַי וְאַל תִּגְמְלֵנִי כְּמִפְעָלַי, וְאַל יִהְיוּ עֲווֹנוֹתַי מַבְדִּילִים בֵּינִי וּבֵין טוּבְךָ וְשִׁפְעֲךָ הַטּוֹב הַיּוֹרֵד עָלֵינוּ תָּמִיד.

מָלֵא רַחֲמִים, חַזְּקֵנִי וְאַמְּצֵנִי לִבְטֹחַ בְּךָ בֶּאֱמֶת, וְאַל יְבַהֲלוּנִי רַעְיוֹנַי, וְאַל יְבַלְבְּלוּ דַּעְתִּי רִבּוּי חֲטָאַי הָעֲצוּמִים מִלְּהִתְחַזֵּק בְּבִטָּחוֹן חָזָק וְאַמִּיץ בְּךָ תָּמִיד.

As the verse states, "The eyes of all turn hopefully to You, and You give them their food in its time."

Although I have sinned and acted in destructive ways, thus depriving myself of the right to receive sustenance from You, nevertheless, I trust that in Your kindness, You will not abandon me forever.

HaShem, You are good and do good for the wicked and for the righteous. As the verse states, "HaShem is good to all, and His compassion is on all of His creatures."

In Your tremendous goodness, You sustain the entire world with grace, kindness and compassion, giving food to all creatures, for Your kindness is eternal.

Trust in God and Abundance

Do not repay me in accordance with my transgressions. May my sins never separate me from Your goodness and the flow of abundance that You constantly pour down upon us.

Strengthen me to trust in You. May my thoughts not bewilder me, and may my transgressions not confuse me and keep me from relying on You.

וְאֶזְכֶּה לְקַיֵּם מִקְרָא שֶׁכָּתוּב: "בִּטְחוּ בַיהֹוָה עֲדֵי עַד כִּי בְּיָהּ יְיָ צוּר עוֹלָמִים". וְנֶאֱמַר: "בָּרוּךְ הַגֶּבֶר אֲשֶׁר יִבְטַח בַּיהֹוָה וְהָיָה יְיָ מִבְטַחוֹ".

וְאֶזְכֶּה עַל־יְדֵי הַבִּטָּחוֹן לַעֲשׂוֹת כְּלִי וְצִנּוֹר עַל יָדוֹ לְקַבֵּל הַשֶּׁפַע טוֹבָה וְהַפַּרְנָסָה וְכָל צְרָכַי בְּמוֹעֲדָם וּבִזְמַנָּם קֹדֶם שֶׁאֶצְטָרֵךְ לָהֶם.

אֱלֹהֵינוּ אָבִינוּ רוֹעֵנוּ זוּנֵנוּ, הַזָּן וּמְפַרְנֵס וּמְכַלְכֵּל מִקַּרְנֵי רְאֵמִים עַד בֵּיצֵי כִנִּים, פַּרְנְסֵנִי וְכַלְכְּלֵנִי בְּנִדְבַת חֶסֶד וּמַתְּנַת חִנָּם אוֹתִי וְאֶת כָּל בְּנֵי בֵיתִי וְאֶת כָּל הַתְּלוּיִם בִּי וְאֶת כָּל הַנִּלְוִים אֵלַי.

וְתֵן לִי כָּל צְרָכַי בְּכָבוֹד וּבְהֶתֵּר וּבְהַרְחָבָה גְדוֹלָה, בְּאֹפֶן שֶׁלֹּא תְּבַלְבֵּל אוֹתִי הַפַּרְנָסָה מִתּוֹרָתְךָ וַעֲבוֹדָתְךָ כְּלָל.

וְאַל תַּצְרִיכֵנִי לֹא לִידֵי מַתְּנַת בָּשָׂר וָדָם וְלֹא לִידֵי הַלְוָאָתָם, כִּי אִם לְיָדְךָ הַמְּלֵאָה הַפְּתוּחָה הַקְּדוֹשָׁה וְהָרְחָבָה שֶׁלֹּא נֵבוֹשׁ וְלֹא נִכָּלֵם וְלֹא נִכָּשֵׁל לְעוֹלָם וָעֶד.

וְאֶזְכֶּה לַעֲסֹק תָּמִיד בְּתוֹרָתְךָ וּבַעֲבוֹדָתְךָ בֶּאֱמֶת כָּל יְמֵי חַיַּי, אֲנִי וְזַרְעִי וְזֶרַע זַרְעִי וְכָל יוֹצְאֵי חֲלָצֵינוּ וְכָל עַמְּךָ בֵּית יִשְׂרָאֵל מֵעַתָּה וְעַד עוֹלָם. אָמֵן סֶלָה:

"Trust in HaShem forever, for HaShem is God, the eternal Rock." "Blessed is the man who trusts in HaShem; HaShem will be His trust."

May that trust become a conduit through which I receive a flow of goodness and sustenance—all in its proper time and before I feel its lack.

Our God, our Father, our Shepherd, our Sustainer, You Who give sustenance to all, from the greatest beast to the tiniest insect, send me my income. Support me, my family and every one who is dependent on me, with generous and unearned kindness.

Give me everything that I need through honorable and legitimate means. Be generous with me, so that earning a living will not distract me from learning Torah and serving You.

May I never have to depend on the gifts and loans of other people. Instead, open Your full, holy and generous hand so that I will never be ashamed or stumble.

May I always learn Torah and serve You, together with my children, my grandchildren and all of my descendants, as well as Your entire nation, the House of Israel, from now and forever. Amen, selah.

83 (206)

Repenting Immediately / Getting Lost in the World of Sins / Young and Old People

When a person sins, he turns onto a desolate path that branches into various misleading and desolate byways.

God calls him back immediately in a variety of ways. At first this person can repent and turn back easily, for he still recognizes God's voice. But if he proceeds onto the desolate path and gets lost in its byways, he finds it hard to return to the proper, straight path. When God calls Him, he does not recognize God's voice and so does not return.

That is the difference between a young person and an old person. A young person who is not immured in his sins can more easily return to God than can an old person, for this young person is still close to God and has not forgotten His voice.

"תָּעִיתִי כְּשֶׂה אוֹבֵד בַּקֵּשׁ עַבְדֶּךָ כִּי מִצְווֹתֶיךָ לֹא שָׁכָחְתִּי. תָּעִיתִי כְּשֶׂה אוֹבֵד בַּקֵּשׁ עַבְדֶּךָ".

רִבּוֹנוֹ שֶׁל עוֹלָם, מָלֵא רַחֲמִים, אִם אָמַרְתִּי אֲסַפְּרָה כְּמוֹ שֶׁתָּעִיתִי וְנִתְעֵיתִי זֶה יָמִים וְשָׁנִים רַבִּים מִיּוֹם הֱיוֹתִי עַד הַיּוֹם הַזֶּה, יִקְצְרוּ הֲמוֹן יְרִיעוֹת, וְלֹא תוּכַל הָאָרֶץ לְהָכִיל אֶת כָּל דְּבָרַי, וְלֹא יַסְפִּיקוּ כָּל עוֹרוֹת אֵילֵי נְבָיוֹת וְכָל הַלְּשׁוֹנוֹת שֶׁבָּעוֹלָם לְבָאֵר וּלְסַפֵּר אֶת עֹצֶם רִבּוּי הַתְּעוּת וְהַנְּבוּכָה שֶׁתָּעִיתִי לִדְרָכִים נְבוֹכִים וּמְקֻלְקָלִים וּפְגוּמִים וּמְתוּעָבִים מְאֹד מְאֹד, לִדְרָכִים רָעִים וּמְבֻלְבָּלִים מְאֹד.

כִּי הֲרֵעוֹתִי אֶת מַעֲשַׂי מְאֹד, חָטָאתִי עָוִיתִי וּפָשַׁעְתִּי, וְהִמְשַׁכְתִּי עָלַי אֶת הַיֵּצֶר הָרָע, עַד שֶׁבָּאתִי לְמַה שֶּׁבָּאתִי, וְקִלְקַלְתִּי מַה שֶּׁקִּלְקַלְתִּי.

וּבְכָל פַּעַם וּפַעַם עַל־יְדֵי כָּל עֲבֵרָה וַעֲבֵרָה, וְעַל־יְדֵי כָּל הִרְהוּר וְהִרְהוּר, וְעַל־יְדֵי כָּל פְּגַם וּפְגָם, תָּעִיתִי וְנִתְעֵיתִי לִדְרָכִים נְבוֹכִים וּמְקֻלְקָלִים הַרְבֵּה מְאֹד. וּמִכָּל אֵלּוּ הַדְּרָכִים הַנְּבוֹכִים יוֹצְאִין עוֹד דְּרָכִים נְבוֹכִים וְתוֹעִים וּמְקֻלְקָלִים הַרְבֵּה, וְהָיִיתִי הוֹלֵךְ וְתוֹעֶה הוֹלֵךְ וְתוֹעֶה, יָמִים וְשָׁנִים הַרְבֵּה.

וְלֹא הָיָה דַּי לִי מַה שֶּׁכְּבָר נִתְעֵיתִי הַרְבֵּה עַל־יְדֵי הָעֲווֹנוֹת הָרִאשׁוֹנִים שֶׁעָשִׂיתִי, כִּי אִם עוֹד הוֹסַפְתִּי עֲלֵיהֶם בְּכָל יוֹם

I Have Gone Astray

"I have gone astray like a lost sheep. Seek Your servant, for I have not forgotten Your commandments."

Master of the world, if I wished to tell how I went astray from my earliest moments until this day, reams of paper would not suffice, the earth could not contain all of my words, all of the parchment from the rams of Nevayot and all of the languages of the world could not express my errors. They could not describe all of the ruined paths, blasted avenues and bewildering labyrinths upon which I strayed.

I defiled my deeds. I erred, transgressed and sinned. I drew the evil inclination close to me until I sank to my present state.

At every moment, with my sins and blemished thoughts, I strayed upon contorted, ruined byways. Over the course of days and years, I wandered upon twisted paths that led to other twisted paths.

It was not enough that I strayed with my first sins, but every day I sinned yet more—sin upon

וְיוֹם חֲדָשִׁים, עֲווֹנוֹת עַל עֲווֹנוֹת, וּפְשָׁעִים עַל פְּשָׁעִים, וַחֲטָאִים עַל חֲטָאִים, וְהִרְהוּרִים עַל הִרְהוּרִים, וּמַחֲשָׁבוֹת זָרוֹת עַל מַחֲשָׁבוֹת זָרוֹת בִּלְבּוּלִים וְרַעְיוֹנִים רָעִים עַל בִּלְבּוּלִים וְרַעְיוֹנִים רָעִים, עַד אֲשֶׁר הִשְׂתָּרְגוּ עָלוּ עַל צַוָּארִי הִכְשִׁילוּ כֹחִי.

מָה אוֹמַר מָה אֲדַבֵּר מָה אֶצְטַדָּק.

שִׁטַּחְתִּי אֵלֶיךָ כַּפַּי, עָזְרֵנִי הוֹשִׁיעֵנִי, וְכָל כָּךְ תָּעִיתִי זֶה יָמִים וְשָׁנִים הַרְבֵּה לִדְרָכִים מְבֻלְבָּלִים וּנְבוֹכִים מְאֹד עַד אֲשֶׁר אֲפִלּוּ אִם אַתָּה מְרַחֵם עָלַי, וְאַתָּה קוֹרֵא וּמַכְרִיז וּמְרַמֵּז אֵלַי, אֵינִי שׁוֹמֵעַ וּמַכִּיר הֵיטֵב קוֹל קְרִיאָתְךָ, וַעֲדַיִן לֹא שַׁבְתִּי מִטָּעוּתִי.

אוֹי לִי וַי לִי.

רִבּוֹנוֹ שֶׁל עוֹלָם רִבּוֹנוֹ שֶׁל עוֹלָם, כָּל הַלְּשׁוֹנוֹת שֶׁל תְּחִנָּה וּבַקָּשָׁה וּצְעָקָה וַחֲרָטָה שֶׁבָּעוֹלָם, כֻּלָּם הָיִיתִי צָרִיךְ לִצְעֹק כְּבָר לִפְנֵי כַּמָּה שָׁנִים.

וְעַתָּה אַחַר שֶׁהוֹסַפְתִּי בְּכָל יוֹם וּבְכָל שָׁעָה כַּמָּה וְכַמָּה חֲטָאִים וַעֲוֹנוֹת וּפְשָׁעִים בְּמַחֲשָׁבָה דִּבּוּר וּמַעֲשֶׂה, מָה אוֹסִיף לְדַבֵּר עוֹד, וּמִי יוּכַל לְחַדֵּשׁ דִּבּוּרִים יוֹתֵר, מִי יָשׂוּם לִי פֶּה לְדַבֵּר עוֹד כְּפִי מַה שֶּׁאֲנִי צָרִיךְ לְדַבֵּר עַתָּה.

sin, crime upon crime, iniquity upon iniquity, shameful thought upon shameful thought, vulgarity upon vulgarity, until my mind grew thick and my wicked fantasies gathered in a pile, rising and pressing upon me until I feel that I can no longer breathe.

What can I say? What words can I speak? How can I justify myself?

I stretch my hands out to You. Help me! Save me!

I have strayed for so many years on delusory paths that even if You have compassion on me and send me hints to return to You or call out to me, I will not recognize Your hints and I will not hear You calling out to me, and I will not return from my errors.

Woe! Woe! Woe!

Seeking the True Path

Master of the world, I should have prayed to You, cried out to You, and acknowledged my regret to You years ago.

Now, after I have sinned so much in my thoughts, speech and action, what will I say? If I cannot even properly express my contrition for a fraction of the sins that I committed, how can I possibly do so for all of them?

וּבִפְרָט שֶׁבֶּאֱמֶת אֵינִי זוֹכֶה לְדַבֵּר בִּשְׁלֵמוּת בֶּאֱמֶת אֲפִלּוּ הַדִּבּוּרִים שֶׁהָיִיתִי צָרִיךְ לְדַבֵּר, אִם לֹא הָיִיתִי עוֹשֶׂה כִּי־אִם חֵלֶק מֵאֶלֶף וּרְבָבָה מִמַּה שֶּׁעָשִׂיתִי, אוֹי אוֹי אוֹי, מָה אוֹמַר וּמָה אֲדַבֵּר וּמָה חֲיָלִים אֲגַבֵּר. כְּכֶלֶב מֵת אֲנִי מֻנָּח לְפָנֶיךָ, כְּטִיט הַנִּרוֹק אֲנִי נִשְׁפָּךְ לְפָנֶיךָ, הֲרֵי אֲנִי לְפָנֶיךָ מָלֵא בוּשָׁה וּכְלִמָּה, מָלֵא חֲטָאִים וַעֲוֹנוֹת וּפְשָׁעִים מִכַּף רֶגֶל וְעַד רֹאשׁ, מִיּוֹם עָמְדִי עַל דַּעְתִּי עַד הַיּוֹם הַזֶּה.

עֲזֹר לְתוֹעֶה וְנִתְעֶה בִּדְרָכִים נְבוֹכִים וּמְקֻלְקָלִים וּמַחֲשָׁבוֹת מְבֻלְבָּלוֹת כָּמוֹנִי הַיּוֹם, הוֹרֵנִי הַדֶּרֶךְ הָאֱמֶת וְהָעֵצָה הַנְּכוֹנָה, בְּאֹפֶן שֶׁאֶזְכֶּה לְהַגִּיעַ מְהֵרָה לְהַדֶּרֶךְ הַיָּשָׁר כִּרְצוֹנְךָ הַטּוֹב בֶּאֱמֶת, וְאֶזְכֶּה מֵעַתָּה לָשׁוּב אֵלֶיךָ בֶּאֱמֶת, וּלְעָבְדְךָ בֶּאֱמֶת בְּיִרְאָה וְאַהֲבָה.

חָנֵּנִי וּפְדֵנִי, "כְּחַסְדְּךָ חַיֵּנִי וְאֶשְׁמְרָה עֵדוּת פִּיךָ.

הַדְרִיכֵנִי בַאֲמִתֶּךָ וְלַמְּדֵנִי כִּי אַתָּה אֱלֹהֵי יִשְׁעִי אוֹתְךָ קִוִּיתִי כָּל הַיּוֹם.

הוֹרֵנִי יְיָ דֶּרֶךְ חֻקֶּיךָ וְאֶצְּרֶנָּה עֵקֶב.

חַסְדְּךָ יְיָ מָלְאָה הָאָרֶץ חֻקֶּיךָ לַמְּדֵנִי":

Woe! Woe! Woe!

What can I say? How can I gather my courage?

I lie prostrate before You like a dead dog. I lie on the ground before You like spilled out, muddy water. I am filled with shame and disgrace, shortcomings, offenses and vice—from the soles of my feet to the crown of my head, from the day that I gained maturity until this moment.

Help me, for I have gone astray on misleading and blasted paths, and my thoughts are polluted and obscured. Teach me the true way and proper counsel, so that I will quickly return to the straight path in accordance with Your beneficent will and serve You with awe and love.

Be gracious to me and redeem me.

"In accordance with Your kindness, give me life, and I will guard the testimony of Your mouth."

"Guide me in Your truth and teach me, for You are the God of my salvation; I have hoped for You all day long."

"HaShem, teach me the way of Your laws, and I will keep it at every step."

"HaShem, the earth is filled With Your kindness; teach me Your laws."

84 (155)

Faith Leads to Equanimity / Praying and Going to the Tzaddik / The Land of Israel and Equanimity / Yearning for the Land of Israel

When a person believes that God stands above him and hears his words, he prays properly and travels to the Tzaddik. But if he lacks faith, he grows depressed and unmotivated, and consequently he does not pray properly or travel to the Tzaddik.

A person who has faith grows spiritually regardless of adverse conditions. He may be compared to wheat planted in fertile soil, which grows well despite winds, thunder or lightning. The one who has faith prays properly and goes to the Tzaddik. Nothing frightens him. He attains equanimity, so that nothing can disturb his service of God, and he blossoms in his spiritual growth.

The Land of Israel is associated with faith, and so a person's equanimity and his service of God depend on and are attained via the Land of Israel. Moses yearned for the Land of Israel principally because he saw that there a person can attain equanimity. Everybody must ask HaShem to feel a yearning for the Land of Israel. In particular, all of the Tzaddikim should yearn for the Land of Israel.

Before reciting the Shema,[5] in which we proclaim our faith in God's Oneness, we recite the phrase, "May He lead us upright to our Land," for that expresses the yearning that we should feel for the Land of Israel.

5 "Shema Yisrael," a declaration of faith in the Oneness of God and a commitment to fulfilling His commandments, comprised of verses from Deuteronomy 6:4-9 and 11:13-21, and Numbers 15:37-41, is recited daily during morning and evening prayers, and before going to sleep.

"יְיָ יְיָ אֵל רַחוּם וְחַנּוּן אֶרֶךְ אַפַּיִם וְרַב חֶסֶד וֶאֱמֶת", זַכֵּנִי בְּרַחֲמֶיךָ הָרַבִּים שֶׁיִּהְיֶה לִי וּלְכָל יִשְׂרָאֵל כִּסּוּפִין וְגַעְגּוּעִים וְהִשְׁתּוֹקְקוּת וְחֵשֶׁק אֲמִתִּי לָבוֹא לְאֶרֶץ יִשְׂרָאֵל, עַד שֶׁאֶזְכֶּה בְּרַחֲמֶיךָ הָרַבִּים וּבַחֲסָדֶיךָ הָעֲצוּמִים לְהוֹצִיא מִכֹּחַ אֶל הַפֹּעַל חֶשְׁקִי וּרְצוֹנִי, לֵילֵךְ וְלִנְסֹעַ וְלָבוֹא לְשָׁלוֹם לְאֶרֶץ יִשְׂרָאֵל חִישׁ קַל מְהֵרָה.

כִּי אַתָּה יוֹדֵעַ גֹּדֶל הַהֶכְרֵחַ שֶׁלִּי כַּמָּה אֲנִי צָרִיךְ וּמֻכְרָח לִהְיוֹת בְּאֶרֶץ יִשְׂרָאֵל בָּאָרֶץ הַקְּדוֹשָׁה לְגֹדֶל עֹצֶם רְחוּקִי מִמְּךָ, וּלְעֹצֶם עֲבִיּוּת גַּשְׁמִיּוּתִי וַעֲקְמִימִיּוּת שֶׁבְּלִבִּי וּבִלְבּוּל דַּעְתִּי, אֲשֶׁר עַל כָּל זֶה אֲנִי צָרִיךְ לִהְיוֹת בְּאֶרֶץ יִשְׂרָאֵל אֲשֶׁר שָׁם עִקַּר יְסוֹד מְקוֹר הָאֱמוּנָה הַקְּדוֹשָׁה, שָׁם שֹׁרֶשׁ כְּלָלִיּוּת קְדֻשַּׁת יִשְׂרָאֵל.

הִיא הָאָרֶץ אֲשֶׁר יְיָ בָּחַר בָּהּ בִּשְׁבִיל עַמּוֹ יִשְׂרָאֵל הַנִּבְחָר. הִיא הָאָרֶץ אֲשֶׁר יְיָ דּוֹרֵשׁ אוֹתָהּ תָּמִיד. אֶרֶץ הַחַיִּים הָאֲמִתִּיִּים וְהַנִּצְחִיִּים, אֶרֶץ חֶמְדָּה טוֹבָה וּרְחָבָה שֶׁרָצִיתָ וְהִנְחַלְתָּ לַאֲבוֹתֵינוּ. אֶרֶץ אֲשֶׁר בָּהּ עִיר אֱלֹהֵינוּ הַר קָדְשׁוֹ, יְפֵה נוֹף מְשׂוֹשׂ כָּל הָאָרֶץ:

אָנָּא יְיָ, רַחֲמָן מָלֵא רַחֲמִים, חַסְדָּן מָלֵא חֲסָדִים, טוֹב מָלֵא טוֹבוֹת, צַדִּיק מָלֵא צְדָקוֹת, מוֹשִׁיעַ מָלֵא יְשׁוּעוֹת, הֵטִיבָה בִּרְצוֹנְךָ עִמִּי, וְתֵן לִי בְּרַחֲמִים וָחֶסֶד וּבְמַתְּנַת חִנָּם, שֶׁאֶזְכֶּה

The Holy Land

"HaShem, HaShem, God Who is compassionate and gracious, long-suffering and exceedingly kind," help me—as well as all Jews—yearn to come to the Land of Israel, until with Your help, I will soon fulfill that desire.

Because I am so far from You, because my materiality is so thick, my heart so twisted and my mind so confused, I must come to the Land of Israel, which is the essence of our faith, the root of our holiness as a nation.

That is the Land that You chose for us, Your chosen people. It is the Land that You always gaze upon, the Land of true and eternal life, the beloved, good and broad Land that You desired and bequeathed to our fathers, the Land that contains the Godly city upon a holy mountain that is a beloved vista, the delight of the entire earth.

The Promised Land

HaShem, filled with compassion, kindness, goodness, righteousness and redemption, give me

מְהֵרָה לָבוֹא לְאֶרֶץ יִשְׂרָאֵל לָאֶרֶץ הַקְּדוֹשָׁה. הָאָרֶץ אֲשֶׁר יָרְשׁוּ אֲבוֹתֵינוּ, הָאָרֶץ אֲשֶׁר כָּל הַצַּדִּיקִים אֲמִתִּיִּים נִכְסְפָה וְגַם כָּלְתָה נַפְשָׁם לִהְיוֹת שָׁם.

וְרֻבָּם בָּאוּ לְשָׁם וְתִקְּנוּ שָׁם מַה שֶּׁתִּקְּנוּ וּפָעֲלוּ שָׁם מַה שֶּׁפָּעֲלוּ וְזָכוּ שָׁם לְמַה שֶּׁזָּכוּ, הַכֹּל עַל יְדֵי קְדֻשַּׁת אֶרֶץ יִשְׂרָאֵל, שֶׁהִיא נְקֻדָּה הַקְּדוֹשָׁה שֶׁל כָּל הָעוֹלָם.

אֲשֶׁר טָרַח וְיָגַע אַבְרָהָם אָבִינוּ עָלָיו הַשָּׁלוֹם יָמִים וְשָׁנִים הַרְבֵּה מְאֹד, וְהִבִּיט וְרָאָה וְהֵבִין וְחָקַר וְחָקַק וְחָצַב וּמָדַד וְשָׁקַל וּמָנָה, עַד שֶׁגִּלָּה לוֹ הַשֵּׁם יִתְבָּרַךְ אֶת הָאָרֶץ הַקְּדוֹשָׁה הַזֹּאת שֶׁהִיא יְסוֹד נְקֻדַּת הַקְּדֻשָּׁה יְסוֹד הָאֱמוּנָה. וְהִבְטִיחוֹ לְהַנְחִיל אוֹתָהּ לְזַרְעוֹ אַחֲרָיו לְדוֹרוֹתָם.

עַל כֵּן רַחֵם עָלַי לְמַעַן שְׁמֶךָ, וְזַכֵּנִי בִּזְכוּתוֹ וְכֹחוֹ וּבִזְכוּת כָּל הַצַּדִּיקִים שֶׁזָּכוּ לָבוֹא לְשָׁם, שֶׁאֶזְכֶּה גַּם אָנֹכִי הַנִּבְזֶה וְהַפָּחוּת בְּתַכְלִית שֶׁאֵין פְּחִיתוּת אַחֲרָיו, לְדַלֵּג וְלִקְפֹּץ מְהֵרָה עַל כָּל הַמְּנִיעוֹת וְהָעִכּוּבִים וְהַסִּכְסוּכִים הַמּוֹנְעִים מִלִּנְסֹעַ לְאֶרֶץ יִשְׂרָאֵל, לְשַׁבֵּר הַכֹּל מְהֵרָה, וְלָבוֹא בִּזְרִיזוּת גָּדוֹל לְאֶרֶץ יִשְׂרָאֵל הַקְּדוֹשָׁה.

נָא אָבִי אָב הָרַחֲמָן הַמְרַחֵם רַחֵם עָלַי, רַחֵם עַל עָנִי וְאֶבְיוֹן כָּמוֹנִי הַפּוֹרֵשׂ כַּפָּיו נֶגְדֶּךָ, מְבַקֵּשׁ וְשׁוֹאֵל צְדָקָה וּמַתְּנַת חִנָּם לְבַד, וְגַם זֶה אֵינִי זוֹכֶה לוֹמַר בֶּאֱמֶת, מֵעֹצֶם בִּלְבּוּל

the gift of coming soon to the Land of Israel—the Holy Land, the land that our fathers inherited, the Land for which the spirit of all of the true Tzaddikim yearned.

Most of them came there, made rectifications and grew spiritually due to the holiness of the Land, which is the holy core of the entire world.

Abraham our patriarch toiled for years to discover the identity of the Holy Land, which is the basic core of holiness, the foundation of faith, until You revealed it to him.

You promised to bequeath it to his offspring. In the merit and power of the Land and of all of the Tzaddikim who came there, may I, too, although I am contemptible and worthless, quickly overcome all of the obstacles that prevent people from coming to the Land of Israel and arrive there soon!

The Journey to the Land of Israel

My compassionate Father, have pity on a poor person such as myself who stretches out his hands before You, asking for an unearned gift. Because of the turbulence of my mind, I do

וַעֲכִירַת דַּעְתִּי, כַּאֲשֶׁר נִגְלֶה לְפָנֶיךָ אֲדוֹן מָלֵא רַחֲמִים. וְאַף עַל פִּי כֵן, אֲנִי מְצַפֶּה לִישׁוּעָתְךָ וְטוּבָתְךָ וַחֲסָדֶיךָ הָרַבִּים וְצִדְקוֹתֶיךָ הַנּוֹרָאוֹת וְהַנִּפְלָאוֹת.

חוּס וְרַחֵם עָלַי וַהֲבִיאֵנִי לְשָׁלוֹם מְהֵרָה לְאֶרֶץ יִשְׂרָאֵל, וְחַזֵּק וְאַמֵּץ דַּעְתִּי וּלְבָבִי שֶׁאֶזְכֶּה לַעֲבֹר עַל כָּל הַמְּנִיעוֹת וְהָעִכּוּבִים וְהַבִּלְבּוּלִים וְעַל כָּל מְנִיעוֹת הַמֹּחַ.

וְתַשְׁפִּיעַ לִי מָמוֹן בְּשֶׁפַע עַל הוֹצָאוֹת וְכָל הִצְטָרְכוּת הַדֶּרֶךְ. וְאֶזְכֶּה לִנְסֹעַ בְּשָׁלוֹם וְלָבֹא בְּשָׁלוֹם לְאֶרֶץ יִשְׂרָאֵל, שָׁלוֹם בְּגוּפִי וּבְתוֹרָתִי וּבְמָמוֹנִי, שָׁלוֹם בְּלִי פֶּגַע.

וְתַצִּילֵנִי מִכָּל מִינֵי הִרְהוּרִים רָעִים וּמִכָּל מִינֵי פְּגָמִים. וְלֹא יַגִּיעַ לִי הֶזֵּק חַס וְשָׁלוֹם עַל יְדֵי הַדֶּרֶךְ הָרָחוֹק הַזֶּה בְּשׁוּם דָּבָר שֶׁבָּעוֹלָם, בְּגוּף וָנֶפֶשׁ וּמָמוֹן, לֹא בְּגַשְׁמִיּוּת וְלֹא בְּרוּחָנִיּוּת.

וְאֵצֵא בְּשָׁלוֹם וְאָבוֹא בְּשָׁלוֹם, וְאֶזְכֶּה לִפְעֹל שָׁם בְּאֶרֶץ יִשְׂרָאֵל כָּל צְרָכַי, לִזְכּוֹת לְהִתְקָרֵב אֵלֶיךָ בֶּאֱמֶת עַל יְדֵי קְדֻשַּׁת אֶרֶץ יִשְׂרָאֵל, וְלֵילֵךְ וְלַעֲלוֹת מִדַּרְגָּא לְדַרְגָּא בִּקְדֻשָּׁה וּבְטָהֳרָה גְּדוֹלָה כִּרְצוֹנְךָ הַטּוֹב:

וּתְזַכֵּנִי עַל־יְדֵי קְדֻשַּׁת אֶרֶץ־יִשְׂרָאֵל לְשַׁבֵּר מִדַּת הַכַּעַס בְּתַכְלִית. וְאֶזְכֶּה לַאֲרִיכַת אַפַּיִם בְּכָל הַבְּחִינוֹת, שֶׁאֶזְכֶּה לִכְבֹּשׁ כַּעֲסִי תָּמִיד. וְלֹא אֶכְעוֹס וְלֹא אַקְפִּיד שׁוּם כַּעַס

not deserve to receive that gift. Nevertheless, I hope in Your redemption, goodness, kindness and righteousness.

Have mercy on me. Bring me soon to the Land of Israel. Strengthen my mind and heart so that I will get past all the impediments and confusions of my mind.

Send me an abundant flow of money to pay for my expenses. May I set out in peace, travel in peace, and arrive in peace—at peace in my physical well-being, in my connection to the Torah, and in my finances.

Rescue me from all types of evil thoughts and blemishes. May the long journey not cause me any damage in body, soul or money. May it not harm me either physically or spiritually.

Once in the Land of Israel, may its holiness help me come close to You. May I rise from level to level in great holiness and purity, in accordance with Your beneficent will.

The Gifts of the Holy Land

With the help of the holiness of the Land of Israel, may I overcome my anger in all circumstances so that nothing in the world will irritate me.

וְהַקְפָּדָה כְּלָל עַל שׁוּם דָּבָר שֶׁבָּעוֹלָם. וְאֶזְכֶּה לַעֲבוֹד אוֹתְךָ בֶּאֱמֶת וּבֶאֱמוּנָה שְׁלֵמָה וּבִתְמִימוּת גָּדוֹל, וְלַעֲסֹק בְּתוֹרָה וּתְפִלָּה בְּכַוָּנָה גְדוֹלָה וַעֲצוּמָה. וּלְהַכְנִיס כָּל כֹּחִי וְכָל מַחְשְׁבוֹת לִבִּי וְדַעְתִּי בְּתוֹךְ כָּל דִּבּוּר וְדִבּוּר שֶׁל הַתְּפִלָּה הַקְּדוֹשָׁה וְהַנּוֹרָאָה מְאֹד מְאֹד.

וְאֵדַע וְאַאֲמִין בֶּאֱמוּנָה שְׁלֵמָה, כִּי מְלֹא כָל הָאָרֶץ כְּבוֹדֶךָ, וְאַתָּה עוֹמֵד עָלֵינוּ בִּשְׁעַת הַתְּפִלָּה, וְאַתָּה שׁוֹמֵעַ וּמַבִּיט וּמַאֲזִין וּמַקְשִׁיב כָּל דִּבּוּר וְדִבּוּר שֶׁל הַתְּפִלָּה.

וְאֵדַע לִפְנֵי מִי אֲנִי עוֹמֵד, לִפְנֵי מֶלֶךְ מַלְכֵי הַמְּלָכִים הַקָּדוֹשׁ בָּרוּךְ הוּא, וְעַל־יְדֵי־זֶה יִמְשַׁךְ עָלַי יִרְאָה וְאֵימָה גְדוֹלָה מִפָּנֶיךָ.

וְאֶזְכֶּה לְכַוֵּן הֵיטֵב הֵיטֵב בְּכָל דִּבּוּר וְדִבּוּר שֶׁל הַתְּפִלָּה. וְלֹא אַסִּיחַ אֶת דַּעְתִּי כְּלָל מִשּׁוּם דִּבּוּר שֶׁל הַתְּפִלָּה, וְלֹא אַתְחִיל לְהַטּוֹת דַּעְתִּי כְּלָל מִכַּוָּנַת פֵּרוּשׁ הַמִּלּוֹת שֶׁל הַתְּפִלָּה. וְלֹא אֶחְשֹׁב חַס וְשָׁלוֹם שׁוּם מַחֲשָׁבָה חִיצוֹנָה וְזָרָה כְּלָל בִּשְׁעַת הַתְּפִלָּה.

רַק אֶזְכֶּה לְקַשֵּׁר מַחֲשַׁבְתִּי בְּדִבּוּרֵי הַתְּפִלָּה בְּקֶשֶׁר אַמִּיץ וְחָזָק אֲשֶׁר לֹא יִנָּתֵק וְלֹא יֵהָרֵס לְעוֹלָם.

May I serve You with truth, faith and simplicity. May I engage in Torah learning and prayer with intense feeling, and bring all of my strength and all of the thoughts of my heart and mind into each word of prayer.

May I believe with perfect faith that the world is filled with Your glory, and that when we pray, You stand before us and take heed of our every word.

May I know before Whom I stand: before the King of kings, the Holy One, Blessed be He. As a result, may I experience fear and awe before You.

May I have profound intent in my every word of prayer. May I not lose my focus: may I not turn my mind aside from the meaning of the words, and certainly may I not have any superficial or foreign thoughts.

Rather, may I connect my thought to my words of prayer with a strong bond that will never be severed.

וְאֶזְכֶּה לְהִתְגַּבֵּר בַּעֲבוֹדַת יְיָ בְּתוֹרָה וּבִתְפִלָּה וּבְמַעֲשִׂים טוֹבִים בִּזְרִיזוּת גָּדוֹל וּבְשִׂמְחָה רַבָּה וַעֲצוּמָה. וְלֹא אַשְׁגִּיחַ בְּדַעְתִּי עַל שׁוּם בִּטּוּל וּבִלְבּוּל וּמוֹנֵעַ וּמְעַכֵּב. וְלֹא אֲבַלְבֵּל דַּעְתִּי עֲלֵיהֶם כְּלָל. וְלֹא אָחוּשׁ וְלֹא אֶסְתַּכֵּל עֲלֵיהֶם כְּלָל. וְלֹא תִּפֹּל עָלַי שׁוּם עַצְלוּת וְעַצְבוּת וּכְבֵדוּת וַחֲלִישׁוּת הַדַּעַת כְּלָל.

רַק אֶזְכֶּה בְּרַחֲמֶיךָ הָרַבִּים לְהִתְגַּבֵּר עַל יְדֵי הָאֱמוּנָה הַקְּדוֹשָׁה, לְשַׁבֵּר וּלְבַטֵּל לְגַמְרֵי כָּל מִינֵי עַצְלוּת וּכְבֵדוּת וּמְנִיעוֹת הַמֹּחַ וּמְנִיעוֹת גַּשְׁמִיִּים וְעַצְבוּת וּמָרָה שְׁחוֹרָה וּמַחֲשָׁבוֹת זָרוֹת וּבִלְבּוּלִים וַעֲקְמִימִיּוּת שֶׁבַּלֵּב.

הַכֹּל אֶזְכֶּה לְשַׁבֵּר בְּרַחֲמֶיךָ הָרַבִּים וַחֲסָדֶיךָ הַגְּדוֹלִים וְהָעֲצוּמִים. וְאֶזְכֶּה לְמִדַּת אֶרֶךְ אַפַּיִם בֶּאֱמֶת, שֶׁאֶזְכֶּה לְהַאֲרִיךְ אַפִּי עַל כָּל הַמְּנִיעוֹת וְהַבִּלְבּוּלִים לִבְלִי לְהִסְתַּכֵּל וְלִבְלִי לָחוּשׁ עֲלֵיהֶם כְּלָל. וְלֹא יִכְפַּת לִי שׁוּם דָּבָר כְּלָל, רַק אֶזְכֶּה לַעֲשׂוֹת אֶת שֶׁלִּי בְּתוֹרָה וּתְפִלָּה וּמַעֲשִׂים טוֹבִים בִּזְרִיזוּת וּבְשִׂמְחָה, וְלֹא תִקְצַר רוּחִי חַס וְשָׁלוֹם, מִשּׁוּם דָּבָר שֶׁבָּעוֹלָם.

וְתַשְׁפִּיעַ עָלַי כֹּחַ הַגּוֹדֵל וְכֹחַ הַצּוֹמֵחַ דִּקְדֻשָּׁה, הַנִּמְשָׁךְ מִן הָאֱמוּנָה הַקְּדוֹשָׁה שֶׁאֶזְכֶּה לִהְיוֹת הוֹלֵךְ וְגָדוֹל וְצוֹמֵחַ בַּעֲבוֹדָתְךָ, וְלֹא יַזִּיק לִי שׁוּם דָּבָר שֶׁבָּעוֹלָם, וּבְכָל מַעֲשֶׂה אֲשֶׁר אָחֵל בַּעֲבוֹדַת יְיָ וּבַתּוֹרָה וּבַמִּצְוֹת בְּכָל לְבָבִי אֶעֱשֶׂה וְאַצְלִיחַ:

Serving God

Help me grow stronger in my service of You. May I do so by learning Torah, praying, and performing good deeds with alacrity and joy, and not be affected by any problems, confusions or impediments. In addition, may I not suffer from any laziness, depression or weak resolve.

May I grow stronger by means of holy faith and nullify all heaviness, mental impediments, physical problems, sadness, foreign thoughts, and entanglements in my heart.

May I attain the trait of equanimity so that I will not be upset by any obstacles and confusions, and nothing will diminish my spirit.

Pour forth upon me the power to grow and blossom in holiness. May nothing in the world harm me. And may I learn Torah and perform mitzvot with all my heart so as to truly serve You.

אָנָּא מָלֵא רַחֲמִים, "נוֹתֵן לַיָּעֵף כֹּחַ וּלְאֵין אוֹנִים עָצְמָה יַרְבֶּה", אַתָּה לְבַד יָדַעְתָּ רִבּוּי חֲלִישׁוּתִי וּבִלְבּוּל דַּעְתִּי וַעֲקְמִימִיּוּת לְבָבִי שֶׁיֵּשׁ לִי בְּכָל דָּבָר שֶׁבָּעוֹלָם וּבִפְרָט בִּדְבָרִים שֶׁבִּקְדֻשָּׁה.

אֲשֶׁר כָּל דָּבָר שֶׁבִּקְדֻשָּׁה שֶׁאֲנִי רוֹצֶה לַעֲשׂוֹת, יֵשׁ לִי מְנִיעוֹת וְעִכּוּבִים וּבִלְבּוּלִים רַבִּים בְּלִי שִׁעוּר קֹדֶם שֶׁאֲנִי מַתְחִיל לַעֲשׂוֹתוֹ.

וַאֲפִלּוּ בְּעֵת שֶׁאֲנִי זוֹכֶה לַעֲסֹק בּוֹ לַעֲשׂוֹתוֹ, מְבַלְבְּלִים וּמְעַקְמִים אֶת לְבָבִי וְדַעְתִּי בְּכַמָּה וְכַמָּה עַקְמִימִיּוּת עַל עַקְמִימִיּוּת, וּבְכַמָּה וְכַמָּה מִינֵי עַצְבוּת וּמָרָה שְׁחוֹרָה וַעֲצְלוּת וּכְבֵדוּת וּבִלְבּוּל הַדַּעַת וּמַחֲשָׁבוֹת זָרוֹת וּפְנִיּוֹת בְּלִי שִׁעוּר וָעֵרֶךְ וּמִסְפָּר. עַד אֲשֶׁר כָּשַׁל כֹּחַ הַסַּבָּל.

עַד אֲשֶׁר קַצְתִּי בְּחַיַּי. כַּאֲשֶׁר אַתָּה יָדַעְתָּ יְיָ אֱלֹהַי וֵאלֹהֵי אֲבוֹתַי מָלֵא רַחֲמִים. וּמָה אֶעֱשֶׂה וַעֲווֹנוֹתַי עָשׂוּ כָּל זֹאת.

רַחֵם עָלַי לְמַעַן שְׁמֶךָ, שֶׁאֶזְכֶּה לַאֲרִיכַת אַפַּיִם בֶּאֱמֶת, בְּאֹפֶן שֶׁאֶעֱבֹר עַל כָּל הַמְּנִיעוֹת וְהַבִּלְבּוּלִים וְהַמְעַכְּבִים מִן הַקְּדֻשָּׁה. הֵן מְנִיעוֹת שֶׁיֵּשׁ לִי מִמֶּנִּי בְּעַצְמִי מֵחֲמַת תַּאֲוֹת וּבִלְבּוּל הַדַּעַת וּמַחֲשָׁבוֹת זָרוֹת וְכַיּוֹצֵא בָּזֶה, הֵן מְנִיעוֹת מֵאַנְשֵׁי הָעוֹלָם הַקְּרוֹבִים וְהָרְחוֹקִים. כִּי רַבִּים קָמִים עָלֵינוּ בְּכָל עֵת כַּאֲשֶׁר אַתָּה יָדַעְתָּ.

Overcoming Impediments

HaShem, You alone, "Who gives power to the weary and strength to the person who lacks might," know the depth of my weakness, the confusion of my mind and the entanglements of my heart.

In every matter, particularly in every holy endeavor that I wish to undertake, I face innumerable impediments and confusions.

When I embark on such an endeavor, my heart and mind are twisted into knots and afflicted with sadness, laziness, heaviness, foreign thoughts and innumerable ulterior motives, until "the strength of the porter has collapsed."

This has become so distressing that I have grown disgusted with my life. And the cause of it all is the fact that I have sinned.

Have compassion on me for the sake of Your Name. May I attain equanimity so that I will disregard all of the impediments and confusions that keep me from holiness—impediments from within due to my desires, confusion and foreign thoughts, and impediments from without due to other people near and far, particularly from the many people who rise up against me at every moment.

הַכֹּל אֶזְכֶּה לְבַטֵּל, וְאַאֲרִיךְ אַפִּי וְרוּחִי וְלֹא אַשְׁגִּיחַ וְלֹא אֶסְתַּכֵּל וְלֹא אָחוּשׁ עֲלֵיהֶם כְּלָל. וְאַל יְבַהֲלוּנִי רַעְיוֹנַי, וְאַל יִקַצְּרוּ רוּחִי חַס וְשָׁלוֹם.

אַל יֵרַךְ לְבָבִי וְלֹא אִירָא וְלֹא אֶחְפֹּז וְלֹא אֶעֱרֹץ מִפְּנֵיהֶם. כִּי יְיָ אֱלֹהֵינוּ הַהוֹלֵךְ עִמָּנוּ לְהִלָּחֵם לָנוּ עִם אוֹיְבֵינוּ לְהוֹשִׁיעַ אוֹתָנוּ.

רִבּוֹנוֹ שֶׁל עוֹלָם אַמֵּץ יָדַיִם רָפוֹת וּבִרְכַּיִם כּוֹשְׁלוֹת תְּאַמֵּץ. אַל תִּטְּשֵׁנִי, וְאַל תַּעַזְבֵנִי אֱלֹהֵי יִשְׁעִי.

זַכֵּנִי לָבוֹא לְאֶרֶץ יִשְׂרָאֵל חִישׁ קַל מְהֵרָה, וְלִזְכּוֹת שָׁם לְכָל מַה שֶּׁיְּכוֹלִין לִזְכּוֹת בְּאֶרֶץ יִשְׂרָאֵל, מְקוֹם אֲשֶׁר מֹשֶׁה וְאַהֲרֹן מָסְרוּ נַפְשָׁם לָבוֹא לְשָׁם.

וְאֶזְכֶּה לַאֲרִיכַת אַפַּיִם בְּכָל הַבְּחִינוֹת, וְלֶאֱמוּנָה שְׁלֵמָה בֶּאֱמֶת.

וּלְבַטֵּל הַכַּעַס וְהַקְּפֵדוּת בְּתַכְלִית, וְאֶזְכֶּה לִהְיוֹת טוֹב לַכֹּל, שֶׁלֹּא יִהְיֶה בְּלִבִּי שׁוּם צַד קִנְאָה וְשִׂנְאָה וְהַקְפָּדָה וְכַעַס עַל שׁוּם אָדָם שֶׁבָּעוֹלָם, אֲפִלּוּ עַל הַשּׂוֹנְאִים וְהָרוֹדְפִים אוֹתִי. רַק אֶזְכֶּה לִהְיוֹת טוֹב לַכֹּל בֶּאֱמֶת כִּרְצוֹנְךָ הַטּוֹב.

וְאֶזְכֶּה לְהִזְדָּרֵז בַּעֲבוֹדָתֶךָ מְאֹד בְּשִׂמְחָה וְחַיּוּת וְהִתְלַהֲבוּת גָּדוֹל דִּקְדֻשָּׁה.

May I attain equanimity and pay them no mind. May I not suffer from a swarm of thoughts that upset me and shorten my spirit.

May my heart not be weak. May I not fear them, grow unsure or feel intimidated by them—for You, HaShem, fight on my behalf against my enemies and save me.

Attaining Good Traits

Master of the universe, strengthen my weak hands and tottering knees. Do not abandon me, but redeem me.

Help me come swiftly and easily to the Land of Israel, the Land that Moses and Aaron tried so hard to enter. There may I attain all that a person can achieve in the Holy Land.

May I attain equanimity and complete faith.

May I eradicate my anger and irritability. May I be good to all so that my heart will not contain any jealousy, animosity, irritation or anger, even against those who hate and persecute me. May I just be good to all, in accordance with Your beneficent will.

May I serve You with alacrity, joy, vitality and holy fervor.

וּתְחַזְּקֵנִי וּתְאַמְּצֵנִי תָּמִיד עַד שֶׁאֶזְכֶּה לַעֲבֹר בְּשָׁלוֹם וּלְדַלֵּג וּלְקַפֵּץ עַל כָּל הַמְּנִיעוֹת וְהָעִכּוּבִים מִן הַקְּדֻשָּׁה, וְאֶזְכֶּה מְהֵרָה לְהִתְקָרֵב אֵלֶיךָ בֶּאֱמֶת כִּרְצוֹנְךָ הַטּוֹב.

וְאֶהְיֶה חָזָק וְאַמִּיץ וְתַקִּיף בַּעֲבוֹדָתְךָ תָּמִיד. וְאֶזְכֶּה לִהְיוֹת גִּבּוֹר לִכְבֹּשׁ אֶת יִצְרִי וְרוּחִי לָסוּר מֵרָע וְלַעֲשׂוֹת הַטּוֹב בְּעֵינֶיךָ תָּמִיד. אַדִּיר אָיוֹם וְנוֹרָא, חָזָק וְאַמִּיץ.

חַזְּקֵנוּ וְאַמְּצֵנוּ בֶּאֱמוּנָתְךָ וּבַעֲבוֹדָתְךָ הַקְּדוֹשָׁה.

וְתַשְׁפִּיעַ עָלֵינוּ עֹז וְתַעֲצוּמוֹת וּגְבוּרָה דִקְדֻשָּׁה בַּלֵּב, בְּאֹפֶן שֶׁלֹּא יוּכַל לְבַלְבֵּל דַּעְתֵּנוּ שׁוּם דָּבָר שֶׁבָּעוֹלָם.

וְנִזְכֶּה לְקַיֵּם כְּמוֹ שֶׁהִזְהַרְתָּנוּ בְּתוֹרָתְךָ הַקְּדוֹשָׁה כְּמוֹ שֶׁכָּתוּב: "חִזְקוּ וְאִמְצוּ אַל תִּירְאוּ וְאַל תַּעַרְצוּ מִפְּנֵיהֶם, כִּי יְיָ אֱלֹהֶיךָ הוּא הַהוֹלֵךְ עִמָּךְ לֹא יַרְפְּךָ וְלֹא יַעַזְבֶךָּ".

וְנֶאֱמַר: "קַוֵּה אֶל יְיָ חֲזַק וְיַאֲמֵץ לִבֶּךָ וְקַוֵּה אֶל יְיָ".

וְקַיֵּם לָנוּ מִקְרָא שֶׁכָּתוּב: "וְקוֵֹי יְיָ יַחֲלִיפוּ כֹחַ יַעֲלוּ אֵבֶר כַּנְּשָׁרִים, יֵלְכוּ וְלֹא יִיעָפוּ, יָרוּצוּ וְלֹא יִיגָעוּ. חִזְקוּ וְיַאֲמֵץ לְבַבְכֶם כָּל הַמְיַחֲלִים לַיהוָה":

Strengthen me to overcome all impediments to holiness and quickly come close to You, in accordance with Your beneficent will.

May I be strong and determined to serve You always. May I be a mighty warrior, conquering my evil inclination, turning aside from evil and doing that which is right in Your eyes, You Who are mighty and awesome, strong and abiding.

Strengthen me to have faith in You and to serve You.

Pour holy strength upon our hearts so that nothing in the world will confuse us.

May we keep the commandments as You have commanded us in Your holy Torah. "Be strong and courageous. Do not fear and do not be frightened of them, for HaShem your God goes with you. He will not fail you or abandon you."

"Hope in HaShem. Let your heart be strong and courageous, and hope in HaShem."

"Those who hope in HaShem will renew strength. They will rise with wings like eagles. They will rush forward and not grow weary. They will walk and not grow tired."

"All who hope in HaShem, be strong and courageous in your heart."

85 (141)

Repentance and the Resonant Repentance of One's Offspring

A man may be a father; in addition, if he spilled any drops of seed in vain, they may have fathered harmful spirits, which live happily in the filthy environs of the grave. (After this person passes away, his spirit-children follow his coffin and wail for him just as his human children do, which is a great source of shame for him.)

When this person repents, circumcising the foreskin of his heart and creating a hollow in his heart, not only does his heart feel the pain of his sins, but the hearts of all of his offspring are also affected. In particular, the hearts of his spirit-children fall as they realize their situation. Then they suffer and burst out wailing.

The best time for a person to repent so that all of his offspring will feel the pangs of repentance is the Hebrew month of Elul, which is the acronym for *Et Levavchah Ve-et Levav* ("your heart and the heart of [your offspring]").[6]

---

6 Deuteronomy 30:6.

לִימֵי אֱלוּל

יְהִי רָצוֹן מִלְּפָנֶיךָ יְיָ אֱלֹהַי וֵאלֹהֵי אֲבוֹתַי, שֶׁתַּעַזְרֵנִי וְתוֹשִׁיעֵנִי וּתְזַכֵּנִי בְּרַחֲמֶיךָ הָרַבִּים וּבַחֲסָדֶיךָ הָעֲצוּמִים, שֶׁאֶזְכֶּה מְהֵרָה לְהַרְגִּישׁ בֶּאֱמֶת כְּאֵב חֲטָאַי וַעֲווֹנוֹתַי וּפְשָׁעַי הָרַבִּים וְהַגְּדוֹלִים וְהָעֲצוּמִים מְאֹד מְאֹד עַד גָּבְהֵי שְׁמֵי שָׁמַיִם, וְעָמְקוֹ מִתְּהוֹם רַבָּה וְכָבְדוֹ מֵחוֹל יַמִּים, וְרֻבּוֹ מֵעֲפַר הָאָרֶץ, וְעָצְמוֹ מִשַּׂעֲרוֹת רֹאשֵׁינוּ, וְגָבְהוֹ מִנִּשְׁמַת רוּחַ אַפֵּנוּ.

וּבִפְרָט הַחֲטָאִים שֶׁל פְּגַם הַבְּרִית, פְּגַם טִפֵּי הַמֹּחַ שֶׁיָּצְאוּ מִמֶּנִּי לְבַטָּלָה בְּשׁוֹגֵג וּבְמֵזִיד בְּאֹנֶס וּבְרָצוֹן.

אֲשֶׁר אִם הָיִיתִי מַתְחִיל לְהַרְגִּישׁ עֹצֶם הַכְּאֵב שֶׁל הַפְּגַם הַגָּדוֹל וְהַנּוֹרָא הַזֶּה, אֵינִי יוֹדֵעַ אִם הָיִיתִי יָכוֹל לִחְיוֹת אֲפִלּוּ שָׁעָה אַחַת.

כַּאֲשֶׁר הוֹדַעְתָּ לָנוּ עַל־יְדֵי צַדִּיקֶיךָ הָאֲמִתִּיִּים עֹצֶם הַפְּגַם הַזֶּה, אֲשֶׁר עַל יְדֵי זֶה מַאֲרִיכִין חֻרְבַּן בֵּית הַמִּקְדָּשׁ וּמְעַכְּבִין הַגְּאֻלָּה וּמוֹרִידִין אֶת הַשְּׁכִינָה בְּגָלוּת חַס וְשָׁלוֹם, וּמַמְשִׁיכִין נְשָׁמוֹת עַרְטִלָּאִין בִּמְדוֹר הַקְּלִפּוֹת, וְנִבְרָאִין מִכָּל טִפָּה וְטִפָּה מַזִּיקֵי עָלְמָא רַחֲמָנָא לִצְּלָן רַחֲמָנָא לִצְלָן, וּשְׁאָר פְּגָמִים עֲצוּמִים וְנוֹרָאִים הַנַּעֲשִׂים עַל־יְדֵי־זֶה.

For the Month of Elul

HaShem, my God and God of my fathers, help me soon feel the pain of my sins, which are many and grave. They rise to the heights of Heaven and descend to the deepest depths; they are more massive than the sands of the oceans, more numerous than the dust of the earth and the hairs of my head; and they overcome my soul and breath.

This is particularly true of the blemishing of sexual purity—the vain expenditure of seminal drops that originate from the mind, whether by accident or on purpose, unwillingly or willingly.

I do not know if I could live for even an hour if I were to fully experience the pain of this terrible blemish.

You have informed us through Your true Tzaddikim that as a result of the gravity of this blemish, the destruction of the Temple is extended, the redemption is impeded, Your Divine Presence is lowered into exile, naked souls are drawn into the dwelling place of the "husks," and creatures that damage the world are created from each drop—in addition to other great and terrible blemishes.

כִּי כָל הַתּוֹרָה תְּלוּיָה בְּתִקּוּן הַבְּרִית שֶׁהוּא יְסוֹד הַכֹּל.

וּבֶעָוֹן זֶה פּוֹגְמִין בְּכָל הַכ"ב אָתְוָן דְּאוֹרַיְיתָא שֶׁהַטִּפָּה כְּלוּלָה מֵהֶם וְכוּ' וְכוּ'.

וּבֶאֱמֶת לִבִּי אָטוּם וּמְבֻלְבָּל וּמְעֻקָּם כָּל כָּךְ עַד שֶׁאֵינִי מַרְגִּישׁ כְּלָל כְּאֵב עֲווֹנוֹתַי הָעֲצוּמִים וְהָרַבִּים וְהַגְּדוֹלִים מְאֹד מְאֹד, אֲפִלּוּ כְּשֶׁאֲנִי מְדַבֵּר מֵהֶם.

אוֹי לִי וַי לִי, אוֹי לִי וַי לִי.

וְאִם אוֹמַר אֶלֶף פְּעָמִים אוֹי לִי וַי לִי, עֲדַיִן אֵינִי מַרְגִּישׁ כְּלָל.

מָה אוֹמַר מָה אֲדַבֵּר, מָה אֶתְאוֹנֵן מָה אוֹמַר מָה אֲדַבֵּר מָה אֶצְטַדָּק.

אַךְ אַתָּה מְרַחֵם עַל כָּל בָּשָׂר וְאַתָּה צוֹפֶה וּמַבִּיט עַד סוֹף כָּל הַדּוֹרוֹת. וְאַתָּה עָתִיד לְתַקֵּן אוֹתָנוּ כֻּלָּנוּ כַּאֲשֶׁר הִבְטַחְתָּנוּ.

עַל־כֵּן שִׁטַּחְתִּי אֵלֶיךָ כַּפַּי, גּוֹאֵל חָזָק הֱיֵה בְּעֶזְרִי וְלַמְּדֵנִי וְהוֹרֵנִי בְּכָל עֵת, בְּאֵיזֶה דֶּרֶךְ בְּאֵיזֶה אֹפֶן אֶזְכֶּה לָשׁוּב אֵלֶיךָ בֶּאֱמֶת, מֵרַע לְטוֹב מִמָּוֶת לְחַיִּים, כִּי מַר לִי מְאֹד:

אָבִי יוֹצְרִי וְגוֹאֲלִי וּפוֹדִי, עָזְרֵנִי וְהוֹשִׁיעֵנִי חִישׁ קַל מְהֵרָה שֶׁאֶזְכֶּה לָשׁוּב אֵלֶיךָ בֶּאֱמֶת וּבְלֵב שָׁלֵם.

The entire Torah depends on the rectification of sexual purity, which is the foundation of everything.

With this sin, a person blemishes all twenty-two letters of the Torah, from which the seminal drop is composed.

My heart is shuttered, confused and warped, so that I do not feel the pain of my grave and numerous sins, even if I speak of them.

Woe is me! Woe is me!

But even if I were to repeat "Woe is me!" a thousand times, I still would not fully experience the feeling of woe.

However, You Who have compassion on all flesh and gaze to the end of all generations will rectify us, as You promised.

Therefore, I stretch my hands out to You, Strong Redeemer. Teach me always how to return to You, from evil to good and from death to life—because the state that I am in now is very bitter.

Circumcising the Heart

My Father, Creator and Redeemer, help me return to You with all my heart.

וּמֹל אֶת עָרְלַת לִבִּי הָרָע, וְתִפְתַּח אֶת לִבִּי בְּאֹפֶן שֶׁאֶזְכֶּה לְהַרְגִּישׁ כְּאֵב וּמַכְאוֹב עֲווֹנוֹתַי הָעֲצוּמִים. עַד שֶׁאֶזְכֶּה לִצְעֹק מִן הַלֵּב זְעָקָה גְדוֹלָה וּמָרָה כְּמוֹ שֶׁרָאוּי לִי לִזְעֹק וְלִצְעֹק עַל עֲווֹנוֹת רַבִּים וּגְדוֹלִים כָּאֵלֶּה.

אוֹי אוֹי אוֹי.

וְאֶזְעֹק וְאֶצְעֹק וַאֲשַׁוֵּעַ אֵלֶיךָ בֶּאֱמֶת וּבְלֵב שָׁלֵם בְּלֵב נִשְׁבָּר וְנִדְכֶּה מִקִּירוֹת הַלֵּב, עַד שֶׁיַּרְגִּישׁוּ גַּם כָּל הַלְּבָבוֹת שֶׁל כָּל הַטִּפּוֹת שֶׁנִּמְשְׁכוּ מִמֶּנִּי לְכָל מָקוֹם שֶׁנִּמְשְׁכוּ.

הֵן אוֹתָן הַטִּפּוֹת שֶׁנִּמְשְׁכוּ בְּהֶתֵּר וְנִתְהַוּוּ מֵהֶם בָּנִי שֶׁיִּחְיוּ לְאֹרֶךְ יָמִים וְשָׁנִים טוֹבִים.

הֵן לְהַבְדִּיל אוֹתָן הַטִּפּוֹת שֶׁיָּצְאוּ מִמֶּנִּי לְבַטָּלָה בְּשׁוֹגֵג אוֹ בְּמֵזִיד, וְנַעֲשָׂה מִכָּל טִפָּה וְטִפָּה מַה שֶּׁנַּעֲשָׂה. אוֹי לִי וַי לִי, וְכֻלָּם יִהְיֶה נִמּוֹל לְבָבָם, וְיַרְגִּישׁוּ כֻּלָּם בְּכָל מָקוֹם שֶׁהֵם אֶת עֹצֶם כְּאֵבָם וְצַעֲרָם. וְהֵיכָן הֵם מֻנָּחִים בִּשְׁאוֹל תַּחְתִּיּוֹת בִּמְקוֹמוֹת הַמְּטֻנָּפִים שֶׁלֹּא נִתַּן לְהִזָּכֵר.

וְיִהְיֶה נַעֲשָׂה רַעַשׁ גָּדוֹל בֵּינֵיהֶם, וְיִתְעוֹרְרוּ כֻלָּם לָשׁוּב לְהַשֵּׁם יִתְבָּרַךְ בֶּאֱמֶת. וְיַתְחִילוּ לְהִתְגַּעְגֵּעַ וּלְהִצְטַעֵר וְלִכְסֹף בֶּאֱמֶת לְהִתְתַּקֵּן וְלָשׁוּב אֶל יְיָ בֶּאֱמֶת.

Circumcise the foreskin of my wicked heart. Open my heart so that I will feel the pain of my many grievous sins and cry out from my heart loudly and bitterly.

Woe! Woe! Woe!

I will wail to You with all my heart, with a broken and shamed heart, from the walls of my heart, until my outcries will be discerned by the hearts of all of the seminal drops that came forth from me.

Some came forth in a permissible way, to father my children, may they live a good life and be well.

Other drops emerged from me in vain—by accident or on purpose. As for what became of each such drop, woe is me! May the hearts of all of them be circumcised. Wherever they are, may they all feel the intensity of their pain and suffering, and realize that they are living in the lowest pit, in places so filthy that it is not even fit to describe them.

May they experience a great tumult. May they painfully yearn to be rectified and return to You.

עַד שֶׁתְּעוֹרֵר רַחֲמֶיךָ הַטּוֹבִים, רַחֲמֶיךָ הַגְּנוּזִים, רַחֲמֶיךָ הַפְּשׁוּטִים, רַחֲמֶיךָ הָרַבִּים, עָלַי וַעֲלֵיהֶם.

וְתַעֲסֹק בְּתִקּוּנֵנוּ, וְתִגְאָלֵנוּ מְהֵרָה מִבְּאֵר שַׁחַת מִטִּיט הַיָּוֵן וּמִכָּל מְקוֹמוֹת הַמְטֻנָּפִים וְהַמְקֻלְקָלִים.

מִכֻּלָּם תִּגְאָלֵנוּ וְתִפְדֵּנוּ וְתוֹצִיאֵנוּ לְשָׁלוֹם וּתְתַקְּנֵנוּ.

וְיָשִׁיב הַמֶּלֶךְ אֶת נִדָּחָיו מְהֵרָה, כִּי אַתָּה חוֹשֵׁב מַחֲשָׁבוֹת לְבַל יִדַּח מִמְּךָ נִדָּח.

וּמֹל אֶת לְבָבֵינוּ לְאַהֲבָה אֶת שְׁמֶךָ, כְּמָה שֶׁכָּתוּב: "וּמָל יְיָ אֱלֹהֶיךָ אֶת לְבָבְךָ וְאֶת לְבַב זַרְעֶךָ לְאַהֲבָה אֶת יְיָ אֱלֹהֶיךָ בְּכָל לְבָבְךָ וּבְכָל נַפְשְׁךָ לְמַעַן חַיֶּיךָ".

אָבִינוּ מַלְכֵּנוּ אֵל חַי חֶלְקֵנוּ צוּרֵנוּ צַוֵּה לְהַצִּיל יְדִידוּת שְׁאֵרֵינוּ מִשַּׁחַת לְמַעַן בְּרִיתְךָ אֲשֶׁר שַׂמְתָּ בִּבְשָׂרֵנוּ.

זַכֵּנִי מְהֵרָה לָמוּל אֶת עָרְלַת לְבָבִי וּלְבַב זַרְעִי, וּבִפְרָט בִּימֵי אֱלוּל הַקְּדוֹשִׁים.

Arouse Your good compassion, Your hidden compassion, Your outstretched compassion, Your abundant compassions, on me and on them.

Rectify us. Redeem us quickly from the pit of destruction, from the muddy depths, from all filthy, desolate sites.

Redeem us and extract us from all of these sites to attain well-being. Rectify us.

You are the King Who conceives thoughts so that no one will be cast aside from You. Return Your exiled people quickly.

Circumcise our hearts to love Your Name. As the verse states, "May HaShem your God circumcise Your heart and the heart of your offspring, so that you will love HaShem your God with all your heart and all your soul, and will truly live."

The Holy Days of Elul

Our Father, King, living God, our Portion and our Rock, rescue the beloved remnant that still remains of us for the sake of Your covenant that You sealed in our flesh.

Help me soon circumcise the foreskin of my heart, as well as the hearts of my offspring—particularly during the holy month of Elul.

זַכֵּנִי מֵעַתָּה שֶׁאֶזְכֶּה לְהָכִין עַצְמִי בֶּאֱמֶת, בְּאֹפֶן שֶׁאֶזְכֶּה בִּימֵי אֱלוּל הַקְּדוֹשִׁים שֶׁיִּהְיֶה נִמּוֹל בִּשְׁלֵמוּת לְבָבִי וּלְבַב זַרְעִי בֶּאֱמֶת, עַד שֶׁאֶזְכֶּה בַּחַיִּים חַיּוּתִי שֶׁיְּתַקְּנוּ אוֹתִי הַצַּדִּיקִים אֲמִתִּיִּים בִּשְׁלֵמוּת אוֹתִי וְאֶת זַרְעִי וְאֶת כָּל הַתְּלוּיִים בִּי לְמַעַן לֹא אֵבוֹשׁ וְלֹא אֶכָּלֵם וְלֹא אֶכָּשֵׁל לְעוֹלָם וָעֶד. וְלֹא אֵעוּל בְּכִסוּפָא קַמָּךְ.

וְלֹא יִהְיֶה כֹּחַ לְהַחַטָּאת לִרְבּוֹץ עַל פֶּתַח קִבְרִי חַס וְשָׁלוֹם, רַק אֶזְכֶּה לְתַקֵּן הַכֹּל בַּחַיִּים חַיּוּתִי, בְּכֹחַ וּזְכוּת הַצַּדִּיקִים אֲמִתִּיִּים, כִּי אֵין לִי שׁוּם תִּקְוָה וּסְמִיכָה כִּי אִם עֲלֵיהֶם לְבַד, וּבְכֹחָם וְהַבְטָחָתָם אָנוּ מְצַפִּים עֲדַיִן לְכָל טוֹב.

מָלֵא רַחֲמִים חוּס וְרַחֵם עָלַי וְהַצִּילֵנִי מֵחֲרָפוֹת וּבִזְיוֹנוֹת, שֶׁלֹּא יִהְיֶה כֹּחַ לְשׁוּם מַזִּיק וּמַשְׁחִית לְהִתְקָרֵב אֵלַי בְּעֵת מִיתָתִי. וְלֹא יֵלְכוּ אַחַר מִטָּתִי חַס וְשָׁלוֹם, רַק בְּרַחֲמֶיךָ הָרַבִּים תְּגָרְשֵׁם מִמֶּנִּי וּתְבַטְּלֵם בְּבִטּוּל גָּמוּר מֵעַתָּה וְעַד עוֹלָם.

וְתָחוּס עָלַי בְּחֶמְלָתְךָ הַגְּדוֹלָה וּבַחֲנִינוֹתֶיךָ הָעֲצוּמִים, שֶׁאֶזְכֶּה לְתַקֵּן בְּחַיַּי אֶת כָּל אֲשֶׁר שִׁחַתִּי, וְתָחוּס וְתִמְחַל וְתִסְלַח לִי עַל הַכֹּל בַּחַיִּים חַיּוּתִי, בְּאֹפֶן שֶׁלֹּא יִהְיֶה עָלַי שׁוּם דִּין וּמִשְׁפָּט אַחַר כָּךְ.

Help me from this moment onward, during the holy days of Elul, fully circumcise my heart and the hearts of my offspring. While I am still alive, may the true Tzaddikim rectify me, my offspring and all those who depend on me, so that I will not be humiliated, stumble forever, or appear before You in my shame.

May sin not crouch on top of my grave. Rather, with the help of the true Tzaddikim, may I rectify everything while I am still alive. My only hope is to rely on them. With the aid of their power and their promises, I still look forward to all good.

Repairing the Damage

You Who are filled with compassion, rescue me from insult and disgrace. When I die, may no harmful or destructive entities have the power to approach me and follow my coffin.

While I am still alive, may I rectify everything that I have damaged, so that You will then forgive all of my sins and I will not be judged after my death.

אִם אָמְנָם יָדַעְתִּי בֶּאֱמֶת כִּי אֲנִי רָחוֹק מִישׁוּעָה כָּזֹאת, כִּי בַּמֶּה יִזְכֶּה נַעַר כָּמוֹנִי לָזֶה, אַךְ עַל רַחֲמֶיךָ הָרַבִּים אֲנִי בּוֹטֵחַ, וְעַל חַסְדְּךָ אֲנִי נִשְׁעָן וְלִסְלִיחוֹתֶיךָ אֲנִי מְקַוֶּה, וְלִישׁוּעָתְךָ אֲנִי מְצַפֶּה, בְּכֹחַ וּזְכוּת הַצַּדִּיקִים אֲמִתִּיִּים שֶׁבְּדוֹרֵנוּ, וּבִזְכוּת כָּל הַצַּדִּיקִים אֲמִתִּיִּים שׁוֹכְנֵי עָפָר. עֲלֵיהֶם אָנוּ נִשְׁעָנִים, בָּהֶם תָּמַכְתִּי יְתֵדוֹתַי לִשְׁאֹל כָּל אֵלֶּה מִלְּפָנֶיךָ, עַל כֵּן עֲדַיִן אֲנִי עוֹמֵד וּמְצַפֶּה וּמְקַוֶּה וּמְיַחֵל לִישׁוּעָתְךָ הַגְּדוֹלָה שֶׁאֶזְכֶּה מְהֵרָה לְכָל מַה שֶּׁבִּקַּשְׁתִּי מִלְּפָנֶיךָ.

כִּי אַתָּה צוֹפֶה לָרָשָׁע וְחָפֵץ בְּהִצָּדְקוֹ, וְאִם אֲנִי מִתְמַהְמֵהַּ הַרְבֵּה לָשׁוּב, וְעוֹד הוֹסַפְתִּי קִלְקוּלִים וַעֲווֹנוֹת הַרְבֵּה גְּדוֹלִים וַעֲצוּמִים בְּכָל יוֹם, אַף־עַל־פִּי־כֵן עֲדַיִן אֲנִי מְחַכֶּה בְּכָל יוֹם שֶׁיָּבֹא גְאֻלָּתִי וּפְדוּת נַפְשִׁי.

שֶׁאֶזְכֶּה מְהֵרָה לְהִתְעוֹרֵר מִשְּׁנָתִי וְלָקוּם מִנְּפִילָתִי וְלַעֲמֹד מִירִידָתִי וְלִחְיוֹת מִמִּיתָתִי. וְלָשׁוּב אֵלֶיךָ בֶּאֱמֶת וּבְלֵב שָׁלֵם לִהְיוֹת כִּרְצוֹנְךָ הַטּוֹב בֶּאֱמֶת, אֲנִי וְזַרְעִי וְזֶרַע זַרְעִי וְכָל זֶרַע עַמְּךָ בֵּית יִשְׂרָאֵל מֵעַתָּה וְעַד עוֹלָם, אָמֵן סֶלָה:

I am aware that I do not deserve such favors. But I trust in Your compassion. I rely on Your kindness. I hope for Your forgiveness and look forward to Your salvation—all in the power and merit of the true Tzaddikim, those of our generation and those who dwell in the dust.

You gaze upon the wicked person with the desire that he will become righteous. It has been taking me a long time to return to You, and in the meantime, every day I bring about more damage and commit more sins. Nevertheless, every day I still anticipate my redemption.

May I, my children, my grandchildren and Your entire nation, the House of Israel, quickly awaken from our sleep, arise from our descent, live after our deaths and return to You in truth with all our hearts, to be in accordance with Your beneficent will, from now and forever. Amen, selah.

86 (152)

Faith is the Gateway to the Tzaddik / Keeping the Gateway Open

The holy soul of a Tzaddik enters the world together with its branches—those people whose souls are dependent on it.

A "husk" of evil surrounds that holy soul, preventing its branch-souls from approaching it. However, the "husk" leaves an opening through which those souls may approach. That opening is faith.

If these branch-souls are blemished, they lose their faith. Then that opening is closed and they cannot come to this holy soul. Usually this closing is only temporary. But should the branch-souls have many blemishes, it is possible that the entrance will be sealed shut permanently.

To prevent this from happening, Heaven places a God-fearing person at the entrance. Like the "husk," he prevents those branch-souls from entering. However, he plays a positive role as well, in that he prevents the "husk" from completely blocking the entrance. This makes it possible for a branch-soul that has the dedication to travel and come close to the Tzaddik to eventually cling to the Tzaddik.

"פִּתְחוּ לִי שַׁעֲרֵי צֶדֶק אָבֹא בָם אוֹדֶה יָהּ, פִּתְחוּ שְׁעָרִים וְיָבֹא גוֹי צַדִּיק שׁוֹמֵר אֱמוּנִים, שְׂאוּ שְׁעָרִים רָאשֵׁיכֶם וְהִנָּשְׂאוּ פִּתְחֵי עוֹלָם וְיָבֹא מֶלֶךְ הַכָּבוֹד".

רִבּוֹנוֹ שֶׁל עוֹלָם, סְלַח וּמְחַל לַעֲוֹנוֹתֵינוּ, וְתֵן לָנוּ בְּמַתְּנַת חִנָּם וּנְדָבַת חֶסֶד אֱמוּנָתְךָ הַקְּדוֹשָׁה, וְזַכֵּנוּ לֶאֱמוּנַת חֲכָמִים בֶּאֱמֶת, שֶׁנִּזְכֶּה לְהַאֲמִין בֶּאֱמֶת בְּכָל הַצַּדִּיקִים הָאֲמִתִּיִּים.

וְהוֹשִׁיעֵנוּ וְזַכֵּנוּ שֶׁנִּזְכֶּה לִכְנֹס לְתוֹךְ פִּתְחֵי וְשַׁעֲרֵי הַקְּדֻשָּׁה, שֶׁנִּזְכֶּה לְהִתְקָרֵב בֶּאֱמֶת לַאֲמִתּוֹ לְנִשְׁמוֹת הַצַּדִּיקִים הָאֲמִתִּיִּים, אֲשֶׁר בָּהֶם כֻּלָּנוּ תְּלוּיִים וַאֲחוּזִים, כִּי הֵם שֹׁרֶשׁ נִשְׁמוֹתֵינוּ, חַיֵּינוּ וְאֹרֶךְ יָמֵינוּ.

חוּסָה עָלֵינוּ בְּרַחֲמֶיךָ הָרַבִּים וְתֵן לָנוּ אֱמוּנָה שְׁלֵמָה בֶּאֱמֶת לַאֲמִתּוֹ, בְּאֹפֶן שֶׁנִּזְכֶּה לְהִתְקָרֵב אֲלֵיהֶם בֶּאֱמֶת, וְלֵילֵךְ בְּדַרְכֵיהֶם הַקְּדוֹשִׁים, וְלָשׁוּב אֵלֶיךָ בֶּאֱמֶת עַל יָדָם.

כִּי אַתָּה יוֹדֵעַ כִּי אֵין לָנוּ שׁוּם תִּקְוָה זוּלָתָם, וּבִלְעָדָם לֹא נָרִים אֶת יָדֵינוּ וְאֶת רַגְלֵינוּ.

עֲשֵׂה לְמַעַן שְׁמֶךָ, וְאַל תִּגְמֹל לָנוּ כְּחַטֹּאתֵינוּ וְכַעֲווֹנוֹתֵינוּ וְאַל תַּשְׁלִיכֵנוּ לְעוֹלָם מִן הָאֱמוּנָה הַקְּדוֹשָׁה, וְאַל תִּסְתֹּם הַפֶּתַח וְאַל תִּנְעוֹל הַדֶּלֶת בְּפָנֵינוּ חַס וְשָׁלוֹם.

Clinging to the Tzaddikim

"Open the gates of righteousness for me; I will enter them and praise God." "Open the gates so that the righteous nation that keeps faith may enter." "Gates, lift up your heads; eternal doors, be elevated; may the King of glory enter."

Master of the world, give us the kind gift of faith in the sages. May we believe in all of the true Tzaddikim.

Help us enter the gates of holiness and come close to the souls of true Tzaddikim, on whom we all depend. They are the root of our souls, our life and the length of our days.

May we come close to them, walk in their holy ways, and return to You through them.

Without them, we lack all hope. Without them, we cannot even lift our hands and feet.

Act for the sake of Your Name. Do not repay us in accordance with our sins. Never cast us away from holy faith. Do not seal the opening shut. Do not close the door in our faces.

רַחֵם עַל כְּלָל יִשְׂרָאֵל, וּבִפְרָט עָלַי הֶעָנִי וְהָאֶבְיוֹן, הֶחָסֵר מִמַּעֲשִׂים טוֹבִים, הַמְלֻכְלָךְ בְּמַעֲשִׂים רָעִים, אֲשֶׁר מֵחֲמַת זֶה גַּם מְעַט הַמַּעֲשִׂים טוֹבִים הַנַּעֲשִׂים בְּגוּף פָּגוּם כָּזֶה, הֵם גַּם כֵּן פְּגוּמִים הַרְבֵּה.

וּבַמֶּה יִזְכֶּה נַעַר הַמְנֹעָר מִכָּל טוּב כָּמוֹנִי, לִכְנֹס בְּפֶתַח הַקְּדֻשָּׁה שֶׁהִיא הָאֱמוּנָה הַקְּדוֹשָׁה, לְהִתְקָרֵב לְהַצַּדִּיק הָאֱמֶת הַשַּׁיָּךְ לִי כְּפִי שֹׁרֶשׁ נִשְׁמָתִי.

"אִם עֲווֹנוֹת תִּשְׁמָר יָהּ יְיָ מִי יַעֲמֹד".

אָדוֹן מָלֵא רַחֲמִים רַחֵם עָלַי, וּפְתַח לִי בְּרַחֲמֶיךָ פִּתְחֵי הַקְּדֻשָּׁה, וְתַשְׁפִּיעַ לִי בְּרַחֲמֶיךָ הָרַבִּים אֱמוּנָתְךָ הַקְּדוֹשָׁה, שֶׁאֶזְכֶּה לִהְיוֹת אַמִּיץ וְחָזָק וְקַיָּם בֶּאֱמוּנָה הַקְּדוֹשָׁה תָּמִיד, לְהַאֲמִין בְּךָ וּבְצַדִּיקֶיךָ הָאֲמִתִּיִּים וּלְהִתְקָרֵב אֲלֵיהֶם בֶּאֱמֶת, וְלִינֹק וְלִשְׁאֹב מֵחָכְמָתָם הַקְּדוֹשָׁה.

וּתְשַׁבֵּר וְתַעֲקֹר וּתְבַטֵּל אֶת כָּל הַקְּלִפּוֹת וְהַסִּטְרִין אוֹחֲרָנִין הַמְסַבְּבִין אוֹתָם, שֶׁמֵּהֶם נִמְשָׁכִין כָּל הַחוֹלְקִים וְהַמִּתְנַגְּדִים עַל הַצַּדִּיקִים הָאֲמִתִּיִּים, וְכָל הַקֻּשְׁיוֹת וְהַסְּפֵקוֹת וְהַבִּלְבּוּלִים שֶׁנּוֹפְלִים עֲלֵיהֶם בְּמַחֲשָׁבָה לְהַרְהֵר אַחֲרֵיהֶם חַס וְשָׁלוֹם.

Have compassion on all Jews—particularly on me. I am spiritually impoverished. I lack good deeds and am soiled by my evil actions. As a result, even the little bit of good that I do with my blemished body is also blemished.

With what will a person as insignificant as I, lacking all merit, enter the gate of holiness and faith in order to come close to the true Tzaddik who is connected to the root of my soul?

"If God takes note of sins, HaShem, who will stand?"

Overcoming the "Husks" of Evil

Master of compassion, open the doors of holiness for me. Pour Your holy faith onto me so that my faith will always be firm. May I believe in You and in Your true Tzaddikim. May I come close to them and draw from their holy wisdom.

Eliminate all of the "husks" and aspects of evil that cluster around them, from which come all of the opponents of the true Tzaddikim and all of the doubts and confusions that people have about Tzaddikim.

אָנָּא יְיָ, בְּרַחֲמֶיךָ הָרַבִּים חוּס וְרַחֵם וַחֲמֹל עָלַי וְעַל כָּל יִשְׂרָאֵל, וְתֵן לָנוּ עֵצוֹת שְׁלֵמוֹת וּנְכוֹנוֹת וַאֲמִתִּיּוֹת, בְּאֹפֶן שֶׁנִּזְכֶּה שֶׁיִּתְגַּלֶּה לָנוּ הָאֱמֶת לַאֲמִתּוֹ. וְתִפְתַּח לָנוּ שַׁעֲרֵי הָאֱמוּנָה, בְּאֹפֶן שֶׁלֹּא יִהְיֶה כֹּחַ לְשׁוּם קְלִפָּה וְסִטְרָא אַחֲרָא, לְהַעֲלִים הָאֱמֶת וְלִסְגֹּר הַשַּׁעַר חַס וְשָׁלוֹם:

רִבּוֹנוֹ שֶׁל עוֹלָם, אַתָּה יוֹדֵעַ כָּל מַה שֶּׁגָּרַם הַמַּחֲלֹקֶת בָּעוֹלָם, וּכְבָר "כָּשַׁל כֹּחַ הַסַּבָּל".

כִּי גַם מִצַּד עַצְמִי אֲנִי חָלוּשׁ כֹּחַ מְאֹד מְאֹד, כַּאֲשֶׁר אַתָּה יָדַעְתָּ, וְנוֹסַף לָזֶה הִתְגַּבְּרוּת הַמַּחֲלֹקֶת, וּבִפְרָט הַקָּטֵגוֹרְיָא שֶׁבֵּין הַצַּדִּיקִים וְהַתַּלְמִידֵי־חֲכָמִים בְּעַצְמָם, עַד אֲשֶׁר אֵין יוֹדְעִים מֵהַצַּדִּיק הָאֱמֶת הַשַּׁיָּךְ לְשֹׁרֶשׁ נִשְׁמָתֵנוּ שֶׁנּוּכַל לְקַבֵּל תּוֹעֶלֶת עַל יָדוֹ לָנֶצַח.

רִבּוֹנוֹ שֶׁל עוֹלָם, יְיָ אֱלֹהִים אֱמֶת, בּוֹחֵן לִבּוֹת וּכְלָיוֹת, אַתָּה יוֹדֵעַ אֶת צְפוּן לִבִּי.

אֲשֶׁר בִּפְנִימִיּוּת הַנְּקֻדָּה שֶׁבְּלִבִּי, מְאֹד נִכְסְפָה וְגַם כָּלְתָה נַפְשִׁי לְחַצְרוֹת יְיָ, לִזְכּוֹת לְהִתְקָרֵב לְהַצַּדִּיק הָאֱמֶת שֶׁיּוּכַל לְהוֹשִׁיעֵנִי מִצָּרוֹת נַפְשִׁי, לְהוֹצִיאֵנִי מֵעֲווֹנוֹתַי, וְלַהֲשִׁיבֵנִי אֵלֶיךָ בֶּאֱמֶת.

HaShem, give us true counsel so that the truth will be revealed to us. Open the gates of faith so that no "husk" or aspect of evil will have the power to hide the truth.

The Concealment Caused by Dispute

Master of the world, You know all of the harm that dispute has caused, so that we are worn out and "the strength of the porter has collapsed."

In addition to that, the intensification of dispute—particularly the fighting among righteous people and Torah sages—has concealed from us the knowledge of the true Tzaddik who is connected to the root of our souls, through whom we can receive eternal help.

Seeking the True Tzaddik

Master of the world, God of truth, You Who investigate man's heart and inner being, You know the secrets within the core of my heart.

My spirit yearns for the courtyards of HaShem, where I may come close to the true Tzaddik who can save me from the troubles of my spirit, bring me forth from my sins, and return me to You in truth.

"מִי יִתֵּן יָדַעְתִּי וְאֶמְצָאֵהוּ", הָיִיתִי "מְדַלֵּג עַל הֶהָרִים מְקַפֵּץ עַל הַגְּבָעוֹת" לְהִתְקָרֵב אֵלָיו, "מִסְפַּר צְעָדַי אַגִּידֶנּוּ".

עַל כֵּן רַחֵם עָלַי בַּחֲסָדֶיךָ הָעֲצוּמִים, וְזַכֵּנִי לְבַלּוֹת יָמִים וְשָׁנִים עַל זֶה, לְבַקְּשׁוֹ וּלְחַפְּשׂוֹ כַּכֶּסֶף וּכְמַטְמוֹנִים, עַד שֶׁאֶזְכֶּה לִמְצֹא אֶת שֶׁאָהֲבָה נַפְשִׁי, שֶׁאֶזְכֶּה מְהֵרָה שֶׁיִּתְגַּלֶּה לִי בֶּאֱמֶת הַצַּדִּיק הָאֱמֶת הַשַּׁיָּךְ לְשֹׁרֶשׁ נִשְׁמָתִי. וְאֶזְכֶּה לְהִתְקָרֵב אֵלָיו בֶּאֱמֶת.

וְאַל יִמְנָעֵנִי שׁוּם מוֹנֵעַ, וְאַל יְעַכְּבֵנִי שׁוּם עִכּוּב. רַק אֶזְכֶּה לֵילֵךְ וְלָרוּץ אַחֲרָיו בְּכָל כֹּחִי, וְאֶזְכֶּה לֶאֱמוּנָה שְׁלֵמָה וַחֲזָקָה וּנְכוֹנָה, עַד שֶׁאֶזְכֶּה לִשְׁאֹב עַל יָדָהּ מֵחָכְמָתוֹ הַקְּדוֹשָׁה. וּלְהֵטִיב מִטּוּבוֹ לַאֲחֵרִים לְהָפִיץ מַעְיְנוֹתָיו חוּצָה.

מָלֵא רַחֲמִים רַחֵם עָלֵינוּ וְצַוֵּה בְּרַחֲמֶיךָ לְבַטֵּל וּלְגָרֵשׁ כָּל הַנְּטוּרֵי תַרְעָא וְכָל הַשּׁוֹמְרִים הָעוֹמְדִים עַל הַפֶּתַח. וּתְסַלֵּק גַּם הַפָּרוֹכְתָּא קְלִישָׁא מִן הַפֶּתַח, בְּאֹפֶן שֶׁיּוּכַל לִכְנֹס כָּל הָרוֹצֶה לִכְנֹס.

וְתִתֵּן בְּלֵב כָּל הַצַּדִּיקִים וְהַכְּשֵׁרִים וְיִרְאֵי שָׁמַיִם, שֶׁלֹּא יִהְיֶה בֵּינֵיהֶם שׁוּם מַחֲלוֹקֶת כְּלָל. וְלֹא יִהְיֶה נִמְשָׁךְ מֵהֶם חַס וְשָׁלוֹם שׁוּם מְנִיעָה וְעִכּוּב וּבִלְבּוּל מִלְּהִתְקָרֵב לִנְקֻדַּת

"If only I could know how to find him," I would "leap upon the mountains and jump upon the hills" to come to him and "tell him the number of my steps."

Help me search for him as a person searches for silver and hidden treasures, even if it takes years, until I will find the one whom my soul loves. May the true Tzaddik who is connected to the root of my soul be revealed to me, so that I may come close to him.

May no obstacle impede me; may no barrier obstruct me. May I run after him with all of my might and attain complete faith, until with that faith I will draw down his holy wisdom and share his goodness with others as I spread his teachings.

Incapacitate and chase away all of the guardians of the gates, all of the sentries that stand at the entranceway. Remove even the thin curtain at the entrance so that whoever wishes to enter may do so.

Inspire the hearts of righteous, worthy and God-fearing people to refrain from engaging in dispute among themselves, and refrain from doing anything that might prevent anyone from coming close to the core of truth, which is the

הָאֱמֶת, שֶׁהוּא הַצַּדִּיק הָאֱמֶת הַשַּׁיָּךְ לָנוּ כְּפִי שֹׁרֶשׁ נִשְׁמוֹתֵינוּ.

וְעָזְרֵנִי וְזַכֵּנִי אוֹתִי וְאֶת זַרְעִי וְאֶת כָּל זֶרַע עַמְּךָ בֵּית יִשְׂרָאֵל, שֶׁנִּזְכֶּה שֶׁיִּהְיֶה לָנוּ מְסִירַת נֶפֶשׁ בֶּאֱמֶת, לִמְסֹר גּוּפֵנוּ וְנַפְשֵׁנוּ וּמְאֹדֵנוּ בִּשְׁבִיל לְהִתְקָרֵב לְהַצַּדִּיק הָאֱמֶת, בְּאֹפֶן שֶׁנִּזְכֶּה לִינֹק וְלִשְׁאֹב וּלְקַבֵּל חָכְמָה מֵחָכְמָתוֹ הַקְּדוֹשָׁה.

וּתְמַהֵר הַגְּאֻלָּה בִּכְלָל וּבִפְרָט, וְתָבִיא אוֹתָנוּ מְהֵרָה לְאֶרֶץ יִשְׂרָאֵל, אֶרֶץ הַקְּדוֹשָׁה אֶרֶץ הַחַיִּים, מְקוֹם הָאֱמוּנָה, כְּלָלִיּוּת הַקְּדֻשָּׁה.

כִּי כְבָר הִגִּיעַ הָעֵת וְהָעוֹנָה שֶׁתּוֹשִׁיעַ לְעַמְּךָ יִשְׂרָאֵל, כִּי אִם לֹא עַכְשָׁו אֵימָתַי.

כִּי כְבָר אָרַךְ עָלֵינוּ הַגָּלוּת מְאֹד מְאֹד בְּגוּף וָנֶפֶשׁ בְּגַשְׁמִי וְרוּחָנִי בִּכְלָל וּבִפְרָט.

רַחֵם נָא קְהַל עֲדַת יְשֻׁרוּן סְלַח וּמְחַל עֲווֹנָם, וְהוֹשִׁיעֵנוּ לְמַעַן שְׁמֶךָ. רַחֵם עָלֵינוּ לְמַעַן בְּרִיתֶךָ, הַבִּיטָה וַעֲנֵנוּ בְּעֵת צָרָה, כִּי לְךָ יְיָ הַיְשׁוּעָה.

true Tzaddik who is connected to the root of our souls.

An End to the Exile

Send Your help to me, to my offspring and to all of Your nation, the House of Israel, so that we will dedicate ourselves with our bodies, souls and possessions to the mission of coming close to the true Tzaddik and receiving his holy wisdom.

Quickly bring redemption to the world as a whole and to its every detail.

Quickly bring us to the Land of Israel, which is the land of life, the site of faith and the summation of holiness.

The time has come for You to save Your nation, the Jewish people, for "if not now, when?"

The exile has been very long—for the body and soul of each individual and for the physical and spiritual realms of the entire cosmos.

Have compassion on the congregation of Jeshurun. Forgive our sins.

Save us for the sake of Your Name. Have compassion on us for the sake of Your covenant. Turn to us and answer us at a time of trouble, for salvation is Yours, HaShem.

אַל תַּשְׁלִיכֵנוּ מֵאֱמוּנָתְךָ הַקְּדוֹשָׁה לְעוֹלָם. לֹא כַּחֲטָאֵינוּ תַּעֲשֶׂה לָנוּ וְלֹא כַעֲווֹנוֹתֵינוּ תִּגְמֹל עָלֵינוּ. אַל תַּשְׁלִיכֵנוּ מִלְּפָנֶיךָ וְרוּחַ קָדְשְׁךָ אַל תִּקַּח מִמֶּנּוּ. אַל תַּשְׁלִיכֵנוּ לְעֵת זִקְנָה כִּכְלוֹת כֹּחֵנוּ אַל תַּעַזְבֵנוּ. פְּתַח לָנוּ שַׁעַר בְּעֵת נְעִילַת שַׁעַר.

כִּי כְבָר עָבְרוּ הַרְבֵּה מִיָּמֵינוּ וּשְׁנוֹתֵינוּ, וַעֲדַיִן שַׁעֲרֵי הַקְּדֻשָּׁה נְעוּלִים וּסְגוּרִים בְּפָנֵינוּ בַּעֲווֹנוֹתֵינוּ הָרַבִּים וּפְשָׁעֵינוּ הָעֲצוּמִים.

יְעוֹרְרוּ רַחֲמֶיךָ וַחֲנִינוּתֶיךָ עַל עָלוּב כָּמוֹנִי, הָעוֹמֵד אֵצֶל הַפֶּתַח זֶה יָמִים וְשָׁנִים הַרְבֵּה, וְצַוֵּה לְמַלְאָכֶיךָ לִפְתֹּחַ לִי שַׁעֲרֵי הַקְּדֻשָּׁה וּלְהַכְנִיסֵנִי בָּהֶם בְּרַחֲמֶיךָ הָרַבִּים וַחֲסָדֶיךָ הַגְּדוֹלִים, "עַד אֲשֶׁר לֹא תֶחְשַׁךְ הַשֶּׁמֶשׁ וְהָאוֹר וְהַיָּרֵחַ" וְכוּ'.

הַיּוֹם יִפְנֶה הַשֶּׁמֶשׁ יָבֹא וְיִפְנֶה נָבוֹאָה שְׁעָרֶיךָ.

"אַל תַּסְתֵּר פָּנֶיךָ מִמֶּנִּי בְּיוֹם צַר לִי, הַטֵּה אֵלַי אָזְנֶךָ בְּיוֹם אֶקְרָא מַהֵר עֲנֵנִי.

יְיָ שְׁמַע תְּפִלָּתִי הַאֲזִינָה אֶל תַּחֲנוּנַי, בֶּאֱמוּנָתְךָ עֲנֵנִי בְּצִדְקָתֶךָ.

Do not cast us away forever from Your holy faith. Do not repay us in accordance with our sins. "Do not cast us away from You. Do not remove Your holy spirit from us. Do not cast us away in our old age. When our strength is spent, do not abandon us." Open a gate for us at the time of the closing of the gate.

Years have passed—yet due to our many, severe sins, the gates of holiness remain shut.

Arouse Your compassion for a person as feeble as I, who has been standing at the entrance for so many years. Command Your angels to open the gates of holiness for me and bring me through them, "before the sun and the light and the moon and the stars grow dark."

"Today, as the sun sets, let us come to your gates."

"Do not hide Your face from me on my day of trouble. Incline Your ear to me; on the day that I call, quickly answer me."

"HaShem, hear my prayer, listen to my plea; in Your faithfulness answer me, in Your righteousness."

כָּל מִצְוֹתֶיךָ אֱמוּנָה שֶׁקֶר רְדָפוּנִי עָזְרֵנִי. הוֹרֵינִי יְיָ דַּרְכֶּךָ וּנְחֵנִי בְּאֹרַח מִישׁוֹר לְמַעַן שׁוֹרְרָי.

הַדְרִיכֵנִי בַּאֲמִתֶּךָ וְלַמְּדֵנִי, כִּי אַתָּה אֱלֹהֵי יִשְׁעִי, אוֹתְךָ קִוִּיתִי כָּל הַיּוֹם.

יִהְיוּ לְרָצוֹן אִמְרֵי פִי וְהֶגְיוֹן לִבִּי לְפָנֶיךָ יְיָ צוּרִי וְגֹאֲלִי":

"All of Your commandments are faithful. When falsehood pursues me, help me, HaShem!"

"HaShem, teach me Your ways. Guide me on a path that is straight, despite my enemies who gaze upon me."

"Guide me in Your truth and teach me, for You are the God of my salvation; it is for You that I have hoped all day long."

"May the words of my mouth and the meditation of my heart be acceptable before You, HaShem, my Rock and my Redeemer."

87 (193)

The Power of Thought

Thought has such great power that a person can achieve anything that he focuses on intensely. For example, if he concentrates on having money, he will certainly become wealthy. The same holds true regarding any other matter.

This thought must be accompanied by the nullification of all sensory impressions. It must be so powerful that if a person were to imagine that he is dying for the sake of sanctifying God's Name, he might die from the pain. A person must not allow himself to remain in that state, so as not to leave this world before his time.

"אֵלֶיךָ יְיָ נַפְשִׁי אֶשָּׂא".

רִבּוֹנוֹ שֶׁל עוֹלָם זַכֵּנִי בְּרַחֲמֶיךָ לִמְסֹר נַפְשִׁי עַל קִדּוּשׁ הַשֵּׁם בֶּאֱמֶת בְּכָל עֵת תָּמִיד, וּבִפְרָט בִּשְׁעַת "קְרִיאַת שְׁמַע" בְּעֵת קַבָּלַת עֹל מַלְכוּת שָׁמַיִם.

שֶׁאֶזְכֶּה לְיַחֵד שִׁמְךָ בְּכָל יוֹם תָּמִיד בָּעֶרֶב וּבַבֹּקֶר בִּמְסִירַת נֶפֶשׁ עַל קִדּוּשׁ הַשֵּׁם בֶּאֱמֶת בְּכָל לֵב, בְּשִׂמְחָה וְחֶדְוָה גְדוֹלָה, וְאֶזְכֶּה לְקַבֵּל עָלַי בֶּאֱמֶת כָּל הָאַרְבַּע מִיתוֹת בֵּית דִּין סְקִילָה שְׂרֵפָה הֶרֶג וָחֶנֶק בְּעֵת שֶׁאֲנִי מְיַחֵד שִׁמְךָ בְּכָל יוֹם.

שֶׁאֶהְיֶה מְרֻצֶּה בֶּאֱמֶת וּבְלֵב שָׁלֵם לָמוּת בְּכָל הַמִּיתוֹת וְלִסְבֹּל כָּל הַיִּסּוּרִים וְהָעִנּוּיִים בִּשְׁבִיל קְדֻשַּׁת שִׁמְךָ הַגָּדוֹל. וְתַעַזְרֵנִי בְּכֹחֲךָ הַגָּדוֹל וְרַחֲמֶיךָ הָרַבִּים שֶׁאֶזְכֶּה לְחַזֵּק אֶת מַחֲשַׁבְתִּי בְּעִנְיַן הַמְּסִירַת נֶפֶשׁ בֶּאֱמֶת בְּמַחֲשָׁבָה חֲזָקָה וְתַקִּיפָה בְּכָל הַכֹּחוֹת שֶׁיֵּשׁ בְּמַחֲשָׁבָה בִּפְנִימִיּוּת וְחִיצוֹנִיּוּת.

וּלְצַיֵּר בְּמַחֲשַׁבְתִּי כָּל הַמִּיתוֹת וְהָעִנּוּיִים בְּצִיּוּר גָּמוּר, בְּמַחֲשָׁבָה חֲזָקָה וְתַקִּיפָה, בְּבִטּוּל כָּל הַהַרְגָּשׁוֹת. עַד שֶׁאַרְגִּישׁ בְּמַחֲשַׁבְתִּי וּמוֹחִי צַעַר הַמִּיתָה וְהָעִנּוּיִים מַמָּשׁ

Sanctifying HaShem's Name When Reciting the Shema

"HaShem, I lift my soul to You."

Master of the world, help me sanctify Your Name at every moment—in particular during the recital of the Shema,[7] as I accept the yoke of the Kingdom of Heaven.

May I unify Your Name every evening and morning by joyfully dedicating my soul and my heart to sanctify Your Name. And each time I sanctify and unify Your Name, may I be ready to suffer martyrdom on Your behalf. May I express that readiness by mentally accepting the four types of execution mandated by the Torah: stoning, burning, decapitation and strangulation.

May I be willing to experience all of these deaths and other torments, too, for the sake of Your great and holy Name. Help me focus on experiencing such martyrdom with all of the power of my thoughts, both deep and superficial.

May I visualize all of these deaths and torments for the sake of Your great and holy Name in every detail, as all of my outer senses are nullified, until I experience them so powerfully and

---

7 See footnote 5, p. 221.

כְּאִלּוּ מְמִיתִים וּמְיַסְּרִים אוֹתִי בְּמִיתוֹת וְיִסּוּרִים אֵלּוּ מַמָּשׁ בִּשְׁבִיל קְדֻשַּׁת שִׁמְךָ הַגָּדוֹל וְהַקָּדוֹשׁ, עַד שֶׁכִּמְעַט תֵּצֵא נַפְשִׁי חַס וְשָׁלוֹם. וְלֹא יִהְיֶה שׁוּם חִלּוּק אֶצְלִי בֵּין יִסּוּרֵי הַמִּיתָה מַמָּשׁ, וּבֵין יִסּוּרֵי הַצִּיּוּר בְּמַחֲשָׁבָה וְהַקַּבָּלָה בַּלֵּב, עַד שֶׁאֶהְיֶה מֻכְרָח לְהִתְגַּבֵּר לְהַפְסִיק הַמַּחֲשָׁבָה מְעַט, בְּעֵת שֶׁאֶרְאֶה וְאַבְחִין שֶׁקָּרוֹב שֶׁתֵּצֵא נַפְשִׁי מַמָּשׁ חַס וְשָׁלוֹם, כְּדֵי שֶׁלֹּא אָמוּת בְּלֹא עִתִּי חַס וְשָׁלוֹם.

וְאַתָּה תַּעֲזֹר וְתוֹשִׁיעַ לִי וְתוֹרֵנִי וּתְלַמְּדֵנִי לְהִתְנַהֵג בָּזֶה כִּרְצוֹנְךָ הַטּוֹב בֶּאֱמֶת, לְקַבֵּל הַמְּסִירַת נֶפֶשׁ בְּאַהֲבָה בֶּאֱמֶת בִּשְׁבִיל קִדּוּשׁ הַשֵּׁם, וּלְצַיֵּר בְּמַחֲשַׁבְתִּי הַמִּיתָה וְהַיִּסּוּרִים בְּמַחֲשָׁבָה חֲזָקָה כָּל כָּךְ עַד שֶׁאַרְגִּישׁ צַעַר הַמִּיתָה וְהַיִּסּוּרִים מַמָּשׁ, וּלְהַנִּיחַ בְּסוֹף הַמַּחֲשָׁבָה לְהַפְסִיקָהּ מְעַט מִצִּיּוּר הֶחָזָק שֶׁל יִסּוּרֵי הַמִּיתָה בְּעֵת שֶׁיִּהְיֶה הַדָּבָר קָרוֹב שֶׁתֵּצֵא נַפְשִׁי לְגַמְרֵי, כִּי אֵין זֶה רְצוֹנְךָ לְסַלֵּק הַנֶּפֶשׁ קֹדֶם הַזְּמַן חַס וְשָׁלוֹם:

רִבּוֹנוֹ שֶׁל עוֹלָם מָלֵא רַחֲמִים אֲדוֹן כֹּל, קָדוֹשׁ עַל כָּל הַקְּדֻשּׁוֹת, אַתָּה יוֹדֵעַ אֲשֶׁר בְּעֹצֶם תֹּקֶף גָּלוּתֵנוּ עַתָּה בִּכְלָל וּבִפְרָט, אֵין לָנוּ שׁוּם סְמִיכָה כִּי אִם עַל כֹּחַ וּזְכוּת הַצַּדִּיקִים הָאֲמִתִּיִּים הַמּוֹסְרִים נַפְשָׁם עַל קִדּוּשׁ הַשֵּׁם בֶּאֱמֶת, כַּאֲשֶׁר גִּלִּיתָ לָנוּ עַל־יְדֵי חֲכָמֶיךָ הַקְּדוֹשִׁים. וּבְכֵן רַחֵם עָלֵינוּ לְמַעַן שְׁמֶךָ, וְזַכֵּנוּ לְהִכָּלֵל בַּצַּדִּיקִים הַקְּדוֹשִׁים הָאֵלּוּ.

with such verisimilitude that my soul is literally on the verge of leaving my body, and I must gather my strength to moderate that visualization and keep from dying prematurely, since it is not Your desire to take away a person's soul before its time.

Teach me how to conduct myself in this way, accepting martyrdom with love for the sake of sanctifying Your Name, in accordance with Your beneficent will.

Self-Nullification While Reciting the Shema

Master of the world, You revealed to us through Your holy sages that throughout our deep exile—overall and in its every detail—we can rely only on the power and merit of the true Tzaddikim who dedicate their lives to sanctify Your Name. Therefore, help us cleave to these holy Tzaddikim.

כִּי לְפָנֶיךָ נִגְלוּ כָּל תַּעֲלוּמוֹת לֵב, וְאַתָּה יוֹדֵעַ שֶׁאֲנַחְנוּ כֻּלָּנוּ עַמְּךָ בֵּית יִשְׂרָאֵל, כָּל אֶחָד וְאֶחָד מְרֻצֶּה בֶּאֱמֶת לִמְסֹר נַפְשׁוֹ עַל קִדּוּשׁ הַשֵּׁם.

כַּאֲשֶׁר שָׁמַעְנוּ בְּאָזְנֵינוּ, מִכַּמָּה וְכַמָּה אֲנָשִׁים פְּשׁוּטִים וְקַלֵּי עוֹלָם שֶׁמֵּתוּ עַל קִדּוּשׁ הַשֵּׁם וְסָבְלוּ עִנּוּיִים וִיסּוּרִים קָשִׁים בִּשְׁבִיל קְדֻשַּׁת שִׁמְךָ הַגָּדוֹל.

וְגַם אָנֹכִי הַדַּל בְּמַעֲשִׂים, הָרָשׁ וְהַנִּבְזֶה, בְּעֹצֶם גַּשְׁמִיּוּתִי, וְתֹקֶף תַּאֲוָתִי, וְרִבּוּי עֲווֹנוֹתַי, אַף־עַל־פִּי־כֵן אֲנִי מְרֻצֶּה בֶּאֱמֶת לָמוּת מִיָּד עַל קִדּוּשׁ הַשֵּׁם, וְהִנְנִי מְקַבֵּל עָלַי בֶּאֱמֶת בְּכָל לֵב וָנֶפֶשׁ סְקִילָה שְׂרֵפָה הֶרֶג וָחֶנֶק בִּשְׁבִיל קְדֻשַּׁת שִׁמְךָ הַגָּדוֹל.

וְאִם אֵינִי זוֹכֶה עֲדַיִן לְמַחֲשָׁבָה זַכָּה וַחֲזָקָה כָּל כָּךְ, עַד שֶׁאַרְגִּישׁ צַעַר הַמִּיתָה מַמָּשׁ עַל־יְדֵי הַקַּבָּלָה וְהַצִּיּוּר בְּמַחֲשָׁבָה, אַף עַל פִּי כֵן אֲנִי מְרֻצֶּה בֶּאֱמֶת וּבְלֵב שָׁלֵם לָמוּת מִיָּד עַל קִדּוּשׁ הַשֵּׁם.

עַל כֵּן חוּס וְחָנֵּנוּ וְרַחֵם עָלֵינוּ, שֶׁיִּהְיֶה גַּם מְסִירַת נַפְשֵׁנוּ חָשׁוּב וּמְקֻבָּל וּמְרֻצֶּה לְפָנֶיךָ בְּתוֹךְ כְּלָלִיּוּת נַפְשׁוֹת הַצַּדִּיקִים וְהַקְּדוֹשִׁים שֶׁמָּסְרוּ נַפְשָׁם עַל קְדֻשַּׁת הַשֵּׁם בֶּאֱמֶת.

All of the secrets of the heart are revealed to You. Therefore, You know that every member of Your nation, the House of Israel, is prepared to sacrifice his life in order to sanctify Your Name.

We ourselves heard about a good number of simple people who died and suffered torments for the sake of sanctifying Your great Name.

I, too—poor in deeds and contemptible, possessing powerful physical urges and filled with a multitude of sins—am prepared to die immediately for the sake of sanctifying Your Name. To that end, with all my heart and soul, I accept upon myself stoning, burning, decapitation and strangulation.

Even if I cannot yet visualize such an experience to the point of literally feeling the pangs of death, I am nevertheless prepared with all my heart to die immediately for the sake of sanctifying Your Name.

Therefore, accept my dedication, together with that of all those righteous and holy people who sacrificed their lives for the sake of Your holy Name.

וְעַל יְדֵי זֶה תַּעֲלֶה אוֹתָנוּ מִנְּפִילָתֵנוּ וִירִידָתֵנוּ וְגָלוּתֵנוּ בִּכְלָלִיּוּת וּבִפְרָטִיּוּת בְּגַשְׁמִיּוּת וְרוּחָנִיּוּת.

וּתְקָרְבֵנוּ אֵלֶיךָ בְּאַהֲבָה, וְתַחֲזִירֵנוּ בִּתְשׁוּבָה שְׁלֵמָה לְפָנֶיךָ בֶּאֱמֶת, חִישׁ קַל מְהֵרָה, וְתַעֲלֶה אוֹתָנוּ מַעְלָה מַעְלָה, עַד שֶׁנִּזְכֶּה לְהַגִּיעַ לְכָל מַה שֶּׁבִּקַּשְׁנוּ מִלְּפָנֶיךָ.

שֶׁנִּזְכֶּה לְחַזֵּק הַמַּחֲשָׁבָה כָּל כָּךְ בִּשְׁעַת הַמְסִירַת נֶפֶשׁ עַל קִדּוּשׁ הַשֵּׁם, עַד שֶׁנַּרְגִּישׁ צַעַר הַמִּיתָה מַמָּשׁ בְּעֵת הַקַּבָּלָה וְהַצִּיּוּר בְּמַחֲשָׁבָה.

וְנִזְכֶּה לְכַוֵּן תָּמִיד בְּכָל יוֹם בִּשְׁעַת קְרִיאַת שְׁמַע עֶרֶב וָבֹקֶר, שֶׁאָנוּ מוֹסְרִים נַפְשֵׁינוּ עַל קִדּוּשׁ הַשֵּׁם בֶּאֱמֶת בְּמַחֲשָׁבָה חֲזָקָה וְתַקִּיפָה כְּכֹל אֲשֶׁר בִּקַּשְׁנוּ מִלְּפָנֶיךָ אָדוֹן מָלֵא רַחֲמִים.

עַד שֶׁנִּזְכֶּה בְּעֵת שֶׁיַּגִּיעַ קִצֵּנוּ לְהִפָּטֵר מִן הָעוֹלָם, שֶׁנִּזְכֶּה אָז לָמוּת מַמָּשׁ עַל קִדּוּשׁ הַשֵּׁם בֶּאֱמֶת בְּכָל לֵב בְּאַהֲבָה וּבְשִׂמְחָה גְדוֹלָה. וּתְהֵא מִיתָתֵנוּ כַּפָּרָה עַל כָּל עֲווֹנוֹתֵינוּ. וְתַעֲלֶה נִשְׁמוֹתֵינוּ אֵלֶיךָ זַכָּה וּנְקִיָּה. וְיִהְיוּ נַפְשׁוֹתֵינוּ וְרוּחוֹתֵינוּ וְנִשְׁמוֹתֵינוּ צְרוּרִים בִּצְרוֹר הַחַיִּים אֶת יְיָ אֱלֹהֵינוּ, וְלָא נֵיעוּל בְּכִסּוּפָא קַמָּךְ:

וְאִם בַּעֲווֹנוֹתֵינוּ הָרַבִּים וּבִפְשָׁעֵינוּ הָעֲצוּמִים אֵין כֹּחַ בִּמְסִירַת נַפְשֵׁנוּ עַל קִדּוּשׁ הַשֵּׁם לְהַעֲלוֹת אוֹתָנוּ מִנְּפִילוֹתֵינוּ

In this way, raise us from our descent and exile—overall and in every physical and spiritual detail.

Help us approach You with love. Swiftly bring us back to You with complete repentance. Raise us ever higher until we achieve all that we have sought from You.

May we strengthen our power of mind so much that when we dedicate ourselves to sanctify Your Name, we will feel the pangs of death.

Every day, when we recite the Shema, may we powerfully visualize that we are sacrificing our lives for the sake of Your holy Name.

As a result, when our actual end arrives, may we leave the world for the sake of the sanctification of Your Name wholeheartedly, with love and joy. May our deaths atone for all of our sins. May our souls then rise up to You pure and clean, bound in the bond of life. And may we not come before You in shame.

The Merit of the Holy Martyrs

Because of our many sins, our dedication to the cause of sanctifying Your Name is so weak that it lacks the power to lift us from

וִירִידוֹתֵינוּ וְגָלוּתֵנוּ, אֲשֶׁר יָרַדְנוּ מַטָּה מַטָּה בְּגַשְׁמִיּוּת וְרוּחָנִיּוּת בִּכְלָלִיּוּת וּבִפְרָטִיּוּת, כְּמוֹ שֶׁכָּתוּב: "וַתֵּרֶד פְּלָאִים אֵין מְנַחֵם לָהּ", כַּאֲשֶׁר אַתָּה יוֹדֵעַ מַעֲמָד וּמַצָּב שֶׁל יִשְׂרָאֵל עַתָּה בְּסוֹף הַגָּלוּת הַמַּר הַזֶּה, וּמַה שֶּׁעוֹבֵר בְּכָל יוֹם עַל כָּל אֶחָד וְאֶחָד בִּפְרָט.

אָנָּא זְכֹר נָא בְּרַחֲמֶיךָ הָרַבִּים אֶת כָּל הַצַּדִּיקִים וְהַקְּדוֹשִׁים הָאֲמִתִּיִּים שֶׁהָיוּ מִימוֹת עוֹלָם, מִן אַבְרָהָם אָבִינוּ עָלָיו הַשָּׁלוֹם עַד עַתָּה, שֶׁמָּסְרוּ נַפְשָׁם עַל קִדּוּשׁ הַשֵּׁם, וְסָבְלוּ כַּמָּה מִיתוֹת וְעִנּוּיִים מְשֻׁנִּים וְצָרוֹת וְיִסּוּרִים קָשִׁים וּמָרִים בִּשְׁבִיל קִדּוּשׁ שִׁמְךָ הַגָּדוֹל.

וּבִפְרָט זְכוּת הַצַּדִּיק הַתַּנָּא הַגָּדוֹל וְהַקָּדוֹשׁ וְהַנּוֹרָא רַבִּי עֲקִיבָא זִכְרוֹנוֹ לִבְרָכָה, אֲשֶׁר סָרְקוּ אֶת בְּשָׂרוֹ בְּמַסְרְקוֹת שֶׁל בַּרְזֶל עַד שֶׁיָּצְתָה נִשְׁמָתוֹ בְּאֶחָד, וּזְכוּת חֲבֵרָיו כָּל הָעֲשָׂרָה הֲרוּגֵי מַלְכוּת, אֲשֶׁר כֻּלָּם סָבְלוּ עִנּוּיִים קָשִׁים וּמָרִים, עַד שֶׁיָּצְתָה נִשְׁמָתָם עַל קְדֻשַּׁת הַשֵּׁם בִּקְדֻשָּׁה וּבְטָהֳרָה גְּדוֹלָה, אַשְׁרֵי לָהֶם. וּבְצֵרוּף זְכוּת כָּל הַקְּדוֹשִׁים שֶׁהָיוּ בְּכָל הַדּוֹרוֹת, שֶׁמֵּתוּ כַּמָּה וְכַמָּה נְפָשׁוֹת, אֲלָפִים וּרְבָבוֹת, רְבָבוֹת רְבָבוֹת, וְכַמָּה וְכַמָּה קְהִלּוֹת קְדוֹשׁוֹת עַל קִדּוּשׁ הַשֵּׁם. וְסָבְלוּ כַּמָּה וְכַמָּה מִינֵי יִסּוּרִים וְצָרוֹת קָשׁוֹת, וְעִנּוּיִים מֵעִנּוּיִים שׁוֹנִים, עַד שֶׁיָּצְאָה נִשְׁמָתָם עַל קִדּוּשׁ הַשֵּׁם.

our precipitous descent and exile in the physical and spiritual realms, overall and in every detail—"she has descended shockingly, with no one to console her." This is the state of the Jewish people now, at the end of our bitter exile, which every individual Jew experiences every day.

Recall all of the righteous and holy people, from Abraham our patriarch to the present, who dedicated their lives to the cause of sanctifying Your Name, many of whom suffered terrible and bitter torments and violent deaths.

In particular, recall the merit of Rabbi Akiva, whose flesh was raked with iron combs until, as he recited the Shema and pronounced the word "One," his soul departed. Recall the merit of his ten colleagues who were tortured by the Roman government, all of whom endured difficult and bitter suffering until their souls left them, for the sake of sanctifying Your Name in holiness and purity. And with them, recall the merit of the holy people in all generations, millions of souls and entire holy communities, who were tormented and gave their lives for the sake of sanctifying Your Name.

אֶת אֵלֶּה מִזְבְּחוֹת תִּזְכֹּר וְאֶת אֵלֶּה עֲקֵדוֹת תִּרְאֶה, וּתְשַׁכֵּךְ חֲרוֹן אַפְּךָ מֵעָלֵינוּ, וְתַמְתִּיק וּתְבַטֵּל כָּל הַדִּינִים וְכָל הַגְּזֵרוֹת קָשׁוֹת מֵעָלֵינוּ וּמֵעַל כָּל עַמְּךָ בֵּית יִשְׂרָאֵל.

וּתְסַבֵּב בְּרַחֲמֶיךָ לְטוֹבָה, בְּאֹפֶן שֶׁנִּזְכֶּה לָשׁוּב אֵלֶיךָ בֶּאֱמֶת, וְלֹא נָשׁוּב עוֹד לְכִסְלָה, רַק נִזְכֶּה לַעֲשׂוֹת רְצוֹנְךָ כָּל יְמֵי חַיֵּינוּ לְעוֹלָם.

כִּי אַתָּה יוֹדֵעַ שֶׁעַתָּה בְּתֹקֶף גָּלוּתֵינוּ בִּכְלָל וּבִפְרָט, אֵין לָנוּ שׁוּם כֹּחַ וְתִקְוָה וּסְמִיכָה כִּי־אִם בִּזְכוּת הַקְּדוֹשִׁים הָאֵלּוּ שֶׁמָּסְרוּ נַפְשָׁם עַל קִדּוּשׁ הַשֵּׁם.

כְּמוֹ שֶׁאָמַר דָּוִד הַמֶּלֶךְ עָלָיו הַשָּׁלוֹם, "אָמַרְתְּ לַיהוָֹה אֲדֹנָי אָתָּה טוֹבָתִי בַּל עָלֶיךָ. לִקְדוֹשִׁים אֲשֶׁר בָּאָרֶץ הֵמָּה וְאַדִּירֵי כָּל חֶפְצִי בָם".

עָזְרֵנוּ בִּזְכוּתָם, זַכֵּנוּ בְּכֹחַ קְדֻשָּׁתָם שֶׁל כָּל הַקְּדוֹשִׁים שֶׁהָיוּ מִימוֹת עוֹלָם עַד הֵנָּה, אֲשֶׁר קִדְּשׁוּ אֶת שִׁמְךָ בְּלִי מִסְפָּר בִּמְסִירַת נֶפֶשׁ עָצוּם מְאֹד. בִּזְכוּתָם וְכֹחָם עָזְרֵנוּ, שֶׁנִּזְכֶּה גַּם כֵּן לִמְסֹר נַפְשֵׁנוּ עַל קִדּוּשׁ הַשֵּׁם בֶּאֱמֶת בְּאַהֲבָה וּבְיִרְאָה בְּשִׂמְחָה וּבְטוּב לֵבָב, כְּכֹל אֲשֶׁר בִּקַּשְׁנוּ מִלְּפָנֶיךָ אֲדוֹנֵנוּ מַלְכֵּנוּ.

וְתַחֲזִירֵנוּ בִּתְשׁוּבָה שְׁלֵמָה לְפָנֶיךָ בֶּאֱמֶת חִישׁ קַל מְהֵרָה, בְּכֹחָם וּזְכוּתָם שֶׁל כָּל אֵלֶּה הַקְּדוֹשִׁים. זְכוּתָם יָגֵן עָלֵינוּ

As You remember their sacrifices, mitigate Your anger, sweeten and nullify all judgments and harsh decrees against us.

Help us no longer return to our foolishness but come back to You. May we do only Your will, all the days of our lives.

In the midst of our exile, overall and in every detail, we can rely only on the power and merit of those holy people who gave their souls for the sake of sanctifying Your Name.

As King David said, "I said to HaShem, You are my God, my only good is in You; as for the holy and mighty ones who are in the earth, all of my desire is in them."

Help us in the merit and power of all of the holy Tzaddikim from the earliest days until now, people without number who sacrificed themselves to sanctify Your Name. Our Master and King, in their merit and strength, help us dedicate ourselves to sanctify Your Name with love and awe, with joy and goodness of heart.

Bring us back to You quickly with complete repentance in the merit of these holy Tzaddikim.

לְהוֹצִיאֵנוּ מְהֵרָה מִכָּל הָעֲווֹנוֹת וּמִכָּל הַפְּגָמִים וְהַקִּלְקוּלִים שֶׁנָּפַלְנוּ בָּהֶם כָּל אֶחָד וְאֶחָד לְפִי עִנְיָנוֹ, כַּאֲשֶׁר אַתָּה לְבַד יוֹדֵעַ.

רִבּוֹנוֹ שֶׁל עוֹלָם רִבּוֹנוֹ שֶׁל עוֹלָם מַה נֹּאמַר וּמַה נְּדַבֵּר וּמַה נִּצְטַדָּק.

עָלֶיךָ הִשְׁלַכְנוּ אֶת יְהָבֵנוּ. אֵלֶיךָ שִׁטַּחְנוּ כַּפֵּינוּ. עָזְרֵנוּ וְזַכֵּנוּ בִּזְכוּת הַקְּדוֹשִׁים לָשׁוּב אֵלֶיךָ בֶּאֱמֶת מְהֵרָה.

"חָנֵּנִי יְיָ כִּי אֵלֶיךָ אֶקְרָא כָּל הַיּוֹם, שַׂמֵּחַ נֶפֶשׁ עַבְדֶּךָ כִּי אֵלֶיךָ יְיָ נַפְשִׁי אֶשָּׂא".

וּתְרַחֵם עַל כְּבוֹדְךָ הַגָּדוֹל וְהַקָּדוֹשׁ וְתִנְקֹם בְּיָמֵינוּ לְעֵינֵינוּ נִקְמַת דַּם עֲבָדֶיךָ הַשָּׁפוּךְ, כְּמוֹ שֶׁכָּתוּב: "אֵל נְקָמוֹת יְיָ אֵל נְקָמוֹת הוֹפִיעַ, הִנָּשֵׂא שׁוֹפֵט הָאָרֶץ הָשֵׁב גְּמוּל עַל גֵּאִים".

וּתְמַהֵר וְתָחִישׁ לְגָאֳלֵנוּ, וְתָשִׁיב נִדָּחֵנוּ, וּתְקַבְּצֵנוּ יַחַד מְהֵרָה מֵאַרְבַּע כַּנְפוֹת הָאָרֶץ לְאַרְצֵנוּ. אָבִינוּ שֶׁבַּשָּׁמַיִם קַדֵּשׁ אֶת שִׁמְךָ בְּעוֹלָמֶךָ עַל עַם מְקַדְּשֵׁי שְׁמֶךָ, וּבִישׁוּעָתְךָ מַלְכֵּנוּ תָּשׁוּב וְתָרוּם וְתַגְבִּיהַּ קַרְנֵנוּ לְמַעְלָה לְמַעְלָה, וְהוֹשִׁיעֵנוּ בְּקָרוֹב לְמַעַן שְׁמֶךָ, בָּרוּךְ הַמְקַדֵּשׁ שְׁמוֹ בָּרַבִּים:

Bring us forth quickly from all of our sins, from the blemishes and desolation into which we fell, each one in his own way.

Justice and Redemption

Master of the world, what can we say? How can we justify ourselves?

We cast our burden upon You. We stretch our hands out to You. Help us return to You quickly in the merit of the holy Tzaddikim.

"Be gracious to me, God, because I call out to You the entire day. Gladden the soul of Your servant, because I lift my soul to You, God."

Have compassion on Your great and holy honor. Take vengeance in our days, in our sight, for the spilled blood of Your servants. "God of vengeance, HaShem, God of vengeance, appear. Rise up, Judge of the earth; render payment to the proud."

Quickly redeem us. Bring back our exiles. Gather us swiftly from the four corners of the earth to our land. Our Father in Heaven, sanctify Your Name in Your world by aiding the nation that sanctifies Your Name. Our King, elevate our might and redeem us soon for the sake of Your Name. "Blessed is the One Who sanctifies His Name among the multitudes."

88 (149)

Praying at Midnight

Arising at midnight to pray is as spiritually powerful as giving a *pidyon ha-nefesh* (literally, "soul-redemption"), a monetary gift to a Tzaddik, with the request that he pray on one's behalf. This is because midnight constitutes the sweetening of judgments.

And in the morning, a person should look at the sky, for doing so draws down proper awareness.

"חֲצוֹת לַיְלָה אָקוּם לְהוֹדוֹת לָךְ עַל מִשְׁפְּטֵי צִדְקֶךָ".

מָלֵא רַחֲמִים, הַמְעוֹרֵר יְשֵׁנִים וְהַמֵּקִיץ נִרְדָּמִים, חוּס וַחֲמֹל עָלַי וְזַכֵּנִי בְּרַחֲמֶיךָ הָרַבִּים שֶׁאֶזְכֶּה לָקוּם בְּכָל לַיְלָה וָלַיְלָה בַּחֲצוֹת מַמָּשׁ כָּל יְמֵי חַיַּי. וְאֶזְכֶּה לְהִתְעוֹרֵר מִשְּׁנָתִי בַּחֲצוֹת לַיְלָה בִּזְרִיזוּת גָּדוֹל, בְּלִי שׁוּם עַצְלוּת וּכְבֵדוּת כְּלָל. וְלֹא תִתְגַּבֵּר עָלַי הַשֵּׁנָה וְהַתַּרְדֵּמָה חַס וְשָׁלוֹם, וְלֹא יוּכַל שׁוּם דָּבָר לִמְנוֹעַ אוֹתִי מִזֶּה.

וּבְרַחֲמֶיךָ הָרַבִּים וַחֲסָדֶיךָ הַגְּדוֹלִים תְּעוֹרֵר הָרוּחַ צְפוֹנִית הַמְנַשֶּׁבֶת בְּכִנּוֹר שֶׁל דָּוִד בַּחֲצוֹת לַיְלָה, וּמִשָּׁם יִמְשֵׁךְ עָלַי הִתְעוֹרְרוּת לְהִתְעוֹרֵר תָּמִיד מִשְּׁנָתִי בְּעֵת חֲצוֹת לַיְלָה מַמָּשׁ. "עוּרָה כְבוֹדִי עוּרָה הַנֵּבֶל וְכִנּוֹר אָעִירָה שָּׁחַר":

רִבּוֹנוֹ שֶׁל עוֹלָם, אַתָּה הִזְהַרְתָּנוּ בְּכַמָּה אַזְהָרוֹת לָקוּם תָּמִיד בַּחֲצוֹת לַיְלָה מַמָּשׁ. כְּמוֹ שֶׁכָּתוּב בַּזֹּהַר הַקָּדוֹשׁ אַזְהָרוֹת נוֹרָאוֹת עַל זֶה.

אַךְ אַתָּה יוֹדֵעַ כִּי רִבּוּ הַמְנִיעוֹת שֶׁמִּתְגַּבְּרִים עָלֵינוּ עַל כָּל אֶחָד וְאֶחָד לְהַטְרִידֵנוּ מִזֶּה, עַד אֲשֶׁר אִבַּדְנוּ רֹב הַלֵּילוֹת אֲשֶׁר בִּטַּלְנוּ מִלָּקוּם בַּחֲצוֹת.

Arising at Midnight

"At midnight I will arise to thank You for Your righteous judgments."

You Who awaken the sleeping and arouse the slumbering, help me so that nothing will prevent me from waking up every night at midnight with alacrity, without any laziness or fatigue, without being overcome by sleep.

Awaken the northern wind that blows upon the harp of King David at midnight. May that infuse me with the energy to awaken every night at midnight.

"Awaken, my soul; awaken, lyre and harp, I will awaken the dawn."

Reciting *Tikkun Chatzot*

Master of the world, You have urged us, as expressed in several passages in the holy Zohar, to awaken every night at midnight.

But You know the many impediments that overcome us and prevent us from waking up, so that on most nights, we have not done so.

עַל־כֵּן בָּאתִי לְפָנֶיךָ אֲדוֹן כֹּל רַב לְהוֹשִׁיעַ, תֵּן לִי עֵצָה אֵיךְ לִזְכּוֹת לָזֶה לָקוּם תָּמִיד בְּכָל לַיְלָה בַּחֲצוֹת מַמָּשׁ, שֶׁהוּא תֵּכֶף אַחַר שִׁשָּׁה שָׁעוֹת מִתְּחִלַּת הַלַּיְלָה, בֵּין בַּחֹרֶף בֵּין בַּקַּיִץ.

וְאֶזְכֶּה לְהִתְעוֹרֵר אָז בִּזְרִיזוּת גָּדוֹל, וּלְסַדֵּר תִּקּוּן חֲצוֹת, לְאוֹנֵן וּלְקוֹנֵן עַל חֻרְבַּן בֵּית הַמִּקְדָּשׁ וְעַל גָּלוּת הַתּוֹרָה שֶׁנִּמְסְרוּ רָזֶיהָ לְחִיצוֹנִים, וְעַל חֲטָאַי וַעֲווֹנוֹתַי וּפְשָׁעַי הָעֲצוּמִים וְהָרַבִּים שֶׁגָּרְמוּ כָּל זֶה, וְהֶאֱרִיכוּ אֶת הַגָּלוּת בְּיוֹתֵר. כַּאֲשֶׁר נִגְלֶה לְפָנֶיךָ יוֹצֵר הַכֹּל, כַּמָּה וְכַמָּה הֶאֱרַכְתִּי אֶת הַגָּלוּת בַּעֲווֹנוֹתַי הָרַבִּים בִּכְלָל וּבִפְרָט:

אוֹי לִי וַי לִי.

מָה אוֹמַר מָה אֲדַבֵּר מָה אֶצְטַדָּק. הִנְנִי לְפָנֶיךָ בְּאַשְׁמָה רַבָּה.

וּמַה שֶּׁעָבַר עָבַר, זַכֵּנִי מֵעַתָּה לָשׁוּב לְדֶרֶךְ הַיָּשָׁר בֶּאֱמֶת.

Master of all, mighty to save, give me counsel on how to arise every night at midnight—six hours following the beginning of the night, whether in winter or summer.

May I awaken at that time with alacrity and recite *Tikkun Chatzot,* the Midnight Lament,[8] to mourn and wail over the destruction of the Temple and over the exile of the Torah, insofar as its secrets have been given over to evil "outer forces," and over my many grave sins that have extended the exile exceedingly, as is revealed before You, Creator of all.

Drawing Down a Thread of Kindness

Woe is me!

What can I say? How can I justify myself? I stand before You with a great sense of guilt.

I acknowledge that I did what I did. Help me from this moment on to return to the straight path.

---

8 A special order of prayers mourning the destruction of the Holy Temple. For more details, see *The Sweetest Hour,* published by the Breslov Research Institute.

וְלֹא אוֹבַד שׁוּם לַיְלָה מִלֵּילוֹתַי מִקִּימַת חֲצוֹת, וְתִהְיֶה עִמִּי תָּמִיד. וְתַעַזְרֵנִי וְתִשְׁמְרֵנִי שֶׁלֹּא יַזִּיק לִי כְּלָל קִימַת חֲצוֹת בְּשׁוּם דָּבָר. וְלֹא יֶאֱרַע לִי שׁוּם חֹלִי רֹאשׁ וְשׁוּם נֶזֶק מִזֶּה.

אָבִי שֶׁבַּשָּׁמַיִם הֲקִימֵנִי וְאֶחְיֶה. זַכֵּנִי מֵעַתָּה לָקוּם בְּכָל לַיְלָה וְלַיְלָה תָּמִיד בַּחֲצוֹת מַמָּשׁ, בֵּין בְּחֹל בֵּין בְּשַׁבָּת וְיוֹם טוֹב. בְּשִׁבְתִּי בְּבֵיתִי וּבְלֶכְתִּי בַדֶּרֶךְ, וּלְסַדֵּר תִּקּוּן חֲצוֹת וְלַעֲסֹק אָז בַּתּוֹרָה הַרְבֵּה.

וְתַעַזְרֵנִי וְתוֹשִׁיעֵנִי שֶׁאֶזְכֶּה עַל־יְדֵי סֵדֶר תִּקּוּן חֲצוֹת לְהַמְתִּיק וּלְבַטֵּל כָּל הַדִּינִים מֵעָלַי וּמֵעַל כָּל בְּנֵי בֵיתִי וּמֵעַל כָּל בְּנֵי יִשְׂרָאֵל עַמֶּךָ.

וְאֶזְכֶּה בְּכָל בֹּקֶר לְהִסְתַּכֵּל עַל הַשָּׁמַיִם, וְתַעַזְרֵנִי לְהַמְשִׁיךְ עָלַי דַּעַת דִּקְדֻשָּׁה עַל־יְדֵי־זֶה, דַּעַת זַךְ וָצַח, דַּעַת אֲמִתִּי שֶׁאֶזְכֶּה עַל־יָדוֹ לָשׁוּב אֵלֶיךָ בֶּאֱמֶת, וְלִהְיוֹת כִּרְצוֹנְךָ הַטּוֹב בֶּאֱמֶת מֵעַתָּה וְעַד עוֹלָם.

וִיהִיֶה נִמְשָׁךְ עָלַי בְּכָל בֹּקֶר חוּט שֶׁל חֶסֶד מִבֹּקֶר דְּאַבְרָהָם, וִיקֻיַּם מִקְרָא שֶׁכָּתוּב: "יוֹמָם יְצַוֶּה יְיָ חַסְדּוֹ, וּבַלַּיְלָה שִׁירֹה עִמִּי, תְּפִלָּה לְאֵל חַיָּי".

In particular, may I never neglect arising at midnight. Be with me always. Protect me so that arising at midnight will never harm me in any way, so that I will never experience headaches or any other problem.

My Father in Heaven, raise me up and I will live. May I arise every night at midnight—whether on a weekday, the Shabbat or a festival, whether I am at home or traveling on the road—to recite *Tikkun Chatzot* and learn a great deal of Torah.

As a result of reciting *Tikkun Chatzot,* may I sweeten and eliminate all judgments against myself, my entire family and every member of Your nation, the Jewish people.

And every morning, may I look at the sky so that, with Your help, I will draw upon myself a holy, pure and clear state of mind with which I will be able to return to You and live in accordance with Your beneficent will—from now and forever.

May a thread of kindness from the "morning of Abraham" be drawn onto me every morning. May the verse be realized, "By day, HaShem will command His kindness, and at night, His resting place is with me; a prayer to the God of my life."

וְנֶאֱמַר: "יְיָ בְּהַשָּׁמַיִם חַסְדֶּךָ, אֱמוּנָתְךָ עַד שְׁחָקִים".

וְנֶאֱמַר: "חֲדָשִׁים לַבְּקָרִים רַבָּה אֱמוּנָתֶךָ".

"יִהְיוּ לְרָצוֹן אִמְרֵי פִי וְהֶגְיוֹן לִבִּי לְפָנֶיךָ יְיָ צוּרִי וְגוֹאֲלִי".
אָמֵן וְאָמֵן:

"HaShem, Your kindness is in the heavens, Your faithfulness reaches to the heavens."

"New in the mornings, great is Your faithfulness."

"May the words of my mouth and the meditation of my heart be acceptable before You, HaShem, my Rock and my Redeemer." Amen and amen.

89 (178)

Through Joy, a Person Can Confess His Sins / Rectifying the Realm of Speech

A person should confess his sins to God.

He may experience a variety of obstacles as he does so. For example, he might have forgotten the sins that he committed, or he might find confession too upsetting. To engage in confession successfully, a person must experience joy—particularly the joy of performing a mitzvah, especially a mitzvah whose joyous aspect is paramount, such as getting married.

Joy is a structure that possesses its own anatomy of 248 limbs and 365 sinews (corresponding to the anatomy of the person feeling that joy). Every mitzvah possesses a limb of that anatomy. If a person transgressed against a particular mitzvah, he damaged it. Later, as he rejoices and proceeds through the anatomy of joy, when he comes to a limb that corresponds to the damaged mitzvah, his joy ceases and, to the contrary, turns to its opposite, which is worry.

To succeed in experiencing the entire structure of joy, a person must perform a great many mitzvot. The great joy of these mitzvot shines so brightly that it eradicates the obstacles that were created by his sins. This can even be experienced by a Jewish sinner—because, our sages state, even Jewish sinners are filled with mitzvot.

The blemishes of this person's sins had affected his soul, which is associated with speech. When the mitzvot that this person now performs eradicate those blemishes, he receives the power of speech and is able to confess his sins. Through his confession, the entire supernal realm of speech is rectified, and that causes a unification of God and His Divine Presence.

"אוֹדֶה יְיָ מְאֹד בְּפִי, וּבְתוֹךְ רַבִּים אֲהַלְלֶנּוּ, כִּי יַעֲמֹד לִימִין אֶבְיוֹן לְהוֹשִׁיעַ מִשּׁוֹפְטֵי נַפְשׁוֹ".

רִבּוֹנוֹ שֶׁל עוֹלָם חַנּוּן הַמַּרְבֶּה לִסְלֹחַ, הָרוֹצֶה בִּתְשׁוּבָה, לַמְּדֵנִי אֵיךְ לְהוֹדוֹת לְךָ עַתָּה, וְאֵיךְ לְשַׂמֵּחַ נַפְשִׁי עַתָּה, בְּאֹפֶן שֶׁאֶזְכֶּה עַל יְדֵי הַשִּׂמְחָה לְהִתְוַדּוֹת לְפָנֶיךָ וּלְפָרֵט אֶת כָּל חֲטָאַי לְפָנֶיךָ, שֶׁעָשִׂיתִי מֵעוֹדִי עַד הַיּוֹם הַזֶּה, בְּאֹפֶן שֶׁאֶזְכֶּה לָשׁוּב אֵלֶיךָ בֶּאֱמֶת.

רִבּוֹנוֹ שֶׁל עוֹלָם אַב הָרַחֲמִים, אַתָּה יוֹדֵעַ כִּי חֶדְוָה תְּקוּעָה בְּלִבִּי מִסִּטְרָא חֲדָא, וַעֲצִיבוּ מִסִּטְרָא חֲדָא.

וְגֹדֶל הַשִּׂמְחָה וְהַחֶדְוָה שֶׁיֵּשׁ לִי לִשְׂמֹחַ עַל חֶלְקִי, הוּא בְּלִי שִׁעוּר וָעֵרֶךְ וּמִסְפָּר, אֲשֶׁר זִכִּיתַנִי בְּרַחֲמֶיךָ הָרַבִּים לִהְיוֹת מִזֶּרַע יִשְׂרָאֵל, עַם הַנִּבְחָר מִכָּל הָעַמִּים, וּמְרוֹמָמִים מִכָּל הַלְּשׁוֹנוֹת.

אֲשֶׁר אַתָּה מְחַבֵּב אוֹתָנוּ בְּכָל לְשׁוֹנוֹת שֶׁל חִבָּה, וְאַתָּה אוֹהֵב עַמְּךָ יִשְׂרָאֵל אַהֲבָה רַבָּה וְאַהֲבַת עוֹלָם, לְעוֹלְמֵי עַד וּלְנֵצַח נְצָחִים.

וּמֵאַהֲבָתְךָ וּמֵחֶמְלָתְךָ אֶת עַמְּךָ יִשְׂרָאֵל, הִרְבֵּיתָ לָנוּ תוֹרָה וּמִצְוֹת, אֲשֶׁר אֵין קֵץ לְהַשִּׂמְחָה שֶׁיֵּשׁ לָנוּ לִשְׂמֹחַ וְלָשִׂישׂ וְלָגִיל מְאֹד בְּכָל מִצְוָה וּמִצְוָה, הַמְּשִׁיבִין אֶת הַנֶּפֶשׁ וּמְשַׂמְּחִין

The Sadness Caused by Sins

"I will thank HaShem greatly with my mouth. In the midst of the multitudes, I will praise Him, for He stands at the right hand of the poor person to save him from those who judge his soul."

Master of the world, teach me how to thank You and thus gladden my soul. Then, filled with that joy, may I confess to You all of the sins that I committed throughout my entire life, and thus may I return to You.

Joy is planted in one side of my heart and sadness in the other.

I possess infinite reason to rejoice, for You made me a Jew, a member of the Chosen People of Israel, which is elevated above all other nations.

You express affection for Your nation, the Jewish people, in many ways, because You love us profoundly and eternally.

Out of Your love and compassion for us, You gave us a vast Torah with many commandments. There is no end to our joy for each commandment, which restores the soul and gladdens the

אֶת הַלֵּב, כְּמוֹ שֶׁכָּתוּב: "פִּקּוּדֵי יְיָ יְשָׁרִים מְשַׂמְּחֵי לֵב".

אֲבָל מֵרִבּוּי עֲווֹנוֹתַי וּפְשָׁעַי הָעֲצוּמִים, נוֹפְלִים עָלַי בְּכָל עֵת עַצְבוּת וּדְאָגוֹת וּמָרָה שְׁחוֹרָה, "כִּי עֲוֹנִי אַגִּיד אֶדְאַג מֵחַטָּאתִי".

וְאַתָּה יוֹדֵעַ כִּי זֹאת הָעַצְבוּת וְהַמָּרָה שְׁחוֹרָה מַזִּיק מְאֹד לַעֲבוֹדָתֶךָ, כִּי מֵחֲמַת הָעַצְבוּת נִטַּמְטֵם לִבִּי וְנִתְבַּלְבֵּל דַּעְתִּי עַד שֶׁאֵינִי יָכֹל לְהִתְעוֹרֵר לָשׁוּב אֵלֶיךָ בֶּאֱמֶת. וַאֲפִלּוּ לְהִתְוַדּוֹת לְפָנֶיךָ וּלְפָרֵט חֲטָאַי וּלְפָרֵשׁ שִׂיחָתִי לְפָנֶיךָ, קָשֶׁה מְאֹד וְכָבֵד עָלַי, מֵחֲמַת שֶׁנִּטַּמְטֵם לִבִּי עַל יְדֵי הָעַצְבוּת וְהַמָּרָה שְׁחוֹרָה:

עַל כֵּן בָּאתִי לְפָנֶיךָ מָלֵא רַחֲמִים, אֲדוֹן הַשִּׂמְחָה וְהַחֶדְוָה, שֶׁתְּרַחֵם עָלַי וּתְלַמְּדֵנִי אֵיךְ לְשַׂמֵּחַ נַפְשִׁי בְּכָל עֵת.

כִּי כְבָר לִמַּדְתָּנוּ בְּרַחֲמֶיךָ הָרַבִּים עַל יְדֵי צַדִּיקִים הַקְּדוֹשִׁים, שֶׁאֲפִלּוּ אִם הָאָדָם הוּא כְּמוֹ שֶׁהוּא, אֲפִלּוּ אִם עָשָׂה מַה שֶּׁעָשָׂה, וְגַם עַתָּה הוּא כְּמוֹ שֶׁהוּא, אַף עַל פִּי כֵן בַּאֲשֶׁר הוּא שָׁם, הוּא מְחֻיָּב לְהַכְרִיחַ עַצְמוֹ בְּכָל הַכֹּחוֹת, לְהַרְחִיק הָעַצְבוּת וּלְשַׂמֵּחַ אֶת נַפְשׁוֹ בְּכָל עֵת, עַל אֲשֶׁר זָכָה עַל כָּל פָּנִים לִהְיוֹת מִזֶּרַע יִשְׂרָאֵל.

וְגַם צָרִיךְ לְחַפֵּשׂ וּלְבַקֵּשׁ וְלִמְצֹא בְּעַצְמוֹ נְקֻדּוֹת טוֹבוֹת מִכָּל הַמִּצְוֹת הָרַבּוֹת שֶׁזָּכָה לַעֲשׂוֹת מֵעוֹדוֹ.

heart. As the verse states, "The commandments of HaShem are upright, gladdening the heart."

But because of my many grievous sins, I constantly suffer from sadness and worry. "I tell my sin; I worry because of my transgression."

This sadness harms my service of You because it closes my heart and confuses my mind until I feel no inspiration to return to You. I even find that confessing my transgressions and speaking to You is hard for me to do.

Gladdening the Spirit

Teach me how to gladden my spirit at all times.

You have taught us through Your holy Tzaddikim that no matter what a person has done and whatever level he may be on, he must reject sadness and force himself to be joyful.

First of all, he must recall that at the very least, he is a Jew. In addition, he must seek and find the good points within himself that result from all of the many mitzvot that he has performed throughout his life.

כִּי כָל אֶחָד וְאֶחָד מִיִּשְׂרָאֵל יֵשׁ לוֹ מִצְוֹת רַבּוֹת, כִּי אֲפִלּוּ פּוֹשְׁעֵי יִשְׂרָאֵל מְלֵאִים מִצְוֹת כָּרִמּוֹן.

וּבָזֶה רָאוּי לִשְׂמֹחַ וְלָשׂוּשׂ הַרְבֵּה כָּל אֶחָד מִיִּשְׂרָאֵל, אֲפִלּוּ הַפָּחוּת שֶׁבַּפְּחוּתִים, וְהַגָּרוּעַ שֶׁבַּגְּרוּעִים:

מָרָא דְעָלְמָא כֻּלָּא, אֲדוֹן הַנִּפְלָאוֹת, אָבִי אָב הָרַחֲמָן, אֲשֶׁר עֹז וְחֶדְוָה בִּמְקוֹמֶךָ, הֱיֵה בְּעֶזְרִי וְהוֹשִׁיעֵנִי, שֶׁאֶזְכֶּה לֶאֱסֹף וּלְקַבֵּץ כָּל חֶלְקֵי הַשִּׂמְחָה מִכָּל הַמִּצְוֹת וְהַנְּקֻדּוֹת טוֹבוֹת שֶׁזָּכִיתִי בְּרַחֲמֶיךָ מֵעוֹדִי עַד הַיּוֹם הַזֶּה.

וְיִתְקַבְּצוּ אֵלַי כָּל חֶלְקֵי הַשְּׂמָחוֹת הָאֵלּוּ יַחַד, וְיִתְגַּבְּרוּ בְּכָל עֹז עַל הָעַצְבוּת וְהַמָּרָה שְׁחוֹרָה שֶׁל עֲווֹנוֹתַי הָרַבִּים, עַד שֶׁאֶזְכֶּה עַל יְדֵי זֶה לִשְׂמֹחַ בְּכָל עֹז תָּמִיד. וְאֶזְכֶּה לְהִתְגַּבֵּר וּלְהִתְחַזֵּק בְּשִׂמְחָה וְחֶדְוָה תָּמִיד, בְּכָל מִינֵי דְּרָכִים וְעֵצוֹת אֲשֶׁר לִמַּדְתָּנוּ עַל יְדֵי צַדִּיקֶיךָ הַקְּדוֹשִׁים.

וְתַעַזְרֵנִי לְהִתְגַּבֵּר בְּשִׂמְחָה גְדוֹלָה כָּל כָּךְ, עַד שֶׁאֶזְכֶּה לִרְקֹד מֵחֲמַת שִׂמְחָה.

וּתְזַכֵּנִי לְשִׂמְחָה שֶׁל מִצְוָה תָּמִיד, הֵן לִשְׂמֹחַ בְּשִׂמְחַת חֲתֻנָּה שֶׁל מִצְוָה לְשַׂמֵּחַ חָתָן וְכַלָּה הַכְּשֵׁרִים, הֵן לִשְׂמֹחַ בִּשְׁאָר שְׂמָחוֹת שֶׁל מִצְוָה.

Every Jew has performed many mitzvot. Even Jewish sinners are as filled with mitzvot as a pomegranate is filled with seeds.

And so every Jew, even the least of the least and the lowest of the low, has reason to rejoice.

Gathering Particles of Joy

Master of the universe, Lord of miracles, compassionate Father, Whose presence is marked by might and gladness, help me gather all of the particles of joy from all of the mitzvot that I have performed and all of the good points that I have attained from my earliest days until today.

Once they have been gathered together, may all of these particles of joy overcome the sadness caused by my many sins, until as a result I rejoice always and strengthen myself with gladness as I implement the advice that You gave us through Your holy Tzaddikim.

Help me become so joyful that I break out in dance.

The Joy of a Mitzvah

Help me always rejoice in performing a mitzvah, such as gladdening a couple at their wedding.

וְתִהְיֶה בְּעֶזְרִי וְתוֹשִׁיעֵנִי תָּמִיד לִהְיוֹת שָׂמֵחַ בְּכָל עֵת בְּשִׂמְחָה שֶׁל מִצְוָה בְּחֶדְוָה גְדוֹלָה וּבְשִׂמְחָה רַבָּה כָּל כָּךְ, עַד שֶׁאֶזְכֶּה לִרְקֹד הַרְבֵּה מֵחֲמַת שִׂמְחָה.

וְאֶזְכֶּה לִשְׂמֹחַ וְלִרְקֹד כָּל כָּךְ, עַד שֶׁאֶזְכֶּה לֵילֵךְ וְלַעֲבֹר בְּכָל קוֹמַת הַשִּׂמְחָה וְהָרִקּוּדִין, שֶׁכְּלוּלָה מֵרְמַ"ח אֵבָרִים וּשְׁסָ"ה גִידִין.

כִּי הַשִּׂמְחָה הִיא שֹׁרֶשׁ נְקֻדַּת כָּל הַתַּרְיַ"ג מִצְוֹת שֶׁבַּתּוֹרָה, כְּמוֹ שֶׁכָּתוּב: "פִּקּוּדֵי יְיָ יְשָׁרִים מְשַׂמְּחֵי לֵב":

זַכֵּנִי בְּרַחֲמֶיךָ הָרַבִּים שֶׁיִּתְלַהֵב בִּי הַשִּׂמְחָה שֶׁל כָּל הַנְּקֻדּוֹת טוֹבוֹת הָאֲמִתִּיּוֹת שֶׁבִּי מִכָּל הַמִּצְוֹת אֲשֶׁר זִכִּיתַנִי מֵעוֹדִי בַּחֲסָדֶיךָ הַגְּדוֹלִים, עַד אֲשֶׁר תָּאִיר הַשִּׂמְחָה בְּאוֹר גָּדוֹל וְנִפְלָא, עַד אֲשֶׁר יִתְבַּטְּלוּ עַל יְדֵי זֶה הַחֹשֶׁךְ וְהַמְּנִיעָה וְהַדְּאָגָה וְהָעַצְבוּת שֶׁל רִבּוּי הַחֲטָאִים וְהָעֲווֹנוֹת וְהַפְּשָׁעִים הָעֲצוּמִים שֶׁחָטָאתִי וְשֶׁעָוִיתִי וְשֶׁפָּשַׁעְתִּי לְפָנֶיךָ מִנְּעוּרַי עַד הַיּוֹם הַזֶּה.

וְאִם הֵם רַבִּים וַעֲצוּמִים מְאֹד מְאֹד, עִם כָּל זֶה מִדָּה טוֹבָה מְרֻבָּה.

וּבְכֹחֲךָ הַגָּדוֹל אַתָּה יָכֹל לְהוֹסִיף אוֹר גָּדוֹל בְּהַשִּׂמְחָה שֶׁל הַמִּצְוֹת וְהַנְּקֻדּוֹת טוֹבוֹת שֶׁבִּי, עַד אֲשֶׁר יִתְגַּבְּרוּ עַל הַחֹשֶׁךְ וְהַדְּאָגוֹת וְהָעַצְבוּת שֶׁל רִבּוּי הָעֲווֹנוֹת שֶׁלִּי.

Help me always experience the joy of a mitzvah so intensely that I will dance a great deal. May I rejoice and dance so much that I will make my way through the entire spiritual structure of joy and dancing.

That structure is composed of the 248 limbs and 365 sinews. This is because joy is the root and core of all the 613 mitzvot in the Torah. As the verse states, "The commandments of HaShem are upright, gladdening the heart."

The Light of a Person's Good Points

May the joy of the good points within me shine with a light so intense and wonderful that it overcomes the darkness, which consists of the impediments, worries and sadness that resulted from the multitude of sins that I committed from my youth until this day.

Even if these sins are many and terrible, the measure of good outweighs them.

Please infuse so much light into the joy of my mitzvot and good points that it will overcome the darkness, worries and sadness of the multitude of my sins.

עַד שֶׁיִּתְבַּטֵּל הָרַע לְגַבֵּי הַטּוֹב, שֶׁיִּתְבַּטְּלוּ עַצְבוּת הָעֲווֹנוֹת כְּנֶגֶד שִׂמְחַת הַמִּצְוֹת. וְאֶזְכֶּה לִשְׂמֹחַ וְלִרְקֹד הַרְבֵּה בְּשִׂמְחָה שֶׁל מִצְוָה תָּמִיד, עַד שֶׁאֶזְכֶּה לְשִׂמְחָה שְׁלֵמָה בֶּאֱמֶת, וּלְהַשְׁלִים כָּל קוֹמַת הַשִּׂמְחָה וְהָרִקּוּדִין בִּשְׁלֵמוּת בֶּאֱמֶת.

וְעַל יְדֵי זֶה תְּזַכֵּנִי בְּרַחֲמֶיךָ הָרַבִּים, לְהִתְוַדּוֹת לְפָנֶיךָ בְּכָל עֵת, וּלְפָרֵט אֶת כָּל חֲטָאַי בְּפֵרוּשׁ בְּפֶה מָלֵא. וְאַל יְמַנָּעֵנִי מִזֶּה שׁוּם מוֹנֵעַ וְעִכּוּב. וְאַל יַעֲבִירֵנִי הַשִּׁכְחָה לִשְׁכֹּחַ אֵיזֶה חֵטְא מִלְּפָרְטוֹ לְפָנֶיךָ. וְאַל יְבַלְבֵּל אוֹתִי מִזֶּה שׁוּם בִּלְבּוּל. רַק אֶזְכֶּה לְהִתְוַדּוֹת לְפָנֶיךָ בֶּאֱמֶת וּלְפָרֵט אֶת הַחֵטְא בְּפֵרוּשׁ.

וְאַתָּה מָלֵא רַחֲמִים תִּהְיֶה בְּעֶזְרִי, שֶׁאֶזְכֶּה עַל יְדֵי וִדּוּי דְּבָרִים לִבְנוֹת וּלְהַשְׁלִים אֶת הַדִּבּוּר בְּתַכְלִית הַשְּׁלֵמוּת. וְעַל יְדֵי זֶה יִתְעוֹרֵר הַקּוֹל הָעֶלְיוֹן וְיִתְיַחֵד עִם הַדִּבּוּר בְּיִחוּד שָׁלֵם, בְּאֹפֶן שֶׁיִּתְתַּקְּנוּ עַל יְדֵי זֶה כָּל חֲטָאַי וַעֲווֹנַי וּפְשָׁעַי שֶׁחָטָאתִי וְשֶׁעָוִיתִי וְשֶׁפָּשַׁעְתִּי לְפָנֶיךָ מִיּוֹם הֱיוֹתִי עַד הַיּוֹם הַזֶּה, וּתְמַלֵּא כָּל הַשֵּׁמוֹת שֶׁפָּגַמְתִּי בְּשִׁמְךָ הַגָּדוֹל:

רִבּוֹנוֹ שֶׁל עוֹלָם רִבּוֹנוֹ שֶׁל עוֹלָם, מִי יָשׂוּם לִי פֶּה לְדַבֵּר עַתָּה, לְפָרֵשׁ עַתָּה כָּל שִׂיחָתִי לְפָנֶיךָ. אֵיךְ לוֹקְחִין כֹּחַ עַתָּה לִשְׁפֹּךְ לִבִּי כַּמַּיִם נוֹכַח פָּנֶיךָ יְיָ. רִבּוֹנוֹ שֶׁל עוֹלָם, מָלֵא רַחֲמִים, "מַלְכִּי וֵאלֹהַי אֵלֶיךָ אֶתְפַּלָּל".

May the evil be nullified before the good. May the sadness of my sins be nullified before the joy of the mitzvot that I have performed. Then I will rejoice and dance in the joy of a mitzvah until I attain complete happiness and perfect the spiritual structure of joy and dancing.

Help me confess all of my transgressions to You. May nothing impede me or distract me from doing so. And in the course of my confession, may I not forget the slightest detail.

By means of this verbal confession, may I build and perfect my speech. As a result, may the supernal voice be aroused and unify with my speech until You rectify all of the sins that I committed from my youth until today, and You restore all of the Divine Names that I blemished.

From the Source of Joy

Who will give me a mouth to speak, to express all of my speech before You? From where will I take the power to pour forth my heart like water before Your countenance, HaShem, Master of the world, You Who are filled with compassion? "My King and my God, I will pray to You."

לַמְּדֵנִי אֵיךְ לְנַצֵּחַ אוֹתְךָ, שֶׁתַּחֲזִירֵנִי בִּתְשׁוּבָה שְׁלֵמָה לְפָנֶיךָ בֶּאֱמֶת. אָבִי צוּרִי גּוֹאֲלִי וּפוֹדִי, הַצּוֹפֶה לְהֵטִיב אַחֲרִיתִי.

עָזְרֵנִי בְּרַחֲמֶיךָ הָעֲצוּמִים וּבִישׁוּעָתְךָ הַגְּדוֹלָה, וּבְדַרְכֵי עֲצוֹתֶיךָ הַנִּפְלָאוֹת, שֶׁאֶזְכֶּה לִהְיוֹת בְּשִׂמְחָה תָּמִיד.

"שַׂמֵּחַ נֶפֶשׁ עַבְדְּךָ כִּי אֵלֶיךָ יְיָ נַפְשִׁי אֶשָּׂא".

חַזְּקֵנִי וְאַמְּצֵנִי לְהִתְגַּבֵּר בְּכָל פַּעַם עַל הָעַצְבוּת, לְהַגְבִּיר הַשִּׂמְחָה עַל הָעַצְבוּת. וּתְחַזֵּק אוֹתִי בְּכָל מִינֵי שְׂמָחוֹת, וּתְשַׂמַּח אֶת נַפְשִׁי בְּכָל דַּרְכֵי הַשִּׂמְחָה אֲשֶׁר לִמְדוּ אוֹתָנוּ רַבּוֹתֵינוּ הַקְּדוֹשִׁים, בְּאֹפֶן שֶׁאֶזְכֶּה לִהְיוֹת בְּשִׂמְחָה תָּמִיד. וְלֹא אַנִּיחַ אֶת הָעַצְבוּת לְהִתְקָרֵב אֵלַי בְּשׁוּם אֹפֶן. וְלֹא יִהְיֶה שׁוּם כֹּחַ לְהָעַצְבוּת וְהַמָּרָה שְׁחוֹרָה לְטַמְטֵם אֶת לִבִּי חַס וְשָׁלוֹם, וְלֹא לְבַלְבֵּל אֶת דַּעְתִּי.

רַק אֶזְכֶּה לְהִתְגַּבֵּר בְּכָל עֵת בְּשִׂמְחָה גְדוֹלָה וְחֶדְוָה רַבָּה, עַד שֶׁאֶזְכֶּה מִתּוֹךְ הַשִּׂמְחָה לְהִתְוַדּוֹת לְפָנֶיךָ בְּפֶה מָלֵא, וְלִשְׁפֹּךְ לִבִּי כַּמַּיִם נוֹכַח פָּנֶיךָ יְיָ, וּלְפָרֵשׁ כָּל שִׂיחָתִי לְפָנֶיךָ בְּכָל יוֹם, בְּלֵב נִשְׁבָּר וְנִדְכֶּא כָּרָאוּי לִי.

וְאַחַר כָּךְ תֵּכֶף אֶחֱזוֹר אֶל הַשִּׂמְחָה בְּיֶתֶר שְׂאֵת וְיֶתֶר עֹז.

Teach me how to achieve victory over You so that You will bring me back in complete repentance before You, my Father, my Rock, my Redeemer, Who gazes forward to grant me a good end.

In Your mighty compassion, in Your great salvation and in the ways of Your wondrous counsel, help me be joyous always.

"Give joy to the soul of Your servant—because, HaShem, I lift my soul to You!"

Always strengthen and encourage me to overcome sadness with joy. Gladden my soul with every means of attaining joy that our holy rabbis taught us, so that I will always be glad and never allow sadness to approach me. May depression have no power to close my heart or confuse my mind.

May I increase my happiness until I am able to confess before You fully and pour forth my heart like water before Your countenance, explicating all of my speech before You every day with a broken and crushed heart.

And after that, may I immediately return to an even greater joy.

וּלְהַרְבּוֹת בְּשִׂמְחָה יְתֵרָה בְּכָל פַּעַם בְּכָל עֹז וְתַעֲצוּמוֹת, עַד שֶׁאֶזְכֶּה לָשׁוּב אֵלֶיךָ בֶּאֱמֶת, וְלַעֲבֹד אוֹתְךָ תָּמִיד "בְּשִׂמְחָה וּבְטוּב לֵבָב מֵרֹב כֹּל".

כִּי בְּשֵׁם קָדְשְׁךָ הַגָּדוֹל וְהַנּוֹרָא בָּטַחְתִּי שֶׁאַתָּה יָכֹל לַעֲזֹר לִי גַּם עַתָּה לְהִתְגַּבֵּר בְּשִׂמְחָה תָּמִיד.

אָגִילָה וְאֶשְׂמְחָה בִּישׁוּעָתֶךָ. "אֶשְׂמְחָה וְאֶעֶלְצָה בָךְ אֲזַמְּרָה שִׁמְךָ עֶלְיוֹן".

וְתַמְשִׁיךְ עָלֵינוּ הַשִּׂמְחָה מִמְּקוֹר הַשִּׂמְחָה, מֵהַשִּׂמְחָה הָעֲתִידָה וְהַמּוּכֶנֶת לָבוֹא עָלֵינוּ בְּקָרוֹב עַל יְדֵי מְשִׁיחַ צִדְקֵנוּ, כְּמוֹ שֶׁכָּתוּב: "כִּי בְשִׂמְחָה תֵצֵאוּ וּבְשָׁלוֹם תּוּבָלוּן הֶהָרִים וְהַגְּבָעוֹת יִפְצְחוּ לִפְנֵיכֶם רִנָּה וְכָל עֲצֵי הַשָּׂדֶה יִמְחֲאוּ כָף".

וּתְמַהֵר וְתָחִישׁ לְגָאֳלֵנוּ, וּתְנַחֵם וּתְשַׂמֵּחַ אוֹתָנוּ וְאֶת כָּל עַמְּךָ יִשְׂרָאֵל בִּמְהֵרָה בְּיָמֵינוּ.

וִיקֻיַּם מְהֵרָה מִקְרָא שֶׁכָּתוּב: "כִּי נִחַם יְיָ צִיּוֹן, נִחַם כָּל חָרְבֹתֶיהָ, וַיָּשֶׂם מִדְבָּרָהּ כְּעֵדֶן וְעַרְבָתָהּ כְּגַן יְיָ, שָׂשׂוֹן וְשִׂמְחָה יִמָּצֵא בָהּ תּוֹדָה וְקוֹל זִמְרָה". אָמֵן וְאָמֵן:

Multiply my happiness constantly until I serve You always "with joy and a good heart because of a multitude of everything."

I have trusted in Your holy, great and awesome Name to always help me grow stronger with joy.

May I rejoice in Your salvation. "I will rejoice and be delighted in You; I will sing to Your supernal Name."

Draw joy upon all of us from the source of joy, from the joy that is destined to come upon us soon through our righteous Mashiach. As the verse states, "In joy shall you go forth and in peace shall you be led. The mountains and the hills will burst out in song before you, and all of the trees of the field will clap their hands."

Quickly redeem us. Console us and give us joy, quickly and in our time.

And may it soon come about that "HaShem will console Zion. He will console all of its ruins. He will make its desert like Eden and its lowland like the garden of HaShem. Gladness and joy shall be found in it, thanksgiving and the voice of song." Amen and amen.

90 (282)

Judging Others Favorably / Judging Oneself Favorably / Creating Melodies of Holiness / The Spiritual Tabernacle from Which Schoolchildren Receive Their Breath

---

A person must judge others favorably even if they seem completely bad, and search for even a little bit of good in them. When one finds that good, he raises them up and induces them to repent.

One must apply this technique to himself as well. Even if he sees that he is filled with wrongdoing, he must not allow himself to fall. Instead, he must judge himself favorably and search until he finds some good deed that he performed. It is possible that as he examines this deed, he will see that it was imperfect, filled with flaws and ulterior motives. Nevertheless, it must contain a pristine point of goodness. When he finds even a little bit of good in himself and grows joyful, he moves from the side of guilt to the side of merit, and then he can repent. And then he should repeat this process.

"I will sing to my God with my being." By finding good points within himself and gathering them together, a person makes spiritual melodies with his soul, like a musician who plucks the notes that comprise a melody. Then he is able to pray and sing to God.

A person who makes such tunes by gathering good points even from Jewish sinners is a Tzaddik. All of these good points desire to come to him and be absorbed into him. After he gathers them all, he stands and prays with them.

Every generation has a great Tzaddik who corresponds to Moses. Just as Moses built the Tabernacle, this Tzaddik, too, builds a spiritual tabernacle, and from it, schoolchildren receive their breath, which is without sin.

"אֲהַלְלָה יְיָ בְּחַיָּי אֲזַמְּרָה לֵאלֹהַי בְּעוֹדִי".

רִבּוֹנוֹ שֶׁל עוֹלָם עֲשֵׂה עִמִּי בִּדְרָכֶיךָ הַנִּפְלָאִים וַחֲסָדֶיךָ הָעֲצוּמִים, וֶהְיֵה נָא בְּעֶזְרִי וְהוֹשִׁיעֵנִי שֶׁאֶזְכֶּה בְּכָל עֵת לְשַׂמֵּחַ נַפְשִׁי הָאֻמְלָלָה וְהָעֲלוּבָה מְאֹד מְאֹד בְּלִי שִׁעוּר, בְּאֹפֶן שֶׁאֶזְכֶּה לִהְיוֹת בְּשִׂמְחָה תָמִיד.

כִּי אַתָּה לְבַד יוֹדֵעַ אֶת כָּל הַמַּעֲשֶׂה אֲשֶׁר נַעֲשָׂה תַּחַת הַשֶּׁמֶשׁ מִיּוֹם בְּרִיאַת אָדָם הָרִאשׁוֹן עַד הַיּוֹם הַזֶּה. וַאֲשֶׁר נַעֲשֶׂה עַתָּה בַּדּוֹר הַזֶּה. אֶת כָּל אֲשֶׁר נַעֲשֶׂה בִּכְלָלִיּוּת הָעוֹלָם עִם כְּלָל נִשְׁמוֹת יִשְׂרָאֵל, וְאֶת כָּל אֲשֶׁר נַעֲשֶׂה עִמִּי הֶעָנִי וְהָאֶבְיוֹן הַדַּל וְהַנִּשְׁחָת הַחוֹטֵא וְהַפָּגוּם הַפּוֹשֵׁעַ וְהַחַיָּב מְאֹד, הָאַכְזָר עַל עַצְמוֹ כָּזֶה.

אֶת כָּל אֲשֶׁר נַעֲשֶׂה עִם נִשְׁמָתִי וְרוּחִי וְנַפְשִׁי מִיּוֹם שֶׁנֶּאֶצְלוּ וְנִבְרְאוּ וְנוֹצְרוּ וְנַעֲשׂוּ, עַד אֲשֶׁר נִמְשְׁכוּ לְתוֹךְ הַגּוּפִים שֶׁנִּתְגַּלְגְּלוּ בָּהֶם בְּכָל הַגִּלְגּוּלִים שֶׁעָבְרוּ עֲלֵיהֶם עַד אֲשֶׁר בָּאוּ בְּתוֹךְ גּוּפִי הַזֶּה הַמְגֻשָּׁם הַחוֹטֵא וְהַפָּגוּם מְאֹד.

אֶת כָּל אֲשֶׁר עָבַר עָלַי מִיּוֹם הַזִּכָּרוֹן שֶׁל הַזָּקֵן הָעֶלְיוֹן שֶׁזּוֹכֵר לָאו כְּלוּם, וְכָל אֲשֶׁר עָבַר עָלַי בִּימֵי הַזִּכָּרוֹן, שֶׁל

God Knows Each Person from Before He Came into the World

"I will praise HaShem while I am alive; I will sing to my God with my being."

Master of the world, in Your wondrous ways and mighty kindness, help me always gladden my immeasurably pathetic and dejected soul.

You alone know everything that has occurred under the sun, from the day that Adam was created to this moment—including everything that is happening in our generation, everything that is happening to every Jew in the world, and, in particular, everything that is happening to me. I have been cruel to myself because I am a poor and desolate, blemished, willful and guilty sinner.

You know all that my soul has experienced. From the day that it was emanated, created, formed and made, it passed through various incarnations until it entered my coarse, sinful and blemished body.

You know all that has happened to me from the very beginning: from the state of "nothingness" (before I existed) to the creation of the

שְׁאָר הַזְּקֵנִים הַקְּדוֹשִׁים הַזּוֹכְרִים הַמַּרְאֶה וְהַטַּעַם וְהָרֵיחַ. וְהַחֲכָמִים שֶׁהִמְצִיאוּ אֶת הַגַּרְעִין, וּבָעֵת שֶׁהוֹלִיכוּ הַגַּרְעִין לְטַע הַפְּרִי, וּבָעֵת שֶׁהִתְחִילָה הַפְּרִי לְהִתְהַוּוֹת וּלְהִתְרַקֵּם, וּבָעֵת שֶׁהָיָה הַנֵּר דוֹלֵק. וּבָעֵת שֶׁחָתְכוּ הַפְּרִי מִן הָאִילָן.

אֲשֶׁר אַתָּה לְבַד יוֹדֵעַ הַפֵּרוּשׁ שֶׁל אֵלּוּ הַדְּבָרִים.

וְאֶת כָּל אֲשֶׁר נַעֲשָׂה עִמִּי בַּיָּמִים הָהֵם, וְאֶת כָּל אֲשֶׁר נַעֲשָׂה עִמִּי אַחַר כָּךְ עַד הַיּוֹם הַזֶּה, וְאֶת כָּל אֲשֶׁר עָשִׂיתִי טוֹב וָרָע, אֶת כָּל אֲשֶׁר עָבַרְתִּי וּפָגַמְתִּי בְּשׁוֹגֵג וּבְמֵזִיד בְּאֹנֶס וּבְרָצוֹן בְּכָל יוֹם וָיוֹם, וְאֶת כָּל מַה שֶּׁזִּכִּיתַנִי בְּרַחֲמֶיךָ לַחְטֹף אֵיזֶה נְקֻדּוֹת טוֹבוֹת בַּיָּמִים הָרָעִים הָאֵלֶּה שֶׁעָבְרוּ עָלַי מֵעוֹדִי עַד הַיּוֹם הַזֶּה.

וְעַתָּה אַחֲרֵי כָּל הַבָּא עָלַי, וְאַחֲרֵי כָּל מַה שֶּׁעָשִׂיתִי אִם טוֹב וְאִם רָע, הוֹרֵנִי וְלַמְּדֵנִי עַתָּה, הַדֶּרֶךְ וְהַנְּתִיב וְהַשְּׁבִיל הָאֱמֶת, בְּאֹפֶן שֶׁאֶזְכֶּה לָשׁוּב בִּתְשׁוּבָה שְׁלֵמָה בֶּאֱמֶת מֵעַתָּה עַל כָּל פָּנִים:

appearance of the fruit (my *neshamah*), the creation of the taste of the fruit (my *ruach*), the creation of its fragrance (my *nefesh*), the creation by the wise men of the seed (the formation of the seed in my father's mind), the planting of the seed (the moment of conception), the formation of the fruit (my embryo), the candle burning (my learning Torah in the womb), and the cutting of the fruit from the branch (the cutting of my umbilical cord).

You alone know the deeper meaning of these matters.

You know everything that occurred to me then and everything that occurred to me afterward until this moment. You know everything that I have done, for good or for bad. In regard to the bad, You know all of my transgressions and blemishes—those that I committed accidentally and those that I committed on purpose, those that occurred against my will and those that I did willingly. And You know of the good points that I have acquired in the course of my lifetime to the present day.

And now, after all that I have experienced and done, whether for good or for bad, teach me how to repent from this moment onward.

רִבּוֹנוֹ שֶׁל עוֹלָם חָפֵץ חֶסֶד מָלֵא רַחֲמִים הַצּוֹפֶה לָרָשָׁע וְחָפֵץ בְּהִצָּדְקוֹ, הַדָּן אֶת כָּל אָדָם לְכַף זְכוּת תָּמִיד, רַב חֶסֶד וּמַרְבֶּה לְהֵטִיב, הַמְנַהֵג עוֹלָמוֹ בְּחֶסֶד וּבְרִיּוֹתָיו בְּרַחֲמִים עָזְרֵנִי וְזַכֵּנִי הַדֶּרֶךְ הָאֱמֶת, בְּאֹפֶן שֶׁאֶזְכֶּה גַּם עַתָּה לְחַפֵּשׂ וּלְבַקֵּשׁ וְלִמְצֹא בִּי זְכוּת וּנְקֻדּוֹת טוֹבוֹת, וְלָדוּן אֶת עַצְמִי לְכַף זְכוּת תָּמִיד.

בְּאֹפֶן שֶׁאֶזְכֶּה לְשַׂמֵּחַ אֶת עַצְמִי בְּכָל עֵת, וְלִכְנֹס בְּכַף זְכוּת בֶּאֱמֶת. וְלִזְכּוֹת עַל יְדֵי זֶה לִתְשׁוּבָה שְׁלֵמָה בֶּאֱמֶת, וּלְהִתְפַּלֵּל עַל יְדֵי זֶה בְּכַוָּנָה גְדוֹלָה בְּחַיּוּת וְהִתְלַהֲבוּת וּבְשִׂמְחָה רַבָּה וְחֶדְוָה גְדוֹלָה וַעֲצוּמָה.

וְאֶזְכֶּה לְקַיֵּם בֶּאֱמֶת מִקְרָא שֶׁכָּתוּב: "אֲזַמְּרָה לֵאלֹהַי בְּעוֹדִי":

רִבּוֹנוֹ שֶׁל עוֹלָם אַתָּה יוֹדֵעַ שֶׁאֵין לִי שׁוּם חַיּוּת וְכֹחַ וְתִקְוָה וּפִתְחוֹן פֶּה לְדַבֵּר לְפָנֶיךָ כִּי אִם עַל יְדֵי הַדֶּרֶךְ הַקָּדוֹשׁ וְהַנּוֹרָא וְהַנִּשְׂגָּב וְהַנִּפְלָא הַזֶּה, שֶׁגִּלּוּ רַבּוֹתֵינוּ זִכְרוֹנָם לִבְרָכָה בַּפָּסוּק: "אֲזַמְּרָה לֵאלֹהַי בְּעוֹדִי".

כִּי אַתָּה יוֹדֵעַ אֶת גֹּדֶל עֹצֶם וְרִבּוּי קִלְקוּלַי, אֶת מְרִירוּת דִּמְרִירוּת כְּאֵבִים אֲנוּשִׁים שֶׁל עֲווֹנוֹתַי הָעֲצוּמִים וְהַכְּבֵדִים מְאֹד בְּמַהוּת וְכַמּוּת וְאֵיכוּת.

Judging Oneself Favorably

Master of the world, You Who desire kindness and are filled with compassion, You Who gaze upon the wicked person with the desire that he will become righteous, You Who judge everyone favorably, help me walk on the proper path so that I will find merit and good points within myself.

May I always judge myself favorably and, in that way, make myself joyous and enter the side of merit. As a result of that, may I attain complete repentance, and then pray with intensity, vitality, fervor and gladness.

May I emulate the verse, "I will sing to my God with my being."

Judging Oneself and Others Favorably

Master of the world, You know that only due to the dynamics of finding the good within myself, as expressed in Rebbe Nachman's holy, awesome, elevated and wondrous interpretation of the verse, "I will sing to my God with my being," do I possess the vitality, hopefulness and ability to speak to You.

You know how mighty and vast is my ruination, how concentrated is the bitterness and mortal pains of my sins—in amount and intensity.

אֲשֶׁר כִּמְעַט כִּמְעַט לֹא הָיָה תִּקְוָה חַס וְשָׁלוֹם, כִּי מִכַּף רֶגֶל וְעַד רֹאשׁ אֵין בִּי מְתֹם פֶּצַע וְחַבּוּרָה וּמַכָּה טְרִיָּה.

אֲבָל אַתָּה הִזְהַרְתָּנוּ שֶׁצָּרִיךְ הָאָדָם לְחַפֵּשׂ וּלְבַקֵּשׁ וְלִמְצֹא בְּעַצְמוֹ נְקֻדּוֹת טוֹבוֹת וּלְשַׂמֵּחַ אֶת נַפְשׁוֹ, וְלִבְלִי לִפֹּל בְּדַעְתּוֹ, מִכָּל שֶׁכֵּן שֶׁלֹּא לְיָאֵשׁ אֶת עַצְמוֹ חַס וְשָׁלוֹם בְּשׁוּם אֹפֶן בָּעוֹלָם.

עַל כֵּן עָזְרֵנִי וְזַכֵּנִי וְהוֹרֵנִי הַדֶּרֶךְ לִזְכּוֹת לָזֶה בֶּאֱמֶת, שֶׁאֶזְכֶּה בְּכָל עֵת אֲשֶׁר יִרְצוּ לְהִתְגַּבֵּר עָלַי חַס וְשָׁלוֹם עַצְבוּת וּמָרָה שְׁחוֹרָה וְיָגוֹן וַאֲנָחָה עַל יְדֵי עֲווֹנוֹתַי וּפְשָׁעַי הָרַבִּים וְהָעֲצוּמִים מְאֹד, וְיִרְצוּ לְהַחֲלִישׁ אֶת דַּעְתִּי וּלְרַשֵּׁל אֶת יָדַי, כְּאִלּוּ אֶפֶס תִּקְוָה חַס וְשָׁלוֹם, שֶׁתַּעַזְרֵנִי וְתוֹשִׁיעֵנִי בַּחֲסָדֶיךָ הָרַבִּים וְהַגְּדוֹלִים לְהִתְגַּבֵּר עֲלֵיהֶם בְּכָל עֹז וְתַעֲצוּמוֹת, וְלִבְלִי לִפֹּל בְּדַעְתִּי בְּשׁוּם אֹפֶן בָּעוֹלָם, רַק לְהִתְחַזֵּק וּלְהִתְגַּבֵּר בְּכָל הַכֹּחוֹת לְחַפֵּשׂ וּלְעַיֵּן וּלְבַקֵּשׁ וְלִמְצֹא בִּי זְכוּת וּנְקֻדּוֹת טוֹבוֹת שֶׁזָּכִיתִי לַעֲשׂוֹת מֵעוֹדִי עַד הַיּוֹם הַזֶּה.

כִּי בֶּאֱמֶת גַּם בְּעֹצֶם פְּחִיתוּתֵנוּ וְשִׁפְלוּתֵנוּ וּבְעֹצֶם רִבּוּי פְּגָמֵנוּ, אַף עַל פִּי כֵן חַסְדְּךָ גָּבַר עָלֵינוּ, וְזִכִּיתָנוּ בְּרַחֲמֶיךָ בְּכָל עֵת לַחֲטֹף בְּכָל פַּעַם אֵיזֶה מִצְוֹת וּמַעֲשִׂים טוֹבִים.

וְכַאֲשֶׁר אַתָּה מְשַׁבֵּחַ וּמְפָאֵר וּמְחַבֵּב אֶת כְּנֶסֶת יִשְׂרָאֵל

My hope was almost gone. From the soles of my feet to the crown of my head, there was nothing whole but only spiritual wounds, blows and lacerations.

But through Rebbe Nachman's teaching, You taught us that a person must find good points within himself, thus gladdening his soul and never growing despondent.

Therefore, every time sadness attempts to overcome me by reminding me of my grievous sins, weakening my mind and hands as though my hope is gone, keep me from growing dejected. To the contrary, help me find within myself the merit and good points of the good deeds that I have performed throughout the course of my life.

Despite my worthlessness and lowliness, despite the multitude of my blemishes, Your kindness overwhelms me and You help me perform mitzvot and good deeds.

That is true of the entire congregation of Israel. You praise and express affection for all of them in their exile and lowliness, proclaiming that their "temples are like a pomegranate split open"—meaning, say our sages, that all Jews,

בְּגָלוּתָם וְשִׁפְלוּתָם, "כְּפֶלַח הָרִמּוֹן רַקָּתֵךְ", אֲפִלּוּ פּוֹשְׁעֵי יִשְׂרָאֵל מְלֵאִים מִצְוֹת כָּרִמּוֹן.

וְאִם גַּם הַמִּצְוֹת בְּעַצְמָן שֶׁאָנוּ עוֹשִׂין הֵם מְלֵאִים פְּסֹלֶת, פְּנִיּוֹת וּמַחֲשָׁבוֹת זָרוֹת וּבִלְבּוּלִים, וַעֲדַיִן לֹא עָשִׂינוּ מֵעוֹלָם שׁוּם מִצְוָה בִּשְׁלֵמוּת, אַף עַל פִּי כֵן, אִי אֶפְשָׁר שֶׁלֹּא יִהְיֶה בָּהֶם אֵיזֶה נְקֻדּוֹת טוֹבוֹת. כִּי בְכָל מִצְוָה וּמִצְוָה שֶׁזָּכִינוּ כָּל אֶחָד וְאֶחָד לַעֲשׂוֹת לִפְעָמִים הֵן צִיצִית אוֹ תְּפִלִּין, אוֹ קַבָּלַת שַׁבָּתוֹת וְיָמִים טוֹבִים, אוֹ אֵיזֶה צְדָקָה וּגְמִילוּת חֶסֶד, וְהַרְחָקוֹת מַאֲכָלוֹת אֲסוּרוֹת, וְכוּ' וְכוּ', בְּוַדַּאי יֵשׁ בְּכָל מִצְוָה וּמַעֲשֶׂה טוֹבָה אֵיזֶה נְקֻדָּה טוֹבָה, עַל כָּל פָּנִים.

וְעַל יְדֵי אֵלּוּ הַנְּקֻדּוֹת טוֹבוֹת רָאוּי לָנוּ לִשְׂמֹחַ כָּל יָמֵינוּ לְעוֹלָם, [אֲפִלּוּ בְּעֶצֶם גְּרִיעוּתֵינוּ, מַה שֶּׁזָּכִינוּ לִגְרֹם נַחַת רוּחַ לְפָנֶיךָ בְּאֵיזֶה נְקֻדּוֹת טוֹבוֹת שֶׁזָּכִינוּ כָּל יְמֵי חַיֵּינוּ. וְעַל יְדֵי זֶה נִזְכֶּה לִכְנֹס לְכַף זְכוּת בֶּאֱמֶת, וּלְשַׂמֵּחַ אֶת נַפְשֵׁנוּ תָּמִיד, בְּאֹפֶן שֶׁנִּזְכֶּה לָשׁוּב בִּתְשׁוּבָה שְׁלֵמָה בֶּאֱמֶת עַל יְדֵי זֶה. כִּי אֲנִי מַאֲמִין בֶּאֱמוּנָה שְׁלֵמָה שֶׁעַל יְדֵי הַדֶּרֶךְ וְצִנּוֹר הַחֶסֶד הַנִּפְלָא הַזֶּה, יֵשׁ תִּקְוָה גַּם לִי, וַאֲפִלּוּ לְכָל פּוֹשְׁעֵי יִשְׂרָאֵל הַגְּרוּעִים מְאֹד, לִזְכּוֹת מֵעַתָּה לִתְשׁוּבָה שְׁלֵמָה בֶּאֱמֶת וְלִהְיוֹת בְּשִׂמְחָה תָּמִיד.]

even the worst sinners, are filled with mitzvot as a pomegranate is filled with seeds.

And so even if the mitzvot that we perform are adulterated with dross, ulterior motives, foreign thoughts and confusion, so that we have never performed even a single mitzvah perfectly, they must contain some good. Every mitzvah that we perform—wearing tzitzit,[9] putting on tefilin,[10] keeping the Shabbat, giving charity, performing kind deeds, eating kosher food—contains a good point. As a result of recognizing those good points, may we rejoice for all of our days.

9 Tzitzit are specially spun and tied strings which Jewish men are required to affix to their four-cornered garments, as stipulated in Numbers 15:37-41 and discussed in *Menachot* 43b.

10 See footnote 3, p. 67.

וְזַכֵּנִי בְּרַחֲמֶיךָ הָרַבִּים לָדוּן אֶת כָּל בְּנֵי אָדָם לְכַף זְכוּת תָּמִיד,] וַאֲפִלּוּ כְּשֶׁאֲנִי רוֹאֶה רָשָׁע גָּמוּר, אַף עַל פִּי כֵן אֲחַפֵּשׂ וַאֲבַקֵּשׁ עַד שֶׁאֶמְצָא בּוֹ גַּם כֵּן נְקֻדּוֹת טוֹבוֹת, עַד שֶׁאֶזְכֶּה לְדוּנוֹ לְכַף זְכוּת. וּלְהַכְנִיסוֹ בְּכַף זְכוּת בֶּאֱמֶת. וְלַהֲשִׁיבוֹ בִּתְשׁוּבָה שְׁלֵמָה בֶּאֱמֶת עַל יְדֵי זֶה.

רִבּוֹנוֹ שֶׁל עוֹלָם בִּזְכוּת וְכֹחַ הַצַּדִּיקִים הָאֲמִתִּיִּים הַמְּלִיצִים טוֹב עַל יִשְׂרָאֵל תָּמִיד, הָעוֹסְקִים וְטוֹרְחִים בְּכָל כֹּחָם לְחַפֵּשׂ וְלַחְתֹּר וְלִמְצֹא זְכוּת וָטוֹב בְּכָל אֶחָד מִיִּשְׂרָאֵל, אֲפִלּוּ בְּהַגָּרוּעַ שֶׁבַּגְּרוּעִים, בִּזְכוּתָם וְכֹחָם, זַכֵּנוּ גַּם כֵּן לָבוֹא לָזֶה בֶּאֱמֶת:

וּתְזַכֵּנוּ לְהִתְקָרֵב לְהַצַּדִּיקִים הָאֲמִתִּיִּים הָאֵלּוּ, הָעוֹסְקִים בָּזֶה תָּמִיד, לְחַפֵּשׂ וּלְבַקֵּשׁ וְלִמְצֹא נְקֻדּוֹת טוֹבוֹת בְּכָל אֶחָד וְאֶחָד מִיִּשְׂרָאֵל, אֲפִלּוּ בְּפוֹשְׁעֵי יִשְׂרָאֵל, בְּכֻלָּם מְחַפְּשִׂים וּמוֹצְאִים בְּחָכְמָתָם נְקֻדּוֹת טוֹבוֹת, וּמְלַקְּטִים וּמְקַבְּצִים אוֹתָם "אַחַת לְאַחַת לִמְצֹא חֶשְׁבּוֹן". וּמַכְנִיסִים גַּם אוֹתָם בְּכַף זְכוּת, וּבוֹנִים מֵהֶם בִּנְיָנִים דִּקְדֻשָּׁה נִפְלָאִים וְנוֹרָאִים. וּמַעֲלִים לְפָנֶיךָ שַׁעֲשׁוּעִים גְּדוֹלִים שֶׁלֹּא עָלוּ לְפָנֶיךָ מִימוֹת עוֹלָם.

וְזוֹכִין לַעֲשׂוֹת זְמִירוֹת וְנִגּוּנִים קְדוֹשִׁים עַל־יְדֵי קִבּוּץ הַטּוֹב הַזֶּה מִמְּקוֹמוֹת הָאֵלֶּה.

Master of the world, help me follow in the footsteps of the true Tzaddikim who speak on behalf of the entire Jewish people and toil with all their might to find merit and goodness within even the lowliest Jew. When I look at a wicked person, may I seek the good points in him and judge him favorably. As I do so, may I restore him to the side of merit and induce him to repent completely.

The Tzaddikim Who Seek the Good in Everyone

Help us come close to the true Tzaddikim who, in their wisdom, constantly seek good points within all Jews, even Jewish sinners. They gather the good points of each individual, bringing him to the side of merit. In that way, they build wondrous and awesome spiritual structures of holiness, raising before You delights that had not arisen from the earliest days.

By gathering together this good, they create holy songs and melodies.

רִבּוֹנוֹ שֶׁל עוֹלָם, מָלֵא רַחֲמִים, זַכֵּנוּ לְהִתְקָרֵב לַצַּדִּיקִים הָאֵלּוּ, וְזַכֵּנוּ לְהִכָּלֵל בָּהֶם וְלִשְׁמֹעַ תְּפִלָּתָם הַקְּדוֹשָׁה שֶׁל צַדִּיקִים נוֹרָאִים הָאֵלּוּ.

אֲשֶׁר רַק הֵם יוֹדְעִים לְהִתְפַּלֵּל בִּשְׁבִיל כְּלָל יִשְׂרָאֵל, וְלֵירֵד לִפְנֵי הַתֵּבָה לְהוֹצִיא אֶת הָרַבִּים יְדֵי חוֹבָתָן, לְקַבֵּץ כָּל הַטּוֹב וְכָל הַנְּקֻדּוֹת טוֹבוֹת מִכָּל אֶחָד וְאֶחָד מֵהַמִּתְפַּלְּלִין, וּלְהִתְפַּלֵּל עִם כָּל הַטּוֹב הַזֶּה לְפָנֶיךָ מָלֵא רַחֲמִים, וְלַהֲפֹךְ מִדַּת הַדִּין לְמִדַּת הָרַחֲמִים.

זַכֵּנוּ בַּחֲסָדֶיךָ הַגְּדוֹלִים וְרַחֲמֶיךָ הָעֲצוּמִים, שֶׁנִּהְיֶה נִכְלָלִים בִּתְפִלּוֹת הַצַּדִּיקִים הָאֵלּוּ. וְהֵם יִתְפַּלְּלוּ בַּעֲדֵנוּ תָּמִיד.

וְאַל יִתְּנוּ דֳּמִי לָךְ עַד אֲשֶׁר תְּרַחֵם גַּם עָלֵינוּ עַל כָּל אֶחָד וְאֶחָד. וְתַאַסְפֵנוּ אֵלֶיךָ הַבַּיְתָה, וְתַכְנִיסֵנוּ לְכַף זְכוּת בֶּאֱמֶת. וּתְשַׂמֵּחַ אֶת נַפְשֵׁינוּ תָּמִיד. וְתַחֲזִירֵנוּ בִּתְשׁוּבָה שְׁלֵמָה לְפָנֶיךָ בֶּאֱמֶת, מֵעַתָּה וְעַד עוֹלָם.

וּבְכֵן תְּרַחֵם עָלֵינוּ וְעַל זַרְעֵנוּ וְעַל כָּל זֶרַע עַמְּךָ בֵּית יִשְׂרָאֵל, וְתָגֵן וְתִשְׁמֹר וְתַצִּיל אֶת כָּל יַלְדֵי עַמְּךָ בֵּית יִשְׂרָאֵל, מִן כָּל הַכִּתּוֹת הָרָעוֹת שֶׁל הַחֲכָמִים לְהָרַע הַמִּתְפַּשְּׁטִים עַתָּה בָּעוֹלָם בַּעֲווֹנוֹתֵינוּ הָרַבִּים, כַּאֲשֶׁר אַתָּה יָדַעְתָּ.

Clinging to the Holy Tzaddikim

Master of the world, help me come close to these awesome Tzaddikim and hear their holy prayers.

They are the only ones who know how to pray on behalf of the entire Jewish people. They lead the prayers to help the multitudes fulfill their obligation. They gather all of the good points from every member of the congregation, and as they pray before You with all of this goodness, they transform Your trait of judgment to that of compassion.

May we be absorbed into the prayers of these Tzaddikim. May they always pray on our behalf.

They will not allow You to remain silent, but they will pray until You gather us to You, bring us to the side of merit, gladden our spirit always, and restore us to You with complete repentance forever.

Overcoming the Heretics

Protect all of the children of Your nation, the House of Israel, from those groups of Jews who are "wise for the sake of evil," who presently proliferate in the world.

הֵן מִכִּתּוֹת הָאַפִּיקוֹרְסִים הָעוֹסְקִים בְּחָכְמוֹת חִיצוֹנִיּוֹת וּלְשׁוֹן עִלְּגִים שֶׁל הָעַכּוּ"ם, הַמִּתְגַּבְּרִים בְּכָל עֵת לְחַנֵּךְ נַעֲרֵי בְּנֵי יִשְׂרָאֵל בְּדַרְכֵיהֶם הָרָעִים וְהַמָּרִים, לְהַרְחִיקָם מִלִּמּוּד תּוֹרָה שֶׁבְּעַל פֶּה, וְלִבְלִי לִלְמֹד כִּי אִם תְּנַ"ךְ עִם חָכְמַת הַדִּקְדּוּק. וְגַם זֶה רַק שָׁעָה מוּעֶטֶת בַּיּוֹם, וּלְבַלּוֹת עִקָּר הַזְּמַן עַל לִמּוּד חָכְמוֹת חִיצוֹנִיּוֹת וּלְשׁוֹנוֹת, הָעוֹקְרִים אֶת הָאָדָם מִשְּׁנֵי עוֹלָמוֹת.

אוֹי לָעֵינַיִם שֶׁכָּךְ רוֹאוֹת, אוֹי לָאָזְנַיִם שֶׁכָּךְ שׁוֹמְעוֹת.

וְהֵן מִשְּׁאָר כִּתּוֹת שֶׁל חֲכָמִים בְּעֵינֵיהֶם, הַמִּתְלוֹצְצִים מֵהַתְּמִימִים בְּדַרְכֵיהֶם, הָעוֹסְקִים בַּעֲבוֹדַת יְיָ וּבְתוֹרָתוֹ בִּפְשִׁיטוּת בִּתְמִימוּת בְּלִי חָכְמוֹת שֶׁל הֶבֶל, כַּאֲשֶׁר הוֹרוּ לָנוּ אֲבוֹתֵינוּ וְרַבּוֹתֵינוּ הַקְּדוֹשִׁים.

אֲשֶׁר רַבִּים קָמִים נֶגְדָּם, וּפוֹרְשִׂים רֶשֶׁת לְרַגְלָם, לְהַטּוֹת אוֹתָם מִנִּי דֶּרֶךְ הַיָּשָׁר וְהַכָּבוּשׁ מִכְּבָר, לִבְדּוֹת מִלִּבָּם חָכְמוֹת

There are heretics who engage in the study of secular subjects and the vulgar languages of the gentiles. They steadily campaign to educate Jewish youth in their evil and bitter ways, in order to distance them from learning the Oral Torah. Instead, they want the youth to learn no more than Tanakh[11] and Hebrew grammar, and even that for just a short period every day, followed by secular studies and gentile languages—a course of study that uproots a person from both worlds.

Woe to the eyes that see this! Woe to the ears that hear this!

There are other groups of Jews who are wise in their own eyes, who mock those who serve You and learn Your Torah wholeheartedly without worthless studies, as we were taught to do by our holy fathers and rabbis.

Many such groups now rise up against pious Jews and spread a net around their feet in order to drag them away from the straight and well-trodden path. These groups concoct wisdoms that

---

11 An acronym for *Torah, Nevi'im, Ketuvim* (Torah, Prophets, Writings), comprising the twenty-four books of the Hebrew Bible.

שֶׁל שְׁטוּת וְלֵצָנוּת, לְבַלְבֵּל וּלְהַחֲלִישׁ חַס וְשָׁלוֹם דַּעַת הַתְּמִימִים וְהַיְשָׁרִים בְּלִבּוֹתָם.

יְיָ אֱלֹהִים אַתָּה יָדַעְתָּ אֶת כָּל זֶה, כַּמָּה וְכַמָּה מַזִּיקִים לַעֲבוֹדָתְךָ חָכְמוֹת כָּאֵלּוּ, רַחֵם עָלֵינוּ וְעַל זַרְעֵנוּ וְעַל כָּל זֶרַע עַמְּךָ בֵּית יִשְׂרָאֵל, וּשְׁמֹר וְהַצֵּל כָּל יַלְדֵי עַמְּךָ בֵּית יִשְׂרָאֵל מִכָּל הַכִּתּוֹת הָרָעוֹת הָאֵלֶּה, שֶׁלֹּא יִתָּפְסוּ בְּרִשְׁתָּם בִּימֵי נְעוּרֵיהֶם.

וְתַעֲזֹר וְתָגֵן וְתוֹשִׁיעַ לָנוּ בְּכָל עֵת, וְתוֹרֵנוּ וּתְלַמְּדֵנוּ תָּמִיד שֶׁנִּזְכֶּה לֵידַע אֵיךְ לְהִתְנַהֵג עִם בָּנֵינוּ וְזַרְעֵינוּ מִקַּטְנוּתָם, אֵיךְ לְשָׁמְרָם וּלְמַלֵּט נַפְשָׁם מִן הַכִּתּוֹת הָרָעוֹת הָאֵלֶּה, וּלְחַנְּכָם לְטוֹבָה בִּדְרָכֶיךָ הַקְּדוֹשִׁים וְהָאֲמִתִּיִּים, שֶׁיֵּלְכוּ בְּדֶרֶךְ הַיָּשָׁר וְהָאֱמֶת בִּתְמִימוּת וּפְשִׁיטוּת כִּרְצוֹנְךָ הַטּוֹב בֶּאֱמֶת, כַּאֲשֶׁר קִבַּלְנוּ מֵאֲבוֹתֵינוּ וְרַבּוֹתֵינוּ הַקְּדוֹשִׁים.

וְנִזְכֶּה לְהוֹדִיעַ לְכָל בָּנֵינוּ וְדוֹרוֹתֵינוּ הַבָּאִים אַחֲרֵינוּ וּלְכָל דּוֹרוֹת זֶרַע יִשְׂרָאֵל, אֶת כָּל מַעֲשֵׂי יְיָ הַגָּדוֹל אֲשֶׁר עָשִׂיתָ עִמָּנוּ מִימֵי אֲבוֹתֵינוּ עַד הֵנָּה בְּכָל דּוֹר וָדוֹר. "לְמַעַן יֵדְעוּ דּוֹר אַחֲרוֹן בָּנִים יִוָּלֵדוּ יָקֻמוּ וִיסַפְּרוּ לִבְנֵיהֶם".

וְנִזְכֶּה לְקַיֵּם בִּשְׁלֵמוּת מִקְרָא שֶׁכָּתוּב: "וְהוֹדַעְתָּם לְבָנֶיךָ וְלִבְנֵי בָנֶיךָ", לְהוֹדִיעַ לָהֶם קְדֻשַּׁת אֱמוּנָתֵנוּ הַקְּדוֹשָׁה וְהַטְּהוֹרָה וְהַתְּמִימָה.

are in truth foolishness and mockery, in order to confuse and weaken those who are straight and wholehearted.

Guarding the Purity of the Children

HaShem, You know how damaging these studies are to serving You. Guard the youth of Your nation, the House of Israel, from being caught in the net of these evil camps.

Teach us how to raise our children, how to guard them and rescue their souls from these evil camps, how to educate them for the good in Your holy and true ways, so that they will walk on the straight and true path with a whole heart and simplicity, in accordance with Your will, as we were taught by our holy fathers and rabbis.

May we tell our children and the generations that come after us all that You have done for us from the days of our fathers to the present day, "so that the last generation may know, sons will be born and arise and tell their own sons."

"You should make them known to your children and to your children's children." May we teach our children our holy, pure and wholehearted faith.

וּתְרַחֵם עַל כָּל יַלְדֵי עַמְּךָ בֵּית יִשְׂרָאֵל מִקַּטְנוּתָם, שֶׁיִּזְכּוּ לְקַבֵּל הֶבֶל פִּיהֶם שֶׁאֵין בּוֹ חֵטְא מֵהַמִּשְׁכָּנוֹת הַקְּדוֹשִׁים שֶׁל הַצַּדִּיקִים הָאֲמִתִּיִּים, אֲשֶׁר כָּל אֶחָד וְאֶחָד בּוֹנֶה מִשְׁכָּן קָדוֹשׁ. אֲשֶׁר מִשָּׁם מְקַבְּלִים הַתִּינוֹקוֹת שֶׁל בֵּית רַבָּן הֶבֶל פִּיהֶם הַקָּדוֹשׁ שֶׁאֵין בּוֹ חֵטְא:

רִבּוֹנוֹ שֶׁל עוֹלָם אַתָּה יוֹדֵעַ אֶת כָּל הַמַּעֲשֶׂה אֲשֶׁר נַעֲשֶׂה עַכְשָׁו בָּעוֹלָם בַּדּוֹרוֹת הַלָּלוּ בְּעִנְיַן הַתִּינוֹקוֹת שֶׁל בֵּית רַבָּן, אֲשֶׁר כָּל הָעוֹלָם אֵינוֹ מִתְקַיֵּם אֶלָּא עַל הֶבֶל פִּיהֶם הַקָּדוֹשׁ שֶׁאֵין בּוֹ חֵטְא, וְרַבִּים קָמִים עֲלֵיהֶם לְבַלְבֵּל וּלְקַלְקֵל חַס וְשָׁלוֹם הֶבֶל פִּיהֶם הַקָּדוֹשׁ מִנְּעוּרֵיהֶם, עַל יְדֵי חָכְמָתָם הָרָעוֹת. רַחֵם עֲלֵיהֶם וְעָלֵינוּ לְמַעַנְךָ, וְהָגֵן בַּעֲדֵיהֶם וְשָׁמְרֵם וְהַצִּילֵם מִכָּל מִינֵי חִנּוּכִים הָרָעִים שֶׁל כָּל מִינֵי דְרָכִים שֶׁאֵינָם יְשָׁרִים בְּעֵינֶיךָ.

אַתָּה יְיָ תִּשְׁמְרֵם תִּצְּרֶנּוּ מִן הַדּוֹר זוּ לְעוֹלָם. חֲמוֹל עַל פְּלֵיטַת יַלְדֵי עַמְּךָ בֵּית יִשְׂרָאֵל, אֲשֶׁר אֵין לָנוּ עַל מָה לְהִשָּׁעֵן כִּי אִם עַל זְכוּת הֶבֶל פִּיהֶם הַקָּדוֹשׁ שֶׁאֵין בּוֹ חֵטְא. רַחֵם עֲלֵיהֶם וְעָלֵינוּ, שֶׁיִּזְכּוּ כָּל יַלְדֵי עַמְּךָ בֵּית יִשְׂרָאֵל שֶׁכָּל אֶחָד וְאֶחָד יְקַבֵּל הֶבֶל פִּיו שֶׁאֵין בּוֹ חֵטְא מֵהַמִּשְׁכָּן הַקָּדוֹשׁ שֶׁל הַצַּדִּיק הָאֱמֶת הַשַּׁיָּךְ אֵלָיו כְּפִי שֹׁרֶשׁ נִשְׁמָתוֹ, בְּאֹפֶן שֶׁיִּזְכּוּ עַל יָדוֹ לֵילֵךְ וּלְהִתְחַנֵּךְ בַּעֲבוֹדַת הַשֵּׁם יִתְבָּרַךְ וְלִכְנֹס

Have compassion on Your entire nation, the House of Israel, from their childhood, so that the children will receive their breath, which is without sin, from the spiritual tabernacle built by the true Tzaddikim.

The Tzaddikim and the Children

Master of the world, many people are trying to damage the breath of the holy mouths of schoolchildren, which is without sin. Shield these children from every sort of education that is wicked and wrong in Your eyes.

May all Jewish children receive the pure breath of their mouths from the holy tabernacle of the true Tzaddik who is connected to the root of their souls. May they be educated to serve

בְּתוֹרַת יְיָ בֶּאֱמֶת, שֶׁיִּזְכּוּ לִלְמֹד תּוֹרָה לִשְׁמָהּ וְלַהֲגוֹת בָּהּ יוֹמָם וָלַיְלָה. וְתִפְתַּח אֶת לִבָּם בְּתַלְמוּד תּוֹרָתֶךָ.

וְתִתֵּן לָהֶם בִּינָה בְּלִבָּם לְהָבִין וּלְהַשְׂכִּיל לִשְׁמֹעַ לִלְמֹד וּלְלַמֵּד לִשְׁמֹר וְלַעֲשׂוֹת וּלְקַיֵּם אֶת כָּל דִּבְרֵי תוֹרָתְךָ בְּאַהֲבָה, וְהָאֵר עֵינֵיהֶם בְּתוֹרָתֶךָ וְדַבֵּק לִבֵּיהֶם בְּמִצְוֹתֶיךָ. וְתַאֲרִיךְ יְמֵיהֶם וּשְׁנוֹתֵיהֶם בַּטּוֹב וּבַנְּעִימִים. וְתִהְיֶה עִמָּהֶם תָּמִיד וְתַעַזְרֵם וְתוֹשִׁיעֵם שֶׁיִּזְכּוּ לְעָבְדְךָ בֶּאֱמֶת כָּל יְמֵיהֶם לְעוֹלָם:

רִבּוֹנוֹ שֶׁל עוֹלָם מָלֵא רַחֲמִים, יוֹדֵעַ תַּעֲלוּמוֹת, זַכֵּנוּ לִפְעֹל בַּקָּשָׁתֵנוּ בְּרַחֲמִים אֶצְלְךָ, בִּזְכוּת וְכֹחַ הַצַּדִּיקֵי אֱמֶת הַגְּדוֹלִים בְּמַעֲלָה, הָעוֹסְקִים לָדוּן אֶת כָּל הָעוֹלָם לְכַף זְכוּת תָּמִיד, וּלְחַפֵּשׂ וּלְבַקֵּשׁ וְלִמְצֹא נְקֻדּוֹת טוֹבוֹת בְּכָל אֶחָד וְאֶחָד מִיִּשְׂרָאֵל אֲפִלּוּ בְּהַגָּרוּעַ שֶׁבַּגְּרוּעִים, וּלְקַבֵּץ כָּל הַטּוֹב הַזֶּה וּלְהִתְפַּלֵּל עִם כָּל הַטּוֹב הַזֶּה לְפָנֶיךָ לְהַמְתִּיק וּלְבַטֵּל כָּל הַדִּינִים שֶׁבָּעוֹלָם.

אֲשֶׁר אֵלּוּ הַצַּדִּיקִים רוֹאִים וּמְבִינִים כָּל הַבְּחִינוֹת בִּכְלָל וּבִפְרָט שֶׁיֵּשׁ בְּעִנְיַן הַתִּינוֹקוֹת שֶׁל בֵּית רַבָּן, כִּי הֵם רוֹאִין הֵיכָן הַתִּינוֹקוֹת קוֹרִין, וּמֵאֵיזֶה צַדִּיק מְקַבֵּל כָּל תִּינוֹק וְתִינוֹק הֶבֶל פִּיו שֶׁאֵין בּוֹ חֵטְא, וְכַמָּה וְכַמָּה מְקַבְּלִים מִמֶּנּוּ, וְכָל הַבְּחִינוֹת שֶׁיֵּשׁ בָּזֶה, וְהַדּוֹר שֶׁיֵּצֵא מֵהֶם עַד הַסּוֹף.

You and learn Torah for its own sake, studying it day and night until their hearts are opened.

Help them comprehend and keep all of the words of Your Torah with love. Illumine their eyes in Your Torah. Cause their hearts to cling to Your mitzvot. Lengthen their years in goodness and pleasantness. Help them serve You all of their days.

The Tzaddikim Protect the Schoolchildren

Master of the world, give us what we ask of You in the merit and power of the true and great Tzaddikim, who are always engaged in judging the world favorably, who look for good points in every Jew—even in the lowest of the low—who gather these good points together and pray together with them in order to sweeten and nullify all judgments.

These Tzaddikim see and understand all levels—overall and in detail—that relate to schoolchildren. They see what the children are learning and from which Tzaddik they receive the breath of their mouths, which is without sin, and how much they receive from him, and the generations that will come forth from them until the coming of the Mashiach.

בִּזְכוּת וְכֹחַ אֵלּוּ הַצַּדִּיקִים, עֲזֹר וְהוֹשִׁיעַ לָנוּ וּלְכָל יַלְדֵי עַמְּךָ בֵּית יִשְׂרָאֵל, וְזַכֵּנוּ לִפְעֹל כָּל מַה שֶּׁבִּקַּשְׁנוּ מִלְּפָנֶיךָ, וּמַלֵּא מִשְׁאֲלוֹתֵינוּ לְטוֹבָה בְּרַחֲמִים:

מָרָא דְעָלְמָא כֹּלָּא, זַכֵּנִי לְכַנֵּס בֶּאֱמֶת לְכַף זְכוּת, בְּאֹפֶן שֶׁאֶזְכֶּה מֵעַתָּה לָשׁוּב בִּתְשׁוּבָה שְׁלֵמָה לְפָנֶיךָ בֶּאֱמֶת.

זַכֵּנִי בִּזְכוּת כָּל הַצַּדִּיקִים הָאֲמִתִּיִּים שֶׁהָיוּ בְּכָל דּוֹר וָדוֹר, וּבִזְכוּת כָּל הַצַּדִּיקִים הָאֲמִתִּיִּים שֶׁבַּדּוֹר הַזֶּה.

וְעָזְרֵנִי, וְהוֹשִׁיעֵנִי וְלַמְּדֵנִי וְהוֹרֵנִי בְּכָל עֵת עֵצוֹת אֲמִתִּיּוֹת, בְּאֹפֶן שֶׁאֶזְכֶּה לְשַׂמֵּחַ אֶת נַפְשִׁי בְּכָל עֵת עַל־יְדֵי דַּרְכֵי הַתּוֹרָה הַזֹּאת. וְלִבְלִי לְהָנִיחַ אֶת הָעַצְבוּת וְהַמָּרָה שְׁחוֹרָה לִכָּנֵס בִּי וְלֹא לִגַּע בִּי כְּלָל, רַק אֶזְכֶּה לִהְיוֹת בְּשִׂמְחָה תָּמִיד בֶּאֱמֶת בְּכָל לֵב וָנֶפֶשׁ.

וְתִתֵּן שִׂמְחָה בְּלִבִּי עַל יְדֵי דַּרְכֵי הַתּוֹרָה הַזֹּאת. וְאֶזְכֶּה לִהְיוֹת אַךְ שָׂמֵחַ תָּמִיד, עַל יְדֵי כָּל נְקֻדָּה וּנְקֻדָּה טוֹבָה שֶׁזָּכִיתִי מֵעוֹדִי עַד הַיּוֹם הַזֶּה לִגְרֹם אֵיזֶה נַחַת רוּחַ לְפָנֶיךָ.

וְתַעַזְרֵנִי וְתוֹשִׁיעֵנִי שֶׁאֶזְכֶּה גַּם לְשַׂמֵּחַ אֲחֵרִים, וְתוֹרֵנִי וּתְלַמְּדֵנִי דַּעַת וּתְבוּנָה, בְּאֹפֶן שֶׁאֶזְכֶּה לָזֶה, לְשַׂמֵּחַ נַפְשׁוֹת עַמְּךָ יִשְׂרָאֵל בְּכָל עֵת, וּלְדוּנָם לְכַף זְכוּת תָּמִיד, עַד שֶׁיִּזְכּוּ כֻּלָּם לָשׁוּב אֵלֶיךָ בֶּאֱמֶת וּבְשִׂמְחָה.

In the merit and power of those Tzaddikim, help us and all of the children of Your nation, the Jewish people, attain all that we have requested of You, for the good.

May All Jews Be Judged Favorably

Master of the world, in the merit of the true Tzaddikim of past generations and of this generation, help me come to the side of merit and return to You completely.

At every moment, give me true counsel to find the good within myself, so that I will gladden my spirit and never allow sadness to touch me. May I be only joyful, with all my heart and soul.

Place joy in my heart as I seek every good point that I have attained from the beginning of my lifetime to this day, with which I have given You pleasure.

In addition, grant me the knowledge and understanding to give joy to Your nation, the Jewish people, by judging them favorably, until all of them will return to You joyfully.

ויקַיֵּם מְהֵרָה מִקְרָא שֶׁכָּתוּב: "וְנָתַתִּי לָכֶם לֵב חָדָשׁ וְרוּחַ חֲדָשָׁה אֶתֵּן בְּקִרְבְּכֶם וַהֲסִירוֹתִי אֶת לֵב הָאֶבֶן מִבְּשַׂרְכֶם וְנָתַתִּי לָכֶם לֵב בָּשָׂר, וְעָשִׂיתִי אֶת אֲשֶׁר בְּחֻקַּי תֵּלֵכוּ וּמִשְׁפָּטַי תִּשְׁמְרוּ וַעֲשִׂיתֶם".

וְנִזְכֶּה לַעֲבֹד אֶת יְיָ בְּשִׂמְחָה וְלָבֹא לְפָנָיו בִּרְנָנָה, וִיקַיֵּם מִקְרָא שֶׁכָּתוּב: "יִשְׂמַח יִשְׂרָאֵל בְּעוֹשָׂיו בְּנֵי צִיּוֹן יָגִילוּ בְמַלְכָּם", וְנֶאֱמַר: "אָשִׁירָה לַיהוָה בְּחַיָּי אֲזַמְּרָה לֵאלֹהַי בְּעוֹדִי יֶעֱרַב עָלָיו שִׂיחִי אָנֹכִי אֶשְׂמַח בַּיהוָה. יִתַּמּוּ חַטָּאִים מִן הָאָרֶץ וּרְשָׁעִים עוֹד אֵינָם, בָּרְכִי נַפְשִׁי אֶת יְיָ הַלְלוּיָהּ":

May the verse quickly be realized, "I will give you a new heart and place a new spirit in your midst. I will remove the heart of stone from your flesh and give you a heart of flesh. I will place My spirit in your midst and cause you to obey My ordinances and keep and perform My laws."

May we serve You with joy and come before You with singing.

May the verse be realized, "Israel will rejoice in its Maker; the children of Zion will be glad in their King."

"I will sing to HaShem with my life; I will sing to my God with my being. May my speech be sweet to Him; I will rejoice in HaShem. Sinners will be erased from the land and the wicked will be no more. My spirit, bless HaShem. Halleluyah!"

91 (157)

This Paltry World

Once a person has clung to the words of Torah that come from the mouth of the Tzaddik, it is astonishing that afterward he can still tolerate and even desire the life of this world.

לז׳ אדר הילולא דמשה רבינו ע״ה

יְהִי רָצוֹן מִלְּפָנֶיךָ יְיָ אֱלֹהַי וֵאלֹהֵי אֲבוֹתַי, שֶׁתְּזַכֵּנִי לְהִתְדַּבֵּק בְּתוֹרָתְךָ הַקְּדוֹשָׁה.

וְתִפְתַּח אֶת לִבִּי וְדַעְתִּי עַד שֶׁאֶזְכֶּה לִשְׁמֹעַ וּלְהָבִין הֵיטֵב בִּלְבָבִי אֶת כָּל דִּבְרֵי תוֹרָתְךָ הַקְּדוֹשָׁה וְהַטְּהוֹרָה וְהַתְּמִימָה, הַמְּשִׁיבַת נֶפֶשׁ וּמַחְכִּימַת פֶּתִי וּמְשַׂמַּחַת לֵב וּמְאִירַת עֵינַיִם וְעוֹמֶדֶת לָעַד וְצָדְקוּ יַחְדָּו.

וְאֶזְכֶּה לְהַרְגִּישׁ הֵיטֵב נִפְלְאוֹת נְעִימַת עֲרֵבַת מְתִיקַת חִדּוּשֵׁי הַתּוֹרָה הַקְּדוֹשִׁים וְהַנּוֹרָאִים מְאֹד, שֶׁגִּלּוּ כָּל הַצַּדִּיקִים הָאֲמִתִּיִּים, הַמְחַיִּין כָּל הָעוֹלָמוֹת.

וְאֶזְכֶּה לֵהָנוֹת וּלְהִתְעַנֵּג עַל יְיָ בְּדִבְרֵי תוֹרָתְךָ הַקְּדוֹשָׁה, עַד אֲשֶׁר אָקוּץ וְאֶמְאַס בְּחַיֵּי עוֹלָם הַזֶּה וּבְתַאֲוֹתָיו וַהֲבָלָיו, וְיִתְבַּטְּלוּ כָּל חַיֵּי עוֹלָם הַזֶּה אֶצְלִי לְגַמְרֵי, עַל יְדֵי עֹצֶם הַהֲנָאָה וְהַתַּעֲנוּג וְהַשַּׁעֲשׁוּעַ שֶׁאֶזְכֶּה לֵהָנוֹת וּלְהִתְעַנֵּג מִדִּבְרֵי תוֹרָתְךָ הַקְּדוֹשָׁה וְהַנּוֹרָאָה, אֲשֶׁר כָּל דְּבָרֶיהָ חַיִּים וְקַיָּמִים נֶאֱמָנִים וְנֶחֱמָדִים לָעַד, וְנֶחֱמָדִים מִזָּהָב וּמִפָּז רָב, וּמְתוּקִים מִדְּבַשׁ וְנֹפֶת צוּפִים.

כִּי בֶּאֱמֶת מֵרָחוֹק נִרְאָה לִי בְּדַעְתִּי נְעִימַת עַמְקוּת דִּבְרֵי תוֹרָתְךָ, אֲשֶׁר כָּל דִּבּוּר וְדִבּוּר עוֹלֶה עַד אֵין סוֹף וְיוֹרֵד

For the Seventh of Adar, the Yahrtzeit of Moses

HaShem, my God and God of my fathers, help me cling to Your holy Torah.

Open my heart and my mind so that I will understand all of the words of Your pure, perfect Torah, which restores the soul, grants wisdom to the foolish, gladdens the heart, enlightens the eyes, stands forever and is altogether just.

May I feel the wondrous sweetness of the awesome Torah insights revealed by the true Tzaddikim, who give life to all the worlds.

May I take so much delight in You through the words of Your holy Torah that I am repelled by the life of this world, by its lusts and vanities. May all of the life of this world be as nothing to me because of the great pleasure that I take in the words of Your Torah, all of which are alive and strong, faithful and delightful forever, more beloved than gold and fine gold, sweeter than honey and the honeycomb.

As from a distance, my mind senses the sweet profundity of the words of Your Torah, whose every phrase rises to the infinite heights

עַד אֵין תַּכְלִית, וּמְקַשֵּׁר וּמְחַבֵּר וְכוֹלֵל כָּל הָעוֹלָמוֹת יַחַד, וְנוֹתֵן עֵצוֹת נִפְלָאוֹת לְכָל דָּרֵי מַעְלָה וְדָרֵי מַטָּה אֵיךְ לִזְכּוֹת לְהַכִּיר אוֹתְךָ תִּתְבָּרַךְ, וּלְהִתְדַּבֵּק בְּךָ בֶּאֱמֶת.

"מַה גָּדְלוּ מַעֲשֶׂיךָ יְיָ מְאֹד עָמְקוּ מַחְשְׁבוֹתֶיךָ". וְאִם הָיִינוּ זוֹכִים לִשְׁמֹעַ וּלְהַטּוֹת אָזְנֵינוּ וְלִבֵּנוּ הֵיטֵב לְדִבּוּר אֶחָד מִתּוֹרָתְךָ הַקְּדוֹשָׁה אֲשֶׁר גִּלִּיתָ לָנוּ עַל יְדֵי מֹשֶׁה עַבְדֶּךָ, וְעַל יְדֵי כָּל הַצַּדִּיקִים הָאֲמִתִּיִּים שֶׁהָיוּ בְּכָל דּוֹר וָדוֹר עַד הַיּוֹם הַזֶּה הָיִינוּ מִתְבַּטְּלִים לְגַמְרֵי.

אַךְ בַּעֲווֹנוֹתֵינוּ הָרַבִּים אֵין אָנוּ זוֹכִים לְהַכְנִיס הַדַּעַת בַּלֵּב, וּלְבַטֵּל תַּאֲוֹת הַלֵּב עַל יְדֵי זֶה, כִּי לִבֵּנוּ מָלֵא מַחְשְׁבוֹת חוּץ, תַּאֲוֹת וּבִלְבּוּלִים וְהִרְהוּרִים וַעֲקְמִימִיּוּת שֶׁבַּלֵּב, עַד אֲשֶׁר לִבֵּנוּ רָחוֹק מְאֹד מִדִּבְרֵי תוֹרָתְךָ הַקְּדוֹשָׁה, עַל כֵּן אֵין אָנוּ מַרְגִּישִׁין נְעִימוּת מְתִיקוּת אִמְרוֹתֶיהָ הַטְּהוֹרִים:

אָנָּא אָדוֹן יָחִיד, הַמְלַמֵּד תּוֹרָה לְעַמּוֹ יִשְׂרָאֵל, רַחֵם עָלֵינוּ לְמַעַן שְׁמֶךָ, וְתִפְתַּח לִבֵּנוּ בְּתַלְמוּד תּוֹרָתֶךָ. וְזַכֵּנוּ שֶׁנְּדַבֵּק לִבֵּנוּ בֶּאֱמֶת בְּדִבְרֵי תוֹרָתְךָ הַקְּדוֹשָׁה, עַד שֶׁנִּזְכֶּה לֵהָנוֹת וּלְהִתְעַנֵּג מְאֹד מִדִּבְרֵי תוֹרָתְךָ הַקְּדוֹשָׁה עַד שֶׁיִּהְיֶה נִמְאָס אֶצְלֵנוּ עַל יְדֵי זֶה כָּל חַיֵּי עוֹלָם הַזֶּה וְתַאֲווֹתָיו וַהֲבָלָיו וְנִזְכֶּה לְחַיִּים טוֹבִים וַאֲרוּכִים בֶּאֱמֶת לְהִתְדַּבֵּק בְּךָ וּבְתוֹרָתְךָ

and descends to the endless depths, unifying all worlds and giving wondrous counsel to those who dwell in Heaven and those who dwell on earth, teaching them how to know You and cling to You.

"How great are Your deeds, HaShem; how very deep are Your thoughts."

If we were to bend our ears and turn our hearts to one phrase of Your holy Torah, which You revealed to us through Moses and all the true Tzaddikim in every generation until this day, we would become as nothing.

But because of our many sins, we do not bring that awareness into our hearts to eliminate our desires. And so our hearts remain filled with other thoughts, longings, confusions and contortions, far from the words of Your holy Torah, the sweetness of whose pure words we do not feel.

The Pleasant Words of Torah

Sole Master of the world, You Who teach Torah to Your nation, the Jewish people, open our hearts to learn Your holy Torah so that we will cling to its words and take delight in them, to the point that all of the desires and vanities of this world will be repulsive to us and we will instead cling to You, Your Torah and Your holy

וּבְמִצְוֹתֶיךָ הַקְּדוֹשִׁים לְעוֹלָם וָעֶד. וְלֹא נָסוּר מֵרְצוֹנְךָ יָמִין וּשְׂמֹאל.

הַעֲרֶב נָא יְיָ אֱלֹהֵינוּ אֶת דִּבְרֵי תוֹרָתְךָ בְּפִינוּ, וְנִהְיֶה אֲנַחְנוּ וְצֶאֱצָאֵינוּ וְצֶאֱצָאֵי עַמְּךָ בֵּית יִשְׂרָאֵל כֻּלָּנוּ יוֹדְעֵי שְׁמֶךָ וְלוֹמְדֵי תוֹרָתְךָ לִשְׁמָהּ, עַד אֲשֶׁר נִזְכֶּה "לַחֲזוֹת בְּנֹעַם יְיָ וּלְבַקֵּר בְּהֵיכָלוֹ", מֵעַתָּה וְעַד עוֹלָם אָמֵן סֶלָה:

commandments forever, never turning aside from Your will, either to the right or the left.

HaShem, make the words of Your Torah pleasant in our mouths.

May we, our children, and Your entire nation, the House of Israel, know Your Name and learn Your Torah for its own sake, until we will "gaze upon the pleasantness of HaShem and visit in His palace," from now on and forever. Amen, selah.

92 (72)

Gaining a New Evil Inclination and Overcoming It / The Tzaddik's Evil Inclination is a Holy Angel / A Tzaddik Must Sweeten Judgment / Overcoming Troubles by Overcoming One's Evil Inclination / Too Much Holy Passion is Also a Type of Evil Inclination

---

Sometimes goodness awakens in a person and causes him to experience thoughts of repentance. He then engages in good deeds, which kills his evil inclination. As he becomes a good and pious person, he wants to grow more spiritual—particularly by traveling to a Tzaddik.

But as he makes his way to the Tzaddik and reaches him, he loses his original urge to connect to the Tzaddik. Why does this happen? In keeping with the principle that "the greater a person, the greater his evil inclination," another even greater and, in a sense, more refined evil inclination has now arisen and is attacking him. In order to keep from losing his initial, idealistic urge, a person must overcome this new evil inclination.

Regarding the concept of a "greater" evil inclination, most people are low and coarse, and their evil inclination is correspondingly low and coarse. But a Tzaddik views this coarse evil inclination as foolish and mad. He requires no special strength to overcome it, even if it entices him with what people ordinarily think of as an overwhelming compulsion—for example, sexual temptation. A person who is not so low and coarse also has an evil inclination, but one that is a relatively subtle "husk." And a Tzaddik has an evil inclination that is the supernal root of all other evil inclinations. This is a holy angel on the level of Heavenly judgment.

The Tzaddik is faced with the task of overcoming his evil inclination and, in doing so, sweetening the judgments against him. Should he fail to accomplish this, he is considered to have "sinned." This was the case with King David. The only sin that he committed in connection with Bathsheba was to be imperfect in the supernal realm of holy judgments. In a subtle way, he failed to sweeten the evil inclination in Heaven.

When a Tzaddik does sweeten judgment, he is absorbed into the Infinite One—compared to Whom everything else, even the supernal "crown," is dark. In that realm, everything is good and without judgment.

The reason that a human being has the power to break his evil inclination is that God impressed this ability into the world. Our sages teach that God originally intended to create the world solely with the attribute of judgment, but then He broke His attribute of judgment and partnered it with the attribute of compassion. God's attribute of judgment corresponds to the evil inclination. Just as God created the dynamic of breaking His judgment, so too, a person can break his evil inclination.

If someone is experiencing troubles, it indicates that he is the subject of Heavenly judgment, which is associated with the evil inclination. In order to put an end to his troubles, he must do whatever he can to overcome his evil inclination, which will result in the eradication of Heavenly judgments against him.

A person who wants to be God-fearing and untroubled by bad thoughts should ignore such thoughts and instead learn Torah, pray, and engage in earning a living. He should not allow himself to fall prey to depression, which is harmful and strengthens the coarse evil inclination. Should he have idolatrous or lustful thoughts that he cannot get out of his mind, he must seek to purify his body and blood, and go to a wise man who will tell him how to repent.

Sometimes a person experiences an overwhelming passion and desire for God. This, too, is a type of evil inclination that he must work to overcome.

טוֹב וּמֵטִיב לַכֹּל אֲשֶׁר בָּרָאתָ הָעוֹלָם בִּשְׁבִיל לְגַלּוֹת טוּבְךָ וְרַחֲמָנוּתְךָ.

וּמֵרֹב טוּבְךָ הָאֲמִתִּי וְהַנִּצְחִי אֲשֶׁר חָפַצְתָּ לְגַלּוֹת לִבְרִיּוֹתֶיךָ, נָתַתָּ בָּנוּ אֶת הַיֵּצֶר הָרָע כְּדֵי לְהַכְנִיעוֹ וּלְשַׁבְּרוֹ, כְּדֵי לִזְכּוֹת עַל יְדֵי זֶה לְכָל טוֹב אֲמִתִּי וְנִצְחִי.

כִּי דַעְתְּךָ שָׂגְבָה מְאֹד, וְיָדַעְתָּ אֲשֶׁר אִי אֶפְשָׁר לְגַלּוֹת טוּבְךָ לִבְרִיּוֹתֶיךָ כִּי אִם עַל יְדֵי שֶׁיִּהְיֶה כֹּחַ הַבְּחִירָה לָאָדָם עַל יְדֵי שְׁנֵי הַיְצָרִין שֶׁנָּתַתָּ בּוֹ, יֵצֶר טוֹב וְיֵצֶר הָרָע.

וְלַאֲשֶׁר טוּבְךָ וְהַשָּׂגַת אֲמִתָּתְךָ עוֹלֶה עַד אֵין סוֹף, וְאַתָּה חָפֵץ שֶׁנַּשִּׂיג אוֹתְךָ בְּתַכְלִית מַדְרֵגָה הָעֶלְיוֹנָה, עַל כֵּן הִגְדַּלְתָּ וְהִרְבֵּיתָ בְּכֹחוֹת הַיֵּצֶר הָרָע כִּמְעַט בְּלִי שִׁעוּר, וְנָתַתָּ לוֹ כֹּחַ לְהָסִית וְלִמְנֹעַ וּלְפַתּוֹת בְּכָל דַּרְגָּא וְדַרְגָּא, כְּדֵי שֶׁנִּתְגַּבֵּר בְּכָל פַּעַם לְשַׁבְּרוֹ בְּכָל דַּרְגָּא וְדַרְגָּא וּבְכָל בְּחִינָה וּבְחִינָה, כְּדֵי לְהַשִּׂיג אֲמִתַּת אֱלֹהוּתְךָ בִּשְׁלֵמוּת גָּדוֹל בְּיוֹתֵר בְּכָל פַּעַם, בְּמַדְרֵגָה לְמַעְלָה מִמַּדְרֵגָה, "כִּי גָבֹהַּ מֵעַל גָּבֹהַּ שׁוֹמֵר וּגְבֹהִים עֲלֵיהֶם".

כִּי מֵעֹצֶם טוּבְךָ הַנַּעֲלֶה וְהַנִּשְׂגָּב, אַתָּה חָפֵץ לְהֵיטִיב עִמָּנוּ בְּכָל הַטּוֹב שֶׁבְּכָל הָעוֹלָמוֹת בְּתַכְלִית הַמַּעֲלָה שֶׁאֵין מַעֲלָה אַחֲרָיו. וְאַתָּה יוֹדֵעַ שֶׁאִי אֶפְשָׁר לְהַשִּׂיג הַטּוֹב הָאֲמִתִּי

Overcoming the Evil Inclination

You Who are good and do good to all, You created us in order to reveal Your goodness and compassion.

In order to appreciate Your goodness, we must possess free will. And so You planted within us not only a good inclination, but also an evil inclination that we must overcome, as a result of which we attain Your vast and eternal goodness.

Your goodness is infinite and the steps to attain it rise without number. You want us to comprehend You at the highest level. And so You amplified the powers of the evil inclination almost beyond measure, giving it the power to entice and impede us at every stage. This is why our rabbis state that "the greater a person, the greater his evil inclination." You did this in order that we may attain true goodness by breaking the power of the evil inclination, which impedes and entices us at every level.

And when we break its power at every level—"one higher than the high...and higher

שֶׁבְּכָל מַדְרֵגָה וּמַדְרֵגָה, כִּי אִם עַל יְדֵי שְׁבִירַת הַכֹּחַ הַמּוֹנֵעַ וְהַמֵּסִית וְהַמַּדִּיחַ שֶׁהוּא הַיֵּצֶר הָרָע שֶׁבְּכָל מַדְרֵגָה וּמַדְרֵגָה.

וּכְמוֹ שֶׁאָמְרוּ רַבּוֹתֵינוּ זִכְרוֹנָם לִבְרָכָה כָּל הַגָּדוֹל מֵחֲבֵרוֹ יִצְרוֹ גָּדוֹל מִמֶּנּוּ.

וּבַעֲווֹנוֹתַי הָרַבִּים וּבִשְׁטוּת דַּעְתִּי הַפְּחוּתָה, לֹא דַי שֶׁלֹּא הִתְגַּבַּרְתִּי לְשַׁבְּרוֹ בְּכָל מַדְרֵגָה וּמַדְרֵגָה, אַף גַּם הִתְגָּרָה בִּי בְּיוֹתֵר מִנְּעוּרַי, עַד אֲשֶׁר נִתְפַּסְתִּי כְּתוֹא מִכְמָר, "נְתָנַנִי יְיָ בִּידֵי לֹא אוּכַל קוּם".

וְכָל מַה שֶּׁאֲנִי רוֹצֶה לִפְעָמִים לַחְתֹּר לָצֵאת כְּחוּט הַשַּׂעֲרָה מִתַּחַת יָדוֹ, הוּא מִתְגָּרֶה וּמִתְגַּבֵּר בִּי בְּיוֹתֵר. וְכֵן הָיָה כַּמָּה פְּעָמִים בְּלִי שִׁעוּר, עַד אֲשֶׁר "כָּשַׁל כֹּחַ הַסַּבָּל", "צָמְתוּ בַבּוֹר חַיָּי וַיַּדּוּ אֶבֶן בִּי".

מָה אוֹמַר, מָה אֶתְאוֹנֵן, מָה אוֹמַר מָה אֲדַבֵּר מָה אֶצְטַדָּק, אֵיכָכָה אֶפְצֶה פֶּה וְאֵיךְ אֶשָּׂא עַיִן עַתָּה עַתָּה, אֲשֶׁר הִמְשַׁכְתִּי עָלַי אֶת הַיֵּצֶר הָרָע בַּעֲווֹנוֹתַי הָרַבִּים וּבִפְשָׁעַי הָעֲצוּמִים אוֹי מֶה הָיָה לִי, אוֹי מֶה הָיָה לִי.

רִבּוֹנוֹ שֶׁל עוֹלָם רִבּוֹנוֹ שֶׁל עוֹלָם, טוֹב וּמֵטִיב לַכֹּל תָּמִיד בְּכָל עֵת וָרֶגַע, אֲשֶׁר טוּבְךָ וְרַחֲמֶיךָ אֵינָם נִפְסָקִים לְעוֹלָם בְּשׁוּם עֵת וָרֶגַע. אַתָּה יוֹדֵעַ גֹּדֶל תֹּקֶף הַדִּינִים הָרוֹצִים לְהִתְגַּבֵּר עָלַי בְּכָל פַּעַם חַס וְשָׁלוֹם.

ones above them"—we reach Your goodness in the most perfect way.

But due to my many sins and the foolishness of my meager mind, I have not been able to break my evil inclination on every level. To the contrary, it has overcome me since my youth and I have been caught like a deer in the net. "HaShem, You placed me in the hand of an entity against whom I cannot rise."

At times I struggle and attempt to escape from beneath its hand, but then it pushes me down even more. This has occurred times without measure, until "the strength of the porter has collapsed." "They cut off my life in the dungeon and cast stones upon me."

What can I say? How can I justify myself? How can I open my mouth and lift my eyes to You, after I have drawn the evil inclination toward me? Woe, what has happened to me?

Overcoming Judgments

Master of the world, Whose goodness and compassion never cease, You know the extent of the judgments that rise up against me at every moment.

כִּי כֻלָּם מִתְגָּרִים וּמִתְקַנְּאִים בָּאִישׁ הַיִּשְׂרְאֵלִי, עַל אֲשֶׁר לִבּוֹ בּוֹעֵר תָּמִיד לְהַשֵּׁם יִתְבָּרַךְ, וְחוֹתֵר חֲתִירָה בְּכָל פַּעַם לָשׁוּב אֵלֶיךָ וּלְהַכִּיר אוֹתְךָ בֶּאֱמֶת. וּבְכָל פַּעַם וּבְכָל עֵת וָרֶגַע שֶׁהוּא מִתְעוֹרֵר אֶת עַצְמוֹ בְּאֵיזֶה תְנוּעָה לַעֲסֹק בָּזֶה, הֵם מוֹסִיפִים שְׂנֹא אוֹתוֹ, וּמִתְגָּרִים וּמִתְגַּבְּרִים וּמְקַטְרְגִים כְּנֶגְדּוֹ כַּאֲשֶׁר אַתָּה יָדַעְתָּ.

לוּלֵא רַחֲמֶיךָ וַחֲסָדֶיךָ וְלוּלֵי כֹּחַ אֲבוֹתֵינוּ וְרַבּוֹתֵינוּ הַצַּדִּיקִים הַנּוֹרָאִים הַמְּגִנִּים עָלֵינוּ כְּבָר אָבַדְנוּ בְעָנְיֵנוּ, וְאַתָּה יוֹדֵעַ חֲלִישׁוּת כֹּחִי וְקַשְׁיוּת עָרְפִּי וּשְׁטוּת דַּעְתִּי.

וְעַתָּה אָבִי שֶׁבַּשָּׁמַיִם, חוֹמֵל דַּלִּים, הַמְבַקֵּשׁ אֶת הַנִּרְדָּפִים, לַמְּדֵנִי וְהוֹרֵנִי בַּמֶּה יִזְכֶּה נַעַר כָּמוֹנִי, מָלֵא עֲווֹנוֹת כָּמוֹנִי, חֲלוּשׁ כֹּחַ כָּמוֹנִי, לִמְצֹא דֶּרֶךְ וּנְתִיב וְעֵצָה אֵיךְ לְהִתְחַזֵּק כְּנֶגֶד כָּל מִינֵי הַיְצָרִים רָעִים בְּכָל פַּעַם.

וְאֵיךְ לְהִתְחַכֵּם בְּחָכְמָה אֲמִתִּיִּית, וּלְהִתְגַּבֵּר בְּכָל מִינֵי הִתְגַּבְּרוּת, בְּכָל עֵת וָעֵת וּבְכָל דַּרְגָּא וְדַרְגָּא, בְּכָל מִינֵי עֲלִיּוֹת וִירִידוֹת שֶׁבָּעוֹלָם, לְהַאֲרִיךְ אַפִּי וְלִמְשֹׁל בְּרוּחִי וְלִכְבֹּשׁ אֶת יִצְרִי, בְּאֹפֶן שֶׁאֶזְכֶּה לְהַכְנִיעַ וּלְשַׁבֵּר וּלְבַטֵּל כָּל מִינֵי יִצְרִין רָעִים וְכָל מִינֵי הַכֹּחוֹת הַמּוֹנְעִים מֵעֲבוֹדָתְךָ וַאֲמִתָּתְךָ.

לְמַעַן אֶזְכֶּה לֵילֵךְ בִּדְרָכֶיךָ הַקְּדוֹשִׁים לָסוּר מֵרָע וְלַעֲשׂוֹת הַטּוֹב בְּעֵינֶיךָ תָּמִיד.

These judgments are jealous of every Jew because his heart always burns for You and because he strives constantly to return to You and recognize You. They hate him especially at the moment that he arouses himself to change, agitating against him and denouncing him. If not for Your compassion and kindness—in particular, if not for the power of the awesome Tzaddikim who shield us—we would have been lost in our impoverishment.

You know how weak, stubborn and foolish I am. And so, my Father in Heaven, You Who have mercy on the poor, You Who seek the persecuted, teach me how I, who am so insignificant, filled with sins and weakness, may strengthen myself against every aspect of the evil inclination, and gain wisdom and strength at every moment and on every level, whether I am ascending or descending.

Teach me how to gain patience, rule over my spirit and eradicate every expression of my evil inclination that attempts to keep me from serving You and attaining Your truth.

Then I will be able to walk in Your holy ways, turning aside from evil and doing only that which is good in Your eyes.

רִבּוֹנוֹ שֶׁל עוֹלָם רִבּוֹנוֹ שֶׁל עוֹלָם, רִבּוֹנוֹ דְעָלְמָא כֻּלָּא, לְעֵלָּא מִן כֻּלָּא, וְלֵית לְעֵלָּא מִנָּךְ, אֲשֶׁר אֲפִלּוּ כֶּתֶר עֶלְיוֹן אוּכְמָא הוּא לְגַבָּךְ, וְטוּבְךָ הַגָּדוֹל מְרוֹמָם וּמְנֻשָּׂא עַל כָּל רוּם מַדְרֵגוֹת הַקְּדוֹשׁוֹת, וְאַתָּה כֻּלּוֹ טוֹב בְּעַצְמְךָ בְּלִי שׁוּם אֲחִיזַת הַדִּין כְּלָל, אֲפִלּוּ הַדִּין הַקָּדוֹשׁ וְהַטָּהוֹר, אַתָּה מְרוֹמָם וּמְנֻשָּׂא מִמֶּנּוּ בְּתַכְלִית הַהִתְרוֹמְמוּת בְּדֶרֶךְ נִפְלָא וְנוֹרָא.

אֲשֶׁר אִי אֶפְשָׁר לְהַשִּׂיגוֹ, אֵיךְ אַתָּה בְּעַצְמְךָ מְחַיֶּה אֶת כָּל הַדִּינִים, מִתַּכְלִית שֹׁרֶשׁ הָעֶלְיוֹן שֶׁל הַדִּין הַקָּדוֹשׁ וְהַנּוֹרָא עַד סוֹף הִשְׁתַּלְשְׁלוּת הַדִּינִים, עַד שֶׁמִּשְׁתַּלְשֵׁל וְנֶאֱחָז מֵהֶם הַסִּיגִים וְהַפְּסֹלֶת הַגָּמוּר וְכוּ'.

וְאַתָּה מְחַיֶּה אֶת כֻּלָּם, אֲשֶׁר מֵאֵלּוּ הַדִּינִים נֶאֱחָזִים כָּל הַיְצָרִים הָרָעִים שֶׁבְּכָל הַמַּדְרֵגוֹת מִתַּכְלִית דְּיוֹטָא הַתַּחְתּוֹנָה עַד תַּכְלִית מַדְרֵגָה הָעֶלְיוֹנָה עַד כֶּתֶר עֶלְיוֹן, שֶׁהוּא סוֹד שֹׁרֶשׁ הַיֵּצֶר הָרָע שֶׁל הַצַּדִּיקִים הַגְּדוֹלִים מְאֹד הַקְּדוֹשִׁים וְהַנּוֹרָאִים.

וְכֻלָּם מְקַבְּלִים חַיּוּת מִמְּךָ, וּבִלְעָדֶיךָ לֹא יָרִימוּ אֶת יָדָם וְאֶת רַגְלָם, וְאֵין לָהֶם שׁוּם כֹּחַ וְחַיּוּת כָּל שֶׁהוּא כִּי אִם מִמְּךָ לְבַד, כִּי אַתָּה מְחַיֶּה אֶת כֻּלָּם. וְאַף עַל פִּי כֵן אַתָּה מְרוֹמָם וּמְנֻשָּׂא בְּתַכְלִית הַהִתְרוֹמְמוּת וְהַהֶבְדֵּל מִכָּל שֹׁרֶשׁ הַדִּינִים הַקְּדוֹשִׁים שֶׁבְּכָל הָעוֹלָמוֹת הַקְּדוֹשִׁים בְּתַכְלִית הַקְּדֻשָּׁה.

Understanding God's Wondrous Ways

Master of the world, You are higher than all, and Your goodness transcends the holiest levels—even the purest expression of "judgment." Compared to You, the shining supernal crown itself is dark and black.

It is therefore impossible to understand how You give vitality to all reality, which is necessarily within the reality of judgment—from the highest root of holy and awesome judgment to a judgment that has descended so low that dross and waste come forth from it and take hold of it.

The evil inclination grasps judgment on every level—whether at its lowest level or its highest level, the latter being the supernal crown. The evil inclination that reaches that crown is the one possessed by the holy and awesome Tzaddikim.

All creatures receive their power and life force from You. Without You, they could lift neither hand nor foot. But You completely transcend even the root of holy judgment in all of the holy worlds. Your goodness is at such a height that it possesses no trace of judgment

כִּי אַתָּה טוֹב בֶּאֱמֶת בְּתַכְלִית הַטּוֹב בְּלִי שׁוּם אֲחִיזַת הַדִּין כְּלָל, וּמִי יָבִין דַּרְכֵי פְּלָאוֹתֶיךָ:

וּבְכֵן בְּכֹחַ טוּבְךָ הָעֶלְיוֹן הָאֲמִתִּי, וּבְכֹחַ הַצַּדִּיקִים הַגְּדוֹלִים הַקְּדוֹשִׁים וְהַנּוֹרָאִים אֲשֶׁר זָכוּ לְהַשִּׂיג טוּבְךָ הָאֲמִתִּי, וּלְהוֹדִיעַ וּלְגַלּוֹת טוּבְךָ לִבְרִיּוֹתֶיךָ, שֶׁאֵינוֹ נִפְסָק לְעוֹלָם אֲפִלּוּ אִם עָשִׂינוּ מַה שֶּׁעָשִׂינוּ, כְּמוֹ שֶׁכָּתוּב: "חַסְדֵי יְיָ כִּי לֹא תָמְנוּ כִּי לֹא כָלוּ רַחֲמָיו", בְּכֹחָם הַגָּדוֹל אֲנִי נִשְׁעָן עֲדַיִן לְהַקְהוֹת אֶת שִׁנַּי, וּלְסַמֵּא אֶת עֵינַי, וּלְקַשֵּׁר אֶת גּוּפִי וְאֵבָרַי, וְלִפְתֹּחַ אֶת פִּי לִקְרֹא אֵלֶיךָ, עֲדַיִן עֲדַיִן מִמָּקוֹם שֶׁאֲנִי שָׁם עַתָּה, וּלְצַפּוֹת לִישׁוּעָתְךָ עֲדַיִן. וְלִבְלִי לְיָאֵשׁ אֶת עַצְמִי מִשּׁוּם דַּרְגָּא קְדוּשָּׁה שֶׁבָּעוֹלָם בְּשׁוּם אֹפֶן, וְלִפְרוֹשׂ כַּפַּי וְלִשְׁטֹחַ יָדַי אֵלֶיךָ עֲדַיִן.

אוּלַי יֵעָתֵר לִי יְיָ וְלֹא אוֹבֵד, אוּלַי יָחוּס, אוּלַי יְרַחֵם:

רִבּוֹנוֹ שֶׁל עוֹלָם רִבּוֹנוֹ שֶׁל עוֹלָם, רִבּוֹנוֹ שֶׁל עוֹלָם, לַמְּדֵנִי עַתָּה מַה לּוֹמַר לְפָנֶיךָ, לַמְּדֵנִי עַתָּה דֶּרֶךְ הַחַיִּים דֶּרֶךְ הַתְּשׁוּבָה הָאֲמִתִּיִּית לְסַכֵּל חֲלוּשׁ כֹּחַ חֲלוּשׁ עֵצָה כָּמוֹנִי. לַמְּדֵנִי עַתָּה עֵצָה אֲמִתִּיִּית שֶׁאֶזְכֶּה לְקַיְּמָהּ בְּאֹפֶן שֶׁאָשׁוּב אֵלֶיךָ מְהֵרָה בֶּאֱמֶת.

whatsoever. How, then, will we understand Your wondrous ways?

Relying on God's Goodness

I rely on the power of Your supernal goodness—and particularly on the merit of the holy and awesome Tzaddikim who have attained Your goodness and reveal it to Your creatures—a goodness that never ceases no matter what we have done. As the verse states, "The kindness of HaShem has not ceased, for Your compassion has not been exhausted." I rely on the power of the Tzaddikim to blunt my teeth and blind my eyes, to bind my body and my limbs, so that I will not be beguiled by the attractions of this world but will open my mouth and cry out to You from where I stand and hope for Your salvation, and never despair of reaching any holy level in any way as I stretch my hands out to You.

Perhaps You will heed me, and I will not be lost! Perhaps You will be merciful!

Teach Me What to Say to You

Master of the world, teach me what to say to You. Teach me, a fool weak in ability and counsel, the way of life, the way of true repentance, so that I will return to You soon.

לַמְּדֵנִי עַתָּה הַדֶּרֶךְ וְהַנְּתִיב וְהַשְּׁבִיל בְּגַשְׁמִיּוּת וְרוּחָנִיּוּת בְּאֹפֶן שֶׁאֶזְכֶּה בְּכָל עֵת וָעֵת לְהִתְגַּבֵּר כְּנֶגֶד הַיֵּצֶר הָרָע וְהַמְּנִיעָה וְהַמְעַכֵּב וְהַמְבַלְבֵּל בְּאוֹתָהּ הָעֵת בְּאוֹתָהּ הַמַּדְרֵגָה כְּפִי מַה שֶּׁהוּא בַּעֲלִיָּה אוֹ בִּירִידָה.

כַּאֲשֶׁר אַתָּה לְבַד יוֹדֵעַ בְּכַמָּה וְכַמָּה אֲלָפִים וּרְבָבוֹת עִנְיָנֵי מְנִיעוֹת וְהַכְבָּדוֹת וּפִתּוּיִם וַהֲסָתוֹת וְהִתְגָּרוּת שֶׁמִּתְגָּרֶה וּמִתְגַּבֵּר כְּנֶגְדִּי בְּכָל יוֹם וּבְכָל עֵת מֵחָדָשׁ, כְּמוֹ שֶׁאָמְרוּ רַבּוֹתֵינוּ זִכְרוֹנָם לִבְרָכָה בְּכָל יוֹם יִצְרוֹ שֶׁל אָדָם מִתְגַּבֵּר עָלָיו וְאִלְמָלֵא הַקָּדוֹשׁ בָּרוּךְ הוּא עוֹזְרוֹ הָיָה נוֹפֵל בְּיָדוֹ.

רַחֵם עָלַי לְמַעַן שְׁמֶךָ. כִּי רַבּוּ מַכְאוֹבַי וְצָרוֹת לְבָבִי. צָרוֹת לְבָבִי הִרְחִיבוּ מְאֹד מְאֹד בְּלִי שִׁעוּר:

עָזְרֵנִי וְהוֹשִׁיעֵנִי וְזַכֵּנִי לִהְיוֹת עַקְשָׁן גָּדוֹל בַּעֲבוֹדַת יְיָ, וְאַל יְבַהֲלוּנִי רַעְיוֹנַי וְלֹא יוּכַל שׁוּם דָּבָר שֶׁבָּעוֹלָם לְהַפִּיל אוֹתִי בְּדַעְתִּי חַס וְשָׁלוֹם אוֹ לְהַרְחִיק אוֹתִי חַס וְשָׁלוֹם מֵאִתְּךָ, אֲפִלּוּ אִם יִהְיֶה מַה שֶּׁיִּהְיֶה חַס וְשָׁלוֹם אֲפִלּוּ אִם יַעֲבֹר עָלַי מָה חַס וְשָׁלוֹם.

וְאֶהְיֶה חָזָק וְאַמִּיץ בְּדַעְתִּי לִבְלִי לְהִסְתַּכֵּל כְּלָל עַל הַמַּחֲשָׁבוֹת הַטּוֹרְדוֹת הָרוֹצִים לְהַחֲלִישׁ דַּעְתִּי וּלְהַפִּיל אוֹתִי בְּדַעְתִּי חַס וְשָׁלוֹם כְּאִלּוּ אָפֵס תִּקְוָה חָלִילָה.

Teach me the way—in physicality and in spirituality—so that I will at every moment overcome the evil inclination, the impediments and confusions of each moment, of each level, whether I am ascending or descending.

You alone know how many tens of thousands of impediments, enticements, seductions and attractions pull at me and overwhelm me every day and every moment. As our rabbis said, "Every day a person's evil inclination rises up against him, and if the Holy One, Blessed be He, did not help him, he would fall into its hand."

Have compassion on me for the sake of Your Name, because the pangs of my heart are many and broad without measure.

Stubbornly Serving God

Help me serve You stubbornly. Do not let my thoughts distress me. Do not allow anything at all—in my mind or in the world—cast me down or distance me from You.

May I firmly ignore distracting thoughts that wish to weaken me and cast me down, as though my hope is lost.

מֵחֲמַת שֶׁאֲנִי רוֹאֶה שֶׁעוֹבְרִים יָמִים וְשָׁנִים וַעֲדַיִן אֲנִי רָחוֹק מֵהַקְּדֻשָּׁה מְאֹד מְאֹד, וַחֲטָאִים וַעֲווֹנוֹת וּפְשָׁעִים נִתּוֹסְפִים בְּכָל פַּעַם, רַחֲמָנָא לִצְלָן מֵעַתָּה.

הֵן עַל כָּל אֵלֶּה לֹא אֶסְתַּכֵּל וְלֹא אַבִּיט כְּלָל לָשׁוּב וְלִסּוֹג מֵאַחֲרֶיךָ חַס וְשָׁלוֹם מֵחֲמַת זֶה חָלִילָה. רַק אֶזְכֶּה לְהַחֲזִיק עַצְמִי בְּךָ וּבְתוֹרָתְךָ הַקְּדוֹשָׁה בְּכָל עֵת תָּמִיד בְּכָל מַה שֶּׁאוּכַל, בְּכָל נְקֻדָּה וּנְקֻדָּה טוֹבָה שֶׁנִּמְצָא בִּי, וּלְשַׂמֵּחַ אֶת עַצְמִי בְּכָל עֵת וּבְכָל יוֹם וּבְכָל שָׁעָה בְּמַה שֶּׁזָּכִיתִי לִהְיוֹת מִזֶּרַע יִשְׂרָאֵל וְלֹא עָשַׂנִי גּוֹי.

וּלְחַפֵּשׂ וּלְבַקֵּשׁ לִמְצֹא בִּי תָּמִיד נְקֻדּוֹת טוֹבוֹת מִקְּדֻשַּׁת מִצְוֹתֵינוּ שֶׁיֵּשׁ בָּנוּ בְּכָל אֶחָד וְאֶחָד אֲפִלּוּ בִּי הַפָּחוּת וְהַגָּרוּעַ וְלֵילֵךְ בַּדֶּרֶךְ הַזֶּה בְּכָל עֵת, וּלְחַזֵּק עַצְמִי וּלְשַׂמֵּחַ נַפְשִׁי בָּזֶה תָּמִיד.

כַּאֲשֶׁר הִזְהִירוּנוּ וְחִזְּקוּנוּ צַדִּיקֶיךָ הָאֲמִתִּיִּים בְּכַמָּה לְשׁוֹנוֹת בְּלִי שִׁעוּר לִבְלִי לִפֹּל מִשּׁוּם דָּבָר שֶׁבָּעוֹלָם, כִּי כָּאֵלֶּה וְכָאֵלֶּה עָבְרוּ עַל כָּל הַצַּדִּיקִים וְהַכְּשֵׁרִים שֶׁהָיוּ בַּדּוֹרוֹת שֶׁלְּפָנֵינוּ, מִכָּל שֶׁכֵּן וְכָל שֶׁכֵּן בַּדּוֹרוֹת הַלָּלוּ הַחֲלוּשִׁים וְהָעֲיֵפִים מְאֹד מְאֹד, בְּעִקְבוֹת מְשִׁיחָא.

אֲשֶׁר הַסִּטְרָא אַחֲרָא מִתְפַּשֶּׁטֶת לְאָרְכָּהּ וּלְרָחְבָּהּ מֵחֲמַת שֶׁקָּרוֹב לָבוֹא עִתָּהּ, וְיָמֶיהָ לֹא יִמָּשְׁכוּ, כִּי בֹא יָבֹא מְשִׁיחַ

I see that days and years have passed, and I am still far from holiness. Sins gather around me constantly.

Merciful One, protect me from this moment on! May none of this affect me. May I not retreat from You. May I strengthen myself in You and in Your holy Torah constantly, as much as I can, with every good point that exists within me. May I gladden myself at every moment over the fact that I am a Jew, that You did not make me a gentile.

May I always seek good points that even a person as low as I possess as a result of performing mitzvot.

Your true Tzaddikim have encouraged us with innumerable expressions not to allow anything in the world to cast us down. The Tzaddikim and worthy people in all of the previous generations, and certainly in these weak and weary generations prior to the coming of the Mashiach, had the same experiences that I am going through.

The Side of Evil is extending itself to its length and breadth in order to weaken the minds of all of those who wish to become pious, because its end is coming soon and its days

צִדְקֵנוּ לֹא יְאַחֵר, וְיַעֲבִיר רוּחַ הַטֻּמְאָה מִן הָאָרֶץ, עַל כֵּן עַתָּה סָמוּךְ אֶל הַקֵּץ מִתְגַּבֵּר וּמִתְפַּשֵּׁט הַיֵּצֶר הָרָע וְהַסִּטְרָא אַחֲרָא מְאֹד מְאֹד וּמִתְגַּבֵּר מְאֹד לְהַחֲלִישׁ דַּעַת שֶׁל כָּל הָרוֹצִים וַחֲפֵצִים לִכְנוֹס בְּדַרְכֵי הַכְּשֵׁרִים הָאֲמִתִּיִּים.

מָלֵא רַחֲמִים, חוֹמֵל דַּלִּים, אַתָּה יוֹדֵעַ כָּל זֶה, וְאַתָּה יוֹדֵעַ שֶׁלְּגֹדֶל הִתְגַּבְּרוּתָם וְהִתְפַּשְּׁטוּתָם אֵין בְּיָדֵינוּ לַעֲמֹד כְּנֶגְדָּם, כִּי אִם אַתָּה לְבַד תַּעֲמֹד בַּעֲדֵנוּ וְתִלְחוֹם מִלְחֲמוֹתֵינוּ, בְּרַחֲמֶיךָ וַחֲסָדֶיךָ וּבְטוּבְךָ הַגָּדוֹל שֶׁאֵינוֹ נִפְסָק לְעוֹלָם, וּבְכֹחַ וּזְכוּת צַדִּיקֶיךָ הָאֲמִתִּיִּים הָעוֹמְדִים וּמִתְפַּלְּלִים עָלֵינוּ תָּמִיד.

יֶהֱמוּ נָא וְיִכָּמְרוּ מֵעֶיךָ עָלֵינוּ, וְזַכֵּנוּ וְחַזְּקֵנוּ וְאַמְּצֵנוּ לְבַל נִסְתַּכֵּל כְּלָל עַל כָּל הַמַּחֲשָׁבוֹת הַטּוֹרְדוֹת וְהַמְבַלְבְּלוֹת, רַק נִתְחַזֵּק לַעֲשׂוֹת אֶת שֶׁלָּנוּ לַעֲסֹק בְּתוֹרָה וּתְפִלָּה.

וְלֹא נַטֶּה אֶת רֹאשֵׁנוּ לְהִסְתַּכֵּל וּלְהָשִׁיב עַל כָּל הַבִּלְבּוּלִים הָרַבִּים כְּלָל. וְנִהְיֶה חֲזָקִים וְעַקְשָׁנִים לְהַחֲזִיק אֶת מַחֲשַׁבְתֵּנוּ בְּמַה שֶּׁאָנוּ עוֹסְקִים כִּרְצוֹנְךָ וְלֹא נַבִּיט אַחֲרֵי הַבִּלְבּוּלִים כְּלָל, עַד אֲשֶׁר יִסְתַּלְּקוּ מִמֵּילָא עַל יְדֵי זֶה.

וְתַעַזְרֵנוּ מֵעַתָּה לְקַדֵּשׁ וּלְטַהֵר עַצְמֵנוּ כָּרָאוּי, עַד אֲשֶׁר נִזְכֶּה שֶׁלֹּא יָבֹאוּ וְלֹא יַעֲלוּ עוֹד עַל לִבֵּנוּ שׁוּם בִּלְבּוּל וּמַחֲשָׁבָה רָעָה וְחִיצוֹנָה כְּלָל.

are numbered—since our righteous Mashiach will surely soon arrive and remove the spirit of impurity from the land.

Overcoming Doubt

Because the Side of Evil has arisen and spread itself out against us, we lack the ability to withstand it. We need You to fight on our behalf. In particular, we require the power and merit of Your true Tzaddikim, who stand and pray for us always.

May our plight move You. Strengthen us so that we will ignore the confusing thoughts that plague us, and we will fulfill our obligations to learn Torah and pray to You.

May we stubbornly focus only on the good that we do, in accordance with Your will, and pay no attention to any doubtful thoughts, until as a result they will leave us of their own accord.

Help us sanctify and purify ourselves until no more doubt or evil, foreign thoughts arise in our hearts.

מָלֵא רַחֲמִים, אֱלֹהֵי הָרִאשׁוֹנִים וְהָאַחֲרוֹנִים, אֱלֹהֵי כָּל הַצַּדִּיקִים תְּקַנֵּנִי בְּעֵצָה טוֹבָה מִלְּפָנֶיךָ שֶׁאֶזְכֶּה לְקַיְּמָהּ בְּאֹפֶן שֶׁאֶזְכֶּה לָשׁוּב אֵלֶיךָ בֶּאֱמֶת מֵעַתָּה וְעַד עוֹלָם.

שַׂמְּחֵנִי בִּישׁוּעָתְךָ הָאֲמִתִּיִּית וְתַמְתִּיק וּתְבַטֵּל כָּל הַדִּינִים מֵעָלַי וּמֵעַל כָּל יִשְׂרָאֵל.

וּתְשַׁבֵּר וּתְמַגֵּר וְתַכְנִיעַ וְתַשְׁפִּיל וּתְכַלֶּה וּתְבַטֵּל אֶת כָּל מִינֵי יְצָרִים רָעִים מִמֶּנִּי וּמִכָּל יִשְׂרָאֵל בְּכָל עֵת וְעֵת בְּכָל דַּרְגָּא וְדַרְגָּא, הֵן הַיִּצְרִין רָעִים שֶׁל רֹב הָעוֹלָם שֶׁהוּא עֲכִירַת הַדָּמִים מַמָּשׁ, רוּחַ שְׁטוּת מַמָּשׁ, הֵן הַיִּצְרִין רָעִים שֶׁל הַכְּשֵׁרִים בְּיוֹתֵר שֶׁהוּא בְּחִינַת אֵיזֶה דִּבּוּק רַחֲמָנָא לִצְּלָן, הֵן הַיֵּצֶר הָרָע שֶׁל הַצַּדִּיקִים שֶׁהוּא מַלְאָךְ הַקָּדוֹשׁ מַמָּשׁ, הֵן שְׁאָר מִינֵי יְצָרִים רָעִים וַהֲסָתוֹת וּפִתּוּיִים וּמְנִיעוֹת וְעִכּוּבִים וּבִלְבּוּלִים, מִכֻּלָּם תַּצִּילֵנִי אוֹתִי וְאֶת כָּל חֶבְרָתֵנוּ וְאֶת כָּל יִשְׂרָאֵל בְּכָל עֵת וָעֵת בְּכָל דַּרְגָּא וְדַרְגָּא.

שֶׁאֶזְכֶּה תָמִיד לְשַׁבֵּר וּלְבַטֵּל אֶת הַיֵּצֶר הָרָע וְהַמְּנִיעָה שֶׁבְּאוֹתָהּ הַדַּרְגָּא כְּפִי אוֹתָהּ הָעֵת וְהַשָּׁעָה.

וְאֶתְחַזֵּק וְאֶתְאַמֵּץ וְאֶתְגַּבֵּר בְּכָל עֵת וּבְכָל יוֹם מֵחָדָשׁ לְהַתְחִיל לְהִתְקָרֵב אֵלֶיךָ, וּלְהִשְׁתּוֹקֵק וּלְהִתְגַּעְגֵּעַ לַאֲמִתָּתְךָ, וּלְהַרְגִּיל עַצְמִי בְּתוֹרָתְךָ וַעֲבוֹדָתְךָ בֶּאֱמֶת בְּשִׂמְחָה:

Nullifying the Evil Inclination

God of the beginning and of the end, God of all the Tzaddikim, rectify me with good counsel so that I will return to You.

Nullify all of the judgments against me as well as those against the entire Jewish people.

Crush and eradicate every type of evil inclination—whether it be the evil inclination of most people, which is a stirring up of the blood and a spirit of foolishness; or the evil inclination of truly religious people, which is like an evil spirit that has entered them; or the evil inclination of the Tzaddikim, which is literally a holy angel; or any other type of evil inclination, enticement, impediment or confusion.

May we always nullify the evil inclination, whatever level it is on and however it appears at that moment.

Help me gain the strength to come close to You, to yearn for Your truth and to accustom myself to learn Your Torah and serve You with joy.

מָלֵא רַחֲמִים עֲשֵׂה אֶת אֲשֶׁר בְּחֻקֶּיךָ נֵלֵךְ וְאֶת מִשְׁפָּטֶיךָ נִשְׁמֹר.

וְקַיֵּם לָנוּ מִקְרָא שֶׁכָּתוּב: "וְנָתַתִּי לָכֶם לֵב חָדָשׁ וְרוּחַ חֲדָשָׁה אֶתֵּן בְּקִרְבְּכֶם, וַהֲסִירוֹתִי לֵב הָאֶבֶן מִבְּשַׂרְכֶם וְנָתַתִּי לָכֶם לֵב בָּשָׂר, וְאֶת רוּחִי אֶתֵּן בְּקִרְבְּכֶם וְעָשִׂיתִי אֶת אֲשֶׁר בְּחֻקַּי תֵּלֵכוּ וּמִשְׁפָּטַי תִּשְׁמְרוּ וַעֲשִׂיתֶם, וִישַׁבְתֶּם בָּאָרֶץ אֲשֶׁר נָתַתִּי לַאֲבוֹתֵיכֶם, וִהְיִיתֶם לִי לְעָם וְאָנֹכִי אֶהְיֶה לָכֶם לֵאלֹהִים, וְהוֹשַׁעְתִּי אֶתְכֶם מִכֹּל טֻמְאוֹתֵיכֶם וְקָרָאתִי אֶל הַדָּגָן וְהִרְבֵּיתִי אוֹתוֹ וְלֹא אֶתֵּן עֲלֵיכֶם רָעָב".

וְנֶאֱמַר: "וְזָרַקְתִּי עֲלֵיכֶם מַיִם טְהוֹרִים וּטְהַרְתֶּם מִכֹּל טֻמְאוֹתֵיכֶם וּמִכָּל גִּלּוּלֵיכֶם אֲטַהֵר אֶתְכֶם.

הָשִׁיבָה לִּי שְׂשׂוֹן יִשְׁעֶךָ וְרוּחַ נְדִיבָה תִסְמְכֵנִי.

לֵב טָהוֹר בְּרָא לִי אֱלֹהִים וְרוּחַ נָכוֹן חַדֵּשׁ בְּקִרְבִּי.

אַל תַּעַזְבֵנִי יְיָ, אֱלֹהַי אַל תִּרְחַק מִמֶּנִּי חוּשָׁה לְעֶזְרָתִי אֲדֹנָי תְּשׁוּעָתִי.

יִהְיוּ לְרָצוֹן אִמְרֵי פִי וְהֶגְיוֹן לִבִּי לְפָנֶיךָ יְיָ צוּרִי וְגוֹאֲלִי":

Attaining a Heart of Flesh

Help us obey Your laws.

May the verse be realized within us, "I will give you a new heart and place a new spirit in your midst. I will remove the heart of stone from your flesh and give you a heart of flesh. I will place My spirit in your midst and cause you to obey My ordinances and keep and perform My laws. You will dwell in the land that I gave to your fathers, and you will be to Me for a nation, and I will be to you for a God. I will save you from all of your pollutions and I will call to the grain and increase it, and I will not place famine upon you."

"I will sprinkle pure waters upon you and purify you; of all of your contaminations and all your idols will I purify you."

"Restore to me the joy of Your salvation, and may a generous spirit support me."

"God, create within me a pure heart and renew a steadfast spirit within me."

Do not abandon me, HaShem. My God, do not be distant from me.

"Hurry to help me, my God, my salvation."

"May the words of my mouth and the meditation of my heart be acceptable before You, HaShem, my Rock and my Redeemer."

93 (74)

Holy Judgment Increases a Person's Desire for God / Hoshana Rabbah and Simchat Torah

When a person is subject to judgment, if that judgment is harsh and impure, that means that God is hiding His countenance from him, and that person cannot pray properly. But if that judgment is holy, then he is able to pray properly.

Holy judgment works as follows.

When God initially draws a person to Him, He causes him suffering that appears to drive him away. That suffering is meant to increase his desire to reach God.

This holy judgment corresponds to a diminished state of consciousness, or speech without knowledge. This is associated with Hoshana Rabbah.[12] On that day, we take a cluster of willow branches, which, our sages state, are reminiscent of the lips. These are lips that speak without knowledge—that is to say, a person learns words of Torah but does not understand

---

12 The seventh day of Sukkot, marked by the public recital of prayers asking God for salvation and the beating of willow branches to symbolize the elimination of sin.

them. The Zohar states that God loves these words and plants them as willows upon a river bank.

A person must "sweeten" holy judgment in order to proceed to a full state of consciousness, which he does by learning Torah. The wisdom of Torah corresponds to speech with knowledge. This is associated with the festival of Simchat Torah[13] (which follows Hoshana Rabbah).

God created the world with His wisdom, which is His Torah. Our goal must be to reveal God's glory by means of that wisdom.

13 Literally, "Joy of the Torah," the celebration of the completion of the annual cycle of Torah readings, during which Jews publicly dance with the Torah scrolls and read from the last chapter of the Book of Deuteronomy and the first chapter of the Book of Genesis.

יְהִי רָצוֹן מִלְּפָנֶיךָ יְיָ אֱלֹהֵינוּ וֵאלֹהֵי אֲבוֹתֵינוּ שֶׁתַּעַזְרֵנִי וְתוֹשִׁיעֵנִי בְּרַחֲמֶיךָ הָעֲצוּמִים שֶׁאֶזְכֶּה מְהֵרָה לְרַפְּאת אֶת נַפְשִׁי רְפוּאָה שְׁלֵמָה, וּלְהַעֲלוֹתָהּ לִמְקוֹם שָׁרְשָׁהּ בִּקְדֻשָּׁה וּבְטָהֳרָה גְדוֹלָה.

וּתְזַכֵּנִי לַעֲסֹק בְּתוֹרָתְךָ הַקְּדוֹשָׁה לִשְׁמָהּ תָּמִיד יוֹמָם וָלַיְלָה, וְאֶזְכֶּה לְהִתְיַגֵּעַ בְּתוֹרָתְךָ הַקְּדוֹשָׁה עַד שֶׁאֶזְכֶּה לֵידַע וּלְהָבִין אוֹתָהּ עַל בּוּרְיָהּ וַאֲמִתָּתָהּ, וְאֶזְכֶּה לִלְמֹד וּלְלַמֵּד לִשְׁמֹר וְלַעֲשׂוֹת וּלְקַיֵּם אֶת כָּל דִּבְרֵי תוֹרָתְךָ בְּאַהֲבָה:

וּתְרַחֵם עָלַי בְּרַחֲמֶיךָ הָרַבִּים, בְּרַחֲמֶיךָ הַגְּדוֹלִים וּתְבַטֵּל מֵעָלַי כָּל מִינֵי דִינִים שֶׁבָּעוֹלָם, וְתִשְׁמְרֵנִי וְתַצִּילֵנִי תָּמִיד מִכָּל הַדִּינִים הַקָּשִׁים הַנִּמְשָׁכִין מִסִּטְרָא דְמִסָּאֲבָא מִזֻּהֲמַת הַנָּחָשׁ, אָנָּא יְיָ, רַחֲמֶיךָ רַבִּים מְאֹד.

אַל תַּעֲשֶׂה עִמִּי כַּחֲטָאַי וְלֹא תִגְמֹל עִמִּי כַּעֲווֹנוֹתַי, וַעֲשֵׂה אֶת אֲשֶׁר תַּעֲשֶׂה בְּרַחֲמֶיךָ הָרַבִּים וְשָׁמְרָה נַפְשִׁי וְהַצִּילֵנִי מִדִּינִים הַקָּשִׁים הָאֵלּוּ הַנִּמְשָׁכִין דֶּרֶךְ הַסִּטְרָא אַחֲרָא.

וּתְרַחֵם עָלַי וְתִהְיֶה בְּעֶזְרִי, וְתִתֵּן לִי דַּעַת וְשֵׂכֶל דִּקְדֻשָּׁה, לַעֲסֹק בְּתוֹרָתְךָ בֶּאֱמֶת, בְּאֹפֶן שֶׁאֶזְכֶּה לְהַמְתִּיק גַּם כָּל הַדִּינִים הַקְּדוֹשִׁים הַנִּמְשָׁכִין דֶּרֶךְ הַקְּדֻשָּׁה שֶׁהֵם בִּבְחִינוֹת גְּבוּרוֹת יִצְחָק, אֲשֶׁר כָּל אֵלּוּ הַדִּינִים הַקְּדוֹשִׁים הֵם לְטוֹבָה.

Learning Torah for Its Own Sake

HaShem, my God and God of my fathers, help me heal my spirit quickly and raise it to its root with holiness and purity.

Help me learn Your Torah for its own sake day and night, until I know and understand it clearly. May I learn, teach, perform and keep all of the words of Your Torah with love.

Sweetening Holy Judgments

Do not treat me in accordance with my sins, but nullify every sort of judgment against me.

First, rescue me from all harsh judgments that derive from the pollution of the Serpent, which is the Side of Evil. Then give me a holy mind with which to learn Your Torah so that I will sweeten all judgments that come through holiness, which are only for the good.

גַּם אוֹתָם אֶזְכֶּה לְהַמְתִּיק שֶׁיִּתְהַפְּכוּ לַחֲסָדִים גְּמוּרִים. מִכָּל שֶׁכֵּן שֶׁלֹּא יִשְׁתַּלְשֵׁל מֵהֶם חַס וְשָׁלוֹם שׁוּם דִּינִים קָשִׁים רַחֲמָנָא לִצְּלָן:

רִבּוֹנוֹ שֶׁל עוֹלָם יָדַעְתִּי וַאֲנִי מַאֲמִין שֶׁכָּל הַדִּינִים וְהַיִּסּוּרִים הָעוֹבְרִים עָלֵינוּ בִּכְלָלִיּוּת יִשְׂרָאֵל וּבִפְרָטִיּוּת מַה שֶּׁעוֹבֵר עַל כָּל אֶחָד וְאֶחָד בְּכָל עֵת וּבְכָל זְמַן, וְכָל הַמְּנִיעוֹת וְהַבִּלְבּוּלִים הַמּוֹנְעִים וּמְבַלְבְּלִים אוֹתָנוּ מֵעֲבוֹדָתְךָ, כֻּלָּם נִשְׁלָחִים מֵאִתְּךָ לְטוֹבָתֵנוּ. וְאִם אֲנַחְנוּ חוֹשְׁבִים אוֹתָם לְרָעוֹת חַס וְשָׁלוֹם, אֱלֹהִים חֲשָׁבָהּ לְטוֹבָה, כִּי כַּוָּנָתְךָ תָּמִיד לְטוֹבָה כִּי הַהִתְרַחֲקוּת הוּא עִקַּר הַהִתְקָרְבוּת.

וְאַתָּה מוֹכִיחַ וּמְיַסֵּר וּמְנַסֶּה וּמְצָרֵף אוֹתָנוּ לְטוֹבָתֵנוּ, כְּמוֹ שֶׁכָּתוּב: "כִּי כַּאֲשֶׁר יְיַסֵּר אִישׁ אֶת בְּנוֹ יְיָ אֱלֹהֶיךָ מְיַסְּרֶךָּ".

אֲבָל מֵרִבּוּי חֲלִישׁוּת נַפְשֵׁנוּ, מֵרִבּוּי עֲווֹנוֹתֵינוּ, וּמֵעֹצֶם עֲכִירַת וְגַשְׁמִיּוּת גּוּפֵנוּ, אֵין אָנוּ יְכוֹלִים לְקַבֵּל אֲפִלּוּ דִּינֶיךָ הַקְּדוֹשִׁים, כִּי הַיִּסּוּרִים וְהַמְּנִיעוֹת מְבַלְבְּלִים וּמַטְרִידִים

May I sweeten these holy judgments until they are transformed into complete kindness and, moreover, it is no longer possible for any harsh judgments from the Side of Evil to descend from them.

God's Intent is Always Benevolent

Master of the world, I know and believe that all of the judgments and sufferings, impediments and confusions that prevent us from serving You, which we experience at every moment—whether as a nation or as individuals—have all been sent from You for our good.

Even if we think that they are evil, Your intent is always benevolent. Even when You push someone away from You, You do so in order to bring him close to You.

And so, when You rebuke us, hurt us, test us and refine us, it is for our good. As the verse states, "As a man punishes his son, so does HaShem your God punish you."

But because of the weakness of our spirit—due to the multitude of our sins and the mire and grossness of our physicality—we cannot bear Your judgments, not even Your holy judgments.

אוֹתָנוּ מְאֹד מְאֹד, עַד אֲשֶׁר "כָּשַׁל כֹּחַ הַסַּבָּל". עַד אֲשֶׁר עַל יְדֵי זֶה נִתְרַחַקְנוּ מִמְּךָ כְּמוֹ שֶׁנִּתְרַחַקְנוּ.

וּבִפְרָט אָנֹכִי הַדַּל וְהָאֶבְיוֹן וְכוּ' אֲשֶׁר אַתָּה לְבַד יוֹדֵעַ כָּל מַה שֶּׁעָבַר עָלַי מִיַּלְדוּתִי, מֵעוֹדִי עַד הַיּוֹם הַזֶּה וְכוּ'.

*(ויפרש כל שיחתו כל המניעות והבלבולים והיסורים וההסתות והנסיונות והצירופים שעברו עליו מעודו, וכל המכשולות והחטאים והפשעים שנכשל בהם וכו' וכו', כל אחד ואחד כפי מה שיודע בנפשו את נגעי לבבו ומכאוביו).

וּבְוַדַּאי בְּכָל מַה שֶּׁעָבַר עָלַי, בְּכֻלָּם כַּוָּנָתְךָ הָיָה לְטוֹבָה, לְנַסּוֹתֵנִי וּלְצָרְפֵנִי עַל יְדֵי אֵלּוּ הָעִנְיָנִים דַּיְקָא, אֲבָל מֵעוֹצֶם קַטְנוּת וּשְׁטוּת דַּעְתִּי וַעֲכִירַת גּוּפִי, לֹא יָכֹלְתִּי לַעֲמֹד בְּשׁוּם בְּחִינָה דַּקָּה וְנִסָּיוֹן קַל וְצֵרוּף כָּל שֶׁהוּא.

"בָּחַנְתָּ לִבִּי פָּקַדְתָּ לַּיְלָה צְרַפְתַּנִי בַל תִּמְצָא, זַמֹּתִי בַּל יַעֲבָר פִּי".

רִבּוֹנוֹ שֶׁל עוֹלָם, הָאוֹמֵר לְעוֹלָמוֹ דַּי יֹאמַר לְצָרוֹתַי דַּי.

Instead, we are so confused and troubled that "the strength of the porter has collapsed" and, as a result, we have grown far from You.

This is particularly true of me because I am so spiritually impoverished. Only You know all that I have gone through from the beginning of my life until today.[14]

In all of these experiences, Your intent was for the good, and You were testing and refining me. But because of the smallness and foolishness of my mind and the grime of my physicality, I have not been able to withstand the slightest test or process of refinement.

"You tested my heart, visiting me at night; You refined me and did not find any wrong thoughts; my thought does not contradict the words of my mouth."

Gaining a New Spirit of Holiness

Master of the world, You Who told Your world to cease growing by proclaiming, "Enough!" tell my troubles, "Enough!"

---

14 At this point, you may describe all of the impediments, confusions, sufferings, temptations, tests and refinements that you have experienced throughout your life, and all of the sins that you have committed—everything that causes your heart pain.

וִירַחֵם עָלַי בְּרַחֲמָיו הַמְרֻבִּים בְּרַחֲמָיו הַגְּדוֹלִים, בְּכֹחַ הָרַחֲמִים שֶׁחָתְרוּ וְהִשִּׂיגוּ כָּל הַצַּדִּיקִים הָאֲמִתִּיִּים, וְיַמְתִּיק וִיבַטֵּל כָּל הַדִּינִים מֵעָלַי וּמֵעַל כָּל בְּנֵי בֵיתִי וּמֵעַל כָּל הַנִּלְוִים אֵלַי וּמֵעַל כָּל יִשְׂרָאֵל. כִּי אֵין מִי שֶׁיַּעֲמֹד בַּעֲדֵנוּ עַתָּה בַּדּוֹר הַזֶּה בְּעוּקְבוֹת מְשִׁיחָא בְּאַחֲרִית הַיָּמִים הָאֵלֶּה, בְּעֵת צָרָה הַזֹּאת, כִּי אִם כֹּחַ וּזְכוּת כָּל הַשִּׁבְעָה רוֹעִים וְכָל הַצַּדִּיקִים שׁוֹכְנֵי עָפָר, כֹּחָם וּזְכוּתָם הַגָּדוֹל יָגֵנּוּ עָלֵינוּ, וְיַמְלִיצוּ טוֹב בַּעֲדֵנוּ.

וְיַעֲשׂוּ כְּחָכְמָתָם הַגְּדוֹלָה, וּכְרַחֲמֵיהֶם הַמְרֻבִּים וְיַמְתִּיקוּ וִיבַטְּלוּ מֵעָלֵינוּ כָּל מִינֵי דִינִים שֶׁבָּעוֹלָם בְּאֹפֶן שֶׁנִּזְכֶּה מֵעַתָּה לְהִתְקָרֵב לְהַשֵּׁם יִתְבָּרַךְ בֶּאֱמֶת.

וִיהִיֶה נִמְשָׁךְ עָלַי וְעַל כָּל יִשְׂרָאֵל לֵב חָדָשׁ וְרוּחַ חֲדָשָׁה דִקְדֻשָּׁה, וְאֶשְׁכַּח לְגַמְרֵי דַרְכֵי הָרַע וּמַחְשְׁבוֹתַי הָרָעוֹת וְהַמְבֻלְבָּלוֹת מְאֹד.

וְאֶזְכֶּה מֵעַתָּה לַחְשׁוֹב רַק בְּתוֹרָה וַעֲבוֹדָה בִּקְדֻשָּׁה וּבְטָהֳרָה גְדוֹלָה וְלִהְיוֹת דָּבוּק בְּךָ וּבְצַדִּיקֶיךָ הָאֲמִתִּיִּים וּבְתוֹרָתְךָ הַקְּדוֹשָׁה תָמִיד, בְּאֹפֶן שֶׁאֶזְכֶּה לֵידַע וּלְהָבִין תּוֹרָתְךָ הַקְּדוֹשָׁה עַל בּוּרְיָהּ וַאֲמִתָּתָהּ.

May the power of compassion that the true Tzaddikim attained after much struggle sweeten all judgments against me, my family, those who depend on me, and the entire Jewish people. Only the power and merit of the Seven Shepherds[15] and, more generally, of all the Tzaddikim who dwell in the dust, can shield us and speak on our behalf in this troubled generation prior to the coming of the Mashiach.

May we act in accordance with the wisdom and compassion of the Tzaddikim and thus sweeten all types of judgment until we eradicate them and come close to You.

May I, as well as all of the Jewish people, gain a new heart and a new spirit of holiness. May I abandon my evil ways and my wrong and confused thoughts.

From now on, may I think only of learning Torah and serving You in holiness and purity—of clinging to You, to Your true Tzaddikim and to Your holy Torah, so that I will clearly know and understand the truth of Your holy Torah.

---

15 This term refers to the early leaders of the Jewish people, Abraham, Isaac, Jacob, Joseph, Moses, Aaron and David.

וְעַל יְדֵי זֶה אֶזְכֶּה לְרַפְּאֹת אֶת נַפְשִׁי מִכָּל מַכְאוֹבֶיהָ וְתַחֲלוּאֶיהָ וּמַכּוֹתֶיהָ הָאֲנוּשׁוֹת וְהָרַבּוֹת וְהָעֲצוּמוֹת מְאֹד מְאֹד בְּלִי שִׁעוּר וָעֵרֶךְ וּמִסְפָּר, אֲשֶׁר הִרְבֵּיתִי לְהַחֲלוֹתָהּ וּלְהַכּוֹתָהּ לְיַסְּרָהּ וּלְהַכְאִיבָהּ, עַל יְדֵי רִבּוּי עֲווֹנוֹתַי וּפְשָׁעַי הָעֲצוּמִים וְהָרַבִּים מְאֹד, אֲשֶׁר אֵין שׁוּם דֶּרֶךְ לְרַפְּאֹתָהּ כִּי אִם בְּרַחֲמֶיךָ הָרַבִּים לְבַד וּבִישׁוּעָתְךָ הַגְּדוֹלָה וְהָעֲצוּמָה, כִּי מִמְּךָ לֹא יִפָּלֵא כָּל דָּבָר.

רוֹפֵא אֱמֶת רוֹפֵא חִנָּם, רוֹפֵא נֶאֱמָן וְרַחֲמָן, רַחֵם עָלַי וְהַעֲלֵה מְהֵרָה אֲרוּכָה וּמַרְפֵּא לְכָל תַּחֲלוּאַי וּמַכְאוֹבֵי נַפְשִׁי וְגוּפִי בְּרוּחָנִיּוּת וּבְגַשְׁמִיּוּת, וּשְׁלַח מְהֵרָה רְפוּאָה שְׁלֵמָה לְכָל חוֹלֵי עַמְּךָ בֵּית יִשְׂרָאֵל (ובפרט וכו׳).

אֵל נָא רְפָא נָא לָהֶם וְלָנוּ, חִישׁ קַל מְהֵרָה. רְפָאֵנוּ יְיָ וְנֵרָפֵא הוֹשִׁיעֵנוּ וְנִוָּשֵׁעָה כִּי תְהִלָּתֵנוּ אָתָּה.

כִּי אֵין לָנוּ שׁוּם סְמִיכָה וְתִקְוָה כִּי אִם עָלֶיךָ לְבַד, עַל רַחֲמֶיךָ הָעֲצוּמִים לְבַד. וְכִרְצוֹנְךָ עֲשֵׂה עִמָּנוּ, כִּי בְצָרָה גְדוֹלָה אֲנַחְנוּ. עַל מִי לָנוּ לְהִשָּׁעֵן עַל אָבִינוּ שֶׁבַּשָּׁמַיִם. וְרַחֵם עָלֵינוּ וְהוֹשִׁיעֵנוּ לַעֲסֹק בִּתְפִלָּה תָמִיד, וּלְהַרְבּוֹת בִּתְפִלּוֹת וּתְחִנּוֹת וּבַקָּשׁוֹת בְּכָל יוֹם וָיוֹם, וְלֹא תִשְׁלַח עָלֵינוּ יִסּוּרִים שֶׁיֵּשׁ בָּהֶם בִּטּוּל תְּפִלָּה חַס וְשָׁלוֹם, וְלֹא שׁוּם יִסּוּרִים שֶׁבָּעוֹלָם, וְלֹא תָסִיר תְּפִלָּתֵנוּ וְחַסְדְּךָ מֵאִתָּנוּ כְּמוֹ שֶׁכָּתוּב: "בָּרוּךְ אֱלֹהִים אֲשֶׁר לֹא הֵסִיר תְּפִלָּתִי וְחַסְדּוֹ מֵאִתִּי":

In this way—and with the aid of Your compassion and salvation, for which nothing is too wondrous—may I heal my spirit of its pains, ills and mortal wounds, which I myself caused with my many sins.

Heal Us and We Will Be Healed

HaShem, You are the true, faithful and compassionate Healer. Heal my wounds and the pains of my spirit and body. Quickly send complete healing to all the sick of Your nation, the House of Israel.[16]

Swiftly heal us, HaShem, and we will be healed. Save us and we will be saved. You are the object of our praise. We rely only on You and Your compassion. Treat us in accordance with Your beneficent will, for we are in great distress.

On whom can we rely, our Father in Heaven? Help us pray fervently to You every day. Do not send us any suffering that prevents us from praying, and do not remove Your kindness from us. As the verse states, "Blessed is God, Who has not removed my prayer and His kindness from me."

---

16 If you wish at this point to pray on behalf of someone who is ill, add here, "and in particular, [name], son/daughter of [mother's name]."

להושענא רבא ולשמחת תורה

וְרַחֵם עָלֵינוּ וְהוֹשִׁיעֵנוּ וְזַכֵּנוּ לִקְדֻשַּׁת הוֹשַׁעְנָא רַבָּה וְשִׂמְחַת תּוֹרָה שֶׁהֵם בְּחִינַת דִּבּוּר בְּלֹא דֵעָה וְדִבּוּר בְּדֵעָה.

שֶׁנִּזְכֶּה לִלְמֹד וְלַהֲגוֹת בְּתוֹרָתְךָ הַקְּדוֹשָׁה תָּמִיד, וַאֲפִלּוּ בְּעֵת וּבְמָקוֹם שֶׁאֵין אָנוּ זוֹכִין לְהָבִין דִּבְרֵי תוֹרָתְךָ עַל בּוּרְיָן, נִזְכֶּה לְהִתְיַגֵּעַ וְלַעֲסֹק וְלַהֲגוֹת בָּהֶם וְלִלְמֹד אֲפִלּוּ בְּלִי הֲבָנָה. וְאַתָּה בְּרַחֲמֶיךָ תְּקַבֵּל גַּם אֶת עֵסֶק הַתּוֹרָה הַזֶּה וְתִשְׂמַח בְּדִבְרֵי תוֹרָתֵנוּ אֲפִלּוּ כְּשֶׁהֵם בְּלֹא הֲבָנָה, וְתִטַּע מֵהֶם אִילָנִין רַבְרְבִין סַחֲרָנִין דְּהַהוּא נַחֲלָא הַנִּקְרָאִין עַרְבֵי נַחַל.

וּתְעוֹרֵר רַחֲמֶיךָ הַגְּדוֹלִים עָלֵינוּ וְתִהְיֶה בְּעֶזְרֵנוּ, וְתִפְקַח אֶת עֵינֵי שִׂכְלֵנוּ שֶׁנִּזְכֶּה לָצֵאת מֵחֹשֶׁךְ לְאוֹר. וְתָאִיר עֵינֵינוּ בִּמְאוֹר תּוֹרָתְךָ שֶׁנִּזְכֶּה לֵידַע וּלְהָבִין וּלְהַשְׂכִּיל אֶת כָּל דִּבְרֵי תוֹרָתְךָ עַל בּוּרְיָן וַאֲמִתָּתָן. וְלֵידַע כָּל דִּינֵי וּמִשְׁפְּטֵי הַתּוֹרָה וְכָל דַּרְכֵי הַתּוֹרָה, וּלְהִשְׁתַּדֵּל בָּהּ בְּאֹרַח מִישׁוֹר, עַד שֶׁנִּזְכֶּה לִנְטֹעַ אִילָנָא דְחַיֵּי לְעֵלָּא דְכֹלָּא אַסְוָתָא.

וּתְזַכֵּנוּ בְּכָל שָׁנָה וְשָׁנָה לְקַיֵּם כָּל הַמִּצְווֹת הַקְּדוֹשׁוֹת הַנּוֹהֲגוֹת בַּיָּמִים הַקְּדוֹשִׁים הָאֵלֶּה, שֶׁהֵם, הוֹשַׁעְנָא רַבָּא וְשִׂמְחַת תּוֹרָה, וְנִזְכֶּה לִשְׂמֹחַ בָּהֶם בְּשִׂמְחָה רַבָּה וְחֶדְוָה גְדוֹלָה וַעֲצוּמָה בְּתַכְלִית הַשִּׂמְחָה בִּשְׁלֵמוּת בֶּאֱמֶת, וּלְהִתְקַדֵּשׁ בָּהֶם בִּקְדֻשָּׁה גְדוֹלָה, בְּאֹפֶן שֶׁנִּזְכֶּה לְתַקֵּן כָּל הַתִּקּוּנִים הָאֵלֶּה וְיוֹתֵר מִזֶּה

For Hoshana Rabbah and Simchat Torah

Help us attain the holiness of Hoshana Rabbah, which corresponds to the level of speech without knowledge, and of Simchat Torah, which corresponds to the level of speech with knowledge.

In that spirit, may we learn Your holy Torah even when we do not understand it clearly. And may You in Your compassion accept even this kind of Torah learning, and rejoice in the words of our Torah although we do not understand them. Use that energy to plant from them spiritual willow trees.

Then open the eyes of our intellect and illumine our eyes in the light of Your Torah so we will go forth from darkness to light, comprehending all of its words clearly, knowing its laws and ways, and learning properly, until we will plant a Tree of Life whose canopy brings healing.

Every year, help us keep all of the holy mitzvot of Hoshana Rabbah and Simchat Torah. May we rejoice and be sanctified on these holy and awesome days. As we do so, may we may complete the rectifications begun on Rosh

בְּיָמִים הַקְּדוֹשִׁים הַנּוֹרָאִים הָאֵלּוּ, שֶׁהֵם גְּמַר הַחֲתִימָה וְהַתִּקּוּן שֶׁל רֹאשׁ הַשָּׁנָה וְיוֹם כִּפּוּר.

וְתַעַזְרֵנוּ וְתוֹשִׁיעֵנוּ שֶׁנִּזְכֶּה לְקַיֵּם הַשִּׁבְעָה הַקָּפוֹת שֶׁל יוֹם הוֹשַׁעְנָא רַבָּא הַקָּדוֹשׁ עִם הָאַרְבַּע מִינִים הַקְּדוֹשִׁים וְנוֹרָאִים בְּתַכְלִית הַשְּׁלֵמוּת כִּרְצוֹנְךָ הַטּוֹב.

וְנִזְכֶּה לִצְעֹק וְלִזְעֹק אֵלֶיךָ וּלְהִתְפַּלֵּל תְּפִלּוֹת הַהוֹשַׁעְנוֹת בְּלֵב שָׁלֵם מֵעוּמְקָא דְלִבָּא, כָּרָאוּי לִצְעֹק לִישׁוּעָתְךָ בַּיּוֹם הַנּוֹרָא הַהוּא, יוֹם גְּמַר הַדִּין הַקָּדוֹשׁ וְהַנּוֹרָא וְהָאָיֹם מְאֹד מְאֹד.

וְנִזְכֶּה לְקַיֵּם מִצְוַת חֲבָטַת הָעֲרָבָה מִנְהַג נְבִיאֶךָ הַקְּדוֹשִׁים בִּקְדֻשָּׁה גְדוֹלָה בְּשִׂמְחָה רַבָּה, וּלְהַמְתִּיק עַל יְדֵי זֶה כָּל הַדִּינִים בְּתַכְלִית הַהַמְתָּקָה בְּאֹפֶן שֶׁיִּהְיֶה נַעֲשֶׂה יִחוּד קֻדְשָׁא בְּרִיךְ הוּא וּשְׁכִינְתֵּיהּ בְּיִחוּדָא שְׁלִים עַל יָדֵינוּ בְּיוֹם שְׁמִינִי עֲצֶרֶת וְשִׂמְחַת תּוֹרָה הַקְּדוֹשִׁים.

HaShanah and Yom Kippur, and attain even more rectifications.

The Prayers of Hoshana Rabbah

On the holy day of Hoshana Rabbah, help us walk around the bimah seven times holding the lulav and etrog,[17] in accordance with Your beneficent will.

May we pray the prayers of Hoshanah Rabbah from the depths of our heart, crying out for Your salvation on this holy and awesome day when Your judgment, which began on Rosh HaShanah and Yom Kippur, comes to its completion.

May we then perform Your holy prophets' custom of beating the willow branches on the ground with holiness and joy, and, in this way, sweeten all judgments so as to bring about a unification of God and His Divine Presence on Shemini Atzeret and Simchat Torah.[18]

---

17 On Hoshana Rabbah, synagogue worshippers circle the bimah (reader's platform) seven times holding their lulav and etrog and reciting special prayers, in remembrance of the seven circuits made by the Kohanim around the Temple Altar on this day.

18 Shemini Atzeret is a biblical festival that falls immediately after Sukkot. It is characterized by a public prayer for rain and dancing with the Torah scrolls in celebration of the completion of the annual cycle of Torah readings (Simchat Torah). Outside the Land of Israel, Shemini Atzeret is a two-day holiday, with the prayer for rain on the first day and the Simchat Torah celebrations on the second day.

וְנִזְכֶּה לִשְׂמֹחַ בִּשְׁמִינִי עֲצֶרֶת וְשִׂמְחַת תּוֹרָה בְּחֶדְוָה רַבָּה וְשִׂמְחָה גְדוֹלָה וַעֲצוּמָה עַד אֵין סוֹף שֶׁזָּכִינוּ לִהְיוֹת מִזֶּרַע יִשְׂרָאֵל וּלְקַבֵּל אֶת הַתּוֹרָה הַקְּדוֹשָׁה עַל יְדֵי מֹשֶׁה נְבִיאֲךָ נֶאֱמַן בֵּיתֶךָ.

אַשְׁרֵינוּ מַה טּוֹב חֶלְקֵנוּ וּמַה נָּעִים גּוֹרָלֵנוּ וּמַה יָּפָה יְרֻשָּׁתֵנוּ.

אַשְׁרֵינוּ שֶׁזָּכִינוּ לְכָל הַטּוֹב הַגָּדוֹל וְהַנּוֹרָא הַזֶּה, זַכֵּנוּ וְעָזְרֵנוּ שֶׁנִּזְכֶּה לְהַמְשִׁיךְ עָלֵינוּ הַשִּׂמְחָה הַזֹּאת בְּלִבֵּנוּ בְּכָל הַשָּׁנָה כֻּלָּהּ, וּבִפְרָט בְּיוֹם שִׂמְחַת תּוֹרָה הַקָּדוֹשׁ וְנִזְכֶּה לִשְׂמֹחַ תָּמִיד בַּשִּׂמְחָה הַגְּדוֹלָה הַזֹּאת כָּרָאוּי לִשְׂמֹחַ בָּזֶה בֶּאֱמֶת.

וְנִזְכֶּה לְקַיֵּם הַהַקָּפוֹת עִם הַסִּפְרֵי תוֹרָה בַּיָּמִים הַקְּדוֹשִׁים הָאֵלּוּ בְּשִׂמְחָה רַבָּה וַעֲצוּמָה עַד אֵין סוֹף.

וְלֹא יִתְעָרֵב זָר בְּשִׂמְחָתֵנוּ, וְלֹא יִהְיֶה כֹּחַ לְשׁוּם מוֹנֵעַ וּמְעַכֵּב לְבַלְבֵּל וּלְעַכֵּב חַס וְשָׁלוֹם שִׂמְחָתֵנוּ הָעֲצוּמָה בַּיָּמִים הַקְּדוֹשִׁים הָאֵלּוּ, נָגִילָה וְנִשְׂמְחָה בָּךְ בִּדְבֵקוּת נִפְלָא וּבְהִתְקָרְבוּת גָּדוֹל, בְּאַהֲבָה רַבָּה וְאַהֲבַת עוֹלָם בְּשִׂמְחָה שֶׁאֵין לָהּ קֵץ וְתַכְלִית.

וְנִזְכֶּה לְסַיֵּם אָז אֶת הַתּוֹרָה הַקְּדוֹשָׁה וּלְהַתְחִילָהּ מֵחָדָשׁ בְּאַהֲבָה וּבְיִרְאָה וּבְשִׂמְחָה גְדוֹלָה, וּלְקַבֵּל עָלֵינוּ מֵחָדָשׁ לַעֲסֹק בְּתוֹרָתְךָ יוֹמָם וָלַיְלָה לִשְׁמָהּ, וּלְקַיֵּם אֶת כָּל דִּבְרֵי תוֹרָתְךָ בְּאַהֲבָה.

Dancing with Infinite Joy

On Shemini Atzeret and Simchat Torah, may we rejoice over the fact that we merited to be of the seed of Israel and received the holy Torah through Your prophet Moses, the faithful one of Your House.

How fortunate are we! How good is our portion, how sweet our fate, and how beautiful our inheritance.

How fortunate are we to have attained this awesome goodness.

Help us draw this appreciation into our hearts throughout the year, particularly on the holy day of Simchat Torah.

May we then dance with infinite joy as we hold the Torah scrolls.

May no stranger or impediment have the power to interfere in our joy on these holy days. May we cling to You in eternal love and with a joy that has no end.

May we finish learning the Five Books of Moses and begin them anew with love, awe and joy, accepting upon ourselves the resolution to learn Your Torah day and night for its own sake, and to keep all of its words with love.

מָלֵא רַחֲמִים, רַחֵם עָלֵינוּ וּמַלֵּא מִשְׁאֲלוֹתֵינוּ לְטוֹבָה בְּרַחֲמִים, בְּאֹפֶן שֶׁנִּזְכֶּה לְהַעֲלוֹת נַפְשֵׁנוּ לְשָׁרְשָׁהּ שֶׁבִּקְדֻשָּׁה שֶׁהוּא חָכְמָה הַקְּדוֹשָׁה עַל יְדֵי עֵסֶק הַתּוֹרָה בִּקְדֻשָּׁה וּבְטָהֳרָה, עַד שֶׁנִּזְכֶּה לְהָבִינָהּ בֶּאֱמֶת.

וְנִזְכֶּה לְהַכִּיר אוֹתְךָ בֶּאֱמֶת וּלְגַלּוֹת אֱלֹהוּתְךָ בָּעוֹלָם, וְיִתְגַּדֵּל וְיִתְקַדֵּשׁ כְּבוֹדְךָ הַגָּדוֹל עַל יָדֵינוּ תָּמִיד וּכְבוֹדְךָ יִמָּלֵא כָל הָאָרֶץ.

"יְהִי כְבוֹד יְיָ לְעוֹלָם יִשְׂמַח יְיָ בְּמַעֲשָׂיו. רוּמָה עַל שָׁמַיִם אֱלֹהִים עַל כָּל הָאָרֶץ כְּבוֹדֶךָ. בָּרוּךְ יְיָ אֱלֹהִים אֱלֹהֵי יִשְׂרָאֵל עוֹשֵׂה נִפְלָאוֹת לְבַדּוֹ, וּבָרוּךְ שֵׁם כְּבוֹדוֹ לְעוֹלָם וְיִמָּלֵא כְבוֹדוֹ אֶת כָּל הָאָרֶץ, אָמֵן וְאָמֵן":

God's Glory Will Fill the Earth

You Who are filled with compassion, fulfill our requests for good. By means of learning Torah in holiness and purity until we truly understand it, may we raise our spirit to its root of holy wisdom.

May we recognize You and reveal Your Godliness to the entire world. May we always work to enhance and sanctify Your honor, so that Your glory will fill the earth.

"May the glory of HaShem last forever. May HaShem rejoice in His deeds." "High over the heavens is God; over all the earth is Your glory."

"Blessed is HaShem, God, the God of Israel, Who does wonders alone. Blessed is the Name of His glory forever, and may His glory fill the entire earth. Amen and amen."

94 (75)

Internal Disputatiousness and Dispute Among People / Transforming One's Blood into Holy Speech / Raising the "Feminine Waters" and Attaining Peace

God created the world with His speech, and He also created vessels to hold that speech. But He caused those vessels to break. As a result, the holy letters fell and scattered as "sparks."

Generally speaking, these sparks do not combine with each other, but remain fragmented and "disputatious." Within an individual, fallen sparks that remain unbonded are on the level of one's blood and soul—in particular, they are associated with the blood with which a person has not yet served God. This person then possesses the trait of disputatiousness. This may take the form of internal dispute. His heart is divided so that he does not understand something, and he thinks that it is self-contradictory. Alternatively, it may take the form of dispute against other people, particularly against righteous people. To rectify this, he must serve God by speaking words of Torah and praying until all of his blood is transformed into holy speech.

His words of Torah and prayer elevate an energy called "feminine waters." As these "feminine waters" rise, they blend the sparks and letters in his words of Torah and prayer, and thus bring about peace. As a result, this person experiences a love and yearning for God and true Tzaddikim, and these feelings make him capable of clinging to them. In addition, he can bring a feeling of love into the hearts of other individuals, so that they will come to be at peace with each other.

רִבּוֹנוֹ שֶׁל עוֹלָם, זַכֵּנִי בְּרַחֲמֶיךָ הָרַבִּים לְמִדַּת הַשָּׁלוֹם. וְאֶזְכֶּה לִהְיוֹת אוֹהֵב שָׁלוֹם וְרוֹדֵף שָׁלוֹם תָּמִיד, כְּמוֹ שֶׁכָּתוּב: "סוּר מֵרָע וַעֲשֵׂה טוֹב בַּקֵּשׁ שָׁלוֹם וְרָדְפֵהוּ".

וְאֶזְכֶּה בְּכָל עֵת לַעֲשׂוֹת שָׁלוֹם בֵּין אָדָם לַחֲבֵרוֹ וּבֵין אִישׁ לְאִשְׁתּוֹ.

וְתִשְׁמְרֵנִי וְתַצִּילֵנִי בְּרַחֲמֶיךָ הָרַבִּים מִמִּדַּת הַנִּצָּחוֹן וּמַחֲלֹקֶת דְּסִטְרָא אַחֲרָא, שֶׁלֹּא יִהְיֶה בְּלִבִּי שׁוּם נִצָּחוֹן וּמַחֲלֹקֶת דְּסִטְרָא אַחֲרָא הַנִּמְשָׁכִין מֵהַדָּמִים שֶׁל הַגּוּף, שֶׁעֲדַיִן לֹא עָבְדוּ בָּהֶם אֶת הַשֵּׁם יִתְבָּרַךְ.

וּתְרַחֵם עָלַי וְתוֹשִׁיעֵנִי וּתְזַכֵּנִי מֵעַתָּה לַעֲסֹק הַרְבֵּה בְּתוֹרָה וּתְפִלָּה, שֶׁאֶזְכֶּה לְדַבֵּר הַרְבֵּה בְּתוֹרָה וּתְפִלָּה בְּכָל יוֹם תָּמִיד, עַד שֶׁאַכְנִיס כָּל טִפֵּי הַדָּמִים שֶׁיֵּשׁ בִּי בְּתוֹךְ הַדִּבּוּרִים הַקְּדוֹשִׁים שֶׁל תּוֹרָה וּתְפִלָּה. וְיִהְיוּ נַעֲשִׂין מִכָּל הַטִּפֵּי דָמִים שֶׁבְּקִרְבִּי דִּבּוּרִים קְדוֹשִׁים שֶׁל תּוֹרָה וּתְפִלָּה, וְלֹא יִהְיֶה נִשְׁאָר בִּי שׁוּם טִפָּה דָּם שֶׁלֹּא עָבְדָה אֶת הַשֵּׁם יִתְבָּרַךְ, רַק אֶזְכֶּה לַעֲבֹד אֶת הַשֵּׁם יִתְבָּרַךְ בְּכָל כֹּחִי כָּל יְמֵי חַיַּי בְּכָל טִפֵּי הַדָּמִים שֶׁיֵּשׁ בִּי, וְאֶזְכֶּה לְדַבֵּר הַרְבֵּה בְּתוֹרָה וּתְפִלָּה עַד שֶׁיִּהְיֶה הַגּוּף בָּטֵל לְגַמְרֵי כְּאַיִן וְאֶפֶס מַמָּשׁ.

Peace, Torah and Prayer

Master of the world, help me attain the trait of peace. May I love peace and pursue peace always, as in the verse, "Turn aside from evil and do good, seek peace and pursue it."

May I constantly bring about peace between people—particularly between husband and wife.

Prevent me from being domineering and argumentative, traits that are associated with the Side of Evil and that derive from the blood in a person's body with which he has not yet served You.

From now on, help me engage in a great deal of Torah learning and prayer each day, until I bring all of the drops of my blood into the holy words of Torah and prayer. May all of these drops become words of Torah and prayer, and not a single drop that has not served You remain. May I serve You all of the days of my life with all of the drops of blood within me, engaging in a great deal of Torah learning and prayer until my body is given over entirely to holiness.

וּתְזַכֵּנִי בְּרַחֲמֶיךָ הָרַבִּים לְיִרְאָה שְׁלֵמָה מִפָּנֶיךָ תָּמִיד, וְתַמְשִׁיךְ וְתַשְׁפִּיעַ בְּלִבִּי יִרְאָה וּבוּשָׁה וָפַחַד וְאֵימָה גְדוֹלָה מִפָּנֶיךָ תָּמִיד, עַד אֲשֶׁר יִתְבַּטֵּל הַגּוּף לְגַמְרֵי כְּאַיִן וְאֶפֶס הַמֻּחְלָט עַל יְדֵי עֹצֶם הַיִּרְאָה הַגְּדוֹלָה שֶׁתַּשְׁפִּיעַ בְּלִבִּי וּבִפְרָט בְּעֵת עָסְקִי בְּדִבּוּרֵי תוֹרָה וּתְפִלָּה שֶׁלֹּא אֶשְׁמַע אָז אֶת הַגּוּף כְּלָל, רַק אֶת הַדִּבּוּרִים הַקְּדוֹשִׁים שֶׁל תּוֹרָה וּתְפִלָּה. וְיִתְבַּטֵּל הַגּוּף לְגַמְרֵי לְגַבֵּי הַדִּבּוּרִים הַקְּדוֹשִׁים שֶׁל תּוֹרָה וּתְפִלָּה.

וְעַל יְדֵי זֶה אֶזְכֶּה לְבָרֵר וּלְלַקֵּט וּלְהַעֲלוֹת וּלְצָרֵף כָּל הָאוֹתִיּוֹת וְהַנִּיצוֹצוֹת שֶׁנָּפְלוּ לְמַטָּה בִּבְחִינַת שְׁבִרֵי כֵּלִים, עַל יְדֵי עֲווֹנוֹתַי וַחֲטָאַי וּפְשָׁעַי הָעֲצוּמִים בְּגִלְגּוּל זֶה וּבְגִלְגּוּל אַחֵר, אֲשֶׁר הֵם גּוֹרְמִים מַחֲלֹקֶת וְקֻשְׁיוֹת וּבִלְבּוּלִים וּמְנִיעוֹת מֵעֲבוֹדָתְךָ הַקְּדוֹשָׁה. וּמֵהֶם בָּאִים כָּל הַתַּאֲווֹת שֶׁבָּעוֹלָם.

וְהַכֹּל אֶזְכֶּה לְבָרֵר וּלְהַעֲלוֹת לְשִׁמְךָ הַגָּדוֹל וְהַקָּדוֹשׁ, וּלְצָרְפָם וּלְחַבְּרָם וְלִבְנוֹת מֵהֶם בִּנְיָנִים וְעוֹלָמוֹת דִּקְדֻשָּׁה.

וְתִתֶּן לִי כֹּחַ בְּרַחֲמֶיךָ הָרַבִּים לְהַעֲלוֹת אֶת כָּל הַנִּיצוֹצִין הַנְּפוּלִין אֵלֶיךָ בִּבְחִינַת הַעֲלָאַת מ"נ. וְעַל יְדֵי זֶה יִהְיֶה נַעֲשֶׂה יִחוּד קֻדְשָׁא בְּרִיךְ הוּא וּשְׁכִינְתֵּיהּ.

Raising All Sparks of Holiness to God

Help me attain a constant and perfect fear of You. May I always stand before You with contrition and awe until my body is as absolutely nothing. In particular, when I learn Torah and pray, may I be aware only of the words of Torah and prayer so that I do not even notice my body.

May I then gather, raise and refine all of the letters and sparks that had fallen to the "shards of the vessels" as a result of my sins—whether they occurred in this or previous incarnations—which brought about dispute, doubt, confusion and other impediments to serving You, and which have been the source of all of my this-worldly desires.

May I raise these sparks to Your great and holy Name, refine them, blend them and use them to build holy structures and worlds.

Grant me the strength to raise all of the fallen sparks to You, a process that is also called elevating the "feminine waters." May this lead to a unification of God and His Divine Presence, so that as a result, wondrous peace will be drawn into all worlds, above and below.

וְעַל יְדֵי זֶה יִהְיֶה נִמְשָׁךְ שָׁלוֹם גָּדוֹל וְנִפְלָא לְמַעְלָה וּלְמַטָּה בְּכָל הָעוֹלָמוֹת כֻּלָּם, וְיִתְבַּטֵּל כָּל מִינֵי נִצָּחוֹן דְּסִטְרָא אַחֲרָא וְקִנְאָה וְשִׂנְאָה וְקִנְטוּר וּמַחֲלֹקֶת מִמֶּנִּי וּמִכָּל יִשְׂרָאֵל וּמִכָּל בְּנֵי עוֹלָם.

רַק יִהְיֶה אַהֲבָה וְשָׁלוֹם גָּדוֹל בֵּין כָּל עַמְּךָ יִשְׂרָאֵל, וּבֵין כָּל הַנִּבְרָאִים וְהַנּוֹצָרִים וְהַנַּעֲשִׂים שֶׁבְּכָל הָעוֹלָמוֹת כֻּלָּם.

וְעַל יְדֵי זֶה תַּמְשִׁיךְ וְתַשְׁפִּיעַ בְּרָכָה גְדוֹלָה לָנוּ וּלְכָל יִשְׂרָאֵל וּלְכָל הָעוֹלָמוֹת כֻּלָּם, וּתְמַהֵר וְתָחִישׁ לְגָאֳלֵינוּ, וְתָקִים אוֹתָנוּ מִנְּפִלָתֵנוּ.

וְתַעֲלֶה וְתָקִים אֶת כָּל בְּחִינַת הָרַגְלִין אֲשֶׁר יָרְדוּ לְמַטָּה בַּעֲווֹנוֹתֵינוּ, עָזֹב תַּעֲזֹב וְהָקֵם תָּקִים. הָקֵם עַל סֶלַע רַגְלַי וּתְכוֹנֵן אֲשׁוּרַי, וִיקֻיַּם מְהֵרָה מִקְרָא שֶׁכָּתוּב: "וְעָמְדוּ רַגְלָיו בַּיּוֹם הַהוּא עַל הַר הַזֵּיתִים".

וְתוֹלִיכֵנוּ מְהֵרָה קוֹמְמִיּוּת לְאַרְצֵנוּ, וְתִבְנֶה בֵּית קָדְשֵׁנוּ וְתִפְאַרְתֵּנוּ. וְשָׁם נַעֲבָדְךָ בְּיִרְאָה כִּימֵי עוֹלָם וּכְשָׁנִים קַדְמוֹנִיּוֹת:

מָלֵא רַחֲמִים מַלֵּא מִשְׁאֲלוֹתֵינוּ לְטוֹבָה בְּרַחֲמִים, כִּי צְרָכֵינוּ מְרֻבִּים מְאֹד מְאֹד, וְדַעְתֵּנוּ קְצָרָה לְבָאֵר. וְאַתָּה בּוֹחֵן לִבּוֹת וּכְלָיוֹת, וּלְפָנֶיךָ נִגְלוּ כָּל תַּעֲלוּמוֹת לֵב. וְאַתָּה

May every sort of arrogance, jealousy, hatred, incitement and dispute—all of which are associated with the Side of Evil—no longer affect me, the Jewish people and all human beings.

Instead, may only love and peace exist among Your entire nation, the Jewish people, and among the inhabitants of all the worlds that You created, formed and made.

Pour forth great blessing upon me, all the Jewish people, and all worlds. Quickly redeem us. Raise us from our descents. Lift up and establish all of reality that, due to our sins, has fallen like "feet that have descended."

In keeping with that, do not abandon me, but raise my feet upon the rock and establish my steps. May the verse soon be realized, "On that day, his feet will stand on the Mount of Olives."

Quickly lead us upright to our Land. Build our holy and beautiful Temple, where we will serve You in awe as in the earliest days and years.

We Are Always Yearning

Our needs are so many that our limited minds cannot categorize them.

But You investigate our "hearts and inner being," so that everything that is hidden in our

יוֹדֵעַ שֶׁבִּפְנִימִיּוּת לִבֵּנוּ אָנוּ מִשְׁתּוֹקְקִים מְאֹד לָשׁוּב אֵלֶיךָ בֶּאֱמֶת, וְאָנוּ מִתְגַּעְגְּעִים וּמְצַפִּים בְּכָל עֵת לִמְצֹא פֶּתַח תִּקְוָה לָשׁוּב וּלְהִתְקָרֵב אֵלֶיךָ בֶּאֱמֶת.

עָזְרֵנוּ לְמַעַן שְׁמֶךָ, זַכֵּנוּ לְכָל מַה שֶּׁבִּקַּשְׁנוּ מִלְּפָנֶיךָ.

"יִהְיוּ לְרָצוֹן אִמְרֵי פִי וְהֶגְיוֹן לִבִּי לְפָנֶיךָ יְיָ צוּרִי וְגוֹאֲלִי".

עוֹשֶׂה שָׁלוֹם בִּמְרוֹמָיו הוּא בְּרַחֲמָיו יַעֲשֶׂה שָׁלוֹם עָלֵינוּ וְעַל כָּל יִשְׂרָאֵל וְאִמְרוּ אָמֵן:

hearts is revealed to You. You know that in the core of our hearts, we are yearning at every moment to find the doorway of hope to come close to You.

For the sake of Your Name, help us attain everything that we have sought from You.

"May the words of my mouth and the meditation of my heart be acceptable before You, HaShem, my Rock and my Redeemer."

"May He Who makes peace in His heights, in His compassion make peace upon us and upon all Israel, and say, 'Amen.'"

95 (80)

The Resolve to Serve God Even at the Price of Martyrdom

In order for a person to serve God properly, and particularly when he sees that he is not praying well, he should remind himself that that he would be willing to die rather than betray his religion.

This thought awakens an inner peace, which is a blending of kindness and might. And now he can pray properly, connecting his thoughts to his words of prayer.

אֲדוֹן הַשָּׁלוֹם מֶלֶךְ שֶׁהַשָּׁלוֹם שֶׁלּוֹ, עוֹשֶׂה שָׁלוֹם וּבוֹרֵא אֶת הַכֹּל עָזְרֵנוּ וְהוֹשִׁיעֵנוּ כֻּלָּנוּ, שֶׁנִּזְכֶּה תָמִיד לֶאֱחֹז בְּמִדַּת הַשָּׁלוֹם.

וְיִהְיֶה שָׁלוֹם גָּדוֹל בֶּאֱמֶת בֵּין כָּל אָדָם לַחֲבֵרוֹ וּבֵין אִישׁ וְאִשְׁתּוֹ, וְלֹא יִהְיֶה שׁוּם מַחֲלוֹקֶת אֲפִלּוּ בְּלֵב בֵּין כָּל בְּנֵי אָדָם.

כִּי אַתָּה עוֹשֶׂה שָׁלוֹם בִּמְרוֹמֶךָ, וְאַתָּה מְחַבֵּר שְׁנֵי הֲפָכִים יַחַד, אֵשׁ וּמַיִם, וּבְנִפְלְאוֹתֶיךָ הָעֲצוּמִים אַתָּה עוֹשֶׂה שָׁלוֹם בֵּינֵיהֶם, כֵּן תַּמְשִׁיךְ שָׁלוֹם גָּדוֹל עָלֵינוּ וְעַל כָּל הָעוֹלָם כֻּלּוֹ, בְּאֹפֶן שֶׁיִּתְחַבְּרוּ כָּל הַהֲפָכִים יַחַד בְּשָׁלוֹם גָּדוֹל וּבְאַהֲבָה גְדוֹלָה וְיִכְלְלוּ כֻלָּם בְּדֵעָה אַחַת וְלֵב אֶחָד לְהִתְקָרֵב אֵלֶיךָ וּלְתוֹרָתְךָ בֶּאֱמֶת, וְיֵעָשׂוּ כֻלָּם אֲגֻדָּה אַחַת לַעֲשׂוֹת רְצוֹנְךָ בְּלֵבָב שָׁלֵם.

יְיָ שָׁלוֹם, בָּרְכֵנוּ בַשָּׁלוֹם, וְעַל יְדֵי זֶה תַּמְשִׁיךְ עָלֵינוּ כָּל הַבְּרָכוֹת וְכָל הַהַשְׁפָּעוֹת וְכָל הַיְשׁוּעוֹת:

וְעָזְרֵנִי וְהוֹשִׁיעֵנִי בְּרַחֲמֶיךָ הָרַבִּים שֶׁאֶזְכֶּה תָמִיד לִמְסֹר נַפְשִׁי עַל קִדּוּשׁ הַשֵּׁם בֶּאֱמֶת, וּבִפְרָט בִּשְׁעַת קְרִיאַת שְׁמַע וּתְפִלָּה.

Peace Among Jews

Master of peace, You Who have made peace and created everything, help us always grasp the trait of peace.

May great peace rest upon people—particularly upon husband and wife. May people not engage in any disputes, nor even entertain dispute in their hearts.

Just as You make peace in Your heavens by wondrously bonding the opposites of fire and water, so too, draw peace down to us and to the entire world so that all opposites will bind together in peace and love, with a unified intent to come close to You and to Your Torah. May all opposites join into a single unit to do Your will wholeheartedly.

God of peace, bless us with peace, and, in this way, draw down onto us blessing, abundance and salvation.

Sanctifying God's Name Through Prayer

May I always dedicate myself to sanctifying Your Name—particularly when I recite the Shema[19] and when I pray.

---

19 See footnote 5, p. 221.

שֶׁאֶזְכֶּה תָמִיד לְהִתְפַּלֵּל וְלוֹמַר קְרִיאַת שְׁמַע בִּמְסִירַת נֶפֶשׁ בֶּאֱמֶת, וְאֶזְכֶּה לְקַבֵּל בְּדַעְתִּי בִּרְצוֹן חָזָק בֶּאֱמֶת לִמְסֹר נַפְשִׁי לָמוּת עַל קִדּוּשׁ הַשֵּׁם, לְהִתְלַהֵב בְּשַׁלְהוּבִין דִּרְחִימוּתָא וּלְהִתְגַּבֵּר עַל יִצְרִי לִמְסֹר כָּל גּוּפִי וְנַפְשִׁי וּמְאֹדִי בִּשְׁבִיל לְקַדֵּשׁ שִׁמְךָ הַגָּדוֹל וְהַקָּדוֹשׁ וְהַנּוֹרָא.

וְעַל יְדֵי זֶה אֶזְכֶּה תָמִיד לְהִתְפַּלֵּל בְּכַוָּנָה גְדוֹלָה בִּקְדֻשָּׁה וּבְטָהֳרָה בֶּאֱמֶת, לְהַכְנִיס כָּל מֹחִי וּמַחֲשַׁבְתִּי וְדַעְתִּי לְתוֹךְ דִּבּוּרֵי הַתְּפִלָּה, וּלְקַשֵּׁר הַמַּחֲשָׁבָה אֶל הַדִּבּוּר בְּקֶשֶׁר אַמִּיץ וְחָזָק, וְלֹא אוֹצִיא שׁוּם דִּבּוּר שֶׁל הַתְּפִלָּה בְּלֹא כַּוָּנָה חַס וְשָׁלוֹם.

בְּאֹפֶן שֶׁנִּזְכֶּה שֶׁתְּשַׁעֲשֵׁעַ עִם תְּפִלּוֹתֵינוּ תָמִיד, וִיהְיֶה לְךָ נַחַת רוּחַ וְשַׁעֲשׁוּעִים גְּדוֹלִים מִתְּפִלּוֹתֵינוּ. וְיַעֲלוּ וְיֵרָצוּ תְּפִלּוֹתֵינוּ לְפָנֶיךָ לִהְיוֹת כֶּתֶר עַל רֹאשְׁךָ.

וְתַשְׁפִּיעַ עָלֵינוּ חָכְמָה וּבִינָה וָדַעַת וְתוֹשִׁיעֵנוּ בְּכָל מִינֵי יְשׁוּעוֹת. וְתִפְתַּח אֶת לִבֵּנוּ בְּתַלְמוּד תּוֹרָתֶךָ, וְנִזְכֶּה לְהָבִין הֵיטֵב בְּכָל מָקוֹם שֶׁנִּלְמוֹד שָׁם וְתָאִיר עֵינֵינוּ בִּמְאוֹר תּוֹרָתֶךָ. וְתַעַזְרֵנוּ וְתוֹשִׁיעֵנוּ לְחַדֵּשׁ חִדּוּשִׁים אֲמִתִּיִּים בְּתוֹרָתְךָ הַקְּדוֹשָׁה.

May I then fill my mind with a strong yearning to sacrifice my soul and die in order to sanctify Your great, holy and awesome Name. May I be aflame with the flames of love, so that I overcome my evil inclination and give You all of my body, soul and might.

May I always pray with great intent, with holiness and purity, inserting all of my thoughts and awareness into the words of prayer, firmly connecting my thought to my speech, not expressing a single word of prayer without intent.

God, take delight in our prayers always, accept them, and place them as a crown upon Your head.

Send us wisdom, understanding and knowledge, and save us in every way. When we learn Your Torah, open our hearts so that we have the ability to understand it. Enlighten our eyes with its light so that we will be able to create new insights.

וְתַמְשִׁיךְ עָלֵינוּ הֶאָרָה נִפְלָאָה מֵהַתּוֹרָה אֲשֶׁר אַתָּה עָתִיד לְגַלּוֹת עַל יְדֵי מְשִׁיחַ צִדְקֵנוּ, כְּמוֹ שֶׁכָּתוּב: "וּשְׁאַבְתֶּם מַיִם בְּשָׂשׂוֹן מִמַּעַיְנֵי הַיְשׁוּעָה", וְתַרְגּוּמוֹ: וּתְקַבְּלוּן אֻלְפַּן חֲדַת:

רִבּוֹנוֹ שֶׁל עוֹלָם מָלֵא רַחֲמִים, שְׁלַח לִי יְשׁוּעוֹת רַבּוֹת בְּכָל עֵת וָרֶגַע מִמַּעַיְנֵי הַיְשׁוּעָה. כִּי אַתָּה גִּלִּיתָ לָנוּ שֶׁיֵּשׁ לְךָ מַעְיָנוֹת שֶׁל יְשׁוּעָה שֶׁאֵינָם נִפְסָקוֹת לְעוֹלָם כַּמַּעְיָן הַנּוֹבֵעַ שֶׁאֵינוֹ פּוֹסֵק. עָזְרֵנִי וְהוֹשִׁיעֵנִי יְשׁוּעוֹת שְׁלֵמוֹת וַאֲמִתִּיּוֹת מִמַּעְיָנוֹת הַקְּדוֹשִׁים הָאֵלֶּה.

זַכֵּנִי וְהוֹשִׁיעֵנִי בְּכֹחַ וּזְכוּת הַצַּדִּיקִים הָאֲמִתִּיִּים שֶׁהֵם בְּחִינַת מַעַיְנֵי הַיְשׁוּעָה, שֶׁזָּכוּ לְהַשִּׂיג וּלְגַלּוֹת וְלִשְׁאֹב מֵימֵי הַתּוֹרָה בְּשָׂשׂוֹן מִמַּעַיְנֵי הַיְשׁוּעָה, שֶׁיֵּשׁ לָהֶם כֹּחַ גָּדוֹל לָנֶצַח לַעֲזֹר וּלְהָגֵן וּלְהוֹשִׁיעַ לְכָל הַחוֹסִים בָּהֶם לְהַצִּילָם מִשְּׁאוֹל תַּחְתִּיּוֹת וּמִתַּחְתָּיו, וּלְזַכּוֹתָם לְחַיֵּי עוֹלָם לָעַד וְלָנֶצַח כַּאֲשֶׁר נִגְלָה לְפָנֶיךָ אֲדוֹן הָאֱמֶת וְהַשָּׁלוֹם. עָזְרֵנִי וְהוֹשִׁיעֵנִי וְזַכֵּנִי בִּזְכוּתָם, שֶׁאֶזְכֶּה לְהִתְחַדֵּשׁ מֵעַתָּה, לְהַתְחִיל מֵעַתָּה לְהַמְשִׁיךְ עָלַי חָכְמָה וִישׁוּעָה אֲמִתִּיִּית לַעֲזֹב דַּרְכֵּי הָרַע וּמַחְשְׁבוֹתַי הַמְגֻנּוֹת.

וְלֹא אָשׁוּב עוֹד לְאִוַּלְתִּי, רַק אֶזְכֶּה לְהַכְנִיס כָּל חָכְמָתִי וְדַעְתִּי בְּתוֹרָתְךָ הַקְּדוֹשָׁה. וּלְקַשֵּׁר מַחֲשַׁבְתִּי אֶל הַתּוֹרָה וְהַתְּפִלָּה

Draw upon us a wondrous illumination from the Torah that You will reveal to the entire world in the future through our righteous Mashiach. As the verse states, "You will draw water with joy from the wellsprings of salvation"— which the Aramaic translation renders as, "You will receive new instruction."

The Wellsprings of Salvation

Master of the world, send abundant salvation at every moment from the holy wellsprings of salvation that never cease flowing.

The true Tzaddikim joyfully draw from the waters of the Torah, which are the wellsprings of salvation.

Rescue me in the merit of these Tzaddikim, who have the power to shield and rescue all those who take refuge in them from the grave or worse, and lead them to eternal life. May I begin from this moment on to abandon my evil ways and contemptible thoughts, and instead draw wisdom and salvation onto myself.

May I never again return to my foolishness. Rather, may I bring all of my intelligence and awareness to Your holy Torah. May I firmly connect my thought to Torah and prayer, so

תָּמִיד בְּקֶשֶׁר אַמִּיץ וְחָזָק. וְלִבְלִי לְהַנִּיחַ אֶת הַמַּחֲשָׁבָה לָצֵאת חוּץ כְּלָל אֲפִלּוּ כְּחוּט הַשַּׂעֲרָה.

וּתְמַהֵר לְהוֹצִיאֵנִי וּלְהַצִּילֵנִי מִמַּיִם הַזֵּדוֹנִים, מִמְּצוּלוֹת יָם, מִיוֵן מְצוּלָה וְאֵין מָעֳמָד, מִתֹּהוּ וָבֹהוּ וְחֹשֶׁךְ וּתְהוֹם.

וְתוֹשִׁיעֵנִי בְּכָל עֵת וָרֶגַע בִּישׁוּעוֹת נִפְלָאוֹת מִמַּעַיְנֵי הַיְשׁוּעָה.

כִּי גָלוּי וְיָדוּעַ לְפָנֶיךָ בַּעַל הַיְשׁוּעוֹת, שֶׁבְּעֶצֶם רְחוֹקִי מִמְּךָ בְּלִי שִׁעוּר, וְהַיֵּצֶר הָרָע מִתְגַּבֵּר בְּכָל עֵת בְּכַמָּה מִינֵי הִתְגַּבְּרוּת וּמְנִיעוֹת וְעִכּוּבִים וּבִלְבּוּלִים וַעֲקְמִימִיּוֹת שֶׁבַּלֵּב עַד אֵין מִסְפָּר, אֲנִי צָרִיךְ יְשׁוּעוֹת רַבּוֹת וְנִפְלָאוֹת בְּכָל עֵת וָרֶגַע.

שֶׁתִּפְתַּח לָנוּ בְּרַחֲמֶיךָ הָעֲצוּמִים מַעַיְנֵי הַיְשׁוּעָה, שֶׁתִּהְיֶה הַיְשׁוּעָה נוֹבַעַת וּמִתְחַדֶּשֶׁת לָנוּ בְּכָל עֵת וָרֶגַע, בְּאֹפֶן שֶׁנִּזְכֶּה לְהִנָּצֵל בְּכָל עֵת מִמַּה שֶּׁאָנוּ צְרִיכִין לְהִנָּצֵל, בְּדַרְכֵי יְשׁוּעָתֶךָ הַנִּפְלָאוֹת הַמִּתְחַדְּשִׁים וְנוֹבְעִים בְּכָל עֵת וָרֶגַע מִמַּעַיְנֵי הַיְשׁוּעָה. וּתְקַדְּשֵׁנוּ וּתְטַהֲרֵנוּ עַל יָדָם מִכָּל הַטֻּמְאוֹת וּמִכָּל הַגִּלּוּלִים וּמִכָּל הַכְּתָמִים וּמִכָּל הַפְּגָמִים שֶׁבָּעוֹלָם.

וְקַיֵּם לָנוּ מִקְרָא שֶׁכָּתוּב: "וְזָרַקְתִּי עֲלֵיכֶם מַיִם טְהוֹרִים וּטְהַרְתֶּם, מִכֹּל טֻמְאוֹתֵיכֶם וּמִכָּל גִּלּוּלֵיכֶם אֲטַהֵר אֶתְכֶם":

that it never in the slightest leaves their circle of influence.

Quickly rescue me from the stormy waters, from the depths of the sea, from the muddy chasms where there is no place to stand, from chaos and emptiness, darkness and the abyss.

Send me help at every moment from the wellsprings of salvation.

Due to my measureless distance from You, my evil inclination gains strength at every moment, creating endless impediments, confusion and crookedness in my heart. And so I require wondrous salvation at every moment.

Open the wellsprings so that salvation will flow anew for us at every moment. Sanctify and purify us from all of the pollution, stains and blemishes of this world.

Fulfill for us the verse, "I will sprinkle pure waters upon you and purify you; of all of your contaminations and all your idols will I purify you."

רִבּוֹנוֹ שֶׁל עוֹלָם מַצְמִיחַ יְשׁוּעוֹת, מַלֵּא מִשְׁאֲלוֹתֵנוּ לְטוֹבָה בְּרַחֲמִים.

וְהוֹשִׁיעֵנִי מְהֵרָה בְּכָל מַה שֶּׁאֲנִי צָרִיךְ לְהִוָּשַׁע בְּגַשְׁמִיּוּת וְרוּחָנִיּוּת, בְּאֹפֶן שֶׁאֶזְכֶּה מֵעַתָּה לָשׁוּב אֵלֶיךָ וּלְהִתְקָרֵב אֵלֶיךָ בֶּאֱמֶת.

וִיקֻיַּם בָּנוּ מְהֵרָה מִקְרָא שֶׁכָּתוּב: "הִנֵּה אֵל יְשׁוּעָתִי אֶבְטַח וְלֹא אֶפְחָד כִּי עָזִּי וְזִמְרָת יָהּ יְיָ, וַיְהִי לִי לִישׁוּעָה, וּשְׁאַבְתֶּם מַיִם בְּשָׂשׂוֹן מִמַּעַיְנֵי הַיְשׁוּעָה".

וְנֶאֱמַר: "לַיהֹוָה הַיְשׁוּעָה עַל עַמְּךָ בִרְכָתֶךָ סֶּלָה.

יְיָ הוֹשִׁיעָה הַמֶּלֶךְ יַעֲנֵנוּ בְיוֹם קָרְאֵנוּ".

וְטוֹב יִהְיֶה בְּעֵינֶיךָ לְבָרְכֵנוּ וּלְבָרֵךְ אֶת כָּל עַמְּךָ יִשְׂרָאֵל בְּכָל עֵת וּבְכָל שָׁעָה בִּשְׁלוֹמְךָ הַטּוֹב, וְקַיֵּם לָנוּ מִקְרָא שֶׁכָּתוּב: "יְיָ עֹז לְעַמּוֹ יִתֵּן יְיָ יְבָרֵךְ אֶת עַמּוֹ בַשָּׁלוֹם.

יִהְיוּ לְרָצוֹן אִמְרֵי פִי וְהֶגְיוֹן לִבִּי לְפָנֶיךָ יְיָ צוּרִי וְגוֹאֲלִי". עוֹשֶׂה שָׁלוֹם בִּמְרוֹמָיו הוּא בְּרַחֲמָיו יַעֲשֶׂה שָׁלוֹם עָלֵינוּ וְעַל כָּל יִשְׂרָאֵל, וְאִמְרוּ אָמֵן:

Rescue from All of Our Problems

Master of the world, You Who cause salvation to blossom, fulfill our requests.

Save me quickly from all of my problems in both the physical and spiritual realms, so that from this moment on, I will return to You.

May the verse quickly be realized, "Behold, God is my salvation; I will trust and not be afraid, for God, HaShem, is my strength and song; He has saved me. You will draw water with joy from the wellsprings of salvation."

"To HaShem is salvation; Your blessing rests upon Your nation."

"HaShem, save; King, answer us on the day that we call."

Please bless me and Your entire nation, the Jewish people, at every moment with Your beneficent peace. Establish for us the verse, "HaShem will give strength to His nation; HaShem will bless His nation with peace."

"May the words of my mouth and the meditation of my heart be acceptable before You, HaShem, my Rock and my Redeemer."

"May He Who makes peace in His heights, in His compassion make peace upon us and upon all Israel, and say, 'Amen.'"

96 (82)

Remaining Silent in the Face of Insult / Preparing for the Shabbat

---

There are three "husks"—three levels of reality—that are completely impure. These correspond to the first three years that a fruit tree grows, when its fruit is forbidden and is called *orlah* (literally, "foreskin").[20] All of the insults that a person suffers come from these three "husks," or *orlah*.

There is a fourth "husk" called *nogah,* which is sometimes absorbed into the impure "husks" and at other times into holiness. This corresponds to the fruit of a tree in its fourth year, which may be eaten after it is sanctified.

In his description of one of his Heavenly visions, the prophet Ezekiel refers to an energy called *chashmal*. A person is absorbed into the holy energy of *chashmal* when he ignores the insults that come from the realm of *orlah* and remains silent. The first syllable of the word *chashmal, "chash,"* means "silence." The person is silent out of love, because he does not want to

---

20 See Leviticus 19:23.

insult another person. Then *nogah* is absorbed into holiness.

Conversely, if a person stays silent because he knows that doing so will upset his opponent, his silence is absorbed into the realm of *orlah,* of disgrace and insult.

The second syllable in the word *chashmal, "mal,"* has the numerical value of seventy. In addition, it is related to the word *milah* (circumcision). This indicates that at times *nogah* is absorbed into the seventy lights of holiness, into the state of rectified sexuality and circumcision.

On Friday afternoon, prior to the coming of the Shabbat, *nogah* is absorbed into holiness. At that time, the three impure "husks" attempt to rise and grasp holiness, but a fire of God descends and burns them away. Corresponding to that, at this time we bathe in hot water. The custom of cutting one's nails on Friday afternoon is also related to this dynamic.

רִבּוֹנוֹ שֶׁל עוֹלָם עָזְרֵנִי וְהוֹשִׁיעֵנִי שֶׁאֶזְכֶּה לִשְׁתֹּק וְלִדֹּם לִמְחָרְפַי וְלִמְבַזַּי נַפְשִׁי

וְלִמְקַלְלַי נַפְשִׁי תִדּוֹם, וְאֶהְיֶה מִן הַנֶּעֱלָבִים וְאֵינָם עוֹלְבִים שׁוֹמְעִים חֶרְפָּתָם וְאֵינָם מְשִׁיבִים.

עוֹשִׂים מֵאַהֲבָה וּשְׂמֵחִים בְּיִסּוּרִים. וּתְזַכֵּנִי שֶׁלֹּא אֲכַוֵּן לְצַעֲרָם עַל יְדֵי שְׁתִיקָתִי שֶׁאֶשְׁתֹּק לָהֶם, רַק כָּל כַּוָּנָתִי בִּשְׁתִיקָתִי יִהְיֶה מֵאַהֲבָה בֶּאֱמֶת, וְתִהְיֶה בְעֶזְרִי תָמִיד שֶׁאֶהְיֶה נִזְהָר בִּזְהִירוּת גָּדוֹל שֶׁלֹּא לְבַיֵּשׁ וּלְחָרֵף פְּנֵי חֲבֵרִי וְלֹא שׁוּם אָדָם שֶׁבָּעוֹלָם אֲפִלּוּ הַמְחָרְפִין וּמְבַיְּשִׁין אוֹתִי, מִכָּל שֶׁכֵּן אוֹתָם שֶׁאֵינָם מְבַיְּשִׁין אוֹתִי.

אָנָּא יְיָ שָׁמְרֵנִי וְהַצִּילֵנִי מֵעָוֹן הֶחָמוּר הַזֶּה שֶׁל הַמַּלְבִּין פְּנֵי חֲבֵרוֹ בָּרַבִּים שֶׁאֵין לוֹ חֵלֶק לָעוֹלָם הַבָּא.

וְשָׁמְרֵנִי וְהַצִּילֵנִי בְּכָל עֵת שֶׁלֹּא אֲבַיֵּשׁ שׁוּם אָדָם שֶׁבָּעוֹלָם מִגָּדוֹל וְעַד קָטָן.

כִּי כְבָר נִלְכַּדְתִּי בָּזֶה כַּמָּה פְּעָמִים, בְּשׁוֹגֵג וּבְמֵזִיד בְּאֹנֶס וּבְרָצוֹן. "אָמְנָם חָטָאתִי לַיהֹוָה אֱלֹהֵי יִשְׂרָאֵל" וּלְכַמָּה אֲנָשִׁים מִיִּשְׂרָאֵל, אֲשֶׁר כֻּלָּם כְּשֵׁרִים וְצַדִּיקִים כְּנֶגְדִּי,

Silence Before Those Who Abuse Me

Master of the world, help me remain silent when people abuse and deride me.

May I be quiet before those who curse my soul. May I be among those who, although insulted, do not insult in return; who hear themselves reviled but do not respond.

May I be among those who act out of love and rejoice in their suffering. Thus, with my silence, may I not intend to upset these people. Rather, may I be motivated solely by love. May I never shame or insult anyone—not even those who shame me.

Shaming People in Public

HaShem, may I never commit the grave sin of shaming others in public—a sin that deprives a person of his portion in the World to Come.

May I never insult anyone, either great or small.

I have already stumbled in this matter a number of times—sometimes by accident and sometimes on purpose, sometimes against my will and sometimes willingly. "Indeed, I sinned against HaShem, the God of Israel" and against Jews who were all more righteous than I.

וּבִיַּשְׁתִּי אוֹתָם כַּמָּה פְּעָמִים, וְהִלְבַּנְתִּי פְּנֵיהֶם בָּרַבִּים, וְשָׁפַכְתִּי דָּמָם כַּמַּיִם.

אָבִי שֶׁבַּשָּׁמַיִם שָׁמְרֵנִי מֵעַתָּה הַצִּילֵנִי מֵעַתָּה מֵעָוֹן הֶחָמוּר הַזֶּה וּמִכָּל הָעֲוֹונוֹת שֶׁבָּעוֹלָם.

וְעָזְרֵנִי וְזַכֵּנִי לְתַקֵּן כָּל מַה שֶּׁפָּגַמְתִּי בְּעָוֹן זֶה מֵעוֹדִי עַד הַיּוֹם הַזֶּה. וּתְסַבֵּב סִבּוֹת לְטוֹבָה בְּרַחֲמֶיךָ בְּאֹפֶן שֶׁאֶזְכֶּה לְהִתְוַעֵד יַחַד עִם הָאֲנָשִׁים שֶׁבִּיַּשְׁתִּי אוֹתָם וּלְפַיְּסָם בֶּאֱמֶת, עַד אֲשֶׁר כֻּלָּם יִמְחֲלוּ לִי בִּמְחִילָה גְמוּרָה בֶּאֱמֶת בְּרָצוֹן טוֹב וּבְלֵב שָׁלֵם וּבְנֶפֶשׁ חֲפֵצָה.

וְלֹא יִשָּׁאֵר עָלַי שׁוּם שִׂנְאָה וְקַפְדָא מִשּׁוּם אָדָם שֶׁבָּעוֹלָם, וְלֹא שׁוּם טִינָא בַּלֵּב.

וּמֵעַתָּה תִּשְׁמְרֵנִי וְתַצִּילֵנִי תָּמִיד שֶׁלֹּא אַלְבִּין וְלֹא אֲבַיֵּשׁ שׁוּם אָדָם שֶׁבָּעוֹלָם אֲפִלּוּ בֵּינִי לְבֵינוֹ, מִכָּל שֶׁכֵּן בָּרַבִּים. וְלֹא אֲזַלְזֵל בִּכְבוֹד שֶׁל שׁוּם בַּר יִשְׂרָאֵל שֶׁבָּעוֹלָם, וְלֹא אֶהְיֶה בָז לְכָל אָדָם.

רַק אֶזְכֶּה לְהִכָּלֵל בִּכְלָלִיּוּת יִשְׂרָאֵל עַמְּךָ לֶאֱהֹב אֶת כָּל אֶחָד וְאֶחָד מִיִּשְׂרָאֵל כְּנַפְשִׁי וּמְאֹדִי בְּכָל לְבָבִי בֶּאֱמֶת. וּלְקַיֵּם מִצְוַת "וְאָהַבְתָּ לְרֵעֲךָ כָּמוֹךָ" בֶּאֱמֶת בִּשְׁלֵמוּת כִּרְצוֹנְךָ הַטּוֹב:

I shamed them publicly, caused their faces to turn white, and spilled their blood like water.

My Father in Heaven, guard me from ever committing this grave sin again, as well as any other sin.

Help me rectify all of the blemishes that I caused by committing this sin. Orchestrate matters in such a way that I will meet the people whom I shamed, so that I may now appease them until they will all forgive me completely and gladly, with a whole heart and a willing soul.

May no one harbor any hatred, resentment or grudge against me.

From now on, guard me from ever belittling anyone in the world—even when I am alone, and certainly when I am with others. May I never dismiss the honor of any Jew and never deride anyone.

May I bind myself to the totality of Your nation, the Jewish people, loving each Jew with all my heart, fulfilling the commandment, "You shall love your fellow as yourself," perfectly, in accordance with Your beneficent will.

וּבְכֵן תְּזַכֵּנִי וְתַעַזְרֵנִי וְתוֹשִׁיעֵנִי לְהִתְגַּבֵּר בְּכָל עֹז לְשַׁבֵּר וּלְבַטֵּל אֶת יִצְרִי הָרָע וְכָל תַּאֲוֹתַי וּמִדּוֹתַי הָרָעוֹת.

וְתָכֹף אֶת יִצְרִי לְהִשְׁתַּעְבֵּד לָךְ, עַד שֶׁאֶזְכֶּה לְגָרֵשׁ וּלְשַׁבֵּר וּלְהַכְנִיעַ מֵעָלַי כָּל הַקְּלִפּוֹת וְהַסִּטְרִין אוֹחֲרָנִין שֶׁבְּכָל הָעוֹלָמוֹת, הֵן שָׁלֹשׁ הַקְּלִפּוֹת הַטְּמֵאוֹת לְגַמְרֵי שֶׁהֵם, רוּחַ סְעָרָה, וְעָנָן גָּדוֹל, וְאֵשׁ מִתְלַקַּחַת, הֵן הָרָע שֶׁבְּנֹגַהּ.

הַכֹּל אֶזְכֶּה לְכַלּוֹת וּלְשַׁבֵּר וּלְבַטֵּל לְגַמְרֵי, עַד שֶׁאֶזְכֶּה לְבָרֵר בְּחִינַת נֹגַהּ, לְבָרֵר הַטּוֹב שֶׁבָּהּ וּלְהַעֲלוֹתָהּ אֶל הַקְּדֻשָּׁה, בְּאֹפֶן שֶׁנֹּגַהּ יְכֻלַּל בִּקְדֻשָּׁה הָעֶלְיוֹנָה בֶּאֱמֶת. וְכָל הַקְּלִפּוֹת הַטְּמֵאוֹת יִסְתַּלְּקוּ וְיִתְבַּטְּלוּ מִמֶּנִּי בְּבִטּוּל גָּמוּר וְלֹא יִהְיֶה לָהֶם שׁוּם שְׁלִיטָה וַאֲחִיזָה בִּי חַס וְשָׁלוֹם, מֵעַתָּה וְעַד עוֹלָם.

וְתַעַזְרֵנִי וּתְזַכֵּנִי לִשְׁמִירַת הַבְּרִית בֶּאֱמֶת, וּתְבַטֵּל וְתָסִיר מִמֶּנִּי קְלִפַּת הָעָרְלָה, עָרְלַת לֵב וְעָרְלַת בָּשָׂר, וְאֶזְכֶּה לְהִכָּלֵל בֶּאֱמֶת בִּקְדֻשָּׁתְךָ הָעֶלְיוֹנָה:

וּתְרַחֵם עַל כָּל יַלְדֵי עַמְּךָ בֵּית־יִשְׂרָאֵל הַנִּכְנָסִין לִבְרִיתוֹ שֶׁל אַבְרָהָם אָבִינוּ, וְתַזְמִין לְכֻלָּם תָּמִיד מוֹהֲלִים כְּשֵׁרִים וַהֲגוּנִים וְאֻמָּנִים וּזְרִיזִים בֶּאֱמֶת, בְּאֹפֶן שֶׁיְּקַיְּמוּ מִצְוַת מִילָה וּפְרִיעָה בְּתַכְלִית הַשְּׁלֵמוּת כִּרְצוֹנְךָ הַטּוֹב.

Help me overcome and nullify my evil inclination, including all of my wrong desires and evil traits.

Subject my inclination to Your will until I overcome and expel all of the "husks" and related aspects of evil that exist in all worlds—whether the three completely impure "husks" or the evil within *nogah*.

May I destroy all evil until I purify *nogah* by raising the good within it to holiness. Then *nogah* will be absorbed into supernal holiness. As for the three completely impure "husks," may they be nullified so they no longer influence me.

For a *Brit Milah*

Help me guard the covenant of sexual purity. Remove the "husk" of the foreskin from my heart and from my flesh, until I will be absorbed into Your supernal holiness.

Have compassion on all newborn boys of Your nation, the House of Israel, as they are about to enter into the covenant of Abraham. Send them pious, worthy, expert and enthusiastic *mohelim* (ritual circumcisors) who will perform the mitzvah perfectly, in accordance with Your beneficent will.

כִּי אַתָּה קִדַּשְׁתָּ יְדִיד מִבֶּטֶן וְצֶאֱצָאָיו חָתַמְתָּ בְּאוֹת בְּרִית קֹדֶשׁ, וְצִוִּיתָנוּ בְּרַחֲמֶיךָ, לָמוּל אֶת בָּנֵינוּ, בֶּן שְׁמוֹנַת יָמִים, לְהַכְנִיסָם בִּבְרִיתוֹ שֶׁל אַבְרָהָם אָבִינוּ.

עַל כֵּן זַכֵּנוּ וְעָזְרֵנוּ וְתַזְמִין תָּמִיד מוֹהֲלִים כְּשֵׁרִים וַהֲגוּנִים וְאֻמָּנִים וּרְאוּיִים לַעֲסֹק בְּמִצְוָה נוֹרָאָה הַזֹּאת, וְתַעֲמֹד עַל יְמִינָם וְתִסְמְכֵם, שֶׁיִּזְכּוּ לְקַיֵּם מִצְוָה זֹאת בִּשְׁלֵמוּת הָרָאוּי, בְּאֹפֶן שֶׁלֹּא יְקַלְקְלוּ חַס וְשָׁלוֹם לְהַתִּינוֹק הַנִּמּוֹל עַל־יָדָם. רַק יְתַקְּנוּ אוֹתוֹ בְּכָל הַתִּקּוּנִים וְהַקְּדֻשּׁוֹת שֶׁצְּרִיכִין לְתַקֵּן וּלְקַדֵּשׁ אֶת הַתִּינוֹק עַל־יְדֵי מִצְוַת מִילָה.

וִיהְיֶה נִמְשָׁךְ עָלָיו צֶלֶם אֱלֹהִים, צֶלֶם דְּמוּת תַּבְנִיתוֹ, וְיִזְכֶּה לִהְיוֹת שׁוֹמֵר הַבְּרִית בֶּאֱמֶת וְלֹא יִפְגֹּם בִּבְרִיתוֹ לְעוֹלָם, וְיֵלְכוּ יוֹנְקוֹתָיו, וְיִזְכֶּה לְהוֹלִיד בָּנִים וּבָנוֹת חַיִּים וְקַיָּמִים לַעֲבוֹדָתֶךָ וּלְיִרְאָתֶךָ.

וְיֵצְאוּ מִכָּל אֶחָד מִיִּשְׂרָאֵל דּוֹרוֹת הַרְבֵּה עַד סוֹף כָּל הַדּוֹרוֹת, וְכֻלָּם יַכִּירוּ וְיֵדְעוּ אֶת שִׁמְךָ הַגָּדוֹל, וְיַעֲשׂוּ רְצוֹנְךָ בֶּאֱמֶת כָּל יְמֵיהֶם לְעוֹלָם, לְמַעַן יִתְגַּלֶּה אֱלָהוּתְךָ בְּכָל הָעוֹלָמוֹת עַל־יְדֵי יִשְׂרָאֵל עַמְּךָ אֲשֶׁר בָּחַרְתָּ:

"You sanctified the beloved child from the womb…and sealed his offspring with the sign of the holy covenant." You commanded us to circumcise our sons when they are eight days old, and in this way bring them into the covenant of Abraham.

Always send upright, worthy, expert and competent *mohelim* to perform this awesome mitzvah. Stand at their right side and help them perform this mitzvah properly, so that they will not injure the baby but will bring about all of the rectifications and holiness associated with the mitzvah of circumcision.

May the baby be imbued with the image of God. May he guard and never blemish his covenant. May he grow to father healthy sons and daughters who will serve and fear You.

May each such Jew bring forth offspring to the end of all generations who will know Your great Name and do Your will all the days of their lives, so that Your Godliness will be revealed in all of the worlds through Your nation, the Jewish people, whom You chose.

לשבת־קודש

וּתְזַכֵּנִי לְקַבֵּל שַׁבָּת קֹדֶשׁ בִּקְדֻשָּׁה גְדוֹלָה בְּאַהֲבָה וּבְרָצוֹן וּבְשִׂמְחָה וְחֶדְוָה בַּלֵּב, וְלֹא יַעֲלֶה עַל לִבִּי שׁוּם דְּאָגָה וְעַצְבוּת כְּלָל.

רַק אֶזְכֶּה לָגִיל וְלָשִׂישׂ בְּכָל עֹז בְּיוֹם שַׁבָּת קֹדֶשׁ מִבּוֹאוֹ וְעַד צֵאתוֹ.

וּתְזַכֵּנִי לְקַיֵּם מִצְוַת רְחִיצַת מַיִם חַמִּין וּנְטִילַת הַצִּפָּרְנַיִם בְּכָל עֶרֶב שַׁבָּת בִּשְׁלֵמוּת כָּרָאוּי, בְּאֹפֶן שֶׁאֶזְכֶּה עַל־יְדֵי־זֶה לִדְחוֹת וּלְבַטֵּל מֵעָלַי כָּל הַשְּׁלֹשָׁה קְלִפּוֹת הַטְּמֵאוֹת שֶׁלֹּא יִתְאַחֲזוּ בִּי כְּלָל.

וְאֶזְכֶּה לְהַפְרִישׁ וּלְבָרֵר בְּחִינַת נֹגַהּ מִכָּל רָע, וְתַעֲלֶה וְתִכְלַל נֹגַהּ בִּקְדֻשָּׁתְךָ הָעֶלְיוֹנָה.

וְכָל הַקְּלִפּוֹת יֵרְדוּ וְיִפְּלוּ לְנוּקְבָא דִתְהוֹמָא רַבָּא וְיִכְלוּ וְיִתְבַּטְּלוּ לְגַמְרֵי וְלֹא יִהְיֶה לָהֶם שׁוּם אֲחִיזָה בְּהַקְּדֻשָּׁה כְּלָל.

וְאֶזְכֶּה לְקַבֵּל תּוֹסְפוֹת שַׁבָּת, וְתִתֶּן לִי נְשָׁמָה יְתֵרָה קְדוֹשָׁה וּטְהוֹרָה בְּכָל שַׁבָּת וְשַׁבָּת. וְאֶזְכֶּה בְּתוֹךְ כְּלָל עַמְּךָ יִשְׂרָאֵל הַכְּשֵׁרִים, לְהַעֲלוֹת כָּל הָעוֹלָמוֹת לְמַעְלָה לְמַעְלָה עַד רַעֲוָא דְרַעֲוִין, עַד שֶׁנִּזְכֶּה לִכְלֹל עִמָּהֶם בִּקְדֻשָּׁתְךָ הָעֶלְיוֹנָה בְּאוֹר הָאֵין סוֹף כִּרְצוֹנְךָ הַטּוֹב:

For the Holy Shabbat

Help me prepare for the Shabbat with holiness, love, yearning and joy. May no worry or sadness whatsoever arise in my heart.

May I attain intense joy from the beginning of the holy Shabbat until its end.

Every Shabbat eve, may I properly fulfill the mitzvot of bathing in hot water and cutting my nails, and by doing so push away and eliminate the three impure "husks" so they will not cling to me at all.

Furthermore, may I remove all evil from the "husk" of *nogah* and thereby raise and incorporate *nogah* into Your supernal holiness.

Following this, may the three impure "husks" descend and fall into the deep pit, where they will be destroyed and never again be able to take hold of anything holy.

Every Shabbat, may I be imbued with the special Shabbat soul, which is holy and pure. Together with every pious Jew, may I raise all worlds upward to Your primal will, until we are incorporated into Your supernal holiness with infinite light, in accordance with Your beneficent will.

אָנָּא יְיָ קָדוֹשׁ עַל כָּל הַקְּדֻשּׁוֹת, תַּקִּיף עַל כָּל הַתַּקִּיפִים, חָזָק עַל כָּל הַחֲזָקִים, נַצְחָן עַל כָּל הַנַּצְחָנִים, עָזְרֵנִי וְהוֹשִׁיעֵנִי שֶׁאֶזְכֶּה לְנַצֵּחַ הַמִּלְחָמָה הַזֹּאת כִּרְצוֹנְךָ הַטּוֹב בֶּאֱמֶת.

זַכֵּנִי לְהַתְחִיל מֵעַתָּה לִכְנֹס בִּקְדֻשָּׁתְךָ בֶּאֱמֶת וְתַעֲזֹר לְלֹא כֹּחַ כָּמוֹנִי לְהַכְנִיעַ וּלְגָרֵשׁ וּלְשַׁבֵּר וּלְבַטֵּל מִמֶּנִּי כָּל הַקְּלִפּוֹת וְסִטְרִין אוֹחֲרָנִין שֶׁנִּתְאַחֲזוּ בִּי בַּעֲווֹנוֹתַי הָרַבִּים, רַחֵם עָלַי וּגְעוֹר בָּהֶם וְגָרְשֵׁם מֵעָלַי וּמֵעַל גְּבוּלִי.

"כְּחַסְדְּךָ חַיֵּנִי וְאֶשְׁמְרָה עֵדוּת פִּיךָ".

עָזְרֵנִי כִּי עָלֶיךָ נִשְׁעַנְתִּי, "יְיָ אַל אֵבוֹשָׁה כִּי קְרָאתִיךָ יֵבֹשׁוּ רְשָׁעִים יִדְּמוּ לִשְׁאוֹל.

אֲנִי קְרָאתִיךָ כִּי תַעֲנֵנִי אֵל הַט אָזְנְךָ לִי שְׁמַע אִמְרָתִי.

יְיָ קְרָאתִיךָ חוּשָׁה לִּי הַאֲזִינָה קוֹלִי בְּקָרְאִי לָךְ.

HaShem, You are the Holy of Holies, the mightiest of mighty entities, the most powerful of all forces, the most victorious of all conquerors. Help me gain victory in my war against evil, in accordance with Your beneficent will.

May I begin from this moment on to enter into Your holiness. Help me, a powerless person, overcome, expel, break and nullify all of the "husks" and other aspects of evil that have taken hold of me due to my many sins. In Your compassion, rebuke them. Cast them out of me and away from my border.

"In accordance with Your kindness, give me life, and I will keep the testimony of Your mouth."

Help me because I rely on You. "HaShem, may I not be ashamed when I call You, but may the wicked be ashamed—may they descend in silence to the grave."

"I call to You because You will answer me, God. Bend Your ear to me and hear my word."

"HaShem, I have called You—hurry to me. Hear my voice when I call You."

לְמַעַן שִׁמְךָ יְיָ תְּחַיֵּנִי בְּצִדְקָתְךָ תּוֹצִיא מִצָּרָה נַפְשִׁי. וּבְחַסְדְּךָ תַּצְמִית אוֹיְבָי וְהַאֲבַדְתָּ כָּל צוֹרְרֵי נַפְשִׁי כִּי אֲנִי עַבְדְּךָ.

יִהְיוּ לְרָצוֹן אִמְרֵי פִי וְהֶגְיוֹן לִבִּי לְפָנֶיךָ יְיָ צוּרִי וְגוֹאֲלִי":

"For the sake of Your Name, HaShem, give me life; in Your righteousness, extract my soul from trouble. In Your kindness, cut away my enemies and destroy all of those who trouble my soul, for I am Your servant."

"May the words of my mouth and the meditation of my heart be acceptable before You, HaShem, my Rock and my Redeemer."

97 (107)

Resisting the Blandishments of the Evil Inclination

Sometimes when a person fights against his evil inclination, it attempts to make him proud by giving him miraculous powers.

Should that occur, he should recall our sages' teaching that God does not dwell with an egotistical person. He should then suppress his inclination to grow proud, reminding himself that were he to do so, it would deprive him of those powers.

"אֱלֹהִים אַל דֳּמִי לָךְ אַל תֶּחֱרַשׁ וְאַל תִּשְׁקֹט אֵל, כִּי הִנֵּה אוֹיְבֶיךָ יֶהֱמָיוּן וּמְשַׂנְאֶיךָ נָשְׂאוּ רֹאשׁ, עַל עַמְּךָ יַעֲרִימוּ סוֹד וְיִתְיָעֲצוּ עַל צְפוּנֶיךָ, אָמְרוּ לְכוּ וְנַכְחִידֵם מִגּוֹי וְלֹא יִזָּכֵר שֵׁם יִשְׂרָאֵל עוֹד. כִּי נוֹעֲצוּ לֵב יַחְדָּו, עָלֶיךָ בְּרִית יִכְרֹתוּ":

רִבּוֹנוֹ שֶׁל עוֹלָם אַתָּה יוֹדֵעַ מַעֲמָד וּמַצָּב שֶׁל יִשְׂרָאֵל כָּעֵת בְּגַשְׁמִיּוּת וְרוּחָנִיּוּת, בִּכְלָל וּבִפְרָט, "כִּי בָאוּ בָנִים עַד מַשְׁבֵּר וְכֹחַ אַיִן לְלֵדָה". וְעַל יָמֵינוּ וְעַל דּוֹרוֹתֵינוּ אֵלֶּה נִבְּאוּ כָּל נְבִיאֵינוּ וַחֲכָמֵינוּ מִימוֹת עוֹלָם עַד הֵנָּה.

כִּי תָכְפוּ עָלֵינוּ צָרוֹת, הֵן מֵעֹל הַנְּתִינוּת וְחֶסְרוֹן הַפַּרְנָסָה וְרִבּוּי הַחוֹלָאַת וְהַמַּכְאוֹבִים וּמֵחוּשִׁים הַשְּׁכִיחִים בָּעוֹלָם רַחֲמָנָא לִצְלָן. וּשְׁאָר מִינֵי צָרוֹת וְיִסּוּרִין בִּפְרָטִיּוּת שֶׁיֵּשׁ לְרֹב הָעוֹלָם.

יֵשׁ חֲשׂוּכֵי בָנִים, וְיֵשׁ שֶׁיֵּשׁ לָהֶם צַעַר גָּדוֹל בָּנִים רַחֲמָנָא לִצְלָן. וְיֵשׁ שֶׁיֵּשׁ לָהֶם בָּנִים וּבָנוֹת וְאֵין לָהֶם בַּמֶּה לְפַרְנְסָם וּבִפְרָט לְהַשִּׂיאָם לְהֶהָגוּן לָהֶם, וְכָהֵנָּה וְכָהֵנָּה.

We Have Nothing On Which to Rely But Prayer

"God, do not be silent, do not be still. God, do not stay quiet. Your enemies roar and Your foes lift their heads. They scheme and conspire against Your nation. They plot against the people whom You protect. They say, 'Let us go and destroy them so that they will no longer be a nation, so that the name of Israel will never be mentioned again.' They have agreed with a single heart; they have formed a pact against You."

Master of the world, You know the difficult state of the Jewish people—physically and spiritually, as a whole and as individuals. "Children have come to be born, but there is no strength to bring them forth." All of the prophets and sages from the earliest days prophesied about these times.

We are flooded by troubles of servitude, poverty, illness, epidemics, and other problems that affect the vast majority of Jews.

Some people are childless. Others have difficulty raising their small children. Still others have no money to help their older children get married.

הַשֵּׁם יִתְבָּרַךְ יְרַחֵם עַל כָּל אֶחָד וְיוֹשִׁיעוֹ בְּכָל מַה שֶּׁצָּרִיךְ לְהִוָּשֵׁעַ.

וְנוֹסַף לָזֶה מַה שֶּׁנִּשְׁמַע בְּכָל עֵת שֶׁמִּתְיָעֲצִים עָלֵינוּ וְחוֹשְׁבִים מַחֲשָׁבוֹת לִגְזֹר גְּזֵרוֹת עַל עַמְּךָ יִשְׂרָאֵל חָלִילָה אֲשֶׁר אִי אֶפְשָׁר לְסָבְלָם. וּבִפְרָט כִּי רֻבָּם נוֹגְעִים בְּדַת יִשְׂרָאֵל כַּאֲשֶׁר נִגְלָה לְפָנֶיךָ אֲדוֹן כֹּל נוֹתֵן הַתּוֹרָה.

וְעַל כָּל אֵלֶּה קָשָׁה מִכֻּלָּם צָרוֹת הַנֶּפֶשׁ מַה שֶּׁאָנוּ בְּעַצְמֵנוּ עוֹשִׂים לְעַצְמֵנוּ, מַה שֶּׁאָנוּ מִתְרַפִּים בִּמְלֶאכֶת שָׁמַיִם, וְגַם עָשִׂינוּ בְּהֵפֶךְ, כִּי הִרְבִּינוּ לִפְשֹׁעַ נֶגְדֶּךָ, וְהָרַע בְּעֵינֶיךָ עָשִׂינוּ.

וּבִפְרָט אָנֹכִי אֲשֶׁר כְּבָר נִלְאֵיתִי לְהִתְוַדּוֹת וּלְסַפֵּר מַהוּתִי וְעִנְיָנִי וְהַנְהָגוֹתַי וּמַחְשְׁבוֹתַי וּמַעֲשַׂי הַמְגֻנִּים וְהַזָּרִים.

הַשֵּׁם יִתְבָּרַךְ יַצִּילֵנִי מֵעַתָּה, וְאֵינִי יוֹדֵעַ שׁוּם עֵצָה וְתַחְבּוּלָה כִּי אִם לִצְעֹק וְלִזְעֹק וְלִשְׁאֹג וּלְהִתְחַנֵּן אֵלֶיךָ.

כִּי מַר לִי מְאֹד. כִּי "טָבַעְתִּי בִּיוֵן מְצוּלָה וְאֵין מָעֳמָד, בָּאתִי בְמַעֲמַקֵּי מַיִם וְשִׁבֹּלֶת שְׁטָפָתְנִי".

וְאֵינִי יוֹדֵעַ שׁוּם מָנוֹס וְהַצָּלָה, וְאֵין לִי שׁוּם פֶּתַח תִּקְוָה, כִּי אִם לְהִתְפַּלֵּל וּלְהִתְחַנֵּן לְפָנֶיךָ מָלֵא רַחֲמִים, בַּעַל הַיְשׁוּעוֹת, הֵן עַל צָרוֹת נַפְשִׁי, הֵן עַל צָרוֹת כְּלָל יִשְׂרָאֵל שֶׁמְּחֻיָּב כָּל אֶחָד מִיִּשְׂרָאֵל לְהִשְׁתַּתֵּף בְּצָרָתָם.

HaShem, please have mercy on each one and rescue every individual from his particular hardship.

In addition, we constantly hear about schemes to pass oppressive laws against Your nation, the Jewish people—most of which are meant to restrict our religious freedom.

But worst of all are the sufferings that we inflict upon our own souls. We have grown feeble in serving You, and we do the opposite of Your will. We deliberately sin against You and do evil in Your eyes.

I have become worn out confessing my poor character, behavior and thoughts, and my lowly, aberrant deeds.

All that I can do now is call out to You.

My life is bitter. "I have sunken into the muddy depths and cannot stand. I have entered into the deep waters, and the rushing current washes over me."

I do not know how to escape. My only hope is to pray to You to save me from the troubles of my soul—and I also pray regarding the troubles of all the Jewish people, because every Jew is obligated to share in the distress of every other Jew.

וְעַל כֻּלָּם אֵין לָנוּ שׁוּם מַשְׁעֵן וּמַשְׁעֵנָה כִּי אִם עַל תְּפִלָּה וְתַחֲנוּנִים, כַּאֲשֶׁר צִוּוּנוּ חֲכָמֶיךָ הַקְּדוֹשִׁים זְכוּתָם יָגֵן עָלֵינוּ.

אֲבָל אַתָּה יוֹדֵעַ כַּמָּה אֲנִי רָחוֹק מִתְּפִלָּה וְתַחֲנוּנִים.

וְהָעִקָּר מֵחֲמַת מַחֲשָׁבוֹת הַטּוֹרְדוֹת קֹדֶם הַתְּפִלָּה וּבִשְׁעַת הַתְּפִלָּה, הֵן מַחֲשָׁבוֹת שֶׁל גַּדְלוּת וּפְנִיּוֹת, הֵן רִבּוּי מַחֲשָׁבוֹת זָרוֹת וְרָעוֹת וּבִלְבּוּלִים וְהִרְהוּרִים וְרַעְיוֹנוֹת הָרָעִים הַבָּאִים עָלַי בִּשְׁעַת הַתְּפִלָּה בְּיוֹתֵר.

אֲשֶׁר אֵינִי יוֹדֵעַ שׁוּם דֶּרֶךְ אֵיךְ לְהִתְגַּבֵּר עֲלֵיהֶם וּלְמַלֵּט נַפְשִׁי מֵהֶם, כִּי הִתְפַּשְּׁטוּ עָלַי מְאֹד מְאֹד, הִשְׂתָּרְגוּ עָלוּ עַל צַוָּארִי הִכְשִׁילוּ כֹחִי, לֹא יָדַעְתִּי נַפְשִׁי אָנָה אֲנִי בָא. אָנָה אֶבְרַח אָנָה אָנוּס, אָנָה אֲמַלֵּט מִפְּנֵיהֶם. כִּי כִּתְּרוּנִי וְהִדְרִיכוּנִי.

"סַבּוּנִי גַם סְבָבוּנִי, סַבּוּנִי גַם סְבָבוּנִי, סַבּוּנִי כִדְבוֹרִים סַבּוּנִי כַמַּיִם כָּל הַיּוֹם הִקִּיפוּ עָלַי יָחַד". וּבְיוֹתֵר בִּשְׁעַת הַתְּפִלָּה.

אֲשֶׁר עַד הֵנָּה לֹא עָלְתָה מֵאִתִּי תְּפִלָּה אַחַת בְּלִי רִבּוּי בִלְבּוּלִים וּמַחֲשָׁבוֹת זָרוֹת וְרָעוֹת בְּלִי שִׁעוּר וָעֵרֶךְ וּמִסְפָּר. מִלְּבַד הַרְבֵּה תְּפִלּוֹת שֶׁהָיוּ מְעֹרְבָבִים לְגַמְרֵי לְגַמְרֵי אֲשֶׁר לֹא יָדַעְתִּי כְּלָל אִם דִּבַּרְתִּי הַדִּבּוּרִים שֶׁל הַתְּפִלָּה. אֲשֶׁר הַרְבֵּה דִּבּוּרִים וּבְרָכוֹת דִּלַּגְתִּי לְגַמְרֵי.

Regarding all this, our holy sages have told us that we have nothing on which to rely except for prayer.

Unable to Pray

You know how far I am from prayer.

Before and during prayer, I experience disturbing thoughts: delusions of grandeur, selfish ideas, and a multitude of foreign, wicked musings, confusions, fantasies and evil conceptions that crowd in upon me.

I do not know how to overcome and escape them. They clamber upon me, enchain me, climb up to my neck and overwhelm me. I do not know how to flee because they have surrounded me and beaten me down.

"They have surrounded me," "encircled me like bees," "encompassed me like water the entire day, they are all around me," even moreso during the time of prayer.

I have never recited a single prayer that was not beleaguered by a multitude of foreign, evil thoughts. Many of my prayers have been so confused that I do not even know if I actually said the words. There are many prayers that I skipped altogether.

וַאֲפִלּוּ מַה שֶּׁאָמַרְתִּי כְּאִלּוּ לֹא אָמַרְתִּי, כִּי הָיָה פִּי חָלוּק לְגַמְרֵי מִלִּבִּי, בְּפִי וּבִשְׂפָתַי אָמַרְתִּי בִּלְשׁוֹן עִלְּגִים חֲצִי מַאֲמָרִים פְּגוּמִים מְאֹד, וְלִבִּי הָיָה רָחוֹק מֵהֶם מְאֹד, כִּי לִבִּי הָיָה מָלֵא מַחֲשָׁבוֹת רַבּוֹת רָעוֹת וְזָרוֹת וּמְבֻלְבָּלוֹת מְאֹד.

אוֹי לִי וַי לִי, אוֹי לִי וַי לִי, מָה אֶעֱשֶׂה לְיוֹם פְּקֻדָּה, "וּמָה אֶעֱשֶׂה כִּי יָקוּם אֵל וְכִי יִפְקֹד מָה אֲשִׁיבֶנּוּ".

אָנָה אוֹלִיךְ אֶת חֶרְפָּתִי, אָנָה אוֹלִיךְ אֶת כְּלִמָּתִי. אַיֵּה אֵפוֹא אֶתְחַבֵּא וְאֶטָּמֵן מִפְּנֵי בָשְׁתִּי וּכְלִמָּתִי הָעֲצוּמָה וְהַמָּרָה וְהַגְּדוֹלָה כָּל כָּךְ כָּל כָּךְ, מַה שֶּׁאֵין הַפֶּה יָכוֹל לְדַבֵּר וְהַלֵּב לַחְשֹׁב:

וּבְכֵן בָּאתִי לְפָנֶיךָ שׁוֹמֵעַ תְּפִלָּה, הַבּוֹחֵר בִּתְפִלַּת עַמּוֹ יִשְׂרָאֵל בְּרַחֲמִים וּמִתְאַוֶּה לִתְפִלָּתָן שֶׁל יִשְׂרָאֵל, אֲשֶׁר רַק בִּשְׁבִיל זֶה בָּרָאתָ עוֹלָמְךָ יֵשׁ מֵאַיִן הַמֻּחְלָט בַּעֲשָׂרָה מַאֲמָרוֹת, לְפִי שֶׁצָּפִיתָ וְרָאִיתָ שֶׁאַתָּה עָתִיד לְהִתְעַדֵּן וּלְהִתְעַנֵּג וּלְהִשְׁתַּעֲשֵׁעַ בִּתְפִלָּתָן שֶׁל עַמְּךָ יִשְׂרָאֵל.

עַל כֵּן רַחֵם עָלַי וְעַל כָּל חֶבְרָתֵנוּ וְעַל כָּל עַמְּךָ בֵּית יִשְׂרָאֵל, וְתַעֲמֹד לִימִין צִדְקֵנוּ וְתִהְיֶה בְּעֶזְרֵנוּ בְּכָל עֵת, שֶׁנִּזְכֶּה לְגָרֵשׁ מֵאִתָּנוּ כָּל הַמַּחֲשָׁבוֹת הַטּוֹרְדוֹת וְכָל הָרַעְיוֹנוֹת הַמְבַלְבְּלִים וּבִפְרָט בִּשְׁעַת הַתְּפִלָּה, בְּאֹפֶן שֶׁנִּזְכֶּה לְהִתְפַּלֵּל תְּפִלּוֹתֵינוּ

And even when I did recite the words, it is as though I did not do so, for there was no connection between my mouth and my heart. With my mouth and my lips, I pronounced the words, but they were blemished half-statements recited by a stuttering tongue far from my heart, which was filled with evil, alien and confused thoughts.

Woe is me! Woe is me! What will I do on the day of punishment? "What will I do when God arises? When He takes an account, what shall I answer Him?"

Where will I run with my shame? Where will I take my disgrace? Where will I hide because of my mortification, which my mouth cannot describe and my heart cannot bear to think about?

Recognizing Our Imperfections

Therefore, I come to You, Who desires and accepts the prayers of Your nation, the Jewish people. You created the world out of nothing solely because You foresaw the delight that You would gain from the prayers of Your nation, the Jewish people.

Help us expel all troubling and confusing thoughts that come to us during prayer. Let us

לְפָנֶיךָ בְּכָל לֵב בְּכַוָּנָה גְדוֹלָה מֵעוּמְקָא דְלִבָּא בֶּאֱמֶת, בְּמַחֲשָׁבוֹת קְדוֹשׁוֹת וְזַכּוֹת שֶׁתִּהְיֶה הַמַּחֲשָׁבָה קְשׁוּרָה אֶל כָּל דִּבּוּרֵי הַתְּפִלָּה בְּקֶשֶׁר אַמִּיץ וְחָזָק בְּאַחְדוּת גָּמוּר.

וְלֹא יַעֲלֶה עַל לִבֵּנוּ שׁוּם פְּנִיָּה וּמַחֲשָׁבָה זָרָה בִּשְׁעַת הַתְּפִלָּה. רַק נִזְכֶּה בִּשְׁעַת הַתְּפִלָּה לְהַעֲבִיר מִדַּעְתֵּנוּ כָּל הַפְּנִיּוֹת וְכָל הַמַּחֲשָׁבוֹת הַטּוֹרְדוֹת וְלֹא יַעֲלֶה עַל דַּעְתִּי שׁוּם מַחֲשָׁבָה שֶׁל שְׁטוּת שֶׁל אֵיזֶה צַד גַּדְלוּת שֶׁל הֶבֶל, לַחְשֹׁב שֶׁאֲנִי מְיֻחָס וּבַעַל מִשְׁפָּחָה, אוֹ לְהִדַּמּוֹת בְּעֵינַי שֶׁכְּבָר הָיָה לִי יְגִיעָה וְעָמָל בַּעֲבוֹדַת הַבּוֹרֵא יִתְבָּרֵךְ שְׁמוֹ.

אַךְ אַכִּיר חֶסְרוֹנִי וְאֵדַע שִׁפְלוּתִי בֶּאֱמֶת וְאֶשְׁכַּח אֶת כָּל מִשְׁפַּחְתִּי וּבֵית אָבִי, וְאֶת כָּל מִינֵי מַחֲשָׁבוֹת שֶׁמַּגִּיעַ מֵהֶם אֵיזֶה צַד פְּנִיָּה שֶׁל גַּדְלוּת וְהִתְנַשְּׂאוּת. רַק אֶעֱמֹד כְּרָשׁ וּכְאֶבְיוֹן וְאֵדַע פְּחִיתוּתִי וּגְרִיעוּתִי וְשִׁפְלוּתִי בֶּאֱמֶת לַאֲמִתּוֹ.

אֲבָל אֶהְיֶה בָּטוּחַ בְּחַסְדְּךָ הַגָּדוֹל שֶׁאַתָּה שׁוֹכֵן אֶת דַּכָּא וּשְׁפַל רוּחַ, וְאַתָּה קָרוֹב לְנִשְׁבְּרֵי לֵב.

וּבְחַסְדְּךָ הַגָּדוֹל לְבַד אַרְחִיב אֶת לִבִּי לְהִתְפַּלֵּל לְפָנֶיךָ בְּשִׂמְחָה אֲמִתִּיִּית. אָגִילָה וְאֶשְׂמְחָה בִּישׁוּעָתֶךָ בְּאֹפֶן שֶׁתִּהְיֶה תְפִלָּתִי בְּתַכְלִית הַשְּׁלֵמוּת זַכָּה וְצַחָה וּנְכוֹנָה וּשְׁגוּרָה בְּפִי.

pray to You with all our hearts, with deep feeling, with holy, pure concentration that is bound firmly to every word we say.

May our hearts not entertain any ulterior motives or wrong thoughts. May we possess no foolish, conceited thoughts of our greatness—for instance, that we come from a distinguished family, or that we have advanced far in serving You.

May we recognize our imperfections and know our lowliness. May we forget about our distinguished family and anything else that might make us haughty. Instead, may we stand before You like paupers, aware of our paltriness.

May we be confident of Your kindness, of the fact that You dwell with the humble and lowly of spirit, that You are close to those whose hearts are broken.

With this trust in Your great kindness, let us open our hearts and pray to You with joy. Let us rejoice in Your salvation so that our prayer will be perfect: pure, clear, proper and fluent in our mouths.

בְּאֹפֶן שֶׁתִּשְׁמַע וּתְקַבֵּל אֶת תְּפִלּוֹתֵינוּ וּתְחִנּוֹתֵינוּ וּבַקָּשׁוֹתֵינוּ וְנִזְכֶּה לִמְשֹׁל בִּתְפִלּוֹתֵינוּ שֶׁיִּהְיֶה לָנוּ כֹּחַ לִפְעֹל בִּתְפִלָּתֵנוּ כָּל מַה שֶּׁנִּרְצֶה, אֲפִלּוּ לְשַׁנּוֹת הַטֶּבַע.

וּתְמַלֵּא כָּל מִשְׁאֲלוֹת לִבֵּנוּ לְטוֹבָה בְּרַחֲמִים. וְתִתְעַדֵּן וְתִשְׁתַּעֲשֵׁעַ עִם תְּפִלּוֹתֵינוּ תָּמִיד, וְעַל יְדֵי זֶה תְּקַיֵּם אֶת עוֹלָמְךָ וְכָל אֲשֶׁר בָּהּ בְּכֹחַ הָעֲשָׂרָה מַאֲמָרוֹת, וְתַמְשִׁיךְ עָלֵינוּ חֲסָדִים טוֹבִים תָּמִיד.

וְתַמְתִּיק וּתְבַטֵּל מֵעָלֵינוּ וּמֵעַל כָּל יִשְׂרָאֵל כָּל הַדִּינִים שֶׁבָּעוֹלָם, וּתְשַׁבֵּר וּתְבַטֵּל מֵעָלֵינוּ כָּל הַגְּזֵרוֹת קָשׁוֹת שֶׁבָּעוֹלָם, בֵּין אוֹתָם שֶׁכְּבָר נִגְזְרוּ, וּבֵין אוֹתָם שֶׁרוֹצִים לִגְזֹר חַס וְשָׁלוֹם:

רִבּוֹנוֹ שֶׁל עוֹלָם מָלֵא רַחֲמִים, עֶזְרַת אֲבוֹתֵינוּ אַתָּה הוּא מֵעוֹלָם, מָגֵן וּמוֹשִׁיעַ לָהֶם וְלִבְנֵיהֶם אַחֲרֵיהֶם בְּכָל דּוֹר וָדוֹר.

רְאֵה נָא בְעָנְיֵנוּ וְרִיבָה רִיבֵנוּ וּמַהֵר לְגָאֳלֵנוּ גְּאֻלָּה שְׁלֵמָה מְהֵרָה לְמַעַן שְׁמֶךָ, וּבִפְרָט מִכָּל הַגְּזֵרוֹת קָשׁוֹת אֲשֶׁר נִשְׁמְעוּ בְּיָמֵינוּ שֶׁרוֹצִים לִגְזֹר חַס וְשָׁלוֹם חַס וְשָׁלוֹם. חֲמֹל עַל שְׁאֵרִית עַמְּךָ בֵּית יִשְׂרָאֵל וּבַטֵּל אוֹתָם מֵעָלֵינוּ בְּבִטּוּל גָּמוּר. כִּי אֵין מִי שֶׁיַּעֲמֹד בַּעֲדֵנוּ, שִׁמְךָ הַגָּדוֹל יַעֲמֹד לָנוּ בְּעֵת צָרָה. כִּי לֹא דִבֶּר יְיָ לִמְחוֹת אֶת שֵׁם יִשְׂרָאֵל חָלִילָה:

Then You will hear and accept our prayers. And then we will rule with our prayers; with them, we will have the power to bring about everything we wish—even to the point of changing nature.

Fulfill all the requests of our heart for the good. Always take delight in our prayers. Maintain Your world and everything in it for the sake of our prayers.

Nullify all judgments against the entire Jewish people. Eradicate all harsh decrees, whether they are in potential or whether they have already been enacted.

Quickly Redeem Us

Master of the world, You have helped, shielded and saved our fathers and their descendants in every generation.

Look at our impoverishment and battle on our behalf. For the sake of Your Name, quickly redeem us from all of the harsh decrees that have been proposed in our days. Have mercy on the remnant of Your nation, the House of Israel, and nullify these decrees completely, for there is no one else to take our side. May Your great Name stand on our behalf at this time of trouble, and never allow the name of Israel to be erased.

רִבּוֹנוֹ שֶׁל עוֹלָם, כְּפִי עֹמֶק יְרִידָתֵנוּ עַתָּה בְּסוֹף הַגָּלוּת הָאָרֹךְ הַמַּר הַזֶּה, אֲשֶׁר יָרַדְנוּ פְּלָאִים כְּמוֹ שֶׁכָּתוּב: "וַתֵּרֶד פְּלָאִים אֵין מְנַחֵם לָהּ". וְאָנוּ רְחוֹקִים מִמְּךָ כְּמוֹ שֶׁאָנוּ רְחוֹקִים, כְּפִי אֲשֶׁר יוֹדֵעַ כָּל אֶחָד וְאֶחָד מְעַט בְּנַפְשׁוֹ. וּבְכָל יוֹם וָיוֹם נֹאמַר מַה יְּהֵא בְּסוֹפֵנוּ.

וְאָנוּ מִתְחַזְּקִים וּמְצַפִּים בְּכָל יוֹם לִישׁוּעָה, אוּלַי יָחוּס עַתָּה אוּלַי יְרַחֵם עַתָּה. אוּלַי נַתְחִיל לְהִתְעוֹרֵר מֵעַתָּה לַעֲזֹב דַּרְכֵּנוּ הָרָע וּמַחְשְׁבוֹתֵינוּ הַמְגֻנּוֹת וְכוּ'.

וְאִם חַס וְשָׁלוֹם חַס וְשָׁלוֹם לֹא יַעֲלֶה שֶׁיִּתּוֹסֵף עַל יִשְׂרָאֵל חָלִילָה עוֹד גְּזֵרָה אַחַת מֵהַגְּזֵרוֹת שֶׁנִּשְׁמְעוּ שֶׁחֲפֵצִים לִגְזֹר חָלִילָה, כִּמְעַט אֶפֶס תִּקְוָה חָלִילָה. כִּי גַם עַתָּה קָשֶׁה וְכָבֵד עָלֵינוּ עֹל הַגָּלוּת.

וְרַבִּים מֵעַמְּךָ יִשְׂרָאֵל נִתְרַחֲקוּ מִמְּךָ מֵחֲמַת עֹל מְרִירַת הַגָּלוּת בְּגַשְׁמִיּוּת וְרוּחָנִיּוּת, כִּי מִכָּל צַד אוֹרְבִים עָלֵינוּ מִלְמַעְלָה וּמִלְמַטָּה, בְּגוּף וָנֶפֶשׁ וּמָמוֹן, כַּאֲשֶׁר נִגְלָה לְפָנֶיךָ יוֹדֵעַ נִסְתָּרוֹת.

"וְעַתָּה יְיָ אֱלֹהֵינוּ אָבִינוּ אָתָּה, אֲנַחְנוּ הַחֹמֶר וְאַתָּה יֹצְרֵנוּ וּמַעֲשֵׂה יָדְךָ כֻּלָּנוּ. אַל תִּקְצֹף יְיָ עַד מְאֹד וְאַל לָעַד תִּזְכֹּר עָוֹן הֵן הַבֶּט נָא עַמְּךָ כֻלָּנוּ". רְאֵה אֶת עַמְּךָ מְרוּדִים מְאֹד,

We Hope Every Day

Master of the world, in the depth of our descent at the end of this long, bitter exile, in which we have descended to an appalling extent—"she has descended shockingly, with no one to console her"—we are so far from You, as every individual senses in his soul, that every day we lament, "What will be our end?"

Yet we also encourage ourselves. Every day we hope for Your salvation: "Perhaps You will have pity on us, and perhaps we will begin to awaken and leave behind our evil and disgusting thoughts."

But if any of the rumored anti-Jewish decrees will be enacted, our hope will be all but gone in this crushing, difficult exile.

Many Jews have grown far from You because of the yoke of the bitterness of our exile, both physical and spiritual. From every side, from above and below, enemies lay siege against us—against our body, soul and possessions.

"HaShem our God, You are our Father. We are the clay and You are our Maker. All of us are the work of Your hand. HaShem, do not be very angry; do not bear our sin in mind forever. Look now, we are all Your people." Look at

רְאֵה "כִּי אָזְלַת יָד וְאֶפֶס עָצוּר וְעָזוּב בְּיִשְׂרָאֵל".

אָבִינוּ שֶׁבַּשָּׁמַיִם, זְכוֹר נָא אֶת כָּל הַתְּפִלּוֹת וּתְחִנּוֹת וּבַקָּשׁוֹת שֶׁהִתְפַּלְּלוּ וְהִתְחַנְּנוּ הַצַּדִּיקִים הָאֲמִתִּיִּים לְבַטֵּל אֵלּוּ הַגְּזֵרוֹת שֶׁהִתְחִילוּ לִצְמֹחַ בִּימֵיהֶם. זְכֹר נָא אֶת כָּל מִינֵי הַהַמְתָּקוֹת שֶׁעָסְקוּ הַצַּדִּיקִים בָּהֶם לְהַמְתִּיק הַדִּינִים וּלְבַטֵּל כָּל הַגְּזֵרוֹת.

זְכֹר וְהַבֵּט עַל כָּל הַדְּמָעוֹת שֶׁשָּׁפְכוּ לְפָנֶיךָ כַּמַּיִם עַל זֶה, וְכַמָּה תּוֹרוֹת נִפְלָאוֹת וְנוֹרָאוֹת אָמְרוּ בִּשְׁבִיל זֶה, וְכַמָּה וְכַמָּה הַמְתָּקוֹת הִמְתִּיקוּ עַל יְדֵי הַשְּׂמָחוֹת וְהַמְחָאַת כַּף וְרִקּוּדִין בְּשִׂמְחָה שֶׁל מִצְוָה, וְכֹל אֲשֶׁר פָּעֲלוּ וְעָשׂוּ וּמָסְרוּ נַפְשָׁם עַל זֶה לְבַטֵּל כָּל הַגְּזֵרוֹת שֶׁחֲפֵצִים לִגְזֹר חַס וְשָׁלוֹם.

וּבְרַחֲמֶיךָ הָרַבִּים בְּכֹחָם הַגָּדוֹל נִתְעַכְּבוּ עַד הֵנָּה.

עֲשֵׂה לְמַעַן שְׁמֶךָ, וּלְמַעַן תְּפִלָּתָם וּלְמַעַן הַמְתָּקָתָם שֶׁל כָּל הַצַּדִּיקִים שׁוֹכְנֵי עָפָר שֶׁעָסְקוּ בְּחַיֵּיהֶם הַקְּדוֹשִׁים, וּלְמַעַן תְּפִלָּתָם שֶׁמִּתְפַּלְּלִים עֲדַיִן עַל עַמְּךָ יִשְׂרָאֵל, וַעֲשֵׂה אֶת אֲשֶׁר תַּעֲשֶׂה בְּרַחֲמֶיךָ הָרַבִּים וַחֲסָדֶיךָ הָעֲצוּמִים וְנִפְלְאוֹתֶיךָ הַנּוֹרָאוֹת, וּתְשַׁבֵּר וּתְמַגֵּר וְתַעֲקֹר וּתְכַלֶּה וּתְבַטֵּל כָּל הַגְּזֵרוֹת שֶׁרוֹצִים לִגְזֹר חַס וְשָׁלוֹם.

how oppressed we are. "The hand of the enemy has gained power and there is no savior to strengthen us."

May God Accept the Prayers of the Tzaddikim

Our Father in Heaven, accept the prayers of the true Tzaddikim to nullify the anti-Jewish decrees that began to emerge in their days. Recall all of the ways in which they worked to sweeten judgments and nullify these decrees.

Recall the tears that they shed before You, the wondrous and awesome teachings they revealed, their clapping and dancing in the joy of performing a mitzvah, and everything else that they did with dedication and self-sacrifice in order to sweeten judgments and nullify all of the decrees that our enemies wish to enact.

Due to Your compassion and the power of these Tzaddikim, these decrees have been delayed until now.

For the sake of Your Name, for the sake of the prayers of these Tzaddikim who dwell in the dust, for the sake of all that they did in their lifetimes to sweeten judgments, and for the sake of their prayers in which they still engage on behalf of Your nation, the Jewish people, nullify all of these planned decrees.

וְתַטֶּה לֵב הַקֵּסָרִים וְהַמְּלָכִים וְהַשָּׂרִים עָלֵינוּ לְטוֹבָה.

וְכָל הַקָּמִים עָלֵינוּ לְרָעָה מְהֵרָה הָפֵר עֲצָתָם וְקַלְקֵל מַחֲשַׁבְתָּם, וִיקֻיַּם מִקְרָא שֶׁכָּתוּב: "מֵפֵר מַחְשְׁבוֹת עֲרוּמִים וְלֹא תַעֲשֶׂינָה יְדֵיהֶם תּוּשִׁיָּה". וּכְתִיב: "רַבּוֹת מַחֲשָׁבוֹת בְּלֶב אִישׁ וַעֲצַת יְיָ הִיא תָקוּם", וּכְתִיב: "יְיָ הֵפִיר עֲצַת גּוֹיִם הֵנִיא מַחְשְׁבוֹת עַמִּים, עֲצַת יְיָ לְעוֹלָם תַּעֲמֹד מַחְשְׁבוֹת לִבּוֹ לְדוֹר וָדוֹר":

מָרֵיהּ דְּעָלְמָא כֻּלָּא, הַבּוֹחֵר בְּעַמּוֹ יִשְׂרָאֵל בְּאַהֲבָה, הַבֵּט מִשָּׁמַיִם וּרְאֵה כִּי הָיִינוּ לַעַג וָקֶלֶס, הַבִּיטָה וּרְאֵה שִׁפְלוּת יִשְׂרָאֵל כָּעֵת.

מָלֵא רַחֲמִים, בַּעַל הַיְשׁוּעוֹת אֲדוֹן הַנִּפְלָאוֹת, מֶלֶךְ יִשְׂרָאֵל וְגוֹאֲלוֹ, צוּר יִשְׂרָאֵל וּקְדוֹשׁוֹ, קוּמָה בְּעֶזְרַת יִשְׂרָאֵל. קוּמָה וְהוֹשִׁיעֵנוּ בְּעֵת צָרָה. יְעוֹרְרוּ רַחֲמֶיךָ עַל בָּנֶיךָ לְמַעַנְךָ. לְמַעַנְךָ לְמַעַנְךָ עֲשֵׂה וְלֹא לָנוּ.

רְאֵה עֲמִידָתֵנוּ דַּלִּים וְרֵקִים. רַחֵם עָלֵינוּ בַּעַל הָרַחֲמִים, וְאַל תִּשְׁפֹּךְ חֲרוֹנְךָ עָלֵינוּ, וּבַטֵּל מֵעָלֵינוּ מַחְשְׁבוֹת שׂוֹנְאֵינוּ.

Turn the hearts of emperors, kings and ministers to us for the good.

As for those who rise against us with evil intent, eradicate their counsel and spoil their plans. "He eradicates the thoughts of the scheming so that their hands will not act with cunning." "Many are the thoughts in the heart of a man, but the counsel of HaShem will stand." "HaShem has eradicated the counsel of the peoples, thwarted the thoughts of the nations. The counsel of HaShem stands forever, the thoughts of His heart for every generation."

A Downtrodden People

Master of the universe, You Who chose Your nation, the Jewish people, with love, gaze down from Heaven and see how we have become an object of derision. See how lowly we are at present.

Arise to help and save us in our time of trouble. Arouse Your compassion for us, we who are Your children. Act for Your sake and not for ours.

See how poor and empty we are. Have compassion on us. Do not pour Your wrath upon us. Eradicate the thoughts of our enemies. Nullify

בַּטֵּל מֵעָלֵינוּ כָּל גְּזֵרוֹת קָשׁוֹת, וַעֲשֵׂה כְּנִפְלְאוֹתֶיךָ שֶׁיִּתְהַפֵּךְ הַכֹּל לְטוֹבָה.

וְתָרוּם קַרְנָם וּמַזָּלָם שֶׁל יִשְׂרָאֵל, וְתִתֵּן לָהֶם חֵן וַחֲשִׁיבוּת לְמַעְלָה וּלְמַטָּה, וְהָקֵל מֵעָלֵינוּ עֹל הַנְּתִינוּת וְהַמִּסִּים, וְתִתֵּן לָנוּ פַּרְנָסָה בְּכָבוֹד וּבְרֶוַח וּבְהֶתֵּר בִּקְדֻשָּׁה וּבְטָהֳרָה, בְּאֹפֶן שֶׁנִּזְכֶּה לִהְיוֹת כִּרְצוֹנְךָ הַטּוֹב בֶּאֱמֶת תָּמִיד.

וְעָזְרֵנוּ וְהוֹשִׁיעֵנוּ בְּכָל יוֹם וּבְכָל עֵת לְהִתְפַּלֵּל תְּפִלּוֹתֵינוּ וּתְחִנּוֹתֵינוּ לְפָנֶיךָ בְּלֵב שָׁלֵם. וּלְשַׁבֵּר כָּל הַמַּחֲשָׁבוֹת זָרוֹת וּפְנִיּוֹת הָעוֹלִים עַל דַּעְתֵּנוּ וּלְהָפְכָם לְטוֹבָה. וְתִתֵּן לָנוּ כֹּחַ וּגְבוּרָה בְּכָל עֵת לִמְשֹׁךְ וְלַהֲפֹךְ הַמַּחֲשָׁבָה מֵרַע לְטוֹב, מִחוּץ לִפְנִים, בִּזְרִיזוּת גָּדוֹל בֶּאֱמֶת.

וְנִזְכֶּה לְהַכְנִיס כָּל הַמַּחֲשָׁבוֹת בִּפְנִימִיּוּת וְחִיצוֹנִיּוּת, לְתוֹךְ דִּבּוּרֵי הַתְּפִלָּה הַקְּדוֹשָׁה, עַד שֶׁיִּתְבַּטְּלוּ כָּל הַמַּחֲשָׁבוֹת זָרוֹת וּפְנִיּוֹת לְגַמְרֵי.

וְלֹא יָבוֹאוּ וְלֹא יַעֲלוּ עוֹד עַל דַּעְתִּי וּמַחֲשַׁבְתִּי כְּלָל, וְתִהְיֶה תְּפִלָּתֵנוּ שְׁלֵמָה וּשְׁגוּרָה וּסְדוּרָה בְּפִינוּ תָּמִיד בְּתַכְלִית הַשְּׁלֵמוּת, בַּעֲנָוָה בְּאֵימָה וְיִרְאָה וָרֶתֶת וְזִיעַ. עַד שֶׁיִּהְיֶה

all of the harsh decrees. Act in accordance with Your wonders so that everything will be transformed to good.

Elevate the might and fortune of the Jewish people. May we gain favor and status in the eyes of Heaven and in the eyes of man. Lighten our yoke of servitude and taxation. Help us earn a living honorably, easily, and in a permissible manner, in a spirit of holiness and purity, in a way that accords with Your beneficent will.

A Jew's Prayers

Help us every day to pray to You with all our hearts. Give us the strength and energy to transform all of the foreign and selfish thoughts in our minds from evil to good, from superficial to deep.

Help us bring all of our thoughts, whether external or internal, into the words of our prayer, until all foreign and selfish notions will be eradicated and never again arise in our minds.

May our prayers be whole and fluent. May we pray with humility, awe and trembling, until

לָנוּ כֹּחַ לִמְשֹׁל בִּתְפִלּוֹתֵינוּ לְבַטֵּל כָּל הַגְּזֵרוֹת וְכָל הַדִּינִים עַל יְדֵי תְּפִלּוֹתֵינוּ, הֵן מִכְּלָל יִשְׂרָאֵל, הֵן מִכָּל אֶחָד וְאֶחָד מִיִּשְׂרָאֵל בִּפְרָטִיּוּת.

בְּאֹפֶן שֶׁתִּשְׁתַּעֲשֵׁעַ וְתִתְעַדֵּן עִם תְּפִלּוֹתֵינוּ תָּמִיד. וְיִתְגַּלּוּ וְיָאִירוּ כָּל הָעֲשָׂרָה מַאֲמָרוֹת הַמְקַיְּמִין אֶת הָעוֹלָם, וְיֻמְשַׁךְ חֶסֶד גָּדוֹל וְנִפְלָא בָּעוֹלָם עַל עַמְּךָ יִשְׂרָאֵל.

וִיקֻיַּם מִקְרָא שֶׁכָּתוּב: "כִּי אָמַרְתִּי עוֹלָם חֶסֶד יִבָּנֶה שָׁמַיִם תָּכִין אֱמוּנָתְךָ בָהֶם". וּכְתִיב: "חֶסֶד אֵל כָּל הַיּוֹם".

וְעַל יְדֵי זֶה תַּמְשִׁיךְ עָלֵינוּ שֶׁפַע טוֹבָה וּבְרָכָה וְרַחֲמִים וְחַיִּים וְשָׁלוֹם וְכָל טוּב בְּכָל עֵת וּבְכָל שָׁעָה. וּתְמַהֵר וְתָחִישׁ לְגָאֳלֵנוּ, וְתָבִיא לָנוּ אֶת מְשִׁיחַ צִדְקֵנוּ בִּמְהֵרָה בְּיָמֵינוּ, אָמֵן סֶלָה:

our prayers will have the power to nullify all decrees and judgments against the entire Jewish people and against any individual Jew.

May our prayers always bring You delight, so that all ten Divine statements[21] that keep the universe in existence will shine, and wondrous kindness will be drawn upon Your nation, the Jewish people.

"I said that the world will be built with kindness; You establish Your faithfulness in the heavens." "The kindness of HaShem lasts all day long."

Draw an abundant flow of goodness, blessing, compassion, life and peace onto us at every moment. Quickly redeem us. Bring us our righteous redeemer quickly, in our days. Amen, selah.

---

21 The sages teach that God created the world with Ten Statements, which are enumerated in the first chapter of the Book of Genesis ("God said…"). The First Statement was "*Bereishit*—In the beginning," which is considered a "Hidden Statement" because it is not preceded by "God said" (*Rosh HaShanah* 32a).

98 (108)

Damaged Faith Causes a Person to Stand Back to Back with God / When He Repents, He Stands Face to Face with God

---

In the days of the Temple, a person would bring a burnt-offering to gain atonement for a wrongful thought.

Our sages teach that "regarding the 'thoughts of a gentile,' HaShem punishes a person merely for having intended to sin." This means that if a gentile intends to sin, he is punished; a Jew, however, is punished only when he sins in actuality. But this teaching can be interpreted to refer to a Jew as well. If, while a person is reciting the set prayers or engaging in his own prayers to God, he falls spiritually, that is the equivalent of having the "thoughts of a gentile."

That person experienced this descent because his faith is damaged. This caused him to turn his face away from God, and then God correspondingly turned His face away from him. As a result, he and God now stand back to back. When this happens, a person must break his spirit so that he feels shame and regrets having fallen from Heaven to earth.

In doing so, he cuts himself away from his back-to-back relationship with God. That cutting apart corresponds to the Kabbalistic Divine Name *Chatakh* (Cutting), which is an acronym for the final letters of the phrase, *Potei'aCh eT yadeKhah* ("Open Your hand").[22] As one breaks his heart and spirit, he brings forth the dynamics of that Divine Name.

He sighs in and out—two breaths. And the Hebrew word *ruach* (breath or spirit), when repeated twice, is numerically equivalent to *Chatakh*.

Accomplishing this is the equivalent of bringing a burnt-offering. And then this person returns to stand face to face with God.

22 Psalms 145:16.

"זִבְחֵי אֱלֹהִים רוּחַ נִשְׁבָּרָה לֵב נִשְׁבָּר וְנִדְכֶּה אֱלֹהִים לֹא תִבְזֶה".

רִבּוֹנוֹ שֶׁל עוֹלָם מָלֵא רַחֲמִים, "הָרוֹפֵא לִשְׁבוּרֵי לֵב וּמְחַבֵּשׁ לְעַצְּבוֹתָם", אַתָּה יוֹדֵעַ אֶת לְבָבִי הַנִּשְׁבָּר הַנִּדְכָּא וְהַנִּכְאֶה, הַבֵּט מִשָּׁמַיִם וּרְאֵה לְמִי עוֹלַלְתָּ כֹּה. רְאֵה נָא בְעָנְיִי מָלֵא רַחֲמִים, חוּס עַל שְׁבִירַת לְבָבִי הַנִּשְׁבָּר לִשְׁבְרֵי שְׁבָרִים, כְּפַטִּישׁ יְפוֹצֵץ סֶלַע כֵּן נִתְפּוֹצֵץ וְנִשְׁבַּר לְבָבִי. כִּי מַחְשְׁבוֹת לְבָבִי מְפֻזָּרִים וְנִדָּחִים בִּקְצֵה אָרֶץ.

הָאֱמֶת, כִּי אֲנִי הַחַיָּב מִכָּל הַצְּדָדִים, אֲבָל אַתָּה יוֹדֵעַ כִּי לֹא לְהַכְעִיסְךָ נִתְכַּוַּנְתִּי חָלִילָה, כִּי רְצוֹנִי לַעֲשׂוֹת רְצוֹנְךָ, אַךְ שְׂאוֹר שֶׁבָּעִסָּה מְעַכֵּב אוֹתִי.

וּכְבָר כָּתַבְתָּ עַל עַצְמְךָ שֶׁכָּל כֹּחוֹת הַיֵּצֶר הָרָע וְחַיָּלוֹתָיו הַמַּחֲטִיאִים אֶת בְּנֵי אָדָם, הַכֹּל מִמְּךָ. וְאַתָּה מִתְחָרֵט עֲלֵיהֶם בְּכָל יוֹם עַל שֶׁבְּרָאתָם וְנָתַתָּ לָהֶם כֹּחַ כָּזֶה, כְּמוֹ שֶׁכָּתוּב: "וַאֲשֶׁר הֲרֵעוֹתִי", כְּמוֹ שֶׁדָּרְשׁוּ רַבּוֹתֵינוּ זִכְרוֹנָם לִבְרָכָה. וּכְתִיב: "לָמָּה תַתְעֵנוּ יְיָ מִדְּרָכֶיךָ תַּקְשִׁיחַ לִבֵּנוּ מִיִּרְאָתֶךָ":

רִבּוֹנוֹ שֶׁל עוֹלָם, אַתָּה יוֹדֵעַ רָזֵי עוֹלָם וְתַעֲלוּמוֹת סִתְרֵי כָּל חָי, אַתָּה חוֹפֵשׂ כָּל חַדְרֵי בָטֶן וּבוֹחֵן כְּלָיוֹת וָלֵב. אַתָּה יוֹדֵעַ כִּי אֵין לִי שׁוּם סְמִיכָה וְתִקְוָה לְטוֹב אֲמִתִּי וְנִצְחִי, כִּי אִם עַל

Face to Face

"The sacrifices of God are a broken spirit. God will not despise a broken and crushed heart."

Master of the world, "Healer of those whose hearts are shattered, You Who bind their sorrows," You know how broken my heart is. Gaze down from Heaven and consider how You have treated me. See how poor I am. Have mercy on my heart, which is broken into pieces, like a rock shattered by a hammer, so that its thoughts are scattered to the far ends of the earth.

I am guilty in every way. You know that I only want to do Your will and I never intended to anger You. But my evil inclination, the "leaven in the dough," caused me to fail.

Our sages teach that all of the power of the evil inclination to make people sin comes from You, and that every day You regret having created it and having given it such power. That is why, our sages tell us, the verse states, "I did wrong." And so I ask You, "HaShem, why do You cause us to stray from Your path? Why do You harden our hearts so that we no longer fear You?"

Master of the world, You know that my only hope to gain true and eternal goodness is to

יְדֵי מַה שֶּׁאֲנִי מְפָרֵשׁ שִׂיחָתִי לְפָנֶיךָ בַּעַל הָרַחֲמִים. אֲבָל לְפָנֶיךָ נִגְלוּ כָּל תַּעֲלוּמוֹת לֵב, וְאַתָּה יוֹדֵעַ כַּמָּה קָשֶׁה וְכָבֵד עָלַי גַּם זֶה בְּעַצְמוֹ, כִּי מְבַלְבְּלִים אוֹתִי וּמוֹנְעִים אוֹתִי מִזֶּה מְאֹד.

וַאֲפִלּוּ אִם לִפְעָמִים בְּחֶמְלָתְךָ הַגְּדוֹלָה אַתָּה שׁוֹלֵחַ לִי אֵיזֶה דִּבּוּרִים, וַאֲנִי מַתְחִיל לְפָרֵשׁ שִׂיחָתִי וְלִבִּי הַמַּר לְפָנֶיךָ, בְּתוֹךְ כָּךְ נִסְתַּם לְבָבִי בְּאֶמְצַע הַדִּבּוּר. וַאֲנִי נִשְׁאָר מִשְׁתּוֹמֵם כְּמִי שֶׁנִּתְאַלֵּם בְּתוֹךְ דְּבָרָיו מַמָּשׁ, כְּמוֹ כֵן פִּתְאֹם נִסְתַּלֵּק הַדִּבּוּר מִמֶּנִּי, וּלְבָבִי אָטוּם וּמַחְשְׁבוֹתַי תְּמֵהִים. וְאֵינִי יוֹדֵעַ מַה לַּעֲשׂוֹת, כִּי פִּתְאֹם "נֶאֱלַמְתִּי לֹא אֶפְתַּח פִּי כִּי אַתָּה עָשִׂיתָ, נֶאֱלַמְתִּי דוּמִיָּה הֶחֱשֵׁיתִי מִטּוֹב וּכְאֵבִי נֶעְכָּר".

וְנִדְמֵיתִי כְּמוֹ נָסוֹג אָחוֹר מִמְּךָ חָלִילָה. וְאַתָּה כְּמַסְתִּיר פָּנִים מִמֶּנִּי.

וּכְבָר גִּלִּיתָ אָזְנֵינוּ שֶׁכָּל זֶה נִמְשָׁךְ עַל יְדֵי פְּגַם אֱמוּנָה שֶׁנֶּחְשָׁב כַּעֲבוֹדָה זָרָה.

וְעַתָּה מָה אֶעֱשֶׂה אָבִי שֶׁבַּשָּׁמַיִם לְכַפֵּר עַל כָּל זֶה, לְתַקֵּן וּלְכַפֵּר עַל כָּל הַהִרְהוּרִים וְהַמַּחֲשָׁבוֹת רָעוֹת וְרַעְיוֹנִים הַמְבַלְבְּלִים הָעוֹלִים עַל רוּחִי. וּבִפְרָט עַל הִרְהוּרֵי עֲבוֹדָה זָרָה שֶׁהֵם פְּגַם אֱמוּנָה שֶׁהֵם קָשִׁים מֵהַכֹּל.

אוֹי מָה אֶעֱשֶׂה שֶׁתָּשִׁיב פָּנֶיךָ אֵלַי וַאֲנִי אָשׁוּב אֵלֶיךָ בֶּאֱמֶת, מָתַי אֶזְכֶּה לָזֶה, "מָתַי אָבוֹא וְאֵרָאֶה פְּנֵי אֱלֹהִים", מָתַי

speak freely to You. But You know hard it is for me to do this.

Even if You inspire me to speak some words of prayer and I begin to express my bitter spirit, suddenly my heart closes and I am struck silent. Speech leaves me, my mind grows blank, and I do not know what to say. "I am silent, I cannot open my mouth, for You have brought this about." "I am mute and still, I am silent even in the face of goodness, and my pain is intense."

It is as though I have turned my back to You, and You have hidden Your face from me.

You have taught us that such a state is caused by a blemish in faith, which is tantamount to idolatry.

My Father in Heaven, what can I do to rectify all of my evil thoughts and confusing ideas—particularly those that reflect blemishes in my faith, which are the most difficult of all to amend?

What can I do so that You will restore Your face to me and I will turn back to You? "When will I come and see the face of God?" When will

מָתַי, מָתַי אֶזְכֶּה לֶאֱמוּנָה שְׁלֵמָה וַחֲזָקָה וּנְכוֹנָה, עַד שֶׁאֶזְכֶּה לְפָרֵשׁ שִׂיחָתִי לְפָנֶיךָ פָּנִים בְּפָנִים, כַּאֲשֶׁר יְדַבֵּר אִישׁ אֶל רֵעֵהוּ, וְלֹא יִהְיֶה שׁוּם מָסָךְ הַמַּבְדִּיל בֵּינִי וּבֵינְךָ.

רַחֵם עָלַי בַּעַל הָרַחֲמִים, וְזַכֵּנִי וְעָזְרֵנִי וְהוֹשִׁיעֵנִי שֶׁאַרְגִּיל אֶת עַצְמִי לְהִתְאַנֵּחַ אֲנָחָה גְדוֹלָה מֵעֹמֶק הַלֵּב בֶּאֱמֶת, עַל גֹּדֶל רִחוּקִי מִמְּךָ עַל יְדֵי עֲווֹנוֹתַי הַמְרֻבִּים, וּבִפְרָט עַל פְּגַם הָאֱמוּנָה, אֲשֶׁר עַל יְדֵי זֶה נִסְתַּם פִּי בְּאֶמְצַע דִּבּוּרִי, וְנָפַלְתִּי כְּמוֹ מִשָּׁמַיִם לָאָרֶץ.

זַכֵּנִי לְהַרְגִּישׁ כְּאֵבִי וּמַכְאוֹבֵי הָעָצוּם בֶּאֱמֶת, עַד שֶׁאֶתְאַנֵּחַ אֲנָחָה אֲמִתִּיִּית מֵעֹמֶק הַלֵּב, וְיִהְיֶה רוּחִי נִשְׁבָּר בְּקִרְבִּי בֶּאֱמֶת, בְּאֹפֶן שֶׁיִּתְעוֹרְרוּ רַחֲמֶיךָ הָאֲמִתִּיִּים עָלַי. וְיַעֲלֶה וְיָבֹא וְיַגִּיעַ וְיֵרָאֶה וְיֵרָצֶה לְפָנֶיךָ רוּחִי הַנִּשְׁבָּר עַל־יְדֵי אַנְחָתִי כְּאִלּוּ הִקְרַבְתִּי קָרְבַּן עוֹלָה לְפָנֶיךָ שֶׁהִיא בָּאָה לְכַפֵּר עַל הִרְהוּרֵי הַלֵּב.

וּבְחֶמְלָתְךָ הַגְּדוֹלָה תִּפְתַּח אֶת יָדְךָ בְּרַחֲמִים וּבְרָצוֹן, וְתַחֲזִירֵנִי בִּתְשׁוּבָה שְׁלֵמָה לְפָנֶיךָ בֶּאֱמֶת. וְעַל־יְדֵי הָרוּחַ שֶׁאוֹצִיא וְהָרוּחַ שֶׁאַכְנִיס בִּשְׁעַת הָאֲנָחָה, עַל־יְדֵי־זֶה תַּמְשִׁיךְ עָלַי הֶאָרָה גְדוֹלָה מֵהַשֵּׁם (חת״ך) הַיּוֹצֵא מִפָּסוּק פּוֹתֵחַ׳ אֶת׳ יָדֶךָ׳ וּמַשְׂבִּיעַ לְכָל חַי רָצוֹן.

I attain a strong and proper faith so that I will be able to speak to You face to face, as a person talks to his friend, at which time no curtain will separate me from You?

The Deep Sigh of Repentance

Master of compassion, help me accustom myself to sigh from the depths of my heart as I consider how far I am from You due to my sins—particularly due to my blemished faith, which causes me to fall silent when I am in the middle of speaking to You, and to descend as from Heaven to earth.

Help me be so aware of my painful state that I sigh from the depths of my heart and my spirit is broken. May my spirit then rise until You accept it in Your compassion, as though I had brought You a burnt-offering, which grants atonement for the thoughts of the heart.

Open Your hand and help me repent. When I breathe in and out with each sigh, draw onto me the great illumination that comes from the Divine Name emerging from the final letters of the phrase, *Potei'ach et Yadekhah* ("Open Your hand").

וְעַל־יְדֵי־זֶה תַחְתֹּךְ וּתְנַסֵּר אֶת נַפְשִׁי וְנִשְׁמָתִי מִבְּחִינַת אָחוֹר בְּאָחוֹר, וְתַחֲזִירֵנִי וּתְשִׁיבֵנִי אֵלֶיךָ בִּבְחִינַת פָּנִים בְּפָנִים.

אָבִינוּ שֶׁבַּשָּׁמַיִם, אֵל מֶלֶךְ נֶאֱמָן, אֵל אֱמוּנָה, אַתָּה יוֹדֵעַ אֶת כָּל מַה שֶׁעוֹבֵר עָלֵינוּ עַל כָּל אֶחָד וְאֶחָד בְּעִנְיַן הָאֱמוּנָה הַקְּדוֹשָׁה.

כִּי בְּרַחֲמֶיךָ הָרַבִּים וּבְאַהֲבָתְךָ הַגְּדוֹלָה אֶת עַמְּךָ יִשְׂרָאֵל, חָמַלְתָּ עָלֵינוּ וְנָטַעְתָּ בְּתוֹכֵנוּ אֱמוּנָתְךָ הַקְּדוֹשָׁה אֲשֶׁר יָרַשְׁנוּ מֵאֲבוֹתֵינוּ. אַשְׁרֵינוּ מַה טּוֹב חֶלְקֵנוּ וּמַה נָּעִים גּוֹרָלֵנוּ וּמַה יָּפָה יְרֻשָּׁתֵנוּ.

אַךְ מֵעֹצֶם רִבּוּי עֲווֹנוֹתַי עֲדַיִן עוֹלִים עַל הַלֵּב מַחְשְׁבוֹת חוּץ שֶׁהֵם כְּנֶגֶד אֱמוּנָתְךָ הַקְּדוֹשָׁה.

אֲשֶׁר זֶה עִקַּר הַהִתְרַחֲקוּת וְהַסְתָּרַת פָּנִים וְצָרָה גְּדוֹלָה מִכָּל הַצָּרוֹת שֶׁבָּעוֹלָם. כְּמוֹ שֶׁכָּתוּב: "הֲלֹא עַל כִּי אֵין אֱלֹהַי בְּקִרְבִּי מְצָאוּנִי (כָּל) הָרָעוֹת הָאֵלֶּה":

רַחֵם עָלֵינוּ מָלֵא רַחֲמִים, בְּרַחֲמִים גְּדוֹלִים, בְּרַחֲמִים רַבִּים, וְשָׁמְרֵנוּ וְהַצִּילֵנוּ מֵעַתָּה מִכָּל מִינֵי כְּפִירוֹת וְהִרְהוּרִים וּמַחֲשָׁבוֹת שֶׁהֵם כְּנֶגֶד אֱמוּנָתְךָ הַקְּדוֹשָׁה.

In that way, may my soul be connected to You not back to back, but face to face.

The Hiding of God's Face

Our Father in Heaven, our King and God of faith, You know all of the struggles that every one of us is experiencing in regard to holy faith.

In Your love of Your nation, the Jewish people, You planted within us Your holy faith as an inheritance from our fathers. How fortunate are we, how good our portion, how pleasant our fate, and how fine our inheritance.

But due to the multitude of my sins, superficial thoughts that oppose Your holy faith rise in my heart.

This, more than anything else, hides Your face from me and constitutes my greatest trouble in the world. As the verse states, "These evils have come upon me because God is not in my midst."

The Strongest Faith

Protect me from this moment on so that I will not fall prey to any type of heresy or thoughts that oppose Your holy faith.

רַק נִזְכֶּה לֶאֱחֹז בְּדַרְכֵי אֲבוֹתֵינוּ הַקְּדוֹשִׁים, לְהַאֲמִין בְּךָ יְיָ אֱלֹהֵינוּ, וּבְתוֹרָתְךָ הַקְּדוֹשָׁה וּבְצַדִּיקֶיךָ הָאֲמִתִּיִּים, בֶּאֱמוּנָה שְׁלֵמָה זַכָּה וּנְכוֹנָה.

וְתִהְיֶה הָאֱמוּנָה חֲזָקָה כָּל כָּךְ, כְּאִלּוּ אֲנִי רוֹאֶה אוֹתְךָ תִּתְבָּרַךְ, עַיִן בְּעַיִן. בְּאֹפֶן שֶׁעַל־יְדֵי־זֶה תִּהְיֶה יִרְאָתְךָ עַל פָּנַי, זוֹ הַבּוּשָׁה, לְבִלְתִּי אֶחֱטָא עוֹד שׁוּם חֵטְא וְעָוֹן, וְלֹא אֶפְגֹּם עוֹד שׁוּם פְּגַם כְּלָל.

וּבְכָל־עֵת שֶׁיִּרְצֶה לַעֲלוֹת עַל דַּעְתִּי חַס וְשָׁלוֹם אֵיזֶה מַחֲשָׁבָה שֶׁל אֵיזֶה תַאֲוָה וְרָצוֹן שֶׁהוּא נֶגֶד רְצוֹנְךָ, תִּפֹּל עָלַי תֵּכֶף אֵימָה וָפַחַד וְיִרְאָה וּבוּשָׁה גְדוֹלָה מִפָּנֶיךָ, אֲשֶׁר אַתָּה עוֹמֵד עָלַי בְּכָל־עֵת וָרֶגַע וְרוֹאֶה בְּמַעֲשַׂי וְיוֹדֵעַ צְפוּן לִבִּי וּמַחְשְׁבוֹתַי.

כִּי "מִפָּנֶיךָ לֹא אֶסָּתֵר", כִּי מְלוֹא כָל הָאָרֶץ כְּבוֹדְךָ. וּכְמוֹ שֶׁכָּתוּב: "אִם יִסָּתֵר אִישׁ בַּמִּסְתָּרִים וַאֲנִי לֹא אֶרְאֶנּוּ נְאֻם יְיָ הֲלוֹא אֶת הַשָּׁמַיִם וְאֶת הָאָרֶץ אֲנִי מָלֵא".

וְאֶזְכֶּה עַל־יְדֵי תֹקֶף הָאֱמוּנָה הַקְּדוֹשָׁה לְהִתְפַּלֵּל וּלְהִתְחַנֵּן וּלְהִתְבּוֹדֵד וּלְפָרֵשׁ כָּל שִׂיחָתִי לְפָנֶיךָ תָּמִיד בְּלֵב שָׁלֵם וּבְמַחֲשָׁבָה נְכוֹנָה, שֶׁתִּהְיֶה הַמַּחֲשָׁבָה קְשׁוּרָה אֶל דִּבּוּרֵי הַתְּפִלָּה בְּקֶשֶׁר אַמִּיץ וְחָזָק בְּלִי שׁוּם פְּנִיָּה וּבְלִי שׁוּם נְטִיָּה אֶל הַצַּד כְּלָל חַס וְשָׁלוֹם.

May I hold on to the ways of our holy fathers and believe in You, in Your holy Torah and in Your true Tzaddikim, with a perfect, pure and proper faith.

May this faith be so strong so that it is as though I see You face to face, and I feel such fear and shame before You that I will no longer commit any sin or cause any blemish.

And should any thought or desire that opposes Your will arise in my mind, may I immediately experience awe and shame before You, knowing that You stand over me constantly and that at every moment, You see my deeds and know the secret thoughts of my heart.

"I shall not hide from before You" because Your glory fills the earth. As the verse states, "'Will a person hide in concealment so that I will not see him?' declares HaShem. 'Do I not fill Heaven and earth?'"

May I make use of the power of holy faith to recite the prayers and speak to You in my own words, with a whole heart and proper thoughts that are firmly connected to my words, without any improper motives and without ever turning aside from You.

וְיִהְיוּ כָּל דְּבָרַי וְשִׂיחוֹתַי עִמְּךָ פָּנִים אֶל פָּנִים, כַּאֲשֶׁר יְדַבֵּר אִישׁ אֶל רֵעֵהוּ.

פֶּה אֶל פֶּה אֲדַבֵּר עִמְּךָ אֵת כָּל אֲשֶׁר עִם לְבָבִי, וְאֶשְׁפֹּךְ אֶת נַפְשִׁי כַּמַּיִם נוֹכַח פָּנֶיךָ יְיָ, וַאֲסַפֵּר לְפָנֶיךָ אֶת כָּל לִבִּי בְּרַחֲמִים וְתַחֲנוּנִים, בְּדִבְרֵי חֵן וְרִצּוּי וּפִיּוּס, בְּלֵב נִשְׁבָּר וְנִדְכָּא בֶּאֱמֶת, כְּבֵן הַמִּתְחַטֵּא לִפְנֵי אָבִיו. עַד אֲשֶׁר יִכְמְרוּ רַחֲמֶיךָ עָלַי וְיֶהֱמוּ מֵעֶיךָ עַל גֹּדֶל רִחוּקִי מִמְּךָ עַד הֵנָּה, וְתַתְחִיל מֵעַתָּה לְהוֹשִׁיעֵנִי יְשׁוּעָה שְׁלֵמָה וַאֲמִתִּיִּית לָנֶצַח.

שֶׁאֶזְכֶּה מֵעַתָּה לָשׁוּב אֵלֶיךָ בֶּאֱמֶת בִּשְׁלֵמוּת. וְתוֹלִיכֵנִי וְתַדְרִיכֵנִי בַּאֲמִתְּךָ בְּכָל עֵת וָרֶגַע, וְלֹא אָסוּר עוֹד מֵרְצוֹנְךָ יָמִין וּשְׂמֹאל.

וְתַחְמֹל וּתְרַחֵם עָלַי כְּרַחֲמֵי הָאָב עַל הַבֵּן, וְתוֹשִׁיעֵנִי בְּכָל־עֵת בְּכָל מִינֵי יְשׁוּעוֹת, וּתְקָרְבֵנִי בְּכָל מִינֵי הִתְקָרְבוּת לָנֶצַח.

"וְלֹא נָסוֹג מִמֶּךָּ, תְּחַיֵּינוּ וּבְשִׁמְךָ נִקְרָא. יְיָ אֱלֹהִים צְבָאוֹת הֲשִׁיבֵנוּ, הָאֵר פָּנֶיךָ וְנִוָּשֵׁעָה.

בָּרוּךְ יְיָ לְעוֹלָם אָמֵן וְאָמֵן":

May I speak to You face to face, as a person speaks to his friend, telling You everything in my heart.

May I pour forth my spirit like water before You, HaShem. May I gain Your favor as I pray with a crushed heart, like a son imploring his father, until, as you see how far I am from You, You will have compassion on me and rescue me.

Help me return to You. Guide me at every moment so that I will no longer turn aside from Your will, either to the right or the left.

Have pity on me as a father has compassion on his son. Save me and bring me close to You in every way.

"We will not turn back from You. Give us life and we will call in Your Name. HaShem, Lord of Hosts, bring us back; illumine Your face, and we will be saved."

Blessed is HaShem forever. Amen and amen.

99 (135)

Humility, the Festivals, and Connecting Oneself to Tzaddikim

Moses, the paradigmatic Tzaddik, reached the forty-ninth gate, the *sefirah* of Binah (Understanding), which is characterized by humility. Thus, Moses became the most humble of men. When an ordinary person benefits from the light of the Tzaddik, he, too, gains humility.

The holiness of the festivals is dependent on the Tzaddikim. Thus, the festivals also correspond to Binah. A person who is connected to a Tzaddik can sense the holiness of the festivals and, when he celebrates properly, he attains understanding and humility.

Throughout the year, God's holy sovereignty is trapped within the realm of the four kings of the Side of Evil. On the festivals, these four kings are cut away, thus liberating God's sovereignty. This cutting away of the four kings of the Side of Evil also has the effect of "cutting open" the birth canal of women who have been experiencing a difficult childbirth.

ליום־טוב

יְהִי רָצוֹן מִלְּפָנֶיךָ יְיָ אֱלֹהֵינוּ וֵאלֹהֵי אֲבוֹתֵינוּ, שֶׁתְּזַכֵּנִי בְּרַחֲמֶיךָ הָרַבִּים, לְהִתְקָרֵב בֶּאֱמֶת לְצַדִּיקִים אֲמִתִּיִּים, וּלְהִתְקַשֵּׁר בָּהֶם בֶּאֱמֶת בְּלֵב וָנֶפֶשׁ חֲפֵצָה, בְּאַהֲבָה רַבָּה וְעַזָּה מִנְּקֻדָּה שֶׁבַּלֵּב בֶּאֱמֶת.

וְאֶזְכֶּה לֶאֱהֹב אוֹתָם בְּאַהֲבָה גְדוֹלָה כָּל כָּךְ, עַד שֶׁתִּגְדַּל וְתִתְפַּלֵּא אַהֲבָתָם אֶצְלִי מֵאַהֲבַת נָשִׁים, עַד שֶׁיִּתְבַּטֵּל מִמֶּנִּי אַהֲבַת נָשִׁים וְתַאֲוַת הַמִּשְׁגָּל עַל־יְדֵי הִתְגַּבְּרוּת אַהֲבַת הַצַּדִּיקִים.

חוּס וַחֲמֹל עָלַי, וְזַכֵּנִי לְאַהֲבַת הַצַּדִּיקִים בֶּאֱמֶת, וְעַל־יְדֵי־זֶה אֶזְכֶּה לְהִתְקַשֵּׁר בָּהֶם בְּהִתְקַשְּׁרוּת גָּדוֹל וְחָזָק, וְתִהְיֶה נַפְשִׁי קְשׁוּרָה בְּנַפְשָׁם בְּקֶשֶׁר אַמִּיץ וְחָזָק מֵעַתָּה וְעַד עוֹלָם, לְעוֹלְמֵי עַד וּלְנֵצַח נְצָחִים:

וּבְכֵן יְהִי רָצוֹן מִלְּפָנֶיךָ יְיָ אֱלֹהֵינוּ וֵאלֹהֵי אֲבוֹתֵינוּ, שֶׁאֶזְכֶּה בְּרַחֲמֶיךָ הָרַבִּים וּבַחֲסָדֶיךָ הָעֲצוּמִים, לְקַבֵּל אֶת כָּל הַיָּמִים טוֹבִים בִּקְדֻשָּׁה וּבְטָהֳרָה גְדוֹלָה, בְּשִׂמְחָה וּבְחֶדְוָה רַבָּה וּבְהַרְחָבַת הַלֵּב, בְּתַכְלִית הַשְּׁלֵמוּת, כִּרְצוֹנְךָ הַטּוֹב בֶּאֱמֶת.

וְאֶזְכֶּה לְהַקְבִּיל פְּנֵי רַבִּי בָּרֶגֶל, אֲפִלּוּ כְּשֶׁאֲנִי רָחוֹק מִמֶּנּוּ, שֶׁאֶזְכֶּה לְקַבֵּל פְּנֵי הַצַּדִּיקִים הָאֲמִתִּיִּים וּלְהַכִּירָם וּלְאוֹהֲבָם,

Love for Tzaddikim

HaShem, my God and God of my fathers, help me come close to true Tzaddikim. May I connect to them with a willing heart and spirit, with a fierce love that comes from the depths of my heart.

May my love for them grow more powerful than romantic love, to the point that romantic love and the desire for sexuality cease to interest me (besides my marital responsibilities).

May I love the Tzaddikim until my spirit is firmly connected to their spirits forever.

Greeting the Festivals with the Tzaddikim

HaShem, my God and God of my fathers, may I celebrate all of the festivals with holiness and purity; with joy, delight, and breadth of heart—perfectly and in accordance with Your beneficent will.

May I greet the face of my spiritual teacher on the festival, even when I am far from him. More generally, may I greet the faces of all of the true Tzaddikim. May I recognize them, love them and draw their holiness onto me as a result

וּלְהַמְשִׁיךְ עָלַי קְדֻשָּׁתָם עַל־יְדֵי קַבָּלַת יוֹם טוֹב קֹדֶשׁ הַנִּמְשָׁךְ מֵהֶם.

וְעַל־יְדֵי־זֶה אֶזְכֶּה לְמ"ט שַׁעֲרֵי בִּינָה הַמִּתְגַּלִּים וּמְאִירִים בְּיוֹם טוֹב קֹדֶשׁ. וְתִפְתַּח לִי אוֹר הַשֵּׂכֶל דִּקְדֻשָּׁה, וְאֶזְכֶּה לְהִתְבּוֹנְנוּת גָּדוֹל וְנִפְלָא בְּתוֹרָתְךָ וַעֲבוֹדָתְךָ בֶּאֱמֶת.

וְעַל־יְדֵי־זֶה יִתְבַּטֵּל מִמֶּנִּי כָּל הַשְּׁטוּתִים שֶׁל כָּל מִינֵי גַּדְלוּת וְגַסּוּת וְרָמוּת רוּחָא, וְאֶזְכֶּה לְתַכְלִית הָעֲנָוָה בִּשְׁלֵמוּת כִּרְצוֹנְךָ הַטּוֹב.

וְתַמְשִׁיךְ עָלַי וְעַל כָּל יִשְׂרָאֵל תָּמִיד קְדֻשַּׁת מֹשֶׁה רַבֵּנוּ עָלָיו הַשָּׁלוֹם, שֶׁזָּכָה לְמ"ט שַׁעֲרֵי בִּינָה. וְעַל־יְדֵי־זֶה זָכָה לַעֲנָוָה בֶּאֱמֶת כְּמוֹ שֶׁכָּתוּב: "וְהָאִישׁ מֹשֶׁה עָנָו מְאֹד מִכֹּל הָאָדָם אֲשֶׁר עַל פְּנֵי הָאֲדָמָה".

רַחֵם עָלֵינוּ מָלֵא רַחֲמִים, שֶׁנִּזְכֶּה בְּכֹחַ קַבָּלַת הַיָּמִים טוֹבִים "מוֹעֲדֵי יְיָ מִקְרָאֵי קֹדֶשׁ", לְהַמְשִׁיךְ עָלֵינוּ קְדֻשַּׁת מֹשֶׁה רַבֵּנוּ עָלָיו הַשָּׁלוֹם, וּקְדֻשַּׁת כָּל הַצַּדִּיקִים הָאֲמִתִּיִּים.

וְיֻמְשְׁכוּ עָלֵינוּ עַל־יָדָם כָּל הַמֹּחִין וְהַשִּׂכְלִיּוֹת הַקְּדוֹשִׁים הָאֲמִתִּיִּים הַנִּמְשָׁכִין בְּיוֹם טוֹב. וְעַל־יְדֵי־זֶה נִזְכֶּה לְבַטֵּל

of celebrating the holy festival. This is because the festivals are derived from them.

In that way, may I attain the forty-nine gates of understanding that are revealed and shine on each festival. Open for me the light of holy intellect so that I will attain great and wondrous insight into Your Torah and into understanding how to serve You.

As a result, may all of the foolishness of my egotism, coarseness and haughtiness be nullified. May I attain ultimate humility, in accordance with Your beneficent will.

Draw onto me and onto all Israel the holiness of Moses, who attained the forty-nine gates of understanding and thereby gained true humility. As the verse states, "The man Moses was more humble than anyone else on the face of the earth."

As a result of our celebrating the festivals—"the festivals of HaShem, holy convocations"—may we draw onto ourselves the holiness of Moses, as well as the holiness of all of the true Tzaddikim.

Through them, may we receive the holy awareness that is drawn down on each festival. May we thereby eradicate all of our egotism,

וּלְהָסִיר מֵאִתָּנוּ כָּל מִינֵי גַדְלוּת וְגַסּוּת וּפְנִיּוֹת, עַד שֶׁנִּזְכֶּה לַעֲנָוָה אֲמִתִּיִּית, לַעֲנָוָה שֶׁל מֹשֶׁה רַבֵּנוּ עָלָיו הַשָּׁלוֹם:

רִבּוֹנוֹ שֶׁל עוֹלָם, אַתָּה יָדַעְתָּ גֹּדֶל רְחוּקִי מֵעֲנָוָה אֲמִתִּיִּית, "כִּי בַעַר אָנֹכִי מֵאִישׁ וְלֹא בִינַת אָדָם לִי". וּבַעֲווֹנוֹתַי הָרַבִּים, אֵינִי יוֹדֵעַ כְּלָל מַהוּ עֲנָוָה אֲמִתִּיִּית, כִּי עֲנָוָה גְדוֹלָה מֵהַכֹּל.

רַחֵם עָלַי בַּעַל הָרַחֲמִים, וְזַכֵּנִי לְקַדֵּשׁ יוֹם טוֹב בֶּאֱמֶת, עַד שֶׁאֶזְכֶּה עַל־יְדֵי־זֶה לֵידַע וּלְהַכִּיר הֵיטֵב מַעֲלַת גְּדֻלַּת הַצַּדִּיקִים הָאֲמִתִּיִּים, עַד שֶׁאֶתְבַּטֵּל נֶגְדָּם בְּתַכְלִית הַבִּטּוּל.

וְעַל־יְדֵי־זֶה יִתְבַּטֵּל מִמֵּילָא מִמֶּנִּי כָּל מִינֵי גֵאוּת וְגַבְהוּת וְגַדְלוּת וְגַסּוּת וּפְנִיּוֹת מִכָּל מַה שֶּׁהַפֶּה יָכֹל לְדַבֵּר וְהַלֵּב לַחְשֹׁב, עַד שֶׁאֶזְכֶּה לַעֲנָוָה אֲמִתִּיִּית כִּרְצוֹנְךָ הַטּוֹב בֶּאֱמֶת.

רַחֲמָן מָלֵא רַחֲמִים, עָזְרֵנִי וְהוֹשִׁיעֵנִי וּמַלֵּא מִשְׁאֲלוֹתַי לְטוֹבָה בְּרַחֲמִים.

כִּי אַתָּה יוֹדֵעַ תַּעֲלוּמוֹת לֵב, וְכַמָּה וְכַמָּה אֲנִי רָחוֹק מִכָּל מַה שֶּׁהִזְכַּרְתִּי לְפָנֶיךָ, וְכַמָּה וְכַמָּה יְשׁוּעָה וְרַחֲמִים אֲנִי צָרִיךְ לִזְכּוֹת לְכָל זֶה.

coarseness and improper motives, until we attain the humility of Moses.

Eliminating Coarseness and Ego

Master of the world, You know how far I am from humility. "I am more animal than man, and I lack human understanding." Due to my many sins, I do not know the meaning of true humility, which is greater than everything.

Master of compassion, help me attain the holiness of each festival, and as a result, may I recognize the greatness of the true Tzaddikim and make myself as nothing before them.

Then may every trace of egotism, coarseness and improper motive within me, that the mouth may describe and the heart may contemplate, be erased, until I will attain true humility in accordance with Your beneficent will.

Praying Correctly

Compassionate God, fulfill my requests for the good.

You know everything that is hidden in my heart. You know how far I am from everything that I have requested in my prayers to You, and how much I need Your salvation and compassion to attain that.

וּבַעֲוונוֹתַי הָרַבִּים נֶעְלַם מִמֶּנִּי דַּרְכֵי הַתְּפִלָּה וְהַתְּחִנָּה וּבַקָּשָׁה, אֵיךְ לְהִתְפַּלֵּל וּלְהִתְחַנֵּן וּלְבַקֵּשׁ וּלְפַיֵּס וּלְרַצּוֹת אוֹתְךָ שֶׁתְּזַכֵּנִי לְהַגִּיעַ לְכָל דַּרְכֵי הַקְּדֻשָּׁה בֶּאֱמֶת, אֲשֶׁר הֵם חַיֵּינוּ וְאֹרֶךְ יָמֵינוּ לָנֶצַח.

אַךְ עִם כָּל זֶה אֶת כָּל אֲשֶׁר תְּחָנֵּנִי בְּרַחֲמֶיךָ לְפָרֵשׁ שִׂיחָתִי לְפָנֶיךָ אֶתְחַזֵּק בְּכָל עֹז לְדַבֵּר וּלְהִתְחַנֵּן לְפָנֶיךָ, וְאַתָּה הַטּוֹב בְּעֵינֶיךָ עֲשֵׂה עִמִּי.

כִּי אַתָּה מֵבִין תַּעֲלוּמוֹת לֵב. וְאַתָּה יוֹדֵעַ כִּי אֵין לִי עַל מִי לְהִשָּׁעֵן כִּי אִם עָלֶיךָ אָבִי שֶׁבַּשָּׁמַיִם, וְעַל כֹּחַ וּזְכוּת הַצַּדִּיקִים הָאֲמִתִּיִּים.

לְמַעַנְךָ וּלְמַעֲנָם עֲשֵׂה מַה שֶּׁתַּעֲשֶׂה בְּרַחֲמֶיךָ וַחֲסָדֶיךָ, בְּאֹפֶן שֶׁאֶזְכֶּה עַל כָּל פָּנִים מֵעַתָּה לָשׁוּב אֵלֶיךָ בֶּאֱמֶת וְלֵילֵךְ בִּדְרָכֶיךָ הַקְּדוֹשִׁים, בְּאֹפֶן שֶׁאֶזְכֶּה לְהַשְׁלִים רְצוֹנְךָ וּלְמַלְּאוֹת כַּוָּנָתְךָ הַקְּדוֹשָׁה וְהַטּוֹבָה אֲשֶׁר בִּשְׁבִילָהּ נִבְרֵאתִי.

"יְיָ יִגְמֹר בַּעֲדִי יְיָ חַסְדְּךָ לְעוֹלָם מַעֲשֵׂה יָדֶךָ אַל תֶּרֶף.

אֲמָרַי הַאֲזִינָה יְיָ בִּינָה הֲגִיגִי.

יִהְיוּ לְרָצוֹן אִמְרֵי פִי וְהֶגְיוֹן לִבִּי לְפָנֶיךָ יְיָ צוּרִי וְגוֹאֲלִי"
אָמֵן וְאָמֵן:

Because of my many sins, the ways of prayer are hidden from me, so that I do not even know how to ask You to help me reach the ways of holiness, which constitute my life and the length of my days.

Graciously help me express myself to You and plead before You. And then, respond as You see fit.

You understand what is hidden in my heart. You know that I have no one on whom to rely except for You, as well as the power and merit of the true Tzaddikim.

For Your sake and their sake, kindly help me return to You and walk in Your holy ways, doing Your will and fulfilling Your good intent, for which purpose I was created.

"HaShem will act on my behalf. HaShem, Your kindness is forever; do not forsake the work of Your hands."

"HaShem, take heed of my words, consider my thoughts."

"May the words of my mouth and the meditation of my heart be acceptable before You, HaShem, my Rock and my Redeemer." Amen and amen.

100 (142)

A Person Who Longs to Learn Torah But Cannot is Given Access to God's Book of Remembrance

If a person cannot learn Torah for any reason—perhaps he is illiterate, or he lacks access to a book, or the like—yet his heart is aflame with a desire to learn Torah in order to serve God, that desire itself is equivalent to learning from a book.

The mechanism behind this is as follows.

Sometimes there are two Tzaddikim who are far from one another. One asks a question and the other makes a comment that answers the question. In this way, they are speaking to each other. Alternatively, sometimes both ask a question and the question of one of them answers the other.

No one hears this dialogue but God. He combines their words and records them in a celestial book. That book is His supernal heart.

The person who longs to learn Torah but cannot do so receives a heart from this supernal heart, God's book of remembrance. In this way, he learns from a book—the book that God made for those who fear and honor Him, who desire to perform His commandments and learn His Torah.

"נִכְסְפָה וְגַם כָּלְתָה נַפְשִׁי לְחַצְרוֹת יְיָ, לִבִּי וּבְשָׂרִי יְרַנְּנוּ אֶל אֵל חָי, צָמְאָה לְךָ נַפְשִׁי כָּמַהּ לְךָ בְשָׂרִי בְּאֶרֶץ צִיָּה וְעָיֵף בְּלִי מָיִם, צָמְאָה נַפְשִׁי לֵאלֹהִים לְאֵל חָי מָתַי אָבוֹא וְאֵרָאֶה פְּנֵי אֱלֹהִים":

רִבּוֹנוֹ שֶׁל עוֹלָם, אַתָּה יוֹדֵעַ עֹצֶם רִבּוּי הַמְּנִיעוֹת שֶׁיֵּשׁ לִי עַכְשָׁו מִכָּל הַדְּבָרִים שֶׁבִּקְדֻשָּׁה מִתּוֹרָה וּתְפִלָּה וּמַעֲשִׂים טוֹבִים, אֲשֶׁר אִי אֶפְשָׁר לְבָאֵר אֶפֶס קָצֶה מֵרִבּוּי הַבִּלְבּוּלִים וְהַמְּנִיעוֹת וְהָעִכּוּבִים שֶׁיֵּשׁ לִי מִכָּל דָּבָר שֶׁבִּקְדֻשָּׁה.

וַאֲפִלּוּ כְּשֶׁאֲנִי עוֹשֶׂה אֵיזֶה מִצְוָה אוֹ דָבָר שֶׁבִּקְדֻשָּׁה הוּא מְבֻלְבָּל וּמְעֻרְבָּב מְאֹד מְאֹד, וְרָחוֹק מְאֹד מִשְּׁלֵמוּת הַתִּקּוּן שֶׁצְּרִיכִין לַעֲשׂוֹת עַל יְדֵי כָּל מִצְוָה.

כִּי בַּעֲווֹנוֹתַי הָרַבִּים נִתְרַחַקְתִּי מְאֹד מִתּוֹרָתְךָ וּמִמִּצְוֹתֶיךָ. וַאֲנִי דוֹמֶה בְּעֵינַי עַתָּה כְּתוֹעֶה בַּמִּדְבָּר מַמָּשׁ, מְקוֹם חֹשֶׁךְ וַאֲפֵלָה, אֶרֶץ צִיָּה וְצַלְמָוֶת.

וְאֵינִי יוֹדֵעַ כְּלָל מַה לַּעֲשׂוֹת לָשׁוּב אֶל הַדֶּרֶךְ הָאֱמֶת וְהַיָּשָׁר וְהַנָּכוֹן לִהְיוֹת כִּרְצוֹנְךָ הַטּוֹב בִּשְׁלֵמוּת בֶּאֱמֶת.

Longing to Return to God

"My soul yearns, it longs for the courtyards of HaShem; my heart and my flesh sing to the living God." "My spirit thirsts for You; my flesh yearns for You in a land that is dry and weary, without water." "My spirit thirsts for God, for the living God; when will I come and see the face of God?"

Master of the world, You know the vast number of impediments that keep me away from the holiness of the Torah, prayer and good deeds.

I cannot even begin to list the multitude of confusions, impediments and obstacles that stand in the way of my approach to holiness.

Even when I perform a mitzvah or do something related to holiness, it is adulterated and far from the perfect rectification that I need to achieve.

Because of my many sins, I am far from Your Torah and its commandments. I am like a person living in the desert, a bleak wilderness, a land without water, in the shadow of death.

I have no idea how to return to the true, straight and proper path, in order to be in accordance with Your beneficent will.

וַאֲנִי הוֹלֵךְ בָּעוֹלָם הָעוֹבֵר הַזֶּה "כְּאִישׁ שִׁכּוֹר וּכְגֶבֶר עֲבָרוֹ יָיִן, נָע וָנָד", מְבֻלְבָּל וּמְטֹרָף בְּכַמָּה אֲלָפִים וּרְבָבוֹת בִּלְבּוּלִים עַל בִּלְבּוּלִים וּמְנִיעוֹת עַל מְנִיעוֹת, הַמּוֹנְעִים וּמְבַלְבְּלִים אוֹתִי מִלְּהִתְקָרֵב אֵלֶיךָ וּלְתוֹרָתְךָ בִּשְׁלֵמוּת בֶּאֱמֶת אֲשֶׁר לְכָךְ נוֹצַרְתִּי.

"וּמָה אֶעֱשֶׂה לְיוֹם פְּקֻדָּה, וּמָה אֶעֱשֶׂה כִּי יָקוּם אֵל וְכִי יִפְקֹד מָה אֲשִׁיבֶנּוּ".

וְאֵינִי יוֹדֵעַ כְּלָל בַּמֶּה לְהַחֲיוֹת אֶת נַפְשִׁי הָאֻמְלָלָה וְהַמָּרָה מְאֹד מְאֹד, הַפְּגוּמָה וְהַמְטֹרֶפֶת כָּל כָּךְ כָּל כָּךְ, כִּי אִם עַל יְדֵי הִשְׁתּוֹקְקוּת וְכִסּוּפִין וְרָצוֹן אֵלֶיךָ וְלַעֲבוֹדָתְךָ וּלְתוֹרָתְךָ, כַּאֲשֶׁר גִּלִּיתָ לָנוּ עַל יְדֵי חֲכָמֶיךָ הַקְּדוֹשִׁים עֹצֶם מַעֲלַת הָרָצוֹן וְהַחֵשֶׁק דִּקְדֻשָּׁה.

עַל כֵּן בָּאתִי לְפָנֶיךָ אָבִי שֶׁבַּשָּׁמַיִם אָבִי אָב הָרַחֲמָן, הַגּוֹמֵל לַחַיָּבִים טוֹבוֹת, גָּמְלֵנִי כָּל טוּב, וּתְזַכֵּנִי לִכְסֹף וּלְהִשְׁתּוֹקֵק וְלַחְשֹׁק תָּמִיד בְּהִשְׁתּוֹקְקוּת נִמְרָץ אֵלֶיךָ וְלַעֲבוֹדָתְךָ וּלְתוֹרָתְךָ בְּרָצוֹן חָזָק וְתַקִּיף מְאֹד, עַד שֶׁאֶזְכֶּה בְּרַחֲמֶיךָ לִלְמֹד הַרְבֵּה בְּכָל יוֹם, וּלְהִתְפַּלֵּל וְלוֹמַר תְּחִנּוֹת וּבַקָּשׁוֹת שִׁירוֹת וְתִשְׁבָּחוֹת הַרְבֵּה בְּכָל יוֹם וָיוֹם, וְלַעֲשׂוֹת מִצְוֹת וּמַעֲשִׂים טוֹבִים הַרְבֵּה בְּכָל יוֹם וָיוֹם כָּל יְמֵי חַיַּי.

I drift about in this temporary world "like a person who is drunk, like a person overcome by wine," confused and torn apart by endless instances of turmoil and thousands of impediments that keep me from coming close to You and Your Torah, for which purpose I was created.

What shall I do when You come to examine me? "What shall I do when God arises; when He visits, how shall I respond to Him?"

You revealed through Your holy sages the value of longing for holiness. And the only way I know to revive my poor and bitter, torn and blemished soul is to yearn to serve You and learn Your Torah.

Yearning When it is Impossible to Act

My Father in Heaven, my compassionate Father, You Who do good even to those who are guilty, help me always long to serve You and learn Your Torah with a mighty will until I will learn a great deal, pray to You extensively, perform the commandments, and do good deeds every day, all the days of my life.

וַאֲפִלּוּ בְּעֵת שֶׁיִּהְיֶה הַהֶכְרֵחַ לְהִתְבַּטֵּל עַל פִּי רְצוֹנְךָ, אֲפִלּוּ אִם אֶהְיֶה לִפְעָמִים בִּמְקוֹמוֹת שֶׁאִי אֶפְשָׁר לִלְמֹד וְלַעֲסֹק בַּעֲבוֹדָתְךָ שָׁם, תְּזַכֵּנִי וְתַעַזְרֵנִי שֶׁיִּהְיֶה לִי חֵשֶׁק וְרָצוֹן חָזָק לִלְמֹד תּוֹרָה וְלַעֲבֹד אוֹתְךָ בֶּאֱמֶת, עַד שֶׁיַּעֲלֶה הָרָצוֹן לְפָנֶיךָ כְּאִלּוּ עָשִׂיתִי מִצְוֹתֶיךָ וְלָמַדְתִּי תּוֹרָתְךָ מַמָּשׁ.

מָלֵא רַחֲמִים רַחֵם עָלַי, וֶהְיֵה בְּעֶזְרִי וְזַכֵּנִי שֶׁאַתְחִיל לְהַרְגִּיל אֶת עַצְמִי לִכְסֹף וּלְהִשְׁתּוֹקֵק וְלַחְשֹׁק תָּמִיד בְּרָצוֹן וְחֵשֶׁק חָזָק וֶאֱמֶת לְתוֹרָתְךָ וְלַעֲבוֹדָתְךָ וּלְהִתְקָרֵב אֵלֶיךָ בֶּאֱמֶת.

עַד שֶׁאֶזְכֶּה עַל יְדֵי הַחֵשֶׁק וְהָרָצוֹן הָאֱמֶת שֶׁבַּלֵּב, לִלְמֹד מִתּוֹךְ הַסֵּפֶר הָעֶלְיוֹן הַנִּכְתָּב עַל הַלֵּב הָעֶלְיוֹן עַל יְדֵי הַצַּדִּיקִים הָאֲמִתִּיִּים אֲשֶׁר אַתָּה מַקְשִׁיב וְשׁוֹמֵעַ דִּבְרֵיהֶם שֶׁמְּדַבֵּר כָּל אֶחָד בִּמְקוֹמוֹ. וְאַתָּה מְחַבְּרָם יַחַד וְכוֹתֵב מֵהֶם סֵפֶר זִכָּרוֹן בִּשְׁבִיל הַחוֹשְׁבִים בְּלִבָּם וְחוֹשְׁקִים בֶּאֱמֶת לִלְמֹד תּוֹרָתְךָ וְלַעֲשׂוֹת רְצוֹנֶךָ. כְּמוֹ שֶׁכָּתוּב: "אָז נִדְבְּרוּ יִרְאֵי יְיָ אִישׁ אֶל רֵעֵהוּ וַיַּקְשֵׁב יְיָ וַיִּשְׁמָע וַיִּכָּתֵב סֵפֶר זִכָּרוֹן לְפָנָיו לְיִרְאֵי יְיָ וּלְחֹשְׁבֵי שְׁמוֹ".

זַכֵּנִי גַּם כֵּן לְקַבֵּל וּלְהַמְשִׁיךְ עָלַי הֶאָרָה גְדוֹלָה מֵהַלֵּב הַזֶּה, וְלִלְמֹד מִתּוֹךְ הַסֵּפֶר הַזֶּה.

Even if I must set these aside—for instance, if I am in a place where it is impossible to learn Torah and serve You—help me yearn to do so, and may that yearning rise before You as though I had indeed done so.

The Celestial Book of the True Tzaddikim

God, You Who are filled with compassion, help me accustom myself to always desire to learn Your Torah, serve You, and come close to You.

As a result, may I learn from the supernal book that rests upon the supernal heart. In that book, the words of the true Tzaddikim appear. As each one speaks in his own place, You listen and join their words together to write that book of remembrance. As the verse states, "Those who fear HaShem spoke together, each man to his neighbor, and HaShem took heed and heard; and a book of remembrance was written before Him for those who fear HaShem and cherish His Name."

You write that book for the sake of those who desire to learn Your Torah and do Your will. Help me draw down great illumination from this heart and learn from this book.

כִּי אֲנִי רָחוֹק מְאֹד מֵהַכֹּל, רַק אֲנִי מְצַפֶּה לְרַחֲמֶיךָ וַחֲסָדֶיךָ שֶׁתְּזַכֵּנִי לְרָצוֹן וְחֵשֶׁק אֲמִתִּי אֵלֶיךָ וְלַעֲבוֹדָתְךָ וּלְתוֹרָתְךָ, בְּאֹפֶן שֶׁאֶזְכֶּה לָשׁוּב אֵלֶיךָ מְהֵרָה בֶּאֱמֶת כִּרְצוֹנְךָ הַטּוֹב.

חוּס וַחֲמֹל עָלַי בְּרַחֲמֶיךָ הָרַבִּים בְּרַחֲמֶיךָ הַגְּדוֹלִים. עָזְרֵנִי כִּי עָלֶיךָ נִשְׁעַנְתִּי, "כִּי תִפְאֶרֶת עֻזֵּנוּ אָתָּה וּבִרְצוֹנְךָ תָּרוּם קַרְנֵנוּ.

יִהְיוּ לְרָצוֹן אִמְרֵי פִי וְהֶגְיוֹן לִבִּי לְפָנֶיךָ יְיָ צוּרִי וְגוֹאֲלִי", אָמֵן וְאָמֵן:

I am far from holiness. But I ask You to help me attain a true yearning to serve You and learn Your Torah so that I will return to You quickly, in accordance with Your beneficent will.

I rely on You Who are the splendor of our might, for You choose to elevate our strength.

"May the words of my mouth and the meditation of my heart be acceptable before You, HaShem, my Rock and my Redeemer." Amen and amen.

101 (144)

Holy Eating and Drinking / Life and Death

A Tzaddik controls and overcomes his physical inclinations even when he is permitted to engage in the pleasures of eating and drinking. Thus, he experiences no difference between life and death, for in either case, he serves God the same way—which is to say, free of all physical desires.

But if a person is drawn to physical desires, then when he dies, he has an acute awareness of the difference between this world and the World to Come, since he misses the experiences of eating and drinking. And so at that time, he is said to be truly dead.

מְחַיֶּה מֵתִים בְּרַחֲמִים רַבִּים, הַחֲיֵינִי וְקַיְּמֵנִי וְזַכֵּנִי בְּרַחֲמֶיךָ הָרַבִּים.

וְעָזְרֵנִי וְהוֹשִׁיעֵנִי שֶׁאֶזְכֶּה מֵעַתָּה לִכְבֹּשׁ אֶת יִצְרִי וְלֶאֱחֹז אֶת כָּל תַּאֲווֹתַי בְּיָדִי תָּמִיד, אֲפִלּוּ הַתַּאֲווֹת שֶׁל הֶתֵּר. וַאֲפִלּוּ בַּיָּמִים שֶׁהֻתְּרָה בָּהֶן אֲכִילָה וּשְׁתִיָּה אֶזְכֶּה לֶאֱחֹז בְּיָדִי, אֲפִלּוּ הַתַּאֲווֹת שֶׁהִתַּרְתָּ לָנוּ שֶׁנִּקְרָאִים "חֶצְיוֹ לָכֶם", לְהִתְנַהֵג גַּם בָּהֶם בִּקְדֻשָּׁה וּבְטָהֳרָה גְדוֹלָה לְשִׁמְךָ לְבַד בְּלִי שׁוּם תַּאֲוַת הַגּוּף כְּלָל:

רִבּוֹנוֹ שֶׁל עוֹלָם אֱמֹר לְצָרוֹתַי דַּי.

וּמַהֵר לְגָאֳלֵנִי גְאֻלָּה שְׁלֵמָה מִכָּל הַתַּאֲווֹת, חוּס וַחֲמֹל נָא עַל נַפְשִׁי הָאֻמְלָלָה אֲשֶׁר כְּבָר נִפְגְּמָה מְאֹד עַל יְדֵי תַּאֲווֹתַי הָרָעוֹת כַּאֲשֶׁר אַתָּה יָדַעְתָּ.

חוּסָה עָלַי מֵעַתָּה כְּרֹב רַחֲמֶיךָ כְּרוֹב חֲסָדֶיךָ, וְתֵן לִי כֹּחַ וּגְבוּרָה וְעֵצָה אֲמִתִּיִּית בְּכָל עֵת, בְּאֹפֶן שֶׁאֶזְכֶּה לְבַטֵּל אֶת כָּל תַּאֲווֹתַי לְגַמְרֵי, עַד שֶׁאֶזְכֶּה לְחַיִּים אֲמִתִּיִּים חַיִּים נִצְחִיִּים בָּעוֹלָם הַזֶּה וּבָעוֹלָם הַבָּא.

וַאֲפִלּוּ כְּשֶׁיַּגִּיעַ עֵת פְּטִירָתִי מִן הָעוֹלָם, לֹא יִהְיֶה חִלּוּק אֶצְלִי כְּלָל בֵּין הַחַיִּים לְאַחַר מִיתָה, רַק הַכֹּל יִהְיֶה שָׁוֶה אֶצְלִי.

Doing Everything with Holiness and Purity

God, You Who revive the dead, renew me and keep me alive.

Help me conquer my evil inclination and gain control of all of my desires—even those for permissible pleasures. For instance, even on the days when eating and drinking are permitted, in the realm that our sages call "the half that is for you," may I control my desires. As I engage in physical actions, may I do so with holiness and purity, for the sake of Your Name alone, without any bodily desire whatsoever.

Nullifying Desires

Master of the world, tell my troubles, "Enough!"

Quickly free me from all of my appetites. Have pity on my poor soul that has been blemished by my evil desires.

Give me strength and counsel at every moment to nullify my desires until I will attain true and eternal life—both in this world and in the World to Come.

When the time comes for me to leave this world, may I perceive no difference between this life and life after death.

וְתָמִיד אֶזְכֶּה לַעֲבֹד אוֹתְךָ בֶּאֱמֶת, בֵּין בְּחַיֵּי בָּעוֹלָם הַזֶּה, בֵּין לְאַחַר הִסְתַּלְּקוּתִי לְעוֹלָם הַבָּא, עַד שֶׁאֶהְיֶה חַי תָּמִיד אֲפִלּוּ לְאַחַר הִסְתַּלְּקוּתִי, וְאֶחְיֶה וְלֹא אָמוּת לְעוֹלָם.

וְאֶהְיֶה בִּכְלַל הַצַּדִּיקִים שֶׁאֲפִלּוּ בְּמִיתָתָן קְרוּיִים חַיִּים.

"לֹא אָמוּת כִּי אֶחְיֶה וַאֲסַפֵּר מַעֲשֵׂי יָהּ".

"שׁוּבִי נַפְשִׁי לִמְנוּחָיְכִי כִּי יְיָ גָּמַל עָלָיְכִי. כִּי חִלַּצְתָּ נַפְשִׁי מִמָּוֶת אֶת עֵינִי מִן דִּמְעָה אֶת רַגְלִי מִדֶּחִי אֶתְהַלֵּךְ לִפְנֵי יְיָ בְּאַרְצוֹת הַחַיִּים".

"לֹא הַמֵּתִים יְהַלְלוּ יָהּ וְלֹא כָּל יֹרְדֵי דוּמָה, וַאֲנַחְנוּ נְבָרֵךְ יָהּ מֵעַתָּה וְעַד עוֹלָם הַלְלוּיָהּ".

"כִּי הִצַּלְתָּ נַפְשִׁי מִמָּוֶת הֲלֹא רַגְלַי מִדֶּחִי לְהִתְהַלֵּךְ לִפְנֵי אֱלֹהִים בְּאוֹר הַחַיִּים".

"כִּי לֹא תַעֲזֹב נַפְשִׁי לִשְׁאוֹל לֹא תִתֵּן חֲסִידְךָ לִרְאוֹת שָׁחַת. תּוֹדִיעֵנִי אֹרַח חַיִּים שֹׂבַע שְׂמָחוֹת אֶת פָּנֶיךָ נְעִימוֹת בִּימִינְךָ נֶצַח". אָמֵן וְאָמֵן:

May I always serve You in truth, whether in this world or in the World to Come. May I remain alive even after I pass away, among the Tzaddikim, who even in their death are called living.

"I will not die, but I will live, and I will tell the deeds of God."

"My soul, return to your rest, for HaShem has dealt bountifully with you. You have rescued my soul from death, my eye from tears, my foot from stumbling. I shall walk before HaShem in the lands of life."

"The dead will not praise God, nor all those who descend into silence. But we will bless God from now and forever. Praise God."

"You have rescued my spirit from death, my feet from stumbling, so that I may walk before God in the light of life."

"Do not abandon my spirit to the grave, do not allow Your pious one to experience destruction. Let me know the way of life, the satiety of joy before Your countenance, the pleasantness at Your right hand forever." Amen and amen.

102 (145)

Suppressing One's Desire to Engage in Dispute

A person must suppress his desire to engage in dispute. Then, after he passes away, it is as though he has not died, in the sense that people repeat his Torah teachings—particularly his *halakhic* (legal) rulings—in his name.

"אָגוּרָה בְאָהָלְךָ עוֹלָמִים אֶחֱסֶה בְסֵתֶר כְּנָפֶיךָ סֶלָה".

רִבּוֹנוֹ שֶׁל עוֹלָם הַצִּילֵנִי מִמַּחֲלֹקֶת, וְעָזְרֵנִי וְהוֹשִׁיעֵנִי שֶׁאֶזְכֶּה לֶאֱחֹז תַּאֲוָתִי מִמַּחֲלֹקֶת, שֶׁלֹּא יִהְיֶה לִי שׁוּם תַּאֲוָה לְהַחֲזִיק בְּמַחֲלֹקֶת חַס וְשָׁלוֹם. רַק תָּמִיד אֶתְחַזֵּק בְּכָל עֹז לְהַשְׁקִיט הָרִיב וְהַמַּחֲלֹקֶת, וְלִרְדֹּף אַחַר הַשָּׁלוֹם תָּמִיד בֶּאֱמֶת. עַד שֶׁאֶזְכֶּה עַל יְדֵי זֶה שֶׁיִּהְיוּ אוֹמְרִים דְּבַר הֲלָכָה בִּשְׁמִי לְאַחַר פְּטִירָתִי מִן הָעוֹלָם, וְיִהְיוּ שִׂפְתוֹתַי דּוֹבְבוֹת בַּקֶּבֶר. וְאֶזְכֶּה לָגוּר בִּשְׁנֵי הָעוֹלָמוֹת וְלֹא אָמוּת לְעוֹלָם, רַק תָּמִיד אֶהְיֶה בִּכְלָל הַחַיִּים בֶּאֱמֶת:

רִבּוֹנוֹ שֶׁל עוֹלָם יָדַעְתִּי גַּם יָדַעְתִּי כַּמָּה אֲנִי רָחוֹק מִזֶּה עַתָּה עַל יְדֵי תַּאֲוֹתַי הָרָעוֹת וְהַמָּרוֹת מְאֹד.

אֲבָל עֲדַיִן יֵשׁ לִי תִּקְוָה וּבִטָּחוֹן אֵלֶיךָ לְבַד, בְּכֹחַ וּזְכוּת הַצַּדִּיקִים הָאֲמִתִּיִּים, שֶׁתְּמַהֵר לְהוֹצִיאֵנִי וּלְחַלְּצֵנִי מִכָּל הַתַּאֲווֹת עַד שֶׁאֶזְכֶּה מְהֵרָה לָבוֹא לְכָל זֶה, וְאֶחְיֶה וְלֹא אָמוּת. כִּי אַתָּה הוּא מֶלֶךְ חָפֵץ בַּחַיִּים.

זַכֵּנִי לִהְיוֹת נִמְנֶה בֵּין הַחַיִּים תָּמִיד לְעוֹלָם וָעֶד. לְמַעַנְךָ אֱלֹהִים חַיִּים, וּלְמַעַן הַצַּדִּיקִים הָאֲמִתִּיִּים הַקְּרוּיִים בְּמִיתָתָם חַיִּים, הַחֲיֵינִי וְקַיְּמֵנִי בְּאוֹר פָּנֶיךָ:

Eliminating Dispute and Living in Both Worlds

"I will dwell in Your tent forever; I will take refuge in the concealment of Your wings."

Master of the world, help me control and eliminate my desire to engage in dispute. May I do all I can to silence arguments and pursue peace always. As a result, after I leave this world, may people repeat my formulations of *halakhah* in my name, so that my lips will murmur in the grave, and thus I will live in both worlds and never die.

To Be Counted Among the Living Forever

Master of the world, I know how far I am from conquering my desire for dispute, due to my evil and bitter appetites.

You are a King Who desires life. I hope and trust that in the power and merit of the true Tzaddikim, You will quickly strip me of all my desires until I will soon conquer my desire for dispute, and then live and not die.

May I be counted among the living forever—for Your sake, my living God, and for the sake of the true Tzaddikim, who in their death are said to be living. Give me life and sustain me in the light of Your countenance.

מָלֵא רַחֲמִים חַי הַחַיִּים, אֲדוֹן הַשָּׁלוֹם, שִׂים שָׁלוֹם טוֹבָה וּבְרָכָה וְרַחֲמִים וְחַיִּים עָלֵינוּ וְעַל כָּל יִשְׂרָאֵל עַמֶּךָ, לְמַעַנְךָ עֲשֵׂה וְלֹא לָנוּ.

"תְּחִי נַפְשִׁי וּתְהַלְלֶךָּ וּמִשְׁפָּטֶךָ יַעַזְרוּנִי. כִּי עִמְּךָ מְקוֹר חַיִּים בְּאוֹרְךָ נִרְאֶה אוֹר.

קוֹלִי שִׁמְעָה כְחַסְדֶּךָ יְיָ כְּמִשְׁפָּטֶיךָ חַיֵּנִי, רַחֲמֶיךָ רַבִּים יְיָ כְּמִשְׁפָּטֶיךָ חַיֵּנִי. דָּבְקָה לֶעָפָר נַפְשִׁי חַיֵּנִי כִּדְבָרֶךָ".

וִיקֻיַּם בָּנוּ מִקְרָא שֶׁכָּתוּב: "וְאַתֶּם הַדְּבֵקִים בַּיהֹוָה אֱלֹהֵיכֶם חַיִּים כֻּלְּכֶם הַיּוֹם", לְעוֹלְמֵי עַד וּלְנֵצַח נְצָחִים, אָמֵן וְאָמֵן:

Peace and Compassion

God, You Who are filled with compassion, the Life of living beings, Master of peace, grant peace, goodness, blessing, compassion and life to Your entire nation, the Jewish people. Act for Your sake, and not for ours.

"May my spirit live and praise You as Your judgments help me." "With You is the source of life; in Your light, we will see light."

"Hear my voice in accordance with Your kindness; HaShem, in accordance with Your laws, give me life." "Your compassions are vast, HaShem; in accordance with Your laws, give me life." "My spirit has clung to the dust; revive me in accordance with Your words."

May we experience in our own lives the verse, "You who cling to HaShem your God are alive, all of you, today"—forever and ever. Amen and amen.

103 (179)

To Overcome Dispute, a Person Must Fast or Give Charity / Reviving the Dead Days of One's Past

When people attempt to prevent an individual from carrying out his purpose—whether in the material or spiritual realms—he is unable to pray properly or otherwise serve God. In order to nullify that dispute and make peace, he must fast (or engage in its equivalent, which is giving charity). The reason is as follows.

A person's heart is filled with many disparate drives. When he fasts, he subjugates and weakens his heart. As a result, all of his desires are nullified before the will of God and, consequently, his heart clings to God. When that happens, the will of others is nullified before his, in keeping with our sages' dictum, "Nullify your will before His will, so that He will nullify the will of others before your will."

Also, when a person fasts, that revives his former days that lacked life. Each day receives two influxes of energy. First, as an independent entity, it has its own life force. In addition, it receives a flow of energy from Above. When a person performs mitzvot and good deeds, the flow of energy from Above to that day is abundant and generous. But when he does not perform mitzvot and good deeds, the flow of energy from Above to that day is reduced. Furthermore, if he engages in evil, he deprives the day on which he does so of both sources of energy—the flow of energy from Above and its own life force. As a result, such a day is a lifeless corpse.

Fasting revives these dead days. The reason for this may be explained as follows. When a person fasts, he receives no life force from that day. Instead, he makes use of the energy of the previous day. Should he fast more, he makes use of the energy of previous days until, ultimately, he reaches all the way back to the beginning of his life. At the same time, as this person fasts, he conveys the Divine life force and power of mitzvot to the lifeless days of his past, until he revives and illumines them all. And since that life force comprises a structure of joy, he brings joy into his life.

יְיָ אֱלֹהִים אֱמֶת יָחִיד קַדְמוֹן, חוֹשֵׁב מַחֲשָׁבוֹת לְבַל יִדַּח מִמֶּנּוּ נִדָּח, טוֹב וּמֵטִיב לַכֹּל, צוֹפֶה לָרָשָׁע וְחָפֵץ בְּהִצָּדְקוֹ, קוֹרֵא הַדּוֹרוֹת מֵרֹאשׁ, הָרוֹצֶה בִּתְשׁוּבָה, רַחֵם עָלַי לְמַעַן שְׁמֶךָ וּלְמַעַן אֲבוֹתֵינוּ הַקְּדוֹשִׁים, וְהַחֲזִירֵנִי בִּתְשׁוּבָה שְׁלֵמָה לְפָנֶיךָ.

וַעֲשֵׂה אֶת אֲשֶׁר בְּחֻקֶּיךָ אֵלֵךְ וְאֶת מִצְוֹתֶיךָ אֶשְׁמֹר מֵעַתָּה וְעַד עוֹלָם:

רִבּוֹנוֹ שֶׁל עוֹלָם מָלֵא רַחֲמִים יוֹדֵעַ תַּעֲלוּמוֹת, מָרוֹם וְקָדוֹשׁ, פּוֹעֵל גְּבוּרוֹת, עוֹשֶׂה חֲדָשׁוֹת, בַּעַל מִלְחָמוֹת, זוֹרֵעַ צְדָקוֹת, מַצְמִיחַ יְשׁוּעוֹת, בּוֹרֵא רְפוּאוֹת, נוֹרָא תְהִלּוֹת, אֲדוֹן הַנִּפְלָאוֹת, הַמְחַדֵּשׁ בְּטוּבוֹ בְּכָל יוֹם תָּמִיד מַעֲשֵׂה בְרֵאשִׁית, אֲשֶׁר אַתָּה עוֹשֶׂה בְּכָל יוֹם תָּמִיד נִסִּים וְנִפְלָאוֹת חֲדָשׁוֹת גְּדוֹלוֹת וְנוֹרָאוֹת מְאֹד מְאֹד, אֲשֶׁר נֶעְלָמוּ וְשָׂגְבוּ מֵאִתָּנוּ מְאֹד. כִּי אֵין אָנוּ יוֹדְעִין עֹצֶם גְּדֻלָּתְךָ וְנִפְלְאוֹתֶיךָ אֲשֶׁר אַתָּה עוֹשֶׂה בָּעוֹלָם בְּכָל עֵת, וְכָל עֲסָקֶיךָ וְנִפְלְאוֹתֶיךָ וְטוֹבוֹתֶיךָ בְּכָל יוֹם וּבְכָל עֵת וּבְכָל שָׁעָה, כֻּלָּם כְּאֶחָד אֵינָם כִּי אִם בִּשְׁבִיל הַתַּכְלִית הַטּוֹב הָאֲמִתִּי, שֶׁהוּא כְּדֵי לְסַבֵּב סִבּוֹת שֶׁנִּזְכֶּה לְהִתְקָרֵב אֵלֶיךָ וְלָשׁוּב אֵלֶיךָ בִּתְשׁוּבָה שְׁלֵמָה בֶּאֱמֶת, שֶׁזֶּהוּ עִקַּר תַּכְלִית הַטּוֹבָה הָאֲמִתִּיִּית שֶׁבְּכָל הַטּוֹבוֹת.

God Desires Our Repentance

HaShem, God of truth, You Who are unique and preceded all existence, You Who devise thoughts so that no one will remain exiled from You, You Who are good and do good to all, You Who gaze upon the wicked person with the desire that he will become righteous, You Who proclaim the generations from the beginning, You Who desire repentance—for the sake of Your Name and for the sake of our holy fathers, restore us to You in complete repentance.

Help me walk in the way of Your laws and keep Your commandments from this moment on.

God Transforms Worlds

Master of the world, You Who know secrets, You Who are elevated and holy, You Who bring about mighty realities, Master of war, You Who sow righteousness and cause salvation to flourish, Creator of healing, You Who deserve awesome praise, Master of wonders, You Who renew the act of Creation every day, You Who create hidden miracles and wonders—no one knows the essence of Your greatness, no one knows the wonders that You constantly perform, all of which are meant only to bring us close to You.

וְרַק אַתָּה בְּעַצְמְךָ יוֹדֵעַ כָּל מַה שֶּׁאַתָּה עוֹשֶׂה חֲדָשׁוֹת בְּכָל יוֹם בִּשְׁבִיל לְהַחֲזִירֵנִי אוֹתִי וְאֶת כָּל יִשְׂרָאֵל בִּתְשׁוּבָה שְׁלֵמָה בֶּאֱמֶת, כְּדֵי לְטַהֵר וּלְתַקֵּן נַפְשֵׁנוּ וְרוּחֵנוּ וְנִשְׁמוֹתֵינוּ, כְּדֵי שֶׁיִּטָּהֲרוּ נַפְשׁוֹת עַמְּךָ יִשְׂרָאֵל מִזֻּהֲמָתָם. וּבְכָל יוֹם וּבְכָל עֵת וּבְכָל שָׁעָה אַתָּה עוֹשֶׂה נִפְלָאוֹת חֲדָשׁוֹת לְגַמְרֵי בִּשְׁבִיל זֶה, כִּי אֵין יוֹם דּוֹמֶה לַחֲבֵרוֹ, וּבְכָל יוֹם וּבְכָל עֵת וּבְכָל שָׁעָה וָרֶגַע, אַתָּה מַפְלִיא לַעֲשׂוֹת לְשַׁנּוֹת הַנְהָגַת הָעוֹלָמוֹת בְּשִׁנּוּיִים רַבִּים וְנִפְלָאִים עַד אֵין קֵץ וָסוֹף, וְהַכֹּל לְטוֹבַת הָעוֹלָם, לְטוֹבָתָם הָאֲמִתִּיִּית וְהַנִּצְחִיִּית, כְּדֵי לְרַמֵּז לָהֶם רְמָזִים בְּכַמָּה בְּחִינוֹת וָאֳפַנִּים שׁוֹנִים בְּלִי שִׁעוּר לִקְרֹא אֶת כָּל אֶחָד וְאֶחָד מִכָּל מָקוֹם שֶׁהוּא שָׁם בָּעֵת וּבָרֶגַע הַזֹּאת, לְקָרְבוֹ אֵלֶיךָ בֶּאֱמֶת.

כִּי רַק זֶהוּ טוֹבָה בֶּאֱמֶת, וְאֵין שׁוּם טוֹבָה אַחֶרֶת בָּעוֹלָם זוּלָתָהּ כְּלָל.

וְהִנֵּה אֲנִי מוֹדֶה וּמִתְוַדֶּה לְפָנֶיךָ אָבִי אָב הָרַחֲמָן הַמֶּלֶךְ הַטּוֹב וְהַמֵּטִיב לַכֹּל, עַל כָּל הַחֲסָדִים וְהַטּוֹבוֹת וְהַיְשׁוּעוֹת וְהַנִּפְלָאוֹת אֲשֶׁר עָשִׂיתָ עִמִּי מֵעוֹדִי עַד הַיּוֹם הַזֶּה.

אֲשֶׁר אַחַר כָּל מַה שֶּׁעָבַר עָלַי, וְאַחַר כָּל מַה שֶּׁעָבַרְתִּי בְּשׁוֹגֵג וּבְמֵזִיד בְּאֹנֶס וּבְרָצוֹן, וְאַחֲרֵי כָּל אֵלֶּה, עֲדַיִן לֹא

Only You know everything that You do to help all Jews repent and rectify their souls. At every moment, You perform infinite wonders to transform worlds, all for the sake of giving us hints on many levels and in endless ways that call us back to You from wherever we are.

Only this is true goodness; there is no other goodness in the world.

God's Compassion

My compassionate Father, my King Who is good and does good to all, I acknowledge all of the kind favors, redemptions and wonders that You have performed for me throughout my life.

Despite all of the sins that I committed—whether accidentally or on purpose, against my will or willingly—Your compassion has never ceased. You still awaken me, help me maintain my hope in Your redemption, and inspire me to pray to You.

כָּלוּ רַחֲמֶיךָ מִמֶּנִּי, וְאַתָּה מְעוֹרְרֵנִי וּמְחַזְּקֵנִי עֲדַיִן לְצַפּוֹת לִישׁוּעָתְךָ, וּלְסַדֵּר דִּבְרֵי אֵלֶּה לְפָנֶיךָ.

מִלְּבַד מַה אֲשֶׁר אַתָּה מְזַכֵּנִי בְּכָל יוֹם בִּנְקֻדּוֹת טוֹבוֹת וְנוֹרָאוֹת לְקַדְּשֵׁנִי בִּקְדֻשַּׁת יִשְׂרָאֵל בִּקְדֻשַּׁת מִצְוֹתֶיךָ הַנּוֹרָאוֹת, אֲשֶׁר אַתָּה מְזַכֵּנִי בְּכָל יוֹם לַחֲטֹף בָּזֶה הָעוֹלָם הַכָּלֶה וְהַנִּפְסָד, הַחוֹלֵף וְעוֹבֵר כְּהֶרֶף עַיִן.

מָה רַב טוּבְךָ אֲשֶׁר עָשִׂיתָ עִמִּי, "מָה אָשִׁיב לַיְיָ כָּל תַּגְמוּלוֹהִי עָלָי". עַל כֵּן מָצָא עַבְדְּךָ אֶת לִבּוֹ עֲדַיִן לְהִתְחַנֵּן לְפָנֶיךָ, וּלְהִשְׁתַּטֵּחַ מוּל רַחֲמֶיךָ וַחֲסָדֶיךָ.

וּבְכֵן בָּאתִי לְפָנֶיךָ בַּעַל הָרַחֲמִים, בַּעַל הַיְשׁוּעוֹת, "גְּדוֹל הָעֵצָה וְרַב הָעֲלִילִיָּה", שֶׁתּוֹרֵנִי בֶּאֱמֶת דַּרְכֵי הַתְּשׁוּבָה, וְתִהְיֶה עִמִּי תָּמִיד, וְתַדְרִיכֵנִי בְּכָל עֵת וְשָׁעָה בְּדֶרֶךְ הַיָּשָׁר בֶּאֱמֶת, בְּאֹפֶן שֶׁאֶזְכֶּה מְהֵרָה לָשׁוּב בִּתְשׁוּבָה שְׁלֵמָה לְפָנֶיךָ בֶּאֱמֶת חִישׁ קַל מְהֵרָה.

וְתוֹרֵנִי וּתְלַמְּדֵנִי הַדֶּרֶךְ הָאֱמֶת לַאֲמִתּוֹ אֵיךְ לְהִתְנַהֵג בְּעִנְיַן הַתַּעֲנִיּוֹת.

אֲשֶׁר גִּלִּיתָ אָזְנֵנוּ בְּכַמָּה מְקוֹמוֹת בְּדִבְרֵי רַבּוֹתֵינוּ זִכְרוֹנָם לִבְרָכָה גֹּדֶל עֹצֶם מַעֲלַת הַצּוֹם וְהַתַּעֲנִית שֶׁהוּא עִקַּר הַתְּשׁוּבָה, אֲבָל לְעֻמַּת זֶה נִמְצָא בְּכַמָּה מְקוֹמוֹת שֶׁאָסוּר

Besides that, every day You sanctify me by helping me perform Your awesome commandments in this bleak and impermanent world that passes like the blink of an eye.

How great is Your goodness that You have done for me. "How can I repay HaShem for all of His kindness to me?" But I gather the courage to pray to You and bow down before You.

Fasting Properly

Master of compassion and salvation, "great in counsel and mighty in deed," guide me at every step on the straight path of repentance, so that I will quickly return to You.

In particular, teach me how to fast properly.

You revealed through our sages the great power of fasting, which constitutes the essence of repentance. Our sages also teach that a person may not fast without gaining the permission of a sage—and, in particular, they warn that a Torah scholar should not fast if that will affect his learning.

לְהִתְעַנּוֹת בְּלִי רְשׁוּת הֶחָכָם הָאֱמֶת. וּבִפְרָט מִי שֶׁהוּא בֶּן תּוֹרָה שֶׁהִזְהִירוּ עָלָיו רַבּוֹתֵינוּ זִכְרוֹנָם לִבְרָכָה בְּכַמָּה מְקוֹמוֹת שֶׁלֹּא יַרְבֶּה בְּתַעֲנִית שֶׁלֹּא יִתְבַּטֵּל מִדִּבְרֵי תוֹרָה.

וְאַתָּה יְיָ אֱלֹהִים אֱמֶת, לְפָנֶיךָ נִגְלוּ כָּל תַּעֲלוּמוֹת לֵב, וְכָל הַסְּפֵקוֹת שֶׁיֵּשׁ בְּלִבִּי עַל זֶה, וּמִלְּבַד רִבּוּי הַמְּנִיעוֹת שֶׁיֵּשׁ לִי עַל עִנְיַן הַתַּעֲנִית מִצַּד כֹּבֶד הָעִנְיָן בְּעַצְמוֹ, נוֹסָף לָזֶה רִבּוּי מְנִיעוֹת הַמֹּחַ מִצַּד הַסְּפֵקוֹת הָרַבִּים שֶׁבְּלִבִּי עַל עִנְיַן הַתַּעֲנִית כַּאֲשֶׁר הִזְכַּרְתִּי לְפָנֶיךָ.

עַל כֵּן בָּאתִי לְפָנֶיךָ מָלֵא רַחֲמִים, שֶׁתְּזַכֵּנִי לֵידַע בְּכָל עֵת אֵיךְ לְהִתְנַהֵג בְּעִנְיָן זֶה וּבְכָל הָעִנְיָנִים הַנּוֹגְעִים לַעֲבוֹדָתֶךָ. וְלֹא אֲבַלְבֵּל אֶת דַּעְתִּי הַרְבֵּה בְּאֵלּוּ הַסְּפֵקוֹת, כְּדֵי שֶׁלֹּא לְבַטֵּל עַצְמִי מִמְּעַט עֲבוֹדָתִי, רַק אֶזְכֶּה מֵאִתְּךָ לְיִשּׁוּב הַדַּעַת אֲמִתִּי.

וְתַדְרִיכֵנִי בַּאֲמִתֶּךָ וּתְלַמְּדֵנִי בְּכָל עֵת אֵיךְ לְהִתְנַהֵג בְּכָל הָעִנְיָנִים וּבִפְרָט בְּעִנְיָן זֶה שֶׁל תַּעֲנִית. וְאֶזְכֶּה עַל יְדֵי הַתַּעֲנִית לְהַכְנִיעַ וּלְבַטֵּל גַּשְׁמִיּוּת גּוּפִי הָרָע.

וְאֶזְכֶּה לְבַטֵּל הַמַּחֲלֹקֶת הַגְּדוֹלָה וּלְהַמְשִׁיךְ שָׁלוֹם גָּדוֹל בִּכְלָלִיּוּת וּבִפְרָטִיּוּת. הֵן עֹצֶם הַמַּחֲלֹקֶת מִבְּנֵי הָעוֹלָם, שֶׁהֵם קָמִים תָּמִיד כְּנֶגֶד הָרוֹצִים לִכְנֹס בִּקְדֻשַּׁת יִשְׂרָאֵל בֶּאֱמֶת, שֶׁעוֹמְדִים כְּנֶגְדָּם כַּמָּה מִינֵי חוֹלְקִים וּמוֹנְעִים

HaShem, God of truth, You know all the matters concealed in my heart—particularly my hesitancy to fast, since doing so is difficult, and my lack of clarity regarding how and when to fast.

Overcoming Dispute

Please teach me how to serve You—in particular, how to fast without being confused by indecisiveness, which would detract from the little that I have accomplished.

As a result of my fasting, may I overcome the negative physical nature of my body.

Moreover, may I nullify dispute and draw down peace, overall and in detail—whether dispute caused by people who attack Jews who wish to become more holy, with the goal of turning these people aside from truth, or dispute generated in my own heart that blocks me from serving You as I wish, almost to the point that "the strength of the porter has collapsed."

וּמַלְעִיגִים בְּכַמָּה אֳפָנִים, לְהַטּוֹתָם מִנְּקֻדַּת הָאֱמֶת. הֵן עֹצֶם הַמַּחֲלֹקֶת שֶׁבַּלֵּב, שֶׁכָּל מַה שֶּׁאָנוּ רוֹצִים לַעֲשׂוֹת בַּעֲבוֹדָתְךָ מוֹנְעִים אוֹתָנוּ הַרְבֵּה מְאֹד בְּלִי שִׁעוּר, אֲשֶׁר כִּמְעַט "כָּשַׁל כֹּחַ הַסַּבָּל".

כִּי כָל מַה שֶּׁאֲנִי רוֹצֶה לְהִתְגַּבֵּר לְטַהֵר מַחְשְׁבוֹתַי וְרַעְיוֹנַי, מִתְגַּבְּרִים כְּנֶגְדִּי בִּלְבּוּלִים רַבִּים בְּמַחֲשָׁבוֹת זָרוֹת וְהִרְהוּרִים רָעִים, אֲשֶׁר כָּל זֶה נִקְרָא מַחֲלֹקֶת. וּכְנֶגֶד כָּל אֵלּוּ הַמַּחֲלֹקוֹת צְרִיכִין תַּעֲנִיּוֹת, כַּאֲשֶׁר גִּלִּיתָ לָנוּ בְּהַתּוֹרָה הַזֹּאת.

עַל כֵּן רַחֵם עָלֵינוּ לְמַעַן שְׁמֶךָ, וְהוֹרֵנִי וְלַמְּדֵנִי וְזַכֵּנִי לָשׂוּם אֶל לִבִּי לְהָבִין וּלְהִתְעַנּוֹת הַרְבֵּה כִּרְצוֹנְךָ הַטּוֹב בֶּאֱמֶת, בְּאֹפֶן שֶׁאֶזְכֶּה עַל יְדֵי הַתַּעֲנִיּוֹת לְהַכְנִיעַ וּלְבַטֵּל כָּל מִינֵי מַחֲלֹקֶת.

וְאֶזְכֶּה לְהַכְנִיעַ וּלְבַטֵּל כָּל הָרְצוֹנוֹת הַפְּגוּמִים שֶׁלִּי לְבַטֵּל כֻּלָּם כְּנֶגֶד רְצוֹנְךָ וּלְדַבֵּק לִבִּי בֶּאֱמֶת אֵלֶיךָ וְלַעֲבוֹדָתְךָ הָאֲמִתִּיִּית, וְלֹא אָסוּר מֵרְצוֹנְךָ יָמִין וּשְׂמֹאל, מֵעַתָּה וְעַד עוֹלָם.

וְעַל יְדֵי זֶה תְּזַכֵּנִי שֶׁיִּתְבַּטְּלוּ כָּל רְצוֹנוֹת אֲחֵרִים שֶׁל הַמּוֹנְעִים וְהַחוֹלְקִים כְּנֶגֶד רְצוֹנִי, וְלֹא יִהְיֶה כֹּחַ לְשׁוּם מוֹנֵעַ וְחוֹלֵק לְבַטְּלֵנִי חַס וְשָׁלוֹם מֵעֲבוֹדָתְךָ הָאֲמִתִּיִּית אֲפִלּוּ כְּחוּט הַשַּׂעֲרָה.

I wish to purify my mind. But foreign thoughts and evil musings—both of which are types of "dispute"—cause me to experience much confusion. In order to counter all of this, may I engage in fasts.

Attaining Peace on Every Level

Help me fast a great deal in accordance with Your beneficent will. In this way, may I overcome every type of dispute.

May I also overcome all of my blemished desires. May I nullify them before Your will, as my heart clings to serving You and I never turn aside from doing Your will.

As a result, may the will of all those who try to stop me from serving You be nullified.

וְיִתְבַּטְּלוּ כָּל מִינֵי מַחֲלֹקֶת שֶׁבָּעוֹלָם. הֵן מַחֲלֹקֶת מִבְּנֵי הָעוֹלָם, הֵן מַחֲלֹקֶת שֶׁבִּלְבִּי הַכֹּל יִתְבַּטֵּל לְגַמְרֵי, וְאֶזְכֶּה לְשָׁלוֹם גָּדוֹל בֶּאֱמֶת בְּכָל הַבְּחִינוֹת, בְּאֹפֶן שֶׁאֶזְכֶּה לָשׁוּב אֵלֶיךָ בֶּאֱמֶת. וְלִהְיוֹת כִּרְצוֹנְךָ הַטּוֹב תָּמִיד בֶּאֱמֶת מֵעַתָּה וְעַד עוֹלָם:

וּתְזַכֵּנִי בְּרַחֲמֶיךָ הָרַבִּים לְשִׂמְחָה גְדוֹלָה רַבָּה וַעֲצוּמָה תָּמִיד לְשִׁמְךָ וְלַעֲבוֹדָתְךָ, "שַׂמְּחֵנוּ כִּימוֹת עִנִּיתָנוּ שְׁנוֹת רָאִינוּ רָעָה":

ליום־הכיפורים

וְזַכֵּנִי בְּרַחֲמֶיךָ הָרַבִּים לְקַבֵּל יוֹם הַכִּפּוּרִים הַקָּדוֹשׁ בִּקְדֻשָּׁה גְדוֹלָה וּבְשִׂמְחָה רַבָּה וְחֶדְוָה עֲצוּמָה.

וְאֶזְכֶּה לְקַיֵּם כָּל הַחֲמִשָּׁה עִנּוּיִים בְּיוֹם הַכִּפּוּרִים בְּתַכְלִית הַשְּׁלֵמוּת כָּרָאוּי, וּלְהִתְפַּלֵּל כָּל הַחֲמִשָּׁה תְּפִלּוֹת בְּיוֹם הַכִּפּוּרִים בְּכַוָּנָה עֲצוּמָה וְנוֹרָאָה.

וּלְהִתְוַדּוֹת בְּכָל מִינֵי וִדּוּיִים, וּלְהִתְחָרֵט עַל הֶעָבָר בַּחֲרָטָה גְמוּרָה וְלַעֲזֹב בֶּאֱמֶת דַּרְכֵי הָרָע וּמַחְשְׁבוֹתַי הָרָעוֹת וְהַמְבֻלְבָּלוֹת. וּלְקַבֵּל עָלַי בְּקַבָּלָה חֲזָקָה וּנְכוֹנָה לְבַל אָשׁוּב עוֹד לְכִסְלָה, וּלְבַל אֶעֱשֶׂה עוֹד הָרַע בְּעֵינֶיךָ כַּאֲשֶׁר עָשִׂיתִי.

May every sort of dispute—dispute from people and dispute in my heart—come to an end. May I attain peace on every level, so that I will return to You and live in accordance with Your beneficent will always, from this moment on.

Attaining Joy

Help me attain joy as I serve You. "Grant us joy according to the days that You pained us, the years that we saw evil."

The Joy of Yom Kippur

Help me commemorate the holy day of Yom Kippur with joy.

May I keep its five afflictions properly and recite its five prayer services with awesome intent.

May I confess my sins and regret having committed them. May I abandon my evil ways and confused thoughts, and resolve to never again return to my foolishness, to never again do evil in Your eyes.

וְלָשׁוּב בִּתְשׁוּבָה שְׁלֵמָה לְפָנֶיךָ בֶּאֱמֶת בְּשִׂמְחָה בְּיִרְאָה וְאַהֲבָה, וְלִבְכּוֹת הַרְבֵּה מִתּוֹךְ שִׂמְחָה:

מָלֵא רַחֲמִים, זַכֵּנִי לְקַדֵּשׁ יוֹם הַכִּפּוּרִים הָאָיֹם וְהַנּוֹרָא וְהַנִּשְׂגָּב מְאֹד, כִּי הוּא יוֹם זֶה גָּדוֹל וְקָדוֹשׁ וְנוֹרָא וְאָיֹם וְאַדִּיר, יוֹם אֶחָד בַּשָּׁנָה, אֲשֶׁר בָּחַרְתָּ בּוֹ לְעַמְּךָ, לִסְלֹחַ עֲווֹנוֹתֵיהֶם וּלְכַפֵּר פִּשְׁעֵיהֶם בַּיּוֹם הַנּוֹרָא הַזֶּה, רַחֵם עָלֵינוּ וְזַכֵּנוּ לְקַבֵּל יוֹם הַגָּדוֹל וְהַנּוֹרָא הַזֶּה כָּרָאוּי וְלָשׁוּב בִּתְשׁוּבָה שְׁלֵמָה בֶּאֱמֶת.

בְּאֹפֶן שֶׁתִּסְלַח וְתִמְחֹל וּתְכַפֵּר לָנוּ עַל כָּל חַטֹּאתֵינוּ וַעֲוֹנוֹתֵינוּ וּפְשָׁעֵינוּ הָעֲצוּמִים וְהָרַבִּים וְהַכְּבֵדִים יוֹתֵר מֵחוֹל הַיָּם. וְתַעַזְרֵנוּ בִּזְכוּת עֶצֶם קְדֻשַּׁת הַיּוֹם הַקָּדוֹשׁ הַזֶּה, וּבִזְכוּת הַתַּעֲנִית הַקָּדוֹשׁ שֶׁל יוֹם הַנּוֹרָא הַזֶּה, יוֹם צוֹם הַכִּפּוּרִים, שֶׁנִּזְכֶּה עַל יְדֵי זֶה לְהַכְנִיעַ אֶצְלֵנוּ כָּל הָרְצוֹנוֹת אֵלֶיךָ תִּתְבָּרַךְ. לְהַכְנִיעַ וּלְשַׁבֵּר וּלְבַטֵּל כָּל מִינֵי רְצוֹנוֹת שֶׁלָּנוּ כְּנֶגֶד רְצוֹנְךָ, עַד שֶׁלֹּא יִהְיֶה לָנוּ שׁוּם רָצוֹן וְלֹא שׁוּם תַּאֲוָה כְּנֶגֶד רְצוֹנְךָ כְּלָל, בְּאֹפֶן שֶׁנִּזְכֶּה לִהְיוֹת כִּרְצוֹנְךָ תָּמִיד, וְלִבְלִי לָסוּר מֵרְצוֹנְךָ יָמִין וּשְׂמֹאל.

וְעַל יְדֵי זֶה נִזְכֶּה שֶׁאַתָּה בְּרַחֲמֶיךָ תְּבַטֵּל רְצוֹן אֲחֵרִים מִפְּנֵי רְצוֹנֵנוּ, וְיִתְבַּטֵּל מֵאִתָּנוּ כָּל מִינֵי מַחֲלֹקֶת שֶׁבָּעוֹלָם, הֵן מַחֲלֹקֶת מִבְּנֵי הָעוֹלָם, הֵן מַחֲלֹקֶת שֶׁבַּעֲצָמַי. אֲשֶׁר עַתָּה

Instead, may I return to You with complete repentance—with joy, awe and love, as I weep from joy.

The Holy Fast of Yom Kippur

Help me attain the holiness of the awesome and elevated day of Yom Kippur, the day of the year that You chose to forgive the sins of Your people. Help me keep this day properly and repent completely.

Forgive me my sins, which are more numerous than the sands of the sea. In the merit of the holiness of this day—and particularly of my fasting—may I nullify the expressions of my will that oppose Your will, until I am always in accord with Your will and never turn aside from it, either to the right or the left.

When I reach that level, please nullify the will of others before my will. Remove every type of dispute from my life—whether the dispute that comes from other people, or the dispute that rages within my bones due to my sins.

"אֵין שָׁלוֹם בַּעֲצָמַי מִפְּנֵי חַטָּאתִי". וְכָל מַה שֶּׁאֲנִי רוֹצֶה לַעֲשׂוֹת אֵיזֶה דָּבָר שֶׁבִּקְדֻשָּׁה יֵשׁ לִי מְנִיעוֹת רַבּוֹת וַעֲצוּמוֹת בְּלִי שִׁעוּר. וְעִקָּר הוּא מְנִיעוֹת הַמֹּחַ וְהַלֵּב.

וְהַכֹּל אֶזְכֶּה לְבַטֵּל עַל יְדֵי הַתַּעֲנִית הַקָּדוֹשׁ שֶׁל יוֹם הַכִּפּוּרִים הַכָּלוּל מִכָּל הַיָּמִים שֶׁל כָּל הַשָּׁנָה, כְּמוֹ שֶׁכָּתוּב: "גָּלְמִי רָאוּ עֵינֶיךָ וְעַל סִפְרְךָ כֻּלָּם יִכָּתֵבוּ, יָמִים יֻצָּרוּ וְלוֹ אֶחָד בָּהֶם", וְדָרְשׁוּ רַבּוֹתֵינוּ זִכְרוֹנָם לִבְרָכָה: 'זֶה יוֹם הַכִּפּוּרִים'.

רַחֵם עָלֵינוּ וְזַכֵּנוּ לָשׁוּב בִּתְשׁוּבָה שְׁלֵמָה בֶּאֱמֶת בְּכָל הַשָּׁנָה, וּבִפְרָט בְּיוֹם הַכִּפּוּרִים הַקָּדוֹשׁ, וְעָזְרֵנוּ לְהִתְעַנּוֹת הַתַּעֲנִית שֶׁל יוֹם הַכִּפּוּרִים בִּקְדֻשָּׁה נוֹרָאָה וַעֲצוּמָה, וּבְשִׂמְחָה וְחֶדְוָה רַבָּה בֶּאֱמֶת, בְּאֹפֶן שֶׁאֶזְכֶּה עַל יְדֵי זֶה לְקַדֵּשׁ עַצְמִי מֵעַתָּה וְלֵידַע אֵיךְ לְהִתְנַהֵג בְּעִנְיַן הַתַּעֲנִיּוֹת בְּכָל הַשָּׁנָה כֻּלָּהּ, וְלִהְיוֹת כִּרְצוֹנְךָ הַטּוֹב בֶּאֱמֶת. לְמַעַן לֹא אֵבוֹשׁ וְלֹא אֶכָּלֵם וְלֹא אֶכָּשֵׁל לְעוֹלָם וָעֶד:

מָלֵא רַחֲמִים אַתָּה יוֹדֵעַ כַּמָּה יָמִים מֵתִים וּפְגָרִים מַמָּשׁ הַמֻּנָּחִים בְּמָקוֹם שֶׁמֻּנָּחִים, עַל יְדֵי רִבּוּי וְעֹצֶם פְּשָׁעַי הָעֲצוּמִים וְהָרַבִּים מְאֹד מְאֹד שֶׁעָשִׂיתִי מֵעוֹדִי עַד הַיּוֹם הַזֶּה.

"There is no peace in my bones because of my transgression." Despite all of my efforts to attain holiness, I experience impediments without measure—principally, the impediments set up within my mind and heart.

May I nullify all of these by engaging in the holy fast of Yom Kippur. This day contains within it all the days of the year. As the verse states, "Your eyes saw my rough form; all people are recorded in Your book—they were created on many days, but to Him these days are one." This one day, our sages teach, is Yom Kippur.

Help me repent throughout the year, and particularly on the holy day of Yom Kippur. Help me fast on Yom Kippur in awesome holiness and joy. May I then sanctify myself and know how to fast throughout the year, and always remain in accordance with Your beneficent will, so that I will never be ashamed and will never stumble.

Rectifying the Dead Days

Because I committed a multitude of sins throughout my life, the corpses of dead days lie littered across my past.

אַתָּה יוֹדֵעַ אֵיךְ הוֹצֵאתִי הַחִיּוּת מִיָּמִים הַרְבֵּה בְּאַכְזָרִיּוּת גָּדוֹל מְאֹד, וְלֹא דַּי שֶׁלֹּא הוֹסַפְתִּי עַל הַיָּמִים חִיּוּת מִלְמַעְלָה עַל יְדֵי תּוֹרָה וַעֲבוֹדָה, אַף גַּם הוֹצֵאתִי מֵהֶם עֶצֶם חִיּוּתָם לְגַמְרֵי עַל יְדֵי רִבּוּי עֲווֹנוֹתַי שֶׁעָשִׂיתִי בָּהֶם.

אֲשֶׁר תִּקּוּן כָּל אֵלּוּ הַיָּמִים הַמֵּתִים הוּא עַל יְדֵי תַּעֲנִיּוֹת הַרְבֵּה, כַּאֲשֶׁר גִּלִּיתָ לָנוּ עַל יְדֵי חֲכָמֶיךָ הַקְּדוֹשִׁים.

רַחֵם עָלַי וְעָזְרֵנִי וְהוֹשִׁיעֵנִי בְּרַחֲמֶיךָ הָעֲצוּמִים וּבַחֲסָדֶיךָ הַנּוֹרָאִים וְהַנִּפְלָאִים, שֶׁאֶזְכֶּה בְּכֹחַ הַתַּעֲנִית הַקָּדוֹשׁ שֶׁל יוֹם הַכִּפּוּרִים וּבְכֹחַ שֶׁל כָּל הַתַּעֲנִיתִים שֶׁתְּזַכֵּנִי בְּרַחֲמֶיךָ הָרַבִּים לְהִתְעַנּוֹת בְּחַיַּי, שֶׁאֶזְכֶּה עַל יָדָם לְתַקֵּן כָּל אֵלּוּ הַיָּמִים הַמֵּתִים. וְאֶזְכֶּה לְהִתְעַנּוֹת הַרְבֵּה כָּל כָּךְ עַד שֶׁאֶצְטָרֵךְ לְהִשְׁתַּמֵּשׁ עִם כֹּחַ שֶׁל יְמֵי הַיְנִיקָה בְּכֹחַ הֶחָלָב שֶׁיָּנַקְתִּי מִמְּעֵי עִמִּי, בְּאֹפֶן שֶׁאֶזְכֶּה לְהַחֲיוֹת וּלְהַעֲלוֹת וּלְתַקֵּן כָּל הַיָּמִים אֲשֶׁר עָבְרוּ עָלַי מִיּוֹם הֱיוֹתִי עַד הֵנָּה.

וְאֶזְכֶּה בְּיוֹם צֵאתִי מִן הָעוֹלָם לָבוֹא וְלִכְנֹס לְפָנֶיךָ עִם כָּל הַיָּמִים שֶׁל כָּל יְמֵי חַיַּי בִּקְדֻשָּׁה גְדוֹלָה, וְיִהְיוּ כָּל הַיָּמִים שֶׁלִּי שְׁלֵמִים וּקְדוֹשִׁים וּטְהוֹרִים וּמְתֻקָּנִים בְּתַכְלִית הַתִּקּוּן כִּרְצוֹנְךָ הַטּוֹב, וְלָא אֵיעוֹל בְּכִסּוּפָא קַמָּךְ.

I cruelly removed the life force from these days. Not only did I not add Heavenly life force to them by learning Torah and serving You, but I removed the essence of their life force by sinning.

You revealed through Your holy sages that the way to rectify these dead days is to engage in many fasts.

May I rectify all of these dead days with the power of the holy fast of Yom Kippur and all other fasts. May I fast so much that my body will ultimately reach back to the days that I was nursing in order to gain its nutrition. In that way, may I revive, raise and rectify all of the days of my life.

Then, on the day that I leave this world, may I not come before You in shame. Rather, may all of the days of my life attain the quality of holiness. May they all be whole, pure and rectified, in accordance with Your beneficent will.

עָזְרֵנִי עָזְרֵנִי, הוֹשִׁיעֵנִי הוֹשִׁיעֵנִי, עֲשֵׂה עִמִּי פֶּלֶא לְחַיִּים לְבַל אֶהְיֶה כַּמֵּת חַס וְשָׁלוֹם, "לֹא אָמוּת כִּי אֶחְיֶה וַאֲסַפֵּר מַעֲשֵׂי יָהּ".

שַׂמֵּחַ נַפְשִׁי הָאֻמְלָלָה מְאֹד הָעֲלוּבָה מְאֹד, עַל יְדֵי תַעֲנִיּוֹת הַרְבֵּה שֶׁתְּזַכֵּנִי בְּרַחֲמֶיךָ לְהִתְעַנּוֹת מֵעַתָּה. וְאֶזְכֶּה לְהִתְחַזֵּק בָּזֶה הַרְבֵּה.

עָזְרֵנִי מָלֵא רַחֲמִים, הוֹשִׁיעֵנִי מָלֵא יְשׁוּעוֹת, רַחֵם עָלַי מָלֵא רַחֲמִים, גּוֹמֵל לַחַיָּבִים טוֹבוֹת שֶׁגְּמָלַנִי כָּל טוֹב וְזַכֵּנִי לִהְיוֹת מִזֶּרַע יִשְׂרָאֵל וְהִבְדִּלַנִי מִן הַתּוֹעִים, וְלֹא עָשַׂנִי גוֹי, גָּמְלֵנִי כָּל טוֹב סֶלָה.

וְעָזְרֵנִי מֵעַתָּה לִפְרֹשׁ אֶת עַצְמִי מִזֶּה הָעוֹלָם לְגַמְרֵי, וְאֶזְכֶּה לְהַאֲרִיךְ אַפִּי בִּגְבוּרָה גְדוֹלָה וְלִכְבֹּשׁ אֶת יִצְרִי וְלִמְשֹׁל בְּרוּחִי, וּלְהִתְחַזֵּק בְּכָל עֵת עַד שֶׁאֶזְכֶּה מֵעַתָּה לִסְתֹּם עֵינַי מֵחֵיזוּ דְהַאי עָלְמָא לְגַמְרֵי, וּלְהִתְעַנּוֹת תַּעֲנִיּוֹת הַרְבֵּה וְהַפְסָקוֹת שְׁלֵמוֹת.

וְאַתָּה בְּרַחֲמֶיךָ תְּקַבְּלֵם בְּאַהֲבָה וּבְרָצוֹן וּתְקָרְבֵנִי אֵלֶיךָ בְּרַחֲמִים רַבִּים וּתְשַׂמֵּחַ אֶת נַפְשִׁי תָמִיד, בְּאֹפֶן שֶׁאֶזְכֶּה בְּכֹחַ הַצַּדִּיקִים הָאֲמִתִּיִּים לְתַקֵּן כָּל מַה שֶּׁפָּגַמְתִּי מֵעוֹדִי בַּחַיִּים חַיּוּתִי.

Holy Fasting

Give me the miracle of life. May I not be as a dead person. "I will not die, but I will live, and I will tell the deeds of God."

Help me engage in many fasts. In reward for that, give my poor and insulted spirit joy and strength.

You Who grant favors even to those who are guilty, You have granted me everything good. You made me a member of the Jewish people and separated me from those who err.

Help me from this moment on to separate myself from this world. May I gain equanimity, conquer my evil inclination, rule over my spirit, and strengthen myself at all times until I can close my eyes to the sights of this world and engage in many fasts.

Accept these fasts with love. Bring me close to You. Give joy to my spirit always, so that with the help of the power of the true Tzaddikim, I will rectify all that I blemished throughout the course of my life.

וְאֶזְכֶּה לְהַכִּיר אוֹתְךָ בֶּאֱמֶת וְלַעֲבֹד אוֹתְךָ תָּמִיד בֶּאֱמֶת אֲנִי וְזַרְעִי וְזֶרַע זַרְעִי מֵעַתָּה וְעַד עוֹלָם.

"הַדְרִיכֵנִי בַאֲמִתֶּךָ וְלַמְּדֵנִי כִּי אַתָּה אֱלֹהֵי יִשְׁעִי אוֹתְךָ קִוִּיתִי כָּל הַיּוֹם. הוֹרֵנִי יְיָ דֶּרֶךְ חֻקֶּיךָ וְאֶצְּרֶנָּה עֵקֶב. הוֹרֵנִי יְיָ דַּרְכֶּךָ אֲהַלֵּךְ בַּאֲמִתֶּךָ יַחֵד לְבָבִי לְיִרְאָה שְׁמֶךָ. הוֹרֵנִי יְיָ דַּרְכֶּךָ וּנְחֵנִי בְּאֹרַח מִישׁוֹר לְמַעַן שׁוֹרְרָי. שְׁלַח אוֹרְךָ וַאֲמִתְּךָ הֵמָּה יַנְחוּנִי, יְבִיאוּנִי אֶל הַר קָדְשְׁךָ וְאֶל מִשְׁכְּנוֹתֶיךָ".

"כִּי לְךָ לְבַד עֵינַי תְלוּיוֹת. עַד יַשְׁקִיף וְיֵרֶא, יְיָ מִשָּׁמָיִם".

"יִהְיוּ לְרָצוֹן אִמְרֵי פִי וְהֶגְיוֹן לִבִּי לְפָנֶיךָ יְיָ צוּרִי וְגוֹאֲלִי".

"עוֹשֶׂה שָׁלוֹם בִּמְרוֹמָיו הוּא בְּרַחֲמָיו יַעֲשֶׂה שָׁלוֹם עָלֵינוּ וְעַל כָּל יִשְׂרָאֵל, וְאִמְרוּ אָמֵן":

May I recognize You and serve You always—and may my offspring, for all generations, do the same.

"Guide me in Your truth and teach me, for You are the God of my salvation; I have hoped for You all day long." "HaShem, teach me the way of Your laws, and I will keep it at every step." "HaShem, teach me Your ways. I will walk in Your truth. Unify my heart to fear Your Name." "HaShem, teach me Your ways. Guide me on a path that is straight, despite my enemies who gaze upon me." "Send Your light and Your truth to guide me; they will bring me to Your holy mountain and to Your dwelling place."

To You alone are my eyes lifted, "until HaShem will gaze and see from Heaven."

"May the words of my mouth and the meditation of my heart be acceptable before You, HaShem, my Rock and my Redeemer."

"May He Who makes peace in His heights, in His compassion make peace upon us and upon all Israel, and say, 'Amen.'"

104 (215)

Sweetening Judgments in the Heavenly Courts / Making Converts

---

To gain spiritual redemption, a person gives a *pidyon nefesh* (literally, "soul-redemption"), a monetary gift to a Tzaddik, with the request that he pray on that person's behalf. The Tzaddik then sweetens the judgment to which that person is subject. There are twenty-four Heavenly courts, each one with its own type of judgment that must be sweetened in a particular manner.

Sometimes, bringing a *pidyon nefesh* to a Tzaddik does not help. This may be because the Tzaddik does not know the "redemption" germane to each of the twenty-four Heavenly courts. And even when he does know it, he may not know how to implement it. However, there is a universal "redemption" that corresponds to and sweetens the judgments of all twenty-four Heavenly courts. The Tzaddik must perform this "redemption" at a time of favor, such as at the time of *Minchah* on Shabbat afternoon. However, only one Tzaddik in a generation knows that redemption. And at times even this universal "redemption" does not achieve its designated purpose, because Heaven applies it to another goal: making converts.

That was the work of Moses, both in his lifetime and after his death. In his lifetime, he worked to convert the "mixed multitude," and after his death, he was buried opposite the idolatrous site of Beit Pe'or in order to sweeten the idolatry there and convert its adherents. Appropriately, he passed away at the time of *Minchah* on Shabbat afternoon.

לז׳ אדר הילולא דמשה רבינו ע״ה

״פּוֹדֶה יְיָ נֶפֶשׁ עֲבָדָיו וְלֹא יֶאְשְׁמוּ כָּל הַחוֹסִים בּוֹ. פָּדָה בְשָׁלוֹם נַפְשִׁי מִקְּרָב לִי כִּי בְרַבִּים הָיוּ עִמָּדִי. אַךְ אֱלֹהִים יִפְדֶּה נַפְשִׁי מִיַּד שְׁאוֹל כִּי יִקָּחֵנִי סֶלָה. תְּרַנֵּנָּה שְׂפָתַי כִּי אֲזַמְּרָה לָּךְ וְנַפְשִׁי אֲשֶׁר פָּדִיתָ״.

רִבּוֹנוֹ שֶׁל עוֹלָם, מָלֵא רַחֲמִים, מֶלֶךְ גּוֹאֵל וּמוֹשִׁיעַ, פּוֹדֶה וּמַצִּיל וּמְפַרְנֵס וְעוֹנֶה וּמְרַחֵם בְּכָל עֵת צָרָה וְצוּקָה אֵין לָנוּ מֶלֶךְ עוֹזֵר וְסוֹמֵךְ אֶלָּא אָתָּה.

רַחֵם עָלֵינוּ לְמַעַן שְׁמֶךָ בְּרַחֲמֶיךָ הָרַבִּים וְהַגְּדוֹלִים וְתָאִיר עָלֵינוּ עֵת רָצוֹן תָּמִיד בִּזְכוּת אֲבוֹתֵינוּ הַקְּדוֹשִׁים, וְתַמְתִּיק וּתְבַטֵּל כָּל הַדִּינִים מֵעָלֵינוּ וּמֵעַל כָּל עַמְּךָ בֵּית יִשְׂרָאֵל.

וְתִפְדֶּה נַפְשֵׁנוּ מִכָּל הַגְּזֵרוֹת וְהַדִּינִים שֶׁנִּגְזְרוּ בְּכָל עֶשְׂרִים וְאַרְבַּע בָּתֵּי דִינֶיךָ הַקְּדוֹשִׁים שֶׁיֵּשׁ לְךָ לְמַעְלָה בֵּין שֶׁהוּא קֹדֶם גְּזַר דִּין בֵּין שֶׁהוּא לְאַחַר גְּזַר דִּין.

מִכֻּלָּם תִּפְדֶּה נַפְשֵׁנוּ. וְתַמְתִּיק וּתְבַטֵּל כָּל הַדִּינִים וְהַיִּסּוּרִין וְהַגְּזֵרוֹת שֶׁנִּגְזְרוּ בָּהֶם מֵעָלֵינוּ וּמֵעַל כָּל עַמְּךָ בֵּית יִשְׂרָאֵל,

Redemption in the Heavenly Courts

"HaShem redeems the spirit of His servants; all those who take refuge in Him will not be condemned as guilty." "He has redeemed my soul in peace against those who fight me, from the many people arrayed against me." "God will redeem my soul from the power of the grave; He will take me."

"My lips will rejoice as I sing to You together with my spirit, which You have redeemed."

Master of the world, King, Redeemer, Savior, Rescuer, Sustainer, You Who answer us compassionately at every time of trouble and oppression, we have no one on whom to rely but You.

In the merit of our holy fathers, illumine us with Your favor. Sweeten and nullify all of the judgments against Your nation, the House of Israel.

Redeem our souls from all of the holy decrees and judgments of the twenty-four Heavenly courts—whether before or after such decrees have been finalized.

Redeem our spirit from all of these judgments. Sweeten and nullify all judgments, sufferings and decrees that are passed there regarding Your nation, the House of Israel—whether pertaining

בֵּין בְּגוּף בֵּין בְּנֶפֶשׁ בֵּין בְּמָמוֹן, בֵּין בִּכְלָל בֵּין בִּפְרָט.

כִּי גָלוּי וְיָדוּעַ לְפָנֶיךָ שֶׁאֵין אִתָּנוּ יוֹדֵעַ עַד מָה אֵיךְ לַעֲשׂוֹת פִּדְיוֹן וּלְבַטֵּל כָּל הַדִּינִים שֶׁנִּגְזְרוּ בְּבָתֵּי דִינֶיךָ הַקְּדוֹשִׁים.

וַאֲפִלּוּ מִי שֶׁיּוֹדֵעַ לַעֲשׂוֹת אֵיזֶה פִּדְיוֹן לְבַטֵּל אֵיזֶה דִין שֶׁבְּאֵיזֶה בֵּית דִּין, עֲדַיִן אֵינוֹ יוֹדֵעַ לְבַטֵּל כָּל הַדִּינִים שֶׁבְּכָל הָעֶשְׂרִים וְאַרְבַּע בָּתֵּי דִינִים, וְעַל יְדֵי זֶה אֵין מוֹעִיל הַפִּדְיוֹן שֶׁלּוֹ.

עַל כֵּן רַחֵם עָלֵינוּ בְּכֹחַ וּזְכוּת הַצַּדִּיקִים הַגְּדוֹלִים הַיְּחִידִים בְּדוֹרוֹתָם, שֶׁהֵם בִּבְחִינַת משֶׁה רַבֵּנוּ, שֶׁיֵּשׁ לָהֶם כֹּחַ לַעֲשׂוֹת פִּדְיוֹן לְבַטֵּל כָּל הַדִּינִים שֶׁבְּכָל הָעֶשְׂרִים וְאַרְבַּע בָּתֵּי דִינִים. וְחוּסָה וַחֲמֹל עָלֵינוּ בְּכֹחַ וּזְכוּת הַצַּדִּיקִים הָאֵלּוּ.

וְתָאִיר עָלֵינוּ מֵצַח הָרָצוֹן תָּמִיד כְּמוֹ בְּשַׁבָּת בְּמִנְחָה, שֶׁהוּא הִסְתַּלְּקוּת משֶׁה שֶׁהוּא עֵת רָצוֹן.

וְעַל יְדֵי זֶה תִּפְדֶּה נַפְשֵׁנוּ וְתַצִּילֵנוּ מִכָּל הַצָּרוֹת, וְתַמְתִּיק וּתְבַטֵּל כָּל הַגְּזֵרוֹת וְהַדִּינִים שֶׁנִּגְזְרוּ בְּכָל עֶשְׂרִים וְאַרְבַּע בָּתֵּי דִינֶיךָ הַקְּדוֹשִׁים.

to their body, soul or money, regarding all of them or some of them.

No one but the Tzaddik of the generation knows how to bring about a redemption that will nullify all of the judgments of Your holy courts.

Even a person who does know how to bring about some redemption and nullify the judgment of a particular court does not know how to nullify all of the judgments of all twenty-four courts. As a result, he may at times fail to bring about a redemption.

Redemption and *Minchah* on Shabbat Afternoon

Have compassion on us in the merit of the great Tzaddikim who correspond to the level of Moses, and who have the power to bring about a redemption that will nullify all of the judgments in all twenty-four courts.

Always illuminate us with Your Divine favor—specifically, at the time of *Minchah* on Shabbat afternoon.

Redeem our spirits and rescue us from all troubles. Sweeten and nullify all of the decrees and judgments of all twenty-four holy courts.

וְתַצִּילֵנִי מִכָּל מִינֵי חֳלָאִים וּמַכְאוֹבִים וּמֵחוּשִׁים (וּבִפְרָט לפלוני בן פלוני וְכוּ'), וּמֵחֶסְרוֹן הַפַּרְנָסָה, וּמִכָּל מִינֵי צַעַר וְיִסּוּרִין שֶׁבָּעוֹלָם, מִכֻּלָּם תַּצִּילֵנוּ בְּרַחֲמֶיךָ הָרַבִּים וְהַגְּדוֹלִים, בְּכֹחַ וּזְכוּת מֹשֶׁה רַבֵּנוּ שֶׁנִּסְתַּלֵּק בְּשַׁבָּת בְּמִנְחָה, וּבְכֹחַ כָּל הַצַּדִּיקִים שֶׁהֵם בִּבְחִינַת מֹשֶׁה, שֶׁיּוֹדְעִים לַעֲשׂוֹת פִּדְיוֹן לְהַמְתִּיק הַדִּין שֶׁבְּכָל הָעֶשְׂרִים וְאַרְבַּע בָּתֵּי דִינִים:

וּתְעוֹרֵר רַחֲמֶיךָ הַגְּדוֹלִים וַחֲסָדֶיךָ הַמְרֻבִּים, וּתְשַׁבֵּר וּתְמַגֵּר וְתַכְנִיעַ וְתַעֲקֹר וּתְבַטֵּל כָּל הַכְּפִירוֹת מִכָּל הָעוֹלָם כֻּלּוֹ, וּבִפְרָט מִכָּל עַמְּךָ בֵּית יִשְׂרָאֵל בְּכָל מָקוֹם שֶׁהֵם.

וּבְרַחֲמֶיךָ הָרַבִּים תְּעוֹרֵר וְתַמְשִׁיךְ עֵת רָצוֹן בָּעוֹלָם תָּמִיד, וְתַהֲפֹךְ הַשְּׁמַד לְרָצוֹן, בְּכֹחַ וּזְכוּת מֹשֶׁה שֶׁהוּא עוֹמֵד בֵּין שְׁמַד לְרָצוֹן, אֲשֶׁר מָסַר נַפְשׁוֹ כָּל יְמֵי חַיָּיו לַעֲשׂוֹת גֵּרִים לְהוֹצִיאָם מִשְּׁמַד וּכְפִירוֹת וּלְהַעֲלוֹתָם וּלְקַשְּׁרָם לְרָצוֹן הָעֶלְיוֹן.

וְגַם עַתָּה אַחַר הִסְתַּלְּקוּתוֹ, עֲדַיִן הוּא עוֹמֵד וּמִתְפַּלֵּל עַל כָּל הַנִּדָּחִים וְהָרְחוֹקִים מֵאֱמוּנָתְךָ, לְגַיְּרָם וּלְקָרְבָם אֵלֶיךָ, וּלְבַטֵּל כָּל הַמִּינוּת וְהַכְּפִירוֹת מִן הָעוֹלָם, וּלְהַעֲלוֹת מִשְּׁמַד לְרָצוֹן, וְלַעֲשׂוֹת גֵּרִים וּבַעֲלֵי תְשׁוּבָה הַרְבֵּה בָּעוֹלָם:

Rescue me from every type of sickness, pain, discomfort and poverty in the merit of Moses, who passed away on the Shabbat at the time of *Minchah,* and in the merit of all of the Tzaddikim who are on his level, who know how to bring about a redemption that will sweeten the judgments within all twenty-four courts.

Destroying Heresy

Arouse Your compassion to crush and uproot all heresy from the world—particularly, from all of Your people, the House of Israel, wherever they may be.

Bring a constant flow of Divine favor into the world. Transform destruction into Divine favor in the merit of Moses, who dedicated himself all the days of his life to transform people by raising them from corruption and heresy and connecting them to Your supernal will.

Even now, after he has passed away, he continues to stand and pray on behalf of all those who are in exile and far from faith, in order to transform them and bring them close to You, to nullify all heresy and atheism, and to raise the world from destruction to Divine favor—in particular, to inspire non-Jews to convert, and sinful Jews to repent.

אָנָּא יְיָ רַחֲמָן מָלֵא רַחֲמִים, חַסְדָּן מָלֵא חֲסָדִים, חוֹשֵׁב מַחֲשָׁבוֹת לְבַל יִדַּח מִמְּךָ נִדָּח, אֲשֶׁר מַחְשְׁבוֹת לִבְּךָ לְכָל דּוֹר וָדוֹר, רַחֵם עָלֵינוּ בְּכֹחוֹ וּזְכוּתוֹ הַגָּדוֹל, וּבְכֹחַ כָּל הַצַּדִּיקִים הָאֲמִתִּיִּים שֶׁהֵם בִּבְחִינַת משֶׁה, שֶׁעוֹסְקִים גַּם כֵּן בָּזֶה לְהַמְתִּיק הַדִּין מִכָּל הָעֶשְׂרִים וְאַרְבַּע בָּתֵּי דִינִים וּלְבַטֵּל כָּל הַגְּזֵרוֹת שֶׁבְּכָל הָעוֹלָמוֹת, וּלְבַטֵּל כָּל הַכְּפִירוּת וְלַעֲשׂוֹת גֵּרִים וּלְהַמְשִׁיךְ אֱמוּנָה גְדוֹלָה בָּעוֹלָם.

רַחֵם עָלֵינוּ לְמַעֲנָם וּלְמַעַנְךָ, וְחוּסָה עָלֵינוּ בְּעֵת צָרָה הַגְּדוֹלָה הַזֹּאת, אֲשֶׁר הַמִּינוּת וְהַכְּפִירוּת מִתְפַּשְּׁטִים בָּעוֹלָם חַס וְשָׁלוֹם מְאֹד מְאֹד, אֲשֶׁר אֵין דֶּרֶךְ לִנְטוֹת יָמִין וּשְׂמֹאל, וְכִמְעַט בְּכָל יוֹם נִתְפָּסִין כַּמָּה נְפָשׁוֹת בְּרֶשֶׁת הַכּוֹפְרִים, הַמְחַנְּכִים נְעָרִים בְּלִמּוּדָם הָרָע שֶׁנִּתְפַּשֵּׁט עַכְשָׁו לִלְמֹד חָכְמוֹת וּלְשׁוֹנוֹת וְכוּ'.

אֲשֶׁר אֵין לָנוּ עַל מִי לְהִשָּׁעֵן כִּי אִם עַל אָבִינוּ שֶׁבַּשָּׁמַיִם וְעַל כֹּחַ משֶׁה רַבֵּנוּ וְכָל הַצַּדִּיקִים הָאֲמִתִּיִּים הַגְּדוֹלִים, שֶׁיּוֹדְעִים לְהַמְשִׁיךְ עֵת רָצוֹן, וּלְהַמְתִּיק כָּל הַדִּינִים שֶׁבָּעוֹלָם, וְלַהֲפֹךְ מִשְׁמַד לְרָצוֹן.

רַחֵם וְחוּס וַחֲמֹל עָלֵינוּ לְמַעַנְךָ וּלְמַעֲנָם, וְלַמְּדֵנוּ וְהוֹרֵנוּ אֵיךְ לְעוֹרֵר אֶת כָּל הַצַּדִּיקִים הָאֵלּוּ שֶׁיַּעַסְקוּ בְּתִקּוּנֵנוּ

In a Time of Heresy

HaShem, You Who devise thoughts so that no one will be exiled from You, You Who turn Your heart to every generation, have compassion on us in the merit of Moses and of all of the Tzaddikim who correspond to his level, who work to sweeten the judgments of all twenty-four Heavenly courts in order to nullify all decrees in all worlds, to eradicate heresy, to inspire people to become converts, and to draw faith into the world.

Have pity on us at this time of trouble, when heresy and atheism are so widespread that there is no way to turn aside from them. Almost every day, a number of people are trapped in the web of the heretics, who educate young people in the evil ways of secular studies, such as non-Jewish languages.

We can rely only on You, our Father in Heaven, and in the power of Moses and all of the great Tzaddikim, who know how to draw down favor, sweeten all judgments, and transform destruction into favor.

May Holy Faith Spread

Teach us how to arouse all of these Tzaddikim to engage in our rectification and in

וּבְתִקּוּן כָּל הָעוֹלָם, וְאַל יַחֲרִישׁוּ וְאַל יִשְׁקוֹטוּ בְּעֵת צָרָה הַמָּרָה וְהַזָּרָה אֲשֶׁר בְּדוֹרוֹתֵינוּ אֵלֶּה, אֲשֶׁר לֹא הָיְתָה כָּזֹאת מִימוֹת עוֹלָם.

אִי שָׁמַיִם הַפְגִּינוּ בַּעֲדֵנוּ, אִי שָׁמַיִם הָקִיצוּ לְצָרוֹת יִשְׂרָאֵל.

כִּי בַּעֲווֹנוֹתֵינוּ הָרַבִּים, בְּצוֹק הָעִתִּים הָאֵלֶּה אֵין מִי שֶׁיַּרְגִּישׁ מְרִירוּת מַכְאוֹב הַצָּרָה הַגְּדוֹלָה הַזֹּאת בְּלִבּוֹ הֵיטֵב.

וַאֲפִלּוּ מִי שֶׁמַּרְגִּישׁ מְעַט מְרִירוּת הַצָּרָה הַזֹּאת, אֵין יוֹדֵעַ אֵיךְ לְהִתְפַּלֵּל וּלְהַמְתִּיק הַדִּין וּלְבַטְּלוֹ.

עַל מִי לָנוּ לְהִשָּׁעֵן עַל אָבִינוּ שֶׁבַּשָּׁמַיִם, וְעַל כֹּחַ וּזְכוּת אֲבוֹתֵינוּ וְרַבּוֹתֵינוּ הַצַּדִּיקִים הַקְּדוֹשִׁים הָעוֹמְדִים עֲדַיִן וּמִתְפַּלְּלִים עָלֵינוּ אֲשֶׁר אִלְמָלֵא תְּפִלָּתָם לֹא הָיִינוּ יְכוֹלִים לְהִתְקַיֵּם חַס וְשָׁלוֹם אֲפִלּוּ רֶגַע אֶחָד.

רַחֵם עָלֵינוּ וְלַמְּדֵנוּ אֵיךְ לְעוֹרְרָם וְלַהֲקִיצָם וּלְהוֹסִיף בָּהֶם עֹז וְחַיִל מִלְמַטָּה, בְּאֹפֶן שֶׁיּוּכְלוּ לִפְעֹל בַּקָּשָׁתָם מְהֵרָה, לְהַמְתִּיק כָּל הַדִּינִים וְהַגְּזֵרוֹת שֶׁבְּכָל הָעֶשְׂרִים וְאַרְבַּע בָּתֵּי דִינִים, וְלַהֲפֹךְ כָּל הַכְּפִירוּת מִשְּׁמַד לְרָצוֹן. וְתִתְפַּשֵּׁט הָאֱמוּנָה הַקְּדוֹשָׁה בָּעוֹלָם, וְיִתְרַבּוּ גֵרִים וּבַעֲלֵי תְשׁוּבָה בָּעוֹלָם:

the rectification of the entire world. May they not remain silent at a time as bitter and grotesque as that of our generation, which has no equal throughout all of history.

O heavens, act on our behalf! O heavens, awaken to the troubles of Israel!

Due to our many sins, no one clearly appreciates the bitter painfulness of these oppressive times.

And even if a person does appreciate some of the bitterness, he still does not know how to pray, to sweeten judgment and to nullify it.

We can rely only on You, our Father in Heaven, and on the merit of our fathers and rabbis, the holy Tzaddikim, without whose prayers on our behalf we would not be able to exist for even a moment.

Teach us how to arouse them and add to their strength so that they will be able to sweeten all of the judgments and decrees in all twenty-four Heavenly courts and transform all heresy from destruction to favor, so that holy faith will spread in the world and converts and penitents will increase.

מָלֵא רַחֲמִים "גְּדוֹל הָעֵצָה וְרַב הָעֲלִילִיָּה", אֲדוֹן הַנִּפְלָאוֹת, עֲשֵׂה כְּנִפְלְאוֹתֶיךָ, וְתִתֵּן כֹּחַ לְצַדִּיקֶיךָ הַגְּדוֹלִים וְהַנּוֹרָאִים, שֶׁיִּפְעֲלוּ שְׁתֵּי הַפְּעֻלּוֹת יַחַד עַל יְדֵי פִּדְיוֹנֵיהֶם, וּתְפִלּוֹתֵיהֶם הַנּוֹרָאוֹת וְהַנִּפְלָאוֹת מְאֹד מְאֹד.

שֶׁיִּזְכּוּ לְבַטֵּל כָּל הַדִּינִים וְהַגְּזֵרוֹת שֶׁל כָּל הָעֶשְׂרִים וְאַרְבָּעָה בָּתֵּי דִינִים, בְּגַשְׁמִיּוּת וְרוּחָנִיּוּת בְּגוּף וָנֶפֶשׁ וּמָמוֹן. וְגַם יִזְכּוּ לְהַמְתִּיק הַחֲרוֹן אַף וּלְבַטֵּל הָעֲבוֹדָה זָרָה וְהַכְּפִירוֹת מִן הָעוֹלָם. וְלַהֲפֹךְ מִשְׁמַד לְרָצוֹן וְלַעֲשׂוֹת גֵּרִים וּבַעֲלֵי תְשׁוּבָה הַרְבֵּה בָּעוֹלָם.

כִּי אַתָּה "כֹּל תּוּכָל וְלֹא יִבָּצֵר מִמְּךָ מְזִמָּה", וְאַתָּה עוֹשֶׂה נִפְלָאוֹת גְּדוֹלוֹת לְבַדֶּךָ. וּבְרַחֲמֶיךָ הָעֲצוּמִים אַתָּה יָכֹל לְהוֹשִׁיעֵנוּ בְּכָל הַיְשׁוּעוֹת יַחַד בִּדְרָכֶיךָ הַנִּפְלָאִים:

רִבּוֹנוֹ שֶׁל עוֹלָם רִבּוֹנוֹ שֶׁל עוֹלָם, תֶּן לָנוּ אֱמוּנָה שְׁלֵמָה. בַּטֵּל מֵעָלֵינוּ כָּל מִינֵי כְּפִירוֹת וּבִלְבּוּלֵי אֱמוּנָה.

בַּטֵּל מֵעָלֵינוּ כָּל גְּזֵרוֹת קָשׁוֹת. רַחֵם עָלֵינוּ בְּרַחֲמִים רַבִּים, בְּרַחֲמִים פְּשׁוּטִים, שֶׁאֵין בָּהֶם תַּעֲרֹבֶת דִּין כְּלָל, בְּאֹפֶן שֶׁנִּזְכֶּה מְהֵרָה מְהֵרָה לָשׁוּב בִּתְשׁוּבָה שְׁלֵמָה לְפָנֶיךָ בֶּאֱמֶת.

With the Help of the Tzaddikim

God, You Who are filled with compassion, "great in counsel and mighty in deed," Master of wonders, act in accordance with Your wonders and empower Your awesome Tzaddikim to bring about redemptions and engage in extraordinary and miraculous prayer.

In this way, may they nullify all of the judgments and decrees of all twenty-four Heavenly courts that affect our physical and spiritual well-being—our bodies, souls and finances. And may they also sweeten anger against the entire world as they remove idolatry and heresy, transform destruction into favor, and inspire many people to become converts and penitents.

"You can do everything; no purpose can be withheld from You." You alone do great wonders. Save us in Your mighty compassion and Your wondrous ways.

Seeking Peace from a Time of Troubles

Master of the world, grant us perfect faith. Remove every sort of heresy and confusion regarding our belief.

Rescind all difficult decrees. Be kind to us without any admixture of judgment, so that we will return to You quickly and completely.

רַחֵם רַחֵם, חֲמֹל חֲמֹל, בְּעֵת צָרָה הַזֹּאת כִּי רַע וָמַר מְאֹד. רַע וָמַר, רַע וָמַר רַע וָמַר כִּי נָגַע עַד הַנֶּפֶשׁ. וְלֹא דַי לָנוּ בִּמְרִירוּת נַפְשֵׁנוּ, כַּאֲשֶׁר יוֹדֵעַ כָּל אֶחָד בְּנַפְשׁוֹ אֶת נִגְעֵי לְבָבוֹ וּמַכְאוֹבָיו, אֲשֶׁר "כָּשַׁל כֹּחַ הַסַּבָּל".

אַף גַּם אָנוּ רוֹאִים מֵרָחוֹק צָרוֹת יִשְׂרָאֵל בְּלִי שִׁעוּר, וְהָעִקָּר צָרוֹת נַפְשׁוֹת יִשְׂרָאֵל, אֲשֶׁר הַפִּילוֹסוֹפִים וְהַכּוֹפְרִים הָרְשָׁעִים הָאֲרוּרִים רוֹצִים לְהִתְפַּשֵּׁט חַס וְשָׁלוֹם, כַּאֲשֶׁר נִגְלָה לְפָנֶיךָ.

וְנִתּוֹסֵף לָזֶה עֹצֶם הַצָּרָה מֵרִבּוּי הַמַּחֲלֹקֶת שֶׁבֵּין עַמְּךָ יִשְׂרָאֵל הַכְּשֵׁרִים אֲשֶׁר נִתְרַבָּה קַטֵּגוֹרְיָא בֵּין הַתַּלְמִידֵי חֲכָמִים וּבֵין כָּל הַנִּלְוִים אֲלֵיהֶם. "וְלַיּוֹצֵא וְלַבָּא אֵין שָׁלוֹם":

רִבּוֹנוֹ שֶׁל עוֹלָם, אַתָּה לְבַד יוֹדֵעַ שֶׁבְּכֹחַ הַהַמְתָּקָה וְהַפִּדְיוֹן הַנֶּאֱמָר בְּהַתּוֹרָה הַזֹּאת שֶׁמַּמְתִּיק הַדִּין שֶׁל כָּל הָעֶשְׂרִים וְאַרְבַּע בָּתֵּי דִינִים, אֲשֶׁר הַצַּדִּיקִים הַגְּדוֹלִים הָאֲמִתִּיִּים יוֹדְעִים סוֹד זֶה הַפִּדְיוֹן הַנִּפְלָא עַל בּוּרְיוֹ וּלְמַעְלָה לְמַעְלָה. בְּכֹחַ זֶה יֵשׁ לָנוּ תִּקְוָה עֲדַיִן לְצַפּוֹת לִישׁוּעָה וּלְכָל טוּב, אַף גַּם לְקָרֵב נְפָשׁוֹת אֵלֶיךָ תִּתְבָּרַךְ, לְהַכְנִיסָם בָּאֱמוּנָה הַקְּדוֹשָׁה, עַתָּה גַּם עַתָּה.

We are living in a time of evil and bitter troubles that have touched our spirit, so that every individual feels a pain that is so overwhelming that "the strength of the porter has collapsed."

In addition to that, we perceive, although more distantly, the measureless troubles of the Jewish people—particularly their spiritual misfortunes, due to the fact that modern thinkers and evil, accursed heretics are working to extend their influence.

And we suffer as well from increased dispute among good Jews, altercations among Torah scholars and those who are attached to them. "There is no peace for those who go out and for those who come in."

Gaining Salvation and Goodness

With the power of the acts of redemption that sweeten the judgments of the twenty-four Heavenly courts, may we gain salvation and goodness, and may we inspire people to return to You with holy faith.

עַל כֵּן עֲדַיִן אֲנִי עוֹמֵד וּמִתְפַּלֵּל לְפָנֶיךָ, וּמִתְחַנֵּן וּמִתְחַבֵּט מוּל רַחֲמֶיךָ וַחֲסָדֶיךָ, וּמְצַפֶּה לִישׁוּעָתְךָ בְּכָל עֵת וָרֶגַע, כְּעֵין עֶבֶד אֶל אֲדוֹנָיו, וּכְעֵין הַבֵּן אֶל אָבִיו, "עַד יַשְׁקִיף וְיֵרֶא יְיָ מִשָּׁמָיִם".

וְיָחוּס וִירַחֵם עָלַי וְעַל כָּל הַתְּלוּיִים בִּי, וְעַל בָּנַי וְיוֹצְאֵי חֲלָצַי וְעַל כָּל יִשְׂרָאֵל, וְיוֹשִׁיעֵנוּ מְהֵרָה. וְיַמְתִּיק וִיבַטֵּל מֵעָלֵינוּ כָּל הַדִּינִים שֶׁבָּעוֹלָם, וְיִפְדֵּנוּ וְיַצִּילֵנוּ מִכָּל הַצָּרוֹת וּמִכָּל הַיִּסּוּרִין שֶׁבָּעוֹלָם. וִיבַטֵּל כָּל הַכְּפִירוֹת וְכָל בִּלְבּוּלֵי אֱמוּנָה מֵעָלֵינוּ וּמִכָּל יִשְׂרָאֵל וּמִכָּל הָעוֹלָם כֻּלּוֹ.

וִיחַזְּקֵנוּ וִיחַיֵּינוּ וִיקַיְּמֵנוּ בֶּאֱמוּנָתוֹ הַקְּדוֹשָׁה תָּמִיד. וִיסַבֵּב סִבּוֹת לְטוֹבָה, בְּאֹפֶן שֶׁנִּזְכֶּה לָשׁוּב אֵלָיו יִתְבָּרַךְ בֶּאֱמֶת וּבְתָם־לֵבָב, חִישׁ קַל מְהֵרָה. וְלֹא נָסוּר מֵרְצוֹנוֹ עוֹד יָמִין וּשְׂמֹאל.

וִיקַיֵּם בִּי מִקְרָא שֶׁכָּתוּב: "פָּדָה נַפְשׁוֹ מֵעֲבֹר בַּשָּׁחַת וְחַיָּתוֹ בָּאוֹר תִּרְאֶה".

"פְּדֵנִי מֵעֹשֶׁק אָדָם וְאֶשְׁמְרָה פִּקּוּדֶיךָ. בְּיָדְךָ אַפְקִיד רוּחִי פָּדִיתָה אוֹתִי יְיָ אֵל אֱמֶת. וַאֲנִי בְּתֻמִּי אֵלֵךְ פְּדֵנִי וְחָנֵּנִי. קָרְבָה אֶל נַפְשִׁי גְאָלָהּ, לְמַעַן אוֹיְבַי פְּדֵנִי".

I hope in Your salvation at every moment, as a servant stands before his master and a son before his father, "until HaShem will gaze down and see from Heaven."

Have compassion on me, on those who depend on me, on my children, on my descendants and on all Israel. Quickly nullify all judgments. Rescue us from all suffering. Eradicate all heresy and confusions in the realm of faith that affect not only the Jewish people, but the entire world.

Strengthen and revive us. Keep us faithful to You always. Help us swiftly return to You with all our hearts. May we never turn aside from Your will, either to the right or the left.

Redeem my soul from perishing in the pit so that my living spirit may behold the light.

"Redeem me from the oppression of man, and I will keep Your laws." "I will place my spirit in Your hand. You have redeemed me, HaShem, God of truth." "I will proceed in my simplicity; redeem me and be gracious to me." "Approach my soul, redeem it against my enemies, deliver me."

״כִּי עִם יְיָ הַחֶסֶד וְהַרְבֵּה עִמּוֹ פְדוּת. וְהוּא יִפְדֶּה אֶת יִשְׂרָאֵל מִכֹּל עֲוֹנוֹתָיו. קוּמָה עֶזְרָתָה לָּנוּ וּפְדֵנוּ לְמַעַן חַסְדֶּךָ. פְּדֵה אֱלֹהִים אֶת יִשְׂרָאֵל מִכֹּל צָרוֹתָיו״.

״וַאֲנִי תְפִלָּתִי לְךָ יְיָ עֵת רָצוֹן, אֱלֹהִים בְּרָב חַסְדֶּךָ עֲנֵנִי בֶּאֱמֶת יִשְׁעֶךָ״:

"With HaShem is kindness, and much redemption is with Him; He will redeem Israel from all of its sins." "Arise, help us, and redeem us for the sake of Your kindness." "God, redeem Israel from all of its oppressors."

"HaShem, my prayer comes before You at a time of favor; God, in Your vast kindness, answer me, in the truth of Your salvation."

105 (234)

Telling Stories About Tzaddikim / Differentiating Between Light and Darkness / Rising to the World of Thought / Gaining Access to Divine Providence / The Land of Israel

---

In order to properly tell stories of Tzaddikim, a person must possess the Godly power to discern the difference between light and darkness, or at least possess the faith that such a difference exists. This faith must be so complete and clear that when the person believes in something, it is as though he sees it before his eyes.

Every story that tells how a Tzaddik performed a miracle can be matched by a story of how a wicked person performed a wonder. A person must be able to discern the difference between them—namely, that the Tzaddik performed a miracle with prayer, whereas the wicked person performed a wonder with trickery, magic or some other power derived from the Side of Evil.

What does telling stories about Tzaddikim accomplish?

When a person's mind is confused and his awareness diminished, it is associated with judgments, and so he experiences troubles. But stories of Tzaddikim are associated with expanded awareness. And so when a person tells (or hears) these stories, his mind is cleansed and he is saved from his troubles.

As one tells stories about Tzaddikim, he purifies his thought, which enables him to go beyond words and attain an internal silence. Every story about a Tzaddik is at first a constriction from the world of thought into the world of speech. But as a person tells a story, his speech rises and returns to the world of thought.

One must know the proper way to tell these stories in order to clarify and purify his thoughts. He must also know about whom to tell. The Tzaddik whom he tells about must be greater than he, so that these stories can uplift him.

Ultimately, to tell these stories properly, a person must gain access to Divine Providence—which is to say, he must leave his nature-bound state. Doing so constitutes the totality of holiness. He can attain this by connecting himself to the Land of Israel, which is also the totality of holiness, and which is therefore under Divine Providence.

"גְּדוֹלִים מַעֲשֵׂי יְיָ דְּרוּשִׁים לְכָל חֶפְצֵיהֶם. מָה רַבּוּ מַעֲשֶׂיךָ יְיָ כֻּלָּם בְּחָכְמָה עָשִׂיתָ מָלְאָה הָאָרֶץ קִנְיָנֶךָ, מַה גָּדְלוּ מַעֲשֶׂיךָ יְיָ מְאֹד עָמְקוּ מַחְשְׁבוֹתֶיךָ".

רִבּוֹנוֹ שֶׁל עוֹלָם "אַתָּה הָאֵל עֹשֵׂה פֶלֶא", וְאַתָּה עוֹשֶׂה נִפְלָאוֹת בְּכָל דּוֹר וָדוֹר עַל יְדֵי הַצַּדִּיקִים הָאֲמִתִּיִּים שֶׁבְּכָל דּוֹר, כַּאֲשֶׁר אֲבוֹתֵינוּ סִפְּרוּ לָנוּ אֶת כָּל הַגְּדוֹלוֹת וְהַנִּפְלָאוֹת וְהַנִּסִּים הַגְּדוֹלִים וְהַמּוֹפְתִים הַנּוֹרָאִים אֲשֶׁר עָשִׂיתָ בְּכָל דּוֹר וָדוֹר עַל יְדֵי צַדִּיקֶיךָ הָאֲמִתִּיִּים מִימוֹת עוֹלָם עַד הַיּוֹם הַזֶּה. וְגַם בַּדּוֹר הַזֶּה בְּוַדַּאי נִמְצָאִים צַדִּיקִים בַּעֲלֵי מוֹפְתִים אֲמִתִּיִּים.

וּבְכֵן זַכֵּנִי בְּרַחֲמֶיךָ הָרַבִּים וְעָזְרֵנִי וְהוֹשִׁיעֵנִי וְחַזְּקֵנִי וְאַמְּצֵנִי שֶׁאֶזְכֶּה לְסַפֵּר סִפּוּרֵי מַעֲשִׂיּוֹת מִצַּדִּיקִים אֲמִתִּיִּים, מִכָּל מַה שֶּׁעָבַר עֲלֵיהֶם בִּימֵיהֶם. הֵן מַה שֶּׁעָבַר עֲלֵיהֶם בְּעַצְמָם, וְהֵן מַה שֶּׁעָבַר עַל בְּנֵיהֶם וְעַל כָּל הַנִּלְוִים אֲלֵיהֶם. וְכָל הָאוֹתוֹת וְהַמּוֹפְתִים הַגְּדוֹלִים וְהַנּוֹרָאִים שֶׁעָשׂוּ בָּעוֹלָם בְּאִתְגַּלְיָא וּבְאִתְכַּסְיָא. וְכָל הַדְּרָכִים הַקְּדוֹשִׁים וְהִתְגַּלּוּת אֱלֹהוּת שֶׁהִמְשִׁיכוּ בָּעוֹלָם.

הַכֹּל אֶזְכֶּה לִשְׁמֹעַ הֵיטֵב בְּאָזְנַי וּבְלִבִּי, וְלָשׂוּחַ וּלְסַפֵּר בָּהֶם תָּמִיד, יִמָּלֵא פִי תְהִלָּתֶם כָּל הַיּוֹם תִּפְאַרְתָּם, כִּי

HaShem's Wonders and His Wonder-Workers

"Great are the deeds of HaShem, accessible to all those who desire them." "How abundant are Your works, HaShem, You made all of them with wisdom; the world is filled with Your possessions." "How great are Your deeds, HaShem; how very deep are Your thoughts."

Master of the world, "You are the God Who does wonders" in every generation through Your true Tzaddikim. Our fathers have told us of all the awesome miracles that You performed through Your true Tzaddikim from the earliest days. In our generation as well, there certainly exist Tzaddikim who are true miracle workers.

Stories of True Tzaddikim

God, help me tell stories about true Tzaddikim, their children and their followers. In particular, help me tell about the awesome signs and miracles that these Tzaddikim performed in ways both revealed and concealed, and about all of the holy revelations of Godliness that they drew into the world.

When I hear these stories, may I understand them in my heart and tell them always. May my mouth be filled with the praise and glorification

תְּהִלָּתָם הִיא תְּהִלָּתֶךָ, וְתִפְאַרְתָּם הִיא תִּפְאַרְתֶּךָ.

זַכֵּנִי לַעֲסֹק בָּזֶה בְּכָל יוֹם וָיוֹם, לְסַפֵּר סִפּוּרֵי מַעֲשִׂיּוֹת מִצַּדִּיקִים אֲמִתִּיִּים, בְּאֹפֶן שֶׁאֶזְכֶּה שֶׁיַּמְשַׁךְ עָלַי קְדֻשָּׁתָם הָעֲצוּמָה, וְעַל יְדֵי זֶה אֶזְכֶּה לְטַהֵר מַחֲשַׁבְתִּי מִכָּל הַבִּלְבּוּלִים וְעִרְבּוּב הַדַּעַת וּמִכָּל מִינֵי מַחֲשָׁבוֹת זָרוֹת וְחִיצוֹנִיּוֹת, וּמִכָּל מִינֵי הִרְהוּרִים רָעִים, וּמִכָּל מִינֵי בִּלְבּוּל הַדַּעַת שֶׁבָּעוֹלָם הַנִּמְשָׁכִין מִמֹּחִין דְּקַטְנוּת.

וְאֶזְכֶּה לָצֵאת מִמֹּחִין דְּקַטְנוּת לְמֹחִין דְּגַדְלוּת, וְעַל יְדֵי זֶה תַּצִּילֵנִי וְתִפְדֵּנִי מִכָּל הַצָּרוֹת וּמִכָּל הַיִּסּוּרִים וּמִכָּל מִינֵי דִינִים שֶׁבָּעוֹלָם, שֶׁכֻּלָּם נִמְשָׁכִין מִבִּלְבּוּל הַדַּעַת מִמֹּחִין דְּקַטְנוּת.

וְאַתָּה בְּרַחֲמֶיךָ הָרַבִּים תִּפְדֵּנִי וְתַצִּילֵנִי מִכֻּלָּם עַל יְדֵי שֶׁתְּזַכֵּנִי וּתְסַיְּעֵנִי תָּמִיד לַעֲסֹק בְּסִפּוּרֵי מַעֲשִׂיּוֹת מִצַּדִּיקִים אֲמִתִּיִּים שֶׁהֵם בִּבְחִינוֹת מוֹחִין דְּגַדְלוּת:

וְעָזְרֵנִי וְהוֹשִׁיעֵנִי לִכְסֹף וּלְהִשְׁתּוֹקֵק וּלְהִתְגַּעְגֵּעַ תָּמִיד לָבוֹא לְאֶרֶץ יִשְׂרָאֵל וְאֶזְכֶּה לְהַמְשִׁיךְ עָלַי קְדֻשַּׁת אֶרֶץ יִשְׂרָאֵל תָּמִיד, וְעַל יְדֵי זֶה אֶזְכֶּה לֶאֱמוּנָה בִּשְׁלֵמוּת, לְהַאֲמִין בֶּאֱמוּנָה שְׁלֵמָה בְּהַשְׁגָּחָתְךָ תָּמִיד.

וְתוֹצִיאֵנִי מִטִּבְעִיּוֹת לְגַמְרֵי, שֶׁאֶזְכֶּה לֵידַע וּלְהַאֲמִין שֶׁאֵין שׁוּם דֶּרֶךְ הַטֶּבַע בָּעוֹלָם כְּלָל רַק הַכֹּל בְּהַשְׁגָּחָתְךָ לְבַד.

of the Tzaddikim, for their praise is Your praise and their glorification is Your glorification.

Help me every day tell the stories of true Tzaddikim so that their holiness will be drawn onto me. In this way, may I purify my thoughts of all foreign and external influences, and of all evil musings and confusions derived from a constricted awareness.

May I go from smallness to greatness of mind. In this way, may I be rescued from all sufferings and judgments, which are derived from a confused and constricted awareness.

Rescue me from all of these by helping me always tell stories of true Tzaddikim, who possess a great awareness.

Transcending Nature

Help me always yearn to come to the Land of Israel. May I always draw the holiness of the Land of Israel onto myself. In this way, may I attain complete faith in Your Providence.

Bring me out of the realm of nature entirely, so that I know and believe that there is no nature in the world at all, but that everything is under Your Providence. For nature also functions in accordance with Your Providence, and

כִּי גַם הַטֶּבַע בְּעַצְמָהּ מִתְנַהֶגֶת בְּהַשְׁגָּחָתְךָ תָּמִיד וְאַתָּה מְשַׁנֶּה הַטֶּבַע בְּכָל עֵת עַל יְדֵי הַצַּדִּיקִים אֲמִתִּיִּים שֶׁבְּכָל דּוֹר וָדוֹר שֶׁעוֹשִׂין חֲדָשׁוֹת וְנִפְלָאוֹת בְּכָל דּוֹר כַּאֲשֶׁר שָׁמַעְנוּ מֵאֲבוֹתֵינוּ:

וְרַחֵם עָלַי וְעַל כָּל יִשְׂרָאֵל לְמַעַן שְׁמֶךָ, וְעָזְרֵנוּ וְזַכֵּנוּ לְהִתְדַּמּוֹת אֵלֶיךָ תִּתְבָּרַךְ, שֶׁנִּזְכֶּה לְהַבְדִּיל בֵּין הָאוֹר וּבֵין הַחֹשֶׁךְ, עַד שֶׁנֵּדַע בֶּאֱמֶת לְהַבְחִין וּלְהַבְדִּיל בֵּין סִפּוּרֵי מַעֲשִׂיּוֹת שֶׁל צַדִּיקִים אֲמִתִּיִּים, וּבֵין סִפּוּרֵי מַעֲשִׂיּוֹת שֶׁל רְשָׁעִים. וְגַם לֵידַע וּלְהַבְחִין מִמִּי לְסַפֵּר וְאֵיךְ לְסַפֵּר, בְּאֹפֶן שֶׁאֶזְכֶּה לְסַפֵּר מִצַּדִּיקִים אֲמִתִּיִּים הַגְּדוֹלִים בְּמַעֲלָה, אֲשֶׁר הַסִּפּוּר וְהַדִּבּוּר מֵהֶם יִהְיֶה לוֹ כֹּחַ לְטַהֵר מַחֲשַׁבְתִּי.

כִּי אַתָּה הוֹדַעְתָּנוּ שֶׁכְּנֶגֶד כָּל מַעֲשֶׂה שֶׁל צַדִּיקִים יֵשׁ כְּנֶגְדּוֹ מַעֲשִׂיּוֹת שֶׁל רְשָׁעִים וְשַׁקְרָנִים, וּמַעֲשִׂיּוֹת מְעֻרְבָּבִים שֶׁל הָעוֹשִׂים דְּבָרִים הַנִּרְאִים כְּמוֹפֵת עַל יְדֵי כַּמָּה תַּחְבּוּלוֹת עַל יְדֵי כִּשּׁוּף אוֹ עַל יְדֵי דָּבָר אַחֵר. וְאִי אֶפְשָׁר לְהַבְחִין וּלְהַבְדִּיל בֵּינֵיהֶם, כִּי אִם מִי שֶׁיּוֹדֵעַ לְהַבְדִּיל בֵּין הָאוֹר וּבֵין הַחֹשֶׁךְ כַּאֲשֶׁר הוֹדַעְתָּנוּ בְּרַחֲמֶיךָ הָרַבִּים.

וּבְעֹצֶם חֲלִישׁוּתֵנוּ אֲשֶׁר נִתְרַחַקְנוּ מִמְּךָ מְאֹד, בְּוַדַּאי אֵין בְּיָדֵינוּ לְהַבְדִּיל בֵּין הָאוֹר וּבֵין הַחֹשֶׁךְ.

You change nature at every moment through the true, wonder-working Tzaddikim of every generation.

Differentiating Between Stories

Help us emulate You by distinguishing light from darkness—particularly by differentiating between stories of Tzaddikim and stories of wicked people. May we know whom to tell stories about and how to tell them. And may telling these stories purify our thoughts.

You have taught us that opposing every story of a Tzaddik is a story of a wicked or dishonest person, or a story about a person on an intermediate level who appears to perform a miracle but is using trickery, magic or some other means. Only a person who knows how to differentiate between light and darkness can differentiate between such stories.

Because of our weakness, we are very far from You, and so we lack the capacity to differentiate between light and darkness.

עַל כֵּן רַחֵם עָלֵינוּ וְעָזְרֵנוּ וְהוֹשִׁיעֵנוּ שֶׁנִּזְכֶּה עַל כָּל פָּנִים לֶאֱמוּנָה שְׁלֵמָה, וְתִהְיֶה אֱמוּנָתֵנוּ חֲזָקָה כָּל כָּךְ כְּאִלּוּ אָנוּ רוֹאִין בְּעֵינֵינוּ מַמָּשׁ מַה שֶּׁאָנוּ מַאֲמִינִים בּוֹ בֶּאֱמֶת.

וְנִזְכֶּה לְהַאֲמִין בְּךָ יְיָ אֱלֹהֵינוּ שֶׁאַתָּה מַשְׁגִּיחַ בְּהַשְׁגָּחָה פְּרָטִיִּית בְּכָל עֵת, וְאַתָּה עוֹשֶׂה חֲדָשׁוֹת וְנִפְלָאוֹת בְּכָל עֵת בְּכָל דּוֹר וָדוֹר עַל יְדֵי צַדִּיקֶיךָ הָאֲמִתִּיִּים שֶׁבְּכָל דּוֹר.

וְאֶזְכֶּה לְהַאֲמִין שֶׁיֵּשׁ הֶבְדֵּל וְהֶפְרֵשׁ גָּדוֹל בֵּין הַמּוֹפְתִים וְהַחִדּוּשִׁים הַנַּעֲשִׂים עַל יְדֵי הַצַּדִּיקִים הָאֲמִתִּיִּים, וּבֵין הַמַּעֲשִׂיּוֹת הַנִּדְמִים לַמּוֹפְתִים הַנַּעֲשִׂים עַל יְדֵי הָרְשָׁעִים, אוֹ עַל יְדֵי הַמְעֹרָבִים מִטּוֹב וָרָע, אֲשֶׁר עֲדַיִן אֵינָם רְאוּיִם לָזֶה לַעֲשׂוֹת מוֹפְתִים בָּעוֹלָם, וּמִתְלַבְּשִׁים בְּטַלִּית שֶׁאֵינוֹ שֶׁלָּהֶם.

אֲשֶׁר יֵשׁ הֶבְדֵּל וְהֶפְרֵשׁ בֵּין מַעֲשֵׂיהֶם שֶׁל אֵלּוּ לְמַעֲשֵׂיהֶם וּמוֹפְתֵיהֶם שֶׁל הַצַּדִּיקִים הָאֲמִתִּיִּים כְּמוֹ בֵּין הָאוֹר וּבֵין הַחֹשֶׁךְ. בְּאֹפֶן שֶׁאֶזְכֶּה תָּמִיד לְסַפֵּר סִפּוּרֵי מַעֲשִׂיּוֹת מִצַּדִּיקִים אֲמִתִּיִּים שֶׁיֵּשׁ לָהֶם כֹּחַ לְטַהֵר אֶת מַחֲשַׁבְתִּי:

Seeing the Difference Between Tzaddikim and Wicked People

Help us attain a faith so strong that we seem to see with our physical eyes that which we believe in.

May we believe that You, HaShem our God, gaze upon the world with individual providence at every moment, and that You constantly perform new and wondrous deeds in every generation through Your true Tzaddikim.

May we believe that there is a great difference between the wonders performed by the true Tzaddikim and the actions that appear to be wonders performed either by wicked people or by people who are a mixture of good and evil—neither of whom are fit to perform wonders, and who clothe themselves in a garment that is not their own.

May we recognize that the difference between the deeds of those people and the deeds and wonders of the true Tzaddikim is as stark as the difference between light and darkness. Consequently, may we always tell stories of true Tzaddikim, which have the power to purify our thoughts.

רִבּוֹנוֹ שֶׁל עוֹלָם מָלֵא רַחֲמִים, אַתָּה יוֹדֵעַ כַּמָּה אֲנִי רָחוֹק מִטָּהֳרַת הַמַּחֲשָׁבָה, כִּי פָּגַמְתִּי מְאֹד מְאֹד בְּמַחֲשַׁבְתִּי בְּלִי שִׁעוּר וּמִסְפָּר.

וְחָטָאתִי עָוִיתִי וּפָשַׁעְתִּי הַרְבֵּה מְאֹד, וְהָרַע בְּעֵינֶיךָ עָשִׂיתִי, וְהִרְבֵּיתִי לִפְשֹׁעַ נֶגְדְּךָ מְאֹד. וּבִפְרָט מַה שֶּׁפָּגַמְתִּי בִּבְרִית קֹדֶשׁ וּבְטִפֵּי הַמֹּחַ הַרְבֵּה מְאֹד.

וְהַכֹּל עַל יְדֵי פְּגַם הַמַּחֲשָׁבָה, אֲשֶׁר לֹא נִזְהַרְתִּי בְּמַחֲשַׁבְתִּי כְּלָל, לִתְפֹּס אֶת מַחֲשַׁבְתִּי לְבַל תֵּצֵא לַחוּץ חַס וְשָׁלוֹם.

אַדְּרַבָּא הוֹסַפְתִּי חֵטְא עַל פֶּשַׁע, וְנִכְנַסְתִּי בְּמַחֲשַׁבְתִּי לְתוֹךְ מַחְשָׁבוֹת חוּץ וְרַעְיוֹנִים וּבִלְבּוּלִים מְעֳרְבָּבִים וּלְהִרְהוּרִים רָעִים, עַד שֶׁבָּאתִי לְמַה שֶּׁבָּאתִי, וְקִלְקַלְתִּי מַה שֶּׁקִּלְקַלְתִּי, הַכֹּל עַל יְדֵי פְּגַם הַמַּחֲשָׁבָה.

מָה אוֹמַר וּמָה אֲדַבֵּר, וּלְפָנֶיךָ נִגְלָה הַכֹּל, בּוֹחֵן לְבּוֹת וּכְלָיוֹת.

וְעַתָּה עַתָּה, אַחֲרֵי כָּל מַה שֶּׁעָשִׂיתִי וּמַה שֶּׁנַּעֲשָׂה עִמִּי מֵעוֹדִי עַד הַיּוֹם הַזֶּה, עוֹדֶנָּה תִּכְלֶינָה עֵינַי לִישׁוּעָה שְׁלֵמָה בֶּאֱמֶת מֵאִתְּךָ לְבַד.

Controlling One's Thoughts

Master of the world, I have caused innumerable blemishes with my thoughts, which I am still far from purifying.

I have sinned a great deal, doing that which is evil in Your eyes. In particular, my careless thoughts have blemished the holy covenant and the drops of semen that originate in the brain.

Help me control my thoughts so that they will never again stray beyond the proper boundary.

Until now, I have transgressed and sinned, injecting confused and wicked, foreign thoughts into my mind, which have caused ruin and devastation.

What can I say? How shall I speak? Before You Who investigate each person's heart and inner being, everything is revealed.

God's Compassion in the Merit of the True Tzaddikim

Now, after all of the sins that I have committed and all of the hardships that I have experienced throughout the course of my life, my eyes yearn for complete salvation from You alone.

בְּכֹחַ וּזְכוּת תְּפִלַּת הַצַּדִּיקִים הָאֲמִתִּיִּים רַחֵם עָלַי בַּעַל הָרַחֲמִים, הוֹשִׁיעֵנִי נָא בַּעַל הַיְשׁוּעוֹת, חוּס וְחָנֵּנִי וַחֲמֹל עָלַי בַּעַל הַחֶמְלָה וְהַחֲנִינָה, הַט אָזְנְךָ וּשְׁמַע קוֹל צַעֲקָתִי, קוֹל שַׁוְעָתִי, קוֹל פְּגִיעָתִי קוֹל תְּפִלָּתִי.

וְזַכֵּנִי בְּרַחֲמֶיךָ הָרַבִּים שֶׁיִּמְשַׁךְ עָלַי קְדֻשַּׁת אֶרֶץ יִשְׂרָאֵל שֶׁהִיא כְּלָלִיּוּת הַקְּדֻשָּׁה, כְּלָלִיּוּת כָּל הָעֶשֶׂר קְדֻשּׁוֹת, בְּאֹפֶן שֶׁאֶזְכֶּה עַל יְדֵי קְדֻשַּׁת אֶרֶץ יִשְׂרָאֵל לֶאֱמוּנָה שְׁלֵמָה בְּהַשְׁגָּחָתְךָ הַפְּרָטִיִּית אֲשֶׁר אַתָּה מַשְׁגִּיחַ בִּפְרָטִיּוּת בְּכָל עֵת וָרֶגַע בְּכָל הָעוֹלָם כֻּלּוֹ. וְאַתָּה עוֹשֶׂה עִמִּי וְעִם כָּל הָעוֹלָם בְּכָל עֵת וָרֶגַע נִפְלָאוֹת גְּדוֹלוֹת וְנוֹרָאוֹת עַד אֵין חֵקֶר וְאֵין מִסְפָּר, כָּאָמוּר "לְעוֹשֵׂה נִפְלָאוֹת גְּדוֹלוֹת לְבַדּוֹ כִּי לְעוֹלָם חַסְדּוֹ".

וְהַכֹּל בְּכֹחַ וּזְכוּת הַצַּדִּיקִים הַגְּדוֹלִים הָאֲמִתִּיִּים, אֲשֶׁר כָּל הָאוֹתוֹת וְהַמּוֹפְתִים הָאֲמִתִּיִּים נַעֲשִׂים עַל יְדֵיהֶם תָּמִיד. סַיְּעֵנִי וְאַמְּצֵנִי וְחַזְּקֵנִי בֶּאֱמוּנָתְךָ הַקְּדוֹשָׁה תָּמִיד הַנִּמְשֶׁכֶת עַל יְדֵי קְדֻשַּׁת אֶרֶץ יִשְׂרָאֵל, בְּאֹפֶן שֶׁאֶזְכֶּה לֵידַע מִמִּי לְסַפֵּר וְאֵיךְ לְסַפֵּר סִפּוּרֵי מַעֲשִׂיּוֹת מִצַּדִּיקִים אֲמִתִּיִּים.

בְּאֹפֶן שֶׁתִּטָּהֵר מַחֲשַׁבְתִּי עַל יְדֵי זֶה. וְאֶזְכֶּה לָצֵאת מֵעַתָּה מִכָּל מִינֵי בִּלְבּוּל הַדַּעַת, וּמִכָּל מִינֵי עִרְבּוּב הַדַּעַת, וּמִכָּל

In the merit of the prayers of the true Tzaddikim, have compassion on me, save me, have pity and mercy on me. Incline Your ear and hear the voice of my outcry, the voice of my prayer.

Telling Holy Stories

May the holiness of the Land of Israel, which comprises the totality of all ten types of holiness, be drawn onto me so that I will attain a complete faith that at every moment You gaze upon every detail of the universe and perform innumerable and awesome wonders for me and for the entire world—"He does great wonders alone; His kindness is eternal."

You do all of this in the merit of the true Tzaddikim, through whom all miracles are performed.

Strengthen me to believe in You always with a holy faith that is drawn down by means of the holiness of the Land of Israel. May I then know who are the true Tzaddikim about whom I should tell stories, and may I know how to tell these stories.

As a result of telling these stories, may my thoughts be purified so that I will free myself of all confusions, evil musings, blemished ideas

מִינֵי הִרְהוּרִים רָעִים וְרַעְיוֹנִים פְּגוּמִים וּמַחֲשָׁבוֹת חוּץ, לְטַהֵר מַחֲשַׁבְתִּי מִכֻּלָּם, וְלִזְכּוֹת לְמַחֲשָׁבוֹת קְדוֹשׁוֹת זַכּוֹת וּנְכוֹנוֹת. וּתְסַיְּעֵנִי וְתַעַזְרֵנִי שֶׁאֶזְכֶּה בְּכָל עֵת לַעֲלוֹת לְעוֹלָם הַמַּחֲשָׁבָה דִּקְדֻשָּׁה, לַחְשֹׁב מַחֲשָׁבוֹת קְדוֹשׁוֹת בְּתוֹרָה וַעֲבוֹדָה וּבִגְדֻלַּת הַבּוֹרֵא יִתְבָּרַךְ שְׁמוֹ, וּבִגְדֻלַּת הַצַּדִּיקִים הָאֲמִתִּיִּים, וּלְחַדֵּשׁ חִדּוּשִׁין אֲמִתִּיִּים בְּתוֹרָתְךָ הַקְּדוֹשָׁה.

וְאַל יְבַהֲלוּנִי רַעְיוֹנַי, וְלֹא יִהְיֶה כֹּחַ לְשׁוּם מַחֲשָׁבָה זָרָה וְחִיצוֹנָה שֶׁבָּעוֹלָם לְבַלְבֵּל אֶת דַּעְתִּי וּמַחֲשַׁבְתִּי כְּלָל, וְאֶזְכֶּה לִשְׁתֹּק אָז לְגַמְרֵי בָּעֵת שֶׁאֲנִי צָרִיךְ לַעֲלוֹת לְעוֹלָם הַמַּחֲשָׁבָה, לַחֲרֹשׁ וְלִשְׁתֹּק לְגַמְרֵי לִבְלִי לְדַבֵּר אָז אֲפִלּוּ דִּבּוּר דִּקְדֻשָּׁה, כִּי הוּא גַּם כֵּן מְבַלְבֵּל אֶת הַמַּחֲשָׁבָה.

וְתִגְעוֹר בְּכָל הַמַּסְטִינִים וְהַמְקַטְרְגִים הַחֲפֵצִים לִמְנֹעַ אוֹתִי חַס וְשָׁלוֹם מִלַּעֲלוֹת לְמַחֲשָׁבוֹת קְדוֹשׁוֹת. וְתִתֵּן בִּי כֹּחַ לְגָרֵשׁ כָּל הַבִּלְבּוּלִים מִמֶּנִּי, בְּאֹפֶן שֶׁאֶזְכֶּה לְהִתְדַּבֵּק בְּךָ וּבְתוֹרָתְךָ הַקְּדוֹשָׁה תָּמִיד, בְּמַחֲשָׁבוֹת קְדוֹשׁוֹת וּטְהוֹרוֹת זַכּוֹת וְצַחוֹת כִּרְצוֹנְךָ הַטּוֹב.

וְתַצִּילֵנִי וְתִפְדֵּנִי מִכָּל הַצָּרוֹת וּמִכָּל מִינֵי יִסּוּרִין שֶׁבָּעוֹלָם, וְתַמְתִּיק וּתְבַטֵּל כָּל הַדִּינִים מֵעָלֵינוּ וּמֵעַל כָּל עַמְּךָ בֵּית יִשְׂרָאֵל (וּבִפְרָט מפלוני בן פלונית וְכוּ׳).

and foreign thoughts. May no foreign thought have the power to confuse my mind. Instead, may I attain holy, pure and proper thoughts about serving You. May I gain an appreciation for Your greatness and the greatness of the true Tzaddikim, and may I create new insights into Your holy Torah.

When I need to rise to the world of thought, may I be completely silent, without even speaking a word of holiness, because that, too, confuses thought.

Rebuke all of my foes who want to keep me from attaining holy thoughts. Give me the power to expel all confusion so that I will always cling to You and Your Torah with holy, pure and clear thoughts that are in accordance with Your beneficent will.

Rescue me from every type of suffering. Sweeten and nullify all of the judgments against me and against all of Your nation, the House of Israel.[23]

23 If you wish at this point to pray on behalf of someone in need of salvation, add here, "and in particular, [name], son/daughter of [mother's name]."

רַחֵם עָלֵינוּ וּמַלֵּא מִשְׁאֲלוֹתֵינוּ לְטוֹבָה בְּרַחֲמִים. וְהוֹצִיאֵנִי מְהֵרָה מִמֹּחִין דְּקַטְנוּת לְמֹחִין דְּגַדְלוּת. וְזַכֵּנִי לַעֲסֹק הַרְבֵּה בְּסִפּוּרֵי מַעֲשִׂיּוֹת מִצַּדִּיקִים אֲמִתִּיִּים, בְּאֹפֶן שֶׁאֶזְכֶּה לְטַהֵר מַחֲשַׁבְתִּי בְּתַכְלִית הַטָּהֳרָה. וְתִהְיֶה מַחֲשַׁבְתִּי קְדוֹשָׁה וּטְהוֹרָה תָּמִיד.

רַחֵם עָלַי לְמַעַן שְׁמֶךָ, כִּי צְרָכַי מְרֻבִּים מְאֹד מְאֹד בְּלִי שִׁעוּר וָעֵרֶךְ, וְדַעְתִּי קְצָרָה מְאֹד לְבָאֵר וּלְפָרֵט חֵלֶק אֶלֶף וּרְבָבָה מֵהֶם. וּבְכָל מַה שֶּׁאֲנִי מַתְחִיל לְדַבֵּר לֹא יַסְפִּיקוּ כָּל הַדִּבּוּרִים שֶׁבָּעוֹלָם לְפָרֵט כַּמָּה אֲנִי רָחוֹק מִכָּל בְּחִינָה וּבְחִינָה מִזֶּה, וְכַמָּה אֲנִי צָרִיךְ לִפּוֹל עַל פָּנַי וּלְבַקֵּשׁ וּלְהִתְחַנֵּן עַל זֶה, עַל כֵּן יִהְיוּ נָא בְּעֵינֶיךָ כְּאִלּוּ הָיִיתִי פּוֹרֵט כָּל צְרָכַי לְפָנֶיךָ כָּרָאוּי.

וְאַתָּה תְּמַלֵּא רַחֲמִים עָלַי, וְתוֹשִׁיעֵנִי מְהֵרָה בְּכָל הַיְשׁוּעוֹת, בְּאֹפֶן שֶׁאֶזְכֶּה עַל כָּל פָּנִים מֵעַתָּה לָשׁוּב אֵלֶיךָ וְלִהְיוֹת כִּרְצוֹנְךָ הַטּוֹב בֶּאֱמֶת מֵעַתָּה וְעַד עוֹלָם. וּתְקַיֵּם בָּנוּ מִקְרָא שֶׁכָּתוּב: "וְהָיָה טֶרֶם יִקְרָאוּ וַאֲנִי אֶעֱנֶה עוֹד הֵם מְדַבְּרִים וַאֲנִי אֶשְׁמָע", כִּי אַתָּה יְיָ הָעוֹנֶה בְּעֵת צָרָה, פּוֹדֶה וּמַצִּיל בְּכָל עֵת צָרָה וְצוּקָה, בָּרוּךְ הָעוֹנֶה לְעַמּוֹ יִשְׂרָאֵל בְּעֵת צָרָה.

"יִהְיוּ לְרָצוֹן אִמְרֵי פִי וְהֶגְיוֹן לִבִּי לְפָנֶיךָ יְיָ צוּרִי וְגוֹאֲלִי":

In the Merit of Telling Stories About Tzaddikim

Bring me forth quickly from a constricted to an expanded awareness in the course of my telling stories about true Tzaddikim. May that purify my mind to the ultimate degree so that my thoughts will always be holy and pure.

Have compassion on me for the sake of Your Name. My spiritual needs are without measure, and my mind is too limited to enumerate the smallest part of them. My words do not suffice to describe how far I am from every level of holy thought and how much I need to plead to attain it. Therefore, please accept what I say as though I were enumerating all of my spiritual needs before You.

Save me so that I will return to You and live in accordance with Your beneficent will. As the verse states, "Before they call out, I will answer; while they are still speaking, I will hear." HaShem, redeem me at every time of difficulty and oppression. Blessed are You, Who answers Your nation, the Jewish people, at a time of trouble.

"May the words of my mouth and the meditation of my heart be acceptable before You, HaShem, my Rock and my Redeemer."

וּתְרַחֵם עָלֵינוּ בְּרַחֲמֶיךָ הָעֲצוּמִים בְּכָל עֵת שֶׁתָּקִים עָלֵינוּ מֶלֶךְ חָדָשׁ, שֶׁיִּהְיֶה מֶלֶךְ שֶׁל חֶסֶד, שֶׁיְּרַחֵם עַל עַמְּךָ בְּנֵי יִשְׂרָאֵל, וְיָקֵל מֵעֲלֵיהֶם עֹל הַנְּתִינוּת, וִיבַטֵּל כָּל הַגְּזֵרוֹת שֶׁאֵינָם טוֹבוֹת מֵעַמְּךָ יִשְׂרָאֵל, מִכָּל שֶׁכֵּן שֶׁלֹּא יְחַדֵּשׁ חַס וְשָׁלוֹם גְּזֵרוֹת חֲדָשׁוֹת עַל עַמְּךָ יִשְׂרָאֵל.

רַחֵם עָלֵינוּ לְמַעַן שְׁמֶךָ לְמַעַן רַחֲמֶיךָ, כִּי אֵין לָנוּ עַל מִי לְהִשָּׁעֵן כִּי אִם עָלֶיךָ לְבַד, כִּי אֵין מִי יַעֲמֹד בַּעֲדֵנוּ, שִׁמְךָ הַגָּדוֹל יַעֲמֹד לָנוּ בְּעֵת צָרָה.

חֲמֹל עַל עֲנִיֵּי הַצֹּאן וְהַטֵּה לֵב הַמְּלָכִים וְהַשָּׂרִים עָלֵינוּ לְטוֹבָה, כְּמוֹ שֶׁכָּתוּב: "פַּלְגֵי מַיִם לֵב מֶלֶךְ בְּיַד יְיָ עַל כָּל אֲשֶׁר יַחְפֹּץ יַטֶּנּוּ", וּכְתִיב: "לֵב מְלָכִים וְשָׂרִים בְּיַד יְיָ אֶל כָּל אֲשֶׁר יַחְפֹּץ יַטֶּנּוּ".

חֲמֹל עַל עַמְּךָ רַחֵם עַל נַחֲלָתֶךָ, מָלֵא רַחֲמִים, "מְהַעְדֵּה מַלְכִין וּמְהָקֵים מַלְכִין. הַשְׁקִיפָה מִמְּעוֹן קָדְשְׁךָ מִן הַשָּׁמַיִם", וְהַטֵּה לֵב כָּל הַמְּלָכִים וְהַיּוֹעֲצִים וְהַשָּׂרִים עָלֵינוּ לְטוֹבָה, וְתָבִיא לָנוּ אֶת מְשִׁיחַ צִדְקֵנוּ בִּמְהֵרָה בְּיָמֵינוּ אָמֵן:

May Political Leaders Be Kind to Us

When a new king comes to power, may he be a kind king who will have compassion on Your nation, the Jewish people. May he ease our yoke of servitude and nullify all of the evil decrees against us, and certainly not promulgate any new, anti-Jewish decrees.

We have no one on whom to rely but You alone. No one else will take our side. May Your great Name stand by us at every time of trouble.

Have mercy on us, Your impoverished sheep, and incline the hearts of kings and ministers to us for the good. The hearts of kings and ministers are in Your hand. As the verse states, "The heart of the king is in HaShem's hand like streams of water; He inclines it wherever He wishes."

"Have mercy on Your nation, have compassion on Your inheritance, You Who are full of compassion."

"He removes kings and establishes kings."

"Gaze down from Your holy habitation, from Heaven."

Incline the hearts of all kings, advisers and ministers to us for the good, and bring us our righteous Mashiach speedily in our days. Amen.

106 (272)

Serving God in the Present Moment

The Psalmist says, "Today, if you listen to His voice."

An important principle in serving God is to focus on the present moment, whether in the realm of earning a living and other material concerns, or in the realm of serving God.

When a person wants to begin to serve God, doing so may appear as an overwhelming burden. But if he adapts the perspective that he has only this day, then he will see that serving God is not such a burden.

Also, a person should not put things off—for instance, he should not say that tomorrow he will begin to pray with feeling. This is because a person has only the present day and moment. The future constitutes an entirely different world.

"בּוֹאוּ נִשְׁתַּחֲוֶה וְנִכְרָעָה נִבְרְכָה לִפְנֵי יְיָ עוֹשֵׂנוּ, כִּי הוּא אֱלֹהֵינוּ וַאֲנַחְנוּ עַם מַרְעִיתוֹ וְצֹאן יָדוֹ הַיּוֹם אִם בְּקוֹלוֹ תִשְׁמָעוּ".

מָלֵא רַחֲמִים, אֲדוֹן הַנִּפְלָאוֹת, הַמְחַדֵּשׁ בְּטוּבוֹ בְּכָל יוֹם תָּמִיד מַעֲשֵׂה בְרֵאשִׁית, אֲשֶׁר בִּתְבוּנָתְךָ אַתָּה מְשַׁנֶּה עִתִּים וּמַחֲלִיף אֶת הַזְּמַנִּים, עָזְרֵנִי וְהוֹשִׁיעֵנִי בִּישׁוּעָתְךָ הַגְּדוֹלָה וְהַנִּפְלָאָה, שֶׁאֶזְכֶּה לְחַדֵּשׁ אֶת עַצְמִי בְּכָל יוֹם בְּתוֹסֶפֶת קְדֻשָּׁה וְטָהֳרָה בֶּאֱמֶת, שֶׁאֶזְכֶּה בְּכָל יוֹם לְהַתְחִיל מֵחָדָשׁ בַּעֲבוֹדָתְךָ הַקְּדוֹשָׁה כְּאִלּוּ נוֹלַדְתִּי הַיּוֹם.

וְלֹא אֶחְשֹׁב מִיּוֹם לַחֲבֵרוֹ כְּלָל, וְלֹא יוּכְלוּ לְבַלְבֵּל אֶת דַּעְתִּי כְּלָל מִיּוֹם לַחֲבֵרוֹ. הֵן מֵהֶעָבָר הֵן מֵהֶעָתִיד.

וְלֹא יַכְבִּידוּ עָלַי אֶת הָעֲבוֹדָה עַל יְדֵי הַיָּמִים הַבָּאִים וְהַשָּׁעָה הָעֲתִידָה. וְלֹא אֶסְתַּכֵּל וְלֹא אֶחְשֹׁב בְּדַעְתִּי כִּי אִם אוֹתוֹ הַיּוֹם וְאוֹתָהּ הַשָּׁעָה וְהָרֶגַע שֶׁאֲנִי עוֹמֵד בָּהּ אָז. בְּאֹפֶן שֶׁאוּכַל לַעֲסֹק בַּעֲבוֹדָתְךָ בֶּאֱמֶת בִּתְמִימוּת בְּלִי שׁוּם בִּלְבּוּלִים וּפְחָדִים וּכְבֵדוּת וַעֲצְלוּת.

רַק אֶזְדָּרֵז בַּעֲבוֹדָתְךָ בְּכָל יוֹם מֵחָדָשׁ, וְלֹא אָשִׂים לְנֶגֶד עֵינַי כִּי אִם אוֹתוֹ הַיּוֹם וְהַשָּׁעָה וְהָרֶגַע לְבַד, לְמַעַן אֶתְחַזֵּק עַל יְדֵי זֶה בַּעֲבוֹדָתְךָ בֶּאֱמֶת.

Renewal Every Day

"Come, let us bow down and prostrate ourselves; let us bow before HaShem our Maker. For He is our God and we are the nation of his pasture and the flock in His hand—today, if you listen to His voice."

Master of wonders, You Who every day renew the act of Creation in Your goodness, You Who in Your wisdom bring about the passage of time, help me renew myself every day in order to increase holiness and purity. Every day, may I begin anew to serve You as though I had been born today.

May I not think beyond today. May my mind never grow confused by thinking of the past or the future.

May the coming days and hours not concern me. May I not contemplate them, for that might hamper my ability to serve You. Instead, may I only consider the present day, hour and minute. As a result, may I serve You wholeheartedly, without any confusion, fear, heaviness or laziness.

Every day, may I enthusiastically serve You anew. May I place nothing before my eyes but this day, hour and minute, so that I will serve You energetically.

וְלֹא יִהְיֶה כָבֵד עָלַי שׁוּם דְּבַר עֲבוֹדָה שֶׁהוּא רְצוֹנְךָ בֶּאֱמֶת, כִּי עַל יוֹם אֶחָד יְכוֹלִין לִסְבֹּל כָּל הָעֲבוֹדוֹת שֶׁבָּעוֹלָם.

וְכֵן לֹא אֲבַלְבֵּל אֶת דַּעְתִּי בְּפַרְנָסָתִי וְהִצְטָרְכוּתִי הַמְרֻבִּים מִיּוֹם לַחֲבֵרוֹ כְּלָל, רַק אֶבְטַח בַּיהוָה בֶּאֱמֶת אֲשֶׁר הוּא מַשְׁפִּיעַ לָנוּ כָּל הִצְטָרְכוּתֵנוּ בְּכָל יוֹם וָיוֹם. וְאֶהְיֶה רָגִיל לוֹמַר בְּכָל עֵת, "בָּרוּךְ יְיָ יוֹם יוֹם יַעֲמָס לָנוּ הָאֵל יְשׁוּעָתֵנוּ סֶלָה".

וְתַצִּילֵנִי מִמְּחֻסְּרֵי אֲמָנָה הַדּוֹאֲגִים וְחוֹשְׁבִים מַה יֹּאכְלוּ לְמָחָר, וּמֵהֵיכָן יָבוֹא הִצְטָרְכוּתָם הַמְרֻבָּה לְמָחָר.

רַק אֶבְטַח בְּשֵׁם יְיָ וְאֶשָּׁעֵן בֵּאלֹהָי, הָאֱלֹהִים הָרוֹעֶה אוֹתִי מֵעוֹדִי.

הוּא יַשְׁפִּיעַ לִי כָּל טוּב דְּבַר יוֹם בְּיוֹמוֹ. הַמֶּלֶךְ הַטּוֹב וְהַמֵּטִיב לַכֹּל בְּכָל יוֹם וָיוֹם, הוּא הֵטִיב הוּא מֵטִיב הוּא יֵיטִיב לָנוּ, וִיפַרְנְסֵנוּ וִיכַלְכְּלֵנוּ תָּמִיד בְּכָל יוֹם וּבְכָל עֵת וּבְכָל שָׁעָה בְּאֵין מַחְסוֹר דָּבָר. וְגַם עַד זִקְנָה וְשֵׂיבָה אֱלֹהִים אַל יַעַזְבֵנוּ וְאַל יִטְּשֵׁנוּ עַד עוֹלָם:

May no element of my serving You weigh me down. May I deal with just one day at a time, for that will make it possible for me to engage in the fullest schedule of serving You.

In addition, may I not clutter my mind with concerns about making a living or taking care of my many needs from one day to the next. Instead, may I trust in You Who provide us with all of our needs every day. May I be accustomed to say always, "Blessed is God; every day, He gives us abundance, the God of our salvation."

Rescue me from the influence of people who lack faith, who worry about what they will eat and how they will take care of their many needs tomorrow.

May I trust in Your Name and rely on You Who have shepherded me from my beginning.

Send me an abundance of goodness, each day in its time. You are the good King Who does good for everyone every day. You support us and provide for us every day and every hour, without fail. Even when we reach old age and our hair turns white, You will not abandon us. You will never leave us alone.

מָלֵא רַחֲמִים חֲמֹל עָלַי, וְזַכֵּנִי לָבוֹא לְכָל זֶה, לְבַל תְּבַלְבֵּל אוֹתִי הַמַּחֲשָׁבָה כְּלָל מִיּוֹם לַחֲבֵרוֹ בְּשׁוּם דָּבָר שֶׁבָּעוֹלָם, בְּאֹפֶן שֶׁאֶזְכֶּה לִכְנֹס בִּקְדֻשָּׁתְךָ, וּלְהִתְקָרֵב אֵלֶיךָ בֶּאֱמֶת, וּלְהִתְחַדֵּשׁ בְּכָל יוֹם לְטוֹבָה, וּלְהוֹסִיף בְּכָל יוֹם וּבְכָל עֵת וּבְכָל שָׁעָה תּוֹסְפוֹת קְדֻשָּׁה וְטָהֳרָה וְיִרְאַת יְיָ וַעֲבוֹדָתוֹ בֶּאֱמֶת.

וְלֹא אַטְעֶה אֶת עַצְמִי, וְלֹא אֶדְחֶה אֶת הָעֲבוֹדָה מִיּוֹם לַחֲבֵרוֹ כְּלָל, רַק אֶחְשֹׁב בְּכָל יוֹם כְּאִלּוּ אֵין לִי בְּעוֹלָמִי כִּי אִם אוֹתוֹ הַיּוֹם וְאוֹתָהּ הַשָּׁעָה לְבַד. וְאֶשְׁתַּדֵּל וְאֶתְאַמֵּץ בְּכָל עֹז בְּכָל יוֹם לָצֵאת חוֹבַת הַיּוֹם בְּיוֹמוֹ דַּיְקָא, כְּכֹל אֲשֶׁר תִּמְצָא יָדִי לַעֲשׂוֹת בְּכֹחִי בְּאוֹתוֹ הַיּוֹם וְאוֹתָהּ הַשָּׁעָה דַּיְקָא, וְלֹא אֶפְטֹר אֶת עַצְמִי מִיּוֹם לַחֲבֵרוֹ כְּלָל, לְמַעַן לֹא אֵבוֹשׁ וְלֹא אֶכָּלֵם לְעוֹלָם וָעֶד.

עָזְרֵנִי לְמַעַן שְׁמֶךָ, הוֹשִׁיעֵנִי בְּכָל יוֹם יְשׁוּעָה חֲדָשָׁה וְנִפְלָאָה, בְּאֹפֶן שֶׁאֶזְכֶּה לְהִתְקָרֵב אֵלֶיךָ בְּכָל יוֹם בְּהִתְקָרְבוּת גָּדוֹל יוֹתֵר בֶּאֱמֶת בְּתַכְלִית הַשְּׁלֵמוּת כִּרְצוֹנְךָ הַטּוֹב.

וִיקֻיַּם מְהֵרָה מִקְרָא שֶׁכָּתוּב: "שִׁירוּ לַייָ כָּל הָאָרֶץ, בַּשְּׂרוּ מִיּוֹם אֶל יוֹם יְשׁוּעָתוֹ". וְנֶאֱמַר: "שִׁירוּ לַייָ בָּרְכוּ שְׁמוֹ, בַּשְּׂרוּ מִיּוֹם לְיוֹם יְשׁוּעָתוֹ".

זַכֵּנִי לְהַחֲיוֹת אֶת יָמַי בֶּאֱמֶת מֵעַתָּה עַל כָּל פָּנִים, חֲמֹל עַל מְעַט יָמַי שֶׁיֵּשׁ לִי לְהִתְמַהְמֵהַּ עוֹד בָּזֶה הָעוֹלָם הָעוֹבֵר.

Serving HaShem with This Day

May no concerns about anything in the world upset me. May I enter the realm of Your holiness, approach You and renew myself every day for the good. Every day and at every moment, may I add more holiness, purity and awe to my life as I engage in acts of worship.

May I not cheat myself by delaying my service of You from one day to the next. Rather, may I always consider that I have nothing but the present day and moment. May I strive to fulfill the obligations of the day, to do all that is within my capacity and not procrastinate, so that I will not be ashamed.

Rescue me every day with a new and wondrous salvation, so that I will approach You and come ever closer to You, in accordance with Your beneficent will.

"Sing to HaShem, all the land; proclaim His salvation from day to day." "Sing to HaShem, bless His Name, proclaim His salvation from day to day."

From this moment onward, during the few days that I have at my disposal in this transient world, help me renew my days.

"לִמְנוֹת יָמֵינוּ כֵּן הוֹדַע וְנָבִיא לְבַב חָכְמָה, שׁוּבָה יְיָ עַד מָתָי וְהִנָּחֵם עַל עֲבָדֶיךָ, שַׂבְּעֵנוּ בַבֹּקֶר חַסְדֶּךָ וּנְרַנְּנָה וְנִשְׂמְחָה בְּכָל יָמֵינוּ. שַׂמְּחֵנוּ כִּימוֹת עִנִּיתָנוּ שְׁנוֹת רָאִינוּ רָעָה.

הֲשִׁיבֵנוּ יְיָ אֵלֶיךָ וְנָשׁוּבָה, חַדֵּשׁ יָמֵינוּ כְּקֶדֶם.

יְהִי חַסְדְּךָ יְיָ עָלֵינוּ כַּאֲשֶׁר יִחַלְנוּ לָךְ.

יְהִי יְיָ אֱלֹהֵינוּ עִמָּנוּ כַּאֲשֶׁר הָיָה עִם אֲבוֹתֵינוּ, אַל יַעַזְבֵנוּ וְאַל יִטְּשֵׁנוּ. לְהַטּוֹת לְבָבֵנוּ אֵלָיו לָלֶכֶת בְּכָל דְּרָכָיו וְלִשְׁמֹר מִצְוֹתָיו וְחֻקָּיו וּמִשְׁפָּטָיו אֲשֶׁר צִוָּה אֶת אֲבוֹתֵינוּ. וְיִהְיוּ דְבָרַי אֵלֶּה אֲשֶׁר הִתְחַנַּנְתִּי לִפְנֵי יְיָ קְרוֹבִים אֶל יְיָ אֱלֹהֵינוּ יוֹמָם וָלָיְלָה לַעֲשׂוֹת מִשְׁפַּט עַבְדּוֹ, וּמִשְׁפַּט עַמּוֹ יִשְׂרָאֵל דְּבַר יוֹם בְּיוֹמוֹ, לְמַעַן דַּעַת כָּל עַמֵּי הָאָרֶץ כִּי יְיָ הָאֱלֹהִים אֵין עוֹד":

"Teach us to count our days, and then we will acquire a heart of wisdom. Return, HaShem, how long? Relent concerning Your servants. Satisfy us in the morning with Your kindness; may we sing and rejoice all of our days. Give us joy commensurate to the days that You afflicted us, the years that we saw evil."

"Return us to You, HaShem, and we will return; renew our days as of old."

"HaShem, may Your kindness be upon us as we have hoped in You."

"May HaShem our God be with us as He was with our fathers. May He not abandon us and never leave us. May He incline our hearts to Him, so that we will walk in all of His ways and guard the commandments, rules and laws that He gave our fathers. May these words which I have pleaded before HaShem be close to HaShem our God day and night, so that He will act righteously on behalf of His servant and perform justice for His nation, the Jewish people, every day. Then may all of the nations of the land know that HaShem is God—there is no other!"

107 (277)

Repaying Evil with Good / The Dispute Generated by Righteous People is for a Person's Benefit / Medicinal Herbs and Springtime / Medicinal Herbs and the Land of Israel / The Holy Shabbat Meals / Small Steps on the Shabbat

---

When wicked people attack an individual, he should not confront them directly, repaying them as they are treating him, for that would make it possible for them to overcome him. Rather, he should judge them positively and do them favors. In this way, he makes himself like the earth. Everyone tramples on the earth, yet it generously provides all good things: fruits and vegetables, gold, silver and precious stones.

His opponents may be compared to people attempting to breach someone's house by digging a tunnel under it. If he digs back, the intruders will get in more easily. But if he shovels dirt into the tunnel, he will overcome them.

Sometimes righteous people attack a person. Their intent is only for the good. By attacking him, they are lifting him up and sweetening judgments against him in a secret, hidden way. They may be compared to people digging a tunnel under someone's house so that they can secretly throw in a gift. When righteous people engage in dispute against a person and judgments against him are sweetened at their root, then he blossoms.

*

The earth yields medicinal herbs. Medicinal herbs that are picked in the springtime are the most powerful. Herbs picked at other times of the year lack the same efficacy.

The power of these herbs is ultimately derived from the Land of Israel, which is the principal land, from whose essence all other lands receive their power. The Land of Israel has two levels, called "land of Canaan" and, simply, "land." In a time of dispute, it is called the "land of Canaan." The word *KaNa'AN* ("Canaan") may be read as *KaN ONi* ("Here is a poor person"). Dispute deprives people of their livelihood. Moreover, during a time of dispute, the medicinal herbs cannot derive power from the Land of Israel, and so they lack efficacy.

When there is peace, however, the Land of Israel is called "land." At that time it gives its power to all the produce of the world, including medicinal herbs.

*

The Shabbat meals are the essence of the Shabbat. They are very precious, entirely holy and Godly.

A person cannot entirely avoid desecrating the

Shabbat. Eating the Shabbat meals rectifies that desecration. The mechanism behind this works as follows.

The Shabbat is compared to a man's first wife. The desecration of the Shabbat constitutes, in a sense, the death of this first wife. And our sages teach that "when a man's first wife dies, his steps are shortened" (*Sanhedrin* 22a).

Thus, it would seem that honoring the Shabbat should be associated with long steps. But, to the contrary, our sages teach that a person should not take long steps on the Shabbat (*Shabbat* 113b).

The answer to this apparent contradiction is as follows.

Every mitzvah is a complete structure. On a weekday, the "feet" of a mitzvah descend into the realm of the "husks" of evil. Therefore, when a person performs a mitzvah on a weekday, the Side of Evil derives benefit from its "feet."

On the Shabbat, however, the "feet" of the mitzvah rise from the "husks" to the realm of holiness, and so the Side of Evil cannot derive any benefit from a person's mitzvah. Then this mitzvah proceeds before HaShem hesitantly and uncertainly, like a toddler beginning to walk. Although this toddler cannot yet walk well, his father lovingly helps him, praising and encouraging his every accomplishment. So too, when this mitzvah begins to "walk," HaShem supports it and ultimately lengthens its steps.

And this is connected to the mitzvah of eating the Shabbat meals, for eating the Shabbat meals gives power specifically to the "feet." Thus, our eating the Shabbat meals rectifies these initial, small steps. And so, corresponding to the process of rectifying the "steps" of the mitzvot on the Shabbat, we take small steps when we walk on the Shabbat.

אֱלֹהַי, נְצוֹר לְשׁוֹנִי מֵרָע וּשְׂפָתַי מִדַּבֵּר מִרְמָה, וְלִמְקַלְלַי נַפְשִׁי תִדּוֹם וְנַפְשִׁי כֶּעָפָר לַכֹּל תִּהְיֶה.

רִבּוֹנוֹ שֶׁל עוֹלָם אֲדוֹן הַשָּׁלוֹם זַכֵּנִי לִהְיוֹת אִישׁ שָׁלוֹם בֶּאֱמֶת, שֶׁאֶזְכֶּה לִהְיוֹת אוֹהֵב שָׁלוֹם וְרוֹדֵף שָׁלוֹם תָּמִיד בֶּאֱמֶת וּבְלֵב שָׁלֵם. וְלֹא אַחֲזִיק בְּמַחֲלֹקֶת כְּלָל לְעוֹלָם, וַאֲפִלּוּ נֶגֶד הַחוֹלְקִים עָלַי וְקָמִים כְּנֶגְדִּי וְחוֹתְרִים חֲתִירוֹת תַּחְתַּי חַס וְשָׁלוֹם, וְעוֹשִׂים לִי מַה שֶּׁעוֹשִׂים הָרַחֲמָן יִשְׁמְרֵנִי.

תְּזַכֵּנִי וְתַעַזְרֵנִי שֶׁלֹּא אֶעֱמֹד כְּנֶגְדָּם לַעֲשׂוֹת לָהֶם כְּנֶגְדָּם כְּמוֹ שֶׁהֵם עוֹשִׂים לִי, רַק אַדְרַבָּא אֶזְכֶּה לָדוּן אוֹתָם לְכַף זְכוּת וְלַעֲשׂוֹת לָהֶם כָּל הַטּוֹבוֹת.

וּלְקַיֵּם בֶּאֱמֶת וְנַפְשִׁי כֶּעָפָר לַכֹּל תִּהְיֶה. כְּמוֹ שֶׁכָּתוּב: "אַל תֹּאמַר כַּאֲשֶׁר עָשָׂה לִי כֵּן אֶעֱשֶׂה לוֹ אָשִׁיב לָאִישׁ כְּפָעֳלוֹ", וּכְתִיב: "אַל תֹּאמַר אֲשַׁלְּמָה רָע, קַוֵּה לַיְיָ וְיוֹשַׁע לָךְ".

וְאֶזְכֶּה לִהְיוֹת כְּעָפָר מַמָּשׁ, שֶׁהַכֹּל דָּשִׁין עָלֶיהָ וְהִיא נוֹתֶנֶת לָהֶם כָּל הַטּוֹבוֹת. וְעַל יְדֵי זֶה אֶזְכֶּה לְבַטֵּל וּלְהָפֵר מַחְשְׁבוֹת אוֹיְבַי וְשׂוֹנְאַי, "וְלֹא תַעֲשֶׂינָה יְדֵיהֶם תּוּשִׁיָּה". וִיקֻיַּם בָּהֶם:

Judging Everyone Favorably

"My God, guard my tongue from evil and my lips from speaking deceit. May my spirit be silent to those who curse me; may my spirit be like dust to all."

Master of the world, Master of peace, graciously help me be a person of peace, a person who loves peace and purses peace always, with all my heart. May I never engage in any dispute, even against those who rise against me, undermine me or act against me.

May I not treat them as they treat me. To the contrary, may I judge them favorably and desire only their good.

As the verse states, "Do not say, 'As he has done to me, so will I do to him, I will respond to a man in accordance with his deed.'" "Do not say, 'I will repay him evil.' Hope in HaShem, and He will save You."

"May my spirit be like dust to all." May I be like the earth upon which all trample, yet which yields all good things. When You see this, please override the counsel of all of those who scheme against me. May I nullify the thoughts of my enemies, "so that their hands will not act with

"כּוֹרֶה שַׁחַת בָּהּ יִפֹּל וְגוֹלֵל אֶבֶן אֵלָיו תָּשׁוּב".

וְכָל הַקָּמִים עָלַי לְרָעָה מְהֵרָה הָפֵר עֲצָתָם וְקַלְקֵל מַחֲשַׁבְתָּם:

וְתִפְתַּח עֵינֵי לִבִּי וְדַעְתִּי, שֶׁאֶזְכֶּה לֵידַע וּלְהַבְחִין בֵּין מַחֲלֹקֶת שֶׁל רְשָׁעִים לְמַחֲלֹקֶת שֶׁל צַדִּיקִים, וְאֶזְכֶּה לְהַאֲמִין בֶּאֱמֶת שֶׁהַמַּחֲלֹקֶת שֶׁל צַדִּיקִים הִיא טוֹבָה גְדוֹלָה לָזֶה שֶׁהֵם חוֹלְקִים עָלָיו, כִּי מְרִימִין וּמְנַשְּׂאִין אוֹתוֹ עַל יְדֵי זֶה, וּמַמְתִּיקִים דִּינִים מֵעָלָיו.

וְלֹא תַנִּיחֵנִי לִטְעוֹת חַס וְשָׁלוֹם בְּהַמַּחֲלֹקֶת שֶׁל צַדִּיקִים כְּאִלּוּ הִיא מַחֲלֹקֶת גְּמוּרָה חַס וְשָׁלוֹם, כְּדֵי שֶׁלֹּא לִתֵּן אֲחִיזָה לְהַמַּחֲלֹקֶת דְּסִטְרָא אַחֲרָא בְּזֹאת הַמַּחֲלֹקֶת דִּקְדֻשָּׁה שֶׁל צַדִּיקִים.

וִיקֻיַּם בִּי מִקְרָא שֶׁכָּתוּב: "וַתַּבֵּט עֵינִי בְּשׁוּרָי, בַּקָּמִים עָלַי מְרֵעִים תִּשְׁמַעְנָה אָזְנָי. צַדִּיק כַּתָּמָר יִפְרָח, כְּאֶרֶז בַּלְּבָנוֹן יִשְׂגֶּה":

אָבִינוּ שֶׁבַּשָּׁמַיִם מֶלֶךְ שֶׁהַשָּׁלוֹם שֶׁלּוֹ, אַתָּה יוֹדֵעַ אֶת כָּל רִבּוּי הַמַּחֲלוֹקֶת שֶׁנִּתְרַבָּה בְּדוֹרוֹתֵינוּ בְּכַמָּה אֳפָנִים, בֵּין צַדִּיקִים בֵּינוֹנִים וּרְשָׁעִים.

cunning." Then "the person who digs a pit will fall into it, and when that person rolls a rock, it will return to him."

The Dispute of Tzaddikim

Open my eyes, my heart and my mind so that I may distinguish between the dispute fostered by wicked people and the holy dispute of Tzaddikim. May I believe that the dispute of Tzaddikim does much good for the person whom they criticize, for it elevates him and sweetens judgments against him.

May I not treat the dispute of Tzaddikim as though it is entirely contentious, for that is an error, and that error would infect it with the disputatiousness of the Side of Evil.

"May my eye gaze upon those who lie in wait for me; may my ears hear if it is evildoers who rise up against me. The Tzaddik flourishes like the palm tree; he grows tall like the cedar of Lebanon."

Dispute and Dissension

My Father in Heaven, King of peace, dispute has multiplied in our generation among everyone: wicked people, average people, even righteous people.

וְהַמַּחֲלֹקֶת דְּסִטְרָא אַחֲרָא רוֹצָה לְהִתְגַּבֵּר וּלְהִתְפַּשֵּׁט בְּכָל יוֹם, בְּאִתְגַּלְיָא וּבְאִתְכַּסְיָא עַד אֲשֶׁר רַבִּים נִכְשְׁלוּ וְנָפְלוּ עַל יְדֵי רִבּוּי הַמַּחֲלֹקוֹת וְחִלּוּקֵי הַדֵּעוֹת וּפֵרוּד לְבָבוֹת שֶׁנִּתְרַבָּה מְאֹד בְּדוֹרוֹתֵינוּ בַּעֲווֹנוֹתֵינוּ הָרַבִּים.

כִּי נַעֲשָׂה קַטֵּגוֹרְיָא בֵּין תַּלְמִידֵי חֲכָמִים וּבֵין הַנִּלְוִים אֲלֵיהֶם, עַד אֲשֶׁר קָשֶׁה לְהַבְחִין וּלְהַבְדִּיל בֵּין הַמַּחֲלֹקֶת דִּקְדֻשָּׁה לְמַחֲלֹקֶת דְּסִטְרָא אַחֲרָא. וְרַבִּים נָפְלוּ מֵאֱמוּנַת חֲכָמִים עַל יְדֵי זֶה לְגַמְרֵי, וְעַל יְדֵי זֶה נָפְלוּ לְמַה שֶּׁנָּפְלוּ רַחֲמָנָא לִצְלָן. כִּי אֱמוּנַת חֲכָמִים יְסוֹד כָּל הַתּוֹרָה כֻּלָּהּ, כִּי הֵם חַיֵּינוּ וְאֹרֶךְ יָמֵינוּ, וּבִלְעָדָם לֹא נָרִים אֶת יָדֵינוּ וְאֶת רַגְלֵינוּ בְּשׁוּם דָּבָר שֶׁבִּקְדֻשָּׁה.

וּבְצוֹק הָעִתִּים אֲשֶׁר אָרַךְ עָלֵינוּ הַגָּלוּת וּמָשַׁךְ עָלֵינוּ הַשִּׁעְבּוּד, וְדַעְתֵּנוּ אֵינָהּ צְלוּלָה כְּלָל, אֵין אִתִּי יוֹדֵעַ עַד מָה, אֵיךְ לְהִתְנַהֵג בָּזֶה, וְאֵיךְ לְכַוֵּן דַּעְתִּי בָּזֶה. אֶל מִי מִקְּדוֹשִׁים אֶפְנֶה.

שָׁקַדְתִּי וָאֶהְיֶה כְּצִפּוֹר בּוֹדֵד עַל גָּג, וְאֵינִי יוֹדֵעַ מֵאַיִן יָבֹא עֶזְרִי. כִּי בַעַר אָנֹכִי מֵאִישׁ וְלֹא בִינַת אָדָם לִי, לְהַבְחִין וְלֵידַע מִי הֵם הַצַּדִּיקִים וְהַחֲכָמִים הָאֲמִתִּיִּים שֶׁיֵּשׁ לָהֶם כֹּחַ לְיָעֵץ אוֹתִי עֵצוֹת אֲמִתִּיּוֹת וּלְהַדְרִיכֵנִי בְּדֶרֶךְ הַיָּשָׁר וְהָאֱמֶת וּלְקָרְבֵנִי אֵלֶיךָ אָבִי שֶׁבַּשָּׁמַיִם.

Dispute that comes from the Side of Evil rises and spreads out every day, in both revealed and hidden ways.

So much division exists among Torah sages and their followers that it is hard to distinguish between their disagreements that are in the realm of holiness and disputes that come from the Side of Evil. As a result, many people have lost their faith in the sages and have fallen spiritually. Faith in the sages is the basis of the Torah. The sages are our life and the length of our days. Without them, we cannot take a single step in any holy undertaking.

In these oppressive times, when we have suffered such a long exile and servitude, our minds are no longer clear. Therefore, I do not know what to do and how to direct my thoughts in order to find the holy Tzaddikim.

"I look about me, but I am like a bird alone on the roof." I do not know where my help will come from. "I am more animal than man, and I lack human understanding." I cannot identify the true Tzaddikim and sages who can give me good advice, guide me on the right path, and bring me close to You.

וּבַעֲוונוֹתַי הָרַבִּים דַּעְתִּי קְצָרָה כָּל כָּךְ עַד אֲשֶׁר אֵינִי יוֹדֵעַ אֲפִלּוּ לְפָרֵשׁ שִׂיחָתִי לְפָנֶיךָ בָּזֶה בִּשְׁלֵמוּת כָּרָאוּי, כִּי צָרוֹת לְבָבִי הִרְחִיבוּ מְאֹד מְאֹד בְּלֹא זֶה. וְנוֹסָף לָזֶה, רִבּוּי הַמַּחֲלֹקֶת וּפֵרוּד לְבָבוֹת שֶׁנִּתְרַבָּה בָּעוֹלָם, בְּכַמָּה בְּחִינוֹת וָאֳפָנִים וְעִנְיָנִים שׁוֹנִים. וְעַתָּה אֵינִי יוֹדֵעַ כְּלָל מַה לַּעֲשׂוֹת אֵיךְ לְהִתְנַהֵג, וְאֵיךְ לְדַבֵּר, וְאֵיךְ לְצַפְצֵף וְאֵיךְ לְרַמֵּז, וְאֵיךְ לְהִתְפַּלֵּל עַל זֶה.

וַאֲנִי מְבֻלְבָּל כַּשִּׁכּוֹר, וְאֵינִי יוֹדֵעַ כְּלָל הֵיכָן אֲנִי בָּעוֹלָם, וּמַה יִּהְיֶה הַסּוֹף וְהַתַּכְלִית מִמֶּנִּי:

מָלֵא רַחֲמִים חוֹמֵל דַּלִּים, "מַצִּיל עָנִי מֵחָזָק מִמֶּנּוּ וְעָנִי וְאֶבְיוֹן מִגּוֹזְלוֹ", לַמְּדֵנִי אֵיךְ לְפָרֵשׁ שִׂיחָתִי לְפָנֶיךָ עַתָּה, אֵיךְ לְעוֹרֵר רַחֲמֶיךָ הָאֲמִתִּיִּים עָלַי עַתָּה.

הַצִּילֵנִי מֵרִיב וּמַחֲלֹקֶת בְּכָל הָאֳפָנִים, עָזְרֵנִי וְהוֹשִׁיעֵנִי וְהַצִּילֵנִי שֶׁלֹּא יַחְלְקוּ וְלֹא יָרִיבוּ עָלַי לֹא בְּגַשְׁמִיּוּת וְלֹא בְּרוּחָנִיּוּת, לֹא לְמַעְלָה וְלֹא לְמַטָּה, וְשָׁמְרֵנִי וְהַצִּילֵנִי שֶׁאֲנִי לֹא אֶהְיֶה חוֹלֵק עַל שׁוּם אִישׁ כָּשֵׁר שֶׁבָּעוֹלָם, מִכָּל שֶׁכֵּן שֶׁלֹּא יִהְיֶה בְּלִבִּי שׁוּם צַד מַחֲלֹקֶת עַל צַדִּיקִים אֲמִתִּיִּים. וּבִפְרָט עַל צַדִּיקִים שׁוֹכְנֵי עָפָר קְדוֹשִׁים אֲשֶׁר בָּאָרֶץ הֵמָּה.

My mind is so constricted that I do not even know how to speak to You properly. The troubles of my heart are so many and dispute has increased in so many ways that I do not know what to do, what to say, or how to express myself in prayer before You.

I am as bewildered as someone who is intoxicated. I do not know where I am in the world and what my end will be.

At Peace with All Jews

God, full of compassion, "You save the poor person from the one who is stronger than he, and the poor man and the impoverished man from the one who robs him." Teach me how to pray to You in order to arouse Your compassion on my behalf.

Rescue me from dispute. May others not fight with me, either in the physical or the spiritual realms, and may I not dispute any worthy person. May I not harbor even the slightest bad feeling against true Tzaddikim—particularly against those who have passed away.

וְלֹא אֵצֵא לָרִיב עִם שׁוּם אָדָם, רַק אֶזְכֶּה לֶאֱהֹב אֶת כָּל יִשְׂרָאֵל וּלְהַחֲזִיק בְּשָׁלוֹם עִם כֻּלָּם, וּלְקַיֵּם בֶּאֱמֶת מִקְרָא שֶׁכָּתוּב: "סוּר מֵרָע וַעֲשֵׂה טוֹב בַּקֵּשׁ שָׁלוֹם וְרָדְפֵהוּ":

לחודש אייר

וּתְזַכֵּנִי לְהַמְשִׁיךְ עָלַי וְעַל כָּל יִשְׂרָאֵל קְדֻשַּׁת אֶרֶץ יִשְׂרָאֵל.

וּתְבַטֵּל אֲחִיזַת הַמַּחֲלֹקֶת מֵאֶרֶץ יִשְׂרָאֵל, וְלֹא תִהְיֶה נִקְרֵאת בְּשֵׁם אֶרֶץ כְּנַעַן, רַק בְּשֵׁם אֶרֶץ הַקְּדוֹשָׁה, אֶרֶץ יִשְׂרָאֵל.

וְתַמְשִׁיךְ שֶׁפַע טוֹבָה וּבְרָכָה גְדוֹלָה מֵאֶרֶץ יִשְׂרָאֵל לְכָל הָאֲרָצוֹת.

וּתְבָרֵךְ אֶת יְבוּל הָאָרֶץ וְאֶת כָּל פְּרִי הָאֲדָמָה. וִיקֻיַּם מִקְרָא שֶׁכָּתוּב: "אֶרֶץ נָתְנָה יְבוּלָהּ יְבָרְכֵנוּ אֱלֹהִים אֱלֹהֵינוּ".

וּבְרַחֲמֶיךָ הָרַבִּים תִּתֵּן כֹּחַ בְּכָל יְבוּל הָאָרֶץ לְרַפְּאוֹת אֶת כָּל תַּחֲלוּאֵי וּמַכְאוֹבֵי עַמְּךָ בֵּית יִשְׂרָאֵל, וּבִפְרָט בְּחֹדֶשׁ אִיָּר הוּא יֶרַח זִיו שֶׁבּוֹ פּוֹרְחִים וְחוֹנְטִים כָּל יְבוּל הָאָרֶץ.

רַחֵם עָלֵינוּ שֶׁלֹּא נִצְטָרֵךְ לַעֲסֹק חַס וְשָׁלוֹם עִם שׁוּם דָּאקְטוֹרִים וְרוֹפְאִים שֶׁבָּעוֹלָם, רַק תְּבָרֵךְ אֶת כָּל יְבוּל הָאָרֶץ, וְתַשְׁפִּיעַ בָּהֶם כֹּחַ לְרַפְּאוֹת כָּל תַּחֲלוּאֵי וּמַכְאוֹבֵי

May I love all Jews and be at peace with them, "turning aside from evil and doing good, seeking peace and pursuing it."

The Land of Israel and Healing

Help me draw onto myself and onto all Jews the holiness of the Land of Israel.

Free the Land of Israel from the grip of dispute. May it never be called "the land of Canaan," but only the holy "Land of Israel."

And then send a flow of goodness and blessing from the Land of Israel to all other lands.

Bless the produce and fruits of the Land, so that "the land will give its produce; may God, our God, bless us."

Imbue the produce of the Land with the power to heal all of the diseases of Your nation, the House of Israel—particularly in the month of Iyar, which is also called the month of Ziv, when the produce of the Land flowers and bears fruit.

May we never require recourse to doctors. Bless all of the produce of the Land with the power to heal all of the diseases of Your nation,

עַמְּךָ בֵּית יִשְׂרָאֵל, וְתַעֲלֶה מְהֵרָה רְפוּאָה שְׁלֵמָה לְכָל תַּחֲלוּאֵינוּ וּלְכָל מַכְאוֹבֵינוּ וּלְכָל מַכּוֹתֵינוּ (וּבִפְרָט וכו'), כִּי אֵל מֶלֶךְ רוֹפֵא נֶאֱמָן וְרַחֲמָן אָתָּה.

וְאֵין לָנוּ שׁוּם סְמִיכָה עַל שׁוּם רְפוּאָה שֶׁל הָרוֹפְאִים וְהַדָּאקְטוֹרִים, כִּי אִם עָלֶיךָ לְבַד, בּוֹרֵא רְפוּאוֹת. רְפָאֵינוּ יְיָ וְנֵרָפֵא, הוֹשִׁיעֵנוּ וְנִוָּשֵׁעָה כִּי תְהִלָּתֵנוּ אָתָּה.

וְתַמְשִׁיךְ שָׁלוֹם גָּדוֹל בָּעוֹלָם, וְכָל שׂוֹנְאֵינוּ יִפְּלוּ תַחְתֵּינוּ, וְיִכָּלְמוּ וְיֵבוֹשׁוּ.

יֵבֹשׁוּ וְיַחְפְּרוּ יַחַד מְבַקְשֵׁי נַפְשִׁי לִסְפּוֹתָהּ יִסֹּגוּ אָחוֹר וְיִכָּלְמוּ חֲפֵצֵי רָעָתִי. יֵבֹשׁוּ יִכְלוּ שׂוֹטְנֵי נַפְשִׁי יַעֲטוּ חֶרְפָּה וּכְלִמָּה מְבַקְשֵׁי רָעָתִי. "יֵבֹשׁוּ וְיִבָּהֲלוּ מְאֹד כָּל אוֹיְבָי יָשֻׁבוּ יֵבֹשׁוּ רָגַע".

וְתִשְׁמְרֵנִי וְתַצִּילֵנִי בְּרַחֲמֶיךָ הָרַבִּים מֵעֲנִיּוּת וְדַלּוּת וְחֶסְרוֹן הַפַּרְנָסָה הַבָּא עַל יְדֵי רִיב וּמַחֲלֹקֶת חַס וְשָׁלוֹם.

the House of Israel. Quickly bring healing to all of our illnesses, pains and wounds,[24] for You are a faithful and compassionate God, our King and Healer.

May we never need to rely on the assistance of doctors, but on You alone. Creator of healing, "heal us, HaShem, and we will be healed, save us, and we will be saved, for You are our praise."

Bring peace into the world. May all of our enemies fall beneath us in shame.

"May all those who seek to sweep away my spirit be turned back in shame." "May those who desire my evil be ashamed and destroyed. May those who hate me, those who seek my downfall, be covered in shame." "May all of my enemies be exceedingly shamed and frightened. May they return and be suddenly ashamed."

Freedom from Poverty and Dispute

Rescue me from poverty, which comes as a result of argument and dispute.

24 If you wish at this point to pray on behalf of someone who is ill, add here, "and in particular, [name], son/daughter of [mother's name]."

כִּי גָלוּי וְיָדוּעַ לְפָנֶיךָ שֶׁאֲנִי חָפֵץ בְּשָׁלוֹם וֶאֱמֶת מְאֹד, וּמָה אֶעֱשֶׂה אִם נִמְצָאִים שׂוֹנְאִים וְחוֹלְקִים עָלַי בְּחִנָּם, אֲנִי שָׁלוֹם וְכִי אֲדַבֵּר הֵמָּה לַמִּלְחָמָה.

מָלֵא רַחֲמִים, רַחֵם וְחוּס וַחֲמֹל עָלַי וְעַל כָּל הַחֲפֵצִים לְהִתְקָרֵב לְדַרְכֵי הַקְּדֻשָּׁה בֶּאֱמֶת, אֲשֶׁר מִתְעוֹרְרִים עֲלֵיהֶם שׂוֹנְאֵי חִנָּם, וְרוֹדְפִים אוֹתָם בְּכַמָּה מִינֵי רְדִיפוֹת, וְחוֹרְקִים שִׁנָּם עֲלֵיהֶם חִנָּם עַל לֹא דָבָר.

רַחֵם עֲלֵיהֶם וְעָלֵינוּ לְמַעַנְךָ וְהַצִּילֵנִי מֵהֶם. "הַצִּילֵנִי מֵאוֹיְבַי אֱלֹהָי מִמִּתְקוֹמְמַי תְּשַׂגְּבֵנִי. שָׁמְרָה נַפְשִׁי וְהַצִּילֵנִי אַל אֵבוֹשׁ כִּי חָסִיתִי בָךְ":

לשבת־קודש

וְזַכֵּנִי בְּרַחֲמֶיךָ הָרַבִּים לְקַבֵּל שַׁבָּתוֹת כָּרָאוּי, מִתּוֹךְ רֹב שִׂמְחָה וּמִתּוֹךְ עֹשֶׁר וְכָבוֹד וּמִתּוֹךְ מִעוּט עֲווֹנוֹת.

וְאֶזְכֶּה לְהַרְבּוֹת בַּאֲכִילַת שַׁבָּת וְלֹא יִהְיֶה אֶצְלִי שׁוּם קְפֵדָא עַל הוֹצָאוֹת שַׁבָּת וְיוֹם טוֹב, רַק אֶתְחַזֵּק וְאֶתְאַמֵּץ בְּכָל עֹז לְהַרְבּוֹת בְּכָל מִינֵי מַעֲדַנִּים וּמַאֲכָלִים וּמַשְׁקָאוֹת טוֹבִים לִכְבוֹד שַׁבַּת קֹדֶשׁ. וְלֶאֱכֹל הַרְבֵּה בְּשַׁבַּת קֹדֶשׁ, כְּמוֹ שֶׁהִזְהַרְתָּ אוֹתָנוּ בְּתוֹרָתְךָ הַקְּדוֹשָׁה כְּמוֹ שֶׁכָּתוּב: "אִכְלוּהוּ הַיּוֹם". וְכַאֲשֶׁר הִזְהִירוּ אוֹתָנוּ חֲכָמֶיךָ הַקְּדוֹשִׁים הַרְבֵּה לְעַנֵּג אֶת הַשַּׁבָּת בְּכָל עֹז.

You know that I desire peace and truth. But what can I do if I have enemies who fight against me for no reason? "I am for peace, but when I speak, they are for war."

Have compassion on me and on everyone who desires to attain the ways of holiness. Protect us from those people who hate us for no reason, who persecute us in every way possible and menace us without cause.

"Rescue me from my enemies; my God, lift me above those who have risen against me." "Guard my soul and rescue me. May I never be ashamed, for I have taken refuge in You."

Celebrating the Shabbat Properly

Help me keep the Shabbat properly—with joy, wealth and honor, and without any sins.

May I eat freely on the Shabbat. May I not be stingy regarding expenses for the Shabbat and festivals. May I have the fortitude to spend money and acquire delicacies, fine foods and drinks with which to honor the holy Shabbat. May I eat liberally on the holy Shabbat, in keeping with the verse, "Eat today," and in keeping with Your holy sages' command that we delight in the Shabbat as much as we can.

כִּי אֲכִילַת שַׁבָּת כֻּלּוֹ אֱלֹהוּת כֻּלּוֹ קֹדֶשׁ וְעוֹלֶה לְמָקוֹם אַחֵר לְגַמְרֵי מֵאֲכִילַת חוֹל.

וְאֶזְכֶּה עַל יְדֵי אֲכִילַת שַׁבָּת קֹדֶשׁ לְתַקֵּן פְּגַם חִלּוּל שַׁבָּת, כִּי אַתָּה יוֹדֵעַ שֶׁקָּשֶׁה מְאֹד לְבָשָׂר וָדָם לִהְיוֹת נִזְהָר וְנִשְׁמָר בִּשְׁלֵמוּת מֵחִלּוּל שַׁבָּת. רַק אַתָּה לְבַד תִּשְׁמְרֵנִי וְתַצִּילֵנִי מִכָּל מִינֵי חִלּוּל שַׁבָּת שֶׁבָּעוֹלָם. וּתְזַכֵּנִי לְהַרְבּוֹת בַּאֲכִילַת שַׁבָּת עַד שֶׁאֶזְכֶּה עַל יְדֵי זֶה לְתַקֵּן כָּל פְּגַם חִלּוּל שַׁבָּת שֶׁפָּגַמְתִּי מֵעוֹדִי:

וְרַחֵם עָלֵינוּ וְשָׁמְרֵנוּ אוֹתָנוּ וְאֶת כָּל יִשְׂרָאֵל, וְהַצִּילֵנִי מֵעֹנֶשׁ אַלְמָן חַס וְשָׁלוֹם.

וְיִחְיוּ וְלֹא יָמוּתוּ נְשׁוֹתֵינוּ הָרִאשׁוֹנוֹת. רַק נִזְכֶּה אֲנַחְנוּ וְכָל עַמְּךָ יִשְׂרָאֵל לְהַאֲרִיךְ יָמִים וְשָׁנִים עִם נְשׁוֹתֵינוּ הָרִאשׁוֹנוֹת בִּקְדֻשָּׁה וְטָהֳרָה בֶּאֱמֶת.

כִּי אַתָּה יוֹדֵעַ מְרִירוּת הַצָּרָה שֶׁל מִי שֶׁמֵּתָה אִשְׁתּוֹ הָרִאשׁוֹנָה חַס וְשָׁלוֹם, שֶׁפְּסִיעוֹתָיו מִתְקַצְּרוֹת, וְעוֹלָם חָשַׁךְ בַּעֲדוֹ, וּכְאִלּוּ נֶחֱרַב בֵּית הַמִּקְדָּשׁ בְּיָמָיו וְכוּ'. רַחֲמָנָא לִצְלַן רַחֲמָנָא לִשֵׁזְבַן:

Eating on the Shabbat is complete Godliness and holiness. It rises to an entirely different plane than does eating on weekdays.

By eating on the holy Shabbat, may I rectify the blemishes that I caused when I desecrated the Shabbat. It is very hard for a creature of flesh and blood to keep the Shabbat without ever transgressing it. You alone protect me from doing so. But even so, I have at times desecrated the Shabbat. May I merit to eat freely on the Shabbat in order to rectify every blemish that I brought about by desecrating the Shabbat.

Not to Be a Widower

Rescue all Jewish men from the suffering of being a widower.

May our first wives live and not die. May we and Your entire nation, the Jewish people, live long lives with our first wives, in holiness and purity.

You know the bitterness suffered by a man whose first wife has died. His steps are shortened and the world is dark before him, and it is as though the Temple has been destroyed in his days.

וּתְזַכֵּנוּ עַל יְדֵי קְדֻשַּׁת אֲכִילַת שַׁבָּת קֹדֶשׁ וּבִפְרָט עַל יְדֵי אֲכִילַת שַׁבָּת שֶׁל גְּדוֹלֵי הַצַּדִּיקִים הָאֲמִתִּיִּים, שֶׁנִּזְכֶּה עַל יְדֵי זֶה לְהַרְחִיב וּלְהַגְדִּיל הַדְּרָכִים הַקְּדוֹשִׁים שֶׁגִּלּוּ הַצַּדִּיקִים הָאֲמִתִּיִּים בָּעוֹלָם.

רִבּוֹן כָּל הָעוֹלָמִים, אֱלֹהֵי כָּל הַצַּדִּיקִים הָאֲמִתִּיִּים, אַתָּה לְבַד יוֹדֵעַ אֶת כָּל מַה שֶּׁפָּעֲלוּ וְעָשׂוּ גְּדוֹלֵי הַצַּדִּיקִים בָּעוֹלָם, אֶת כָּל הַדְּרָכִים הַקְּדוֹשִׁים וְהַנּוֹרָאִים וְהַנִּפְלָאִים שֶׁחָתְרוּ וְחָפְרוּ וְהִמְשִׁיכוּ בָּעוֹלָם. וְכַמָּה יְגִיעוֹת יָגְעוּ וְכַמָּה טִרְחוֹת טָרְחוּ בְּלִי שִׁעוּר וָעֵרֶךְ וּמִסְפָּר. וְכַמָּה עִנּוּיִים וְיִסּוּרִים סָבְלוּ בִּמְסִירַת נֶפֶשׁ בְּכָל עֵת עַד אֲשֶׁר חָתְרוּ וּמָצְאוּ דְּרָכִים יְשָׁרִים וְנִפְלָאִים בִּמְקוֹמוֹת מִדְבַּר שְׁמָמָה שֶׁלֹּא הָיָה בָּהֶם דֶּרֶךְ מֵעוֹלָם בִּמְקוֹמוֹת שֶׁלֹּא עָבַר בָּהֶם אִישׁ.

וְהָלְכוּ בִּמְסִירַת נֶפֶשׁ וְעָבְרוּ הַרְבֵּה אָנָה וְאָנָה כַּמָּה פְּעָמִים כְּדֵי לַעֲשׂוֹת בָּהֶם דֶּרֶךְ כְּבוּשָׁה לָרַבִּים.

אֲבָל בַּעֲווֹנוֹתֵינוּ הָרַבִּים מֵחֲמַת עֹצֶם עֲכִירַת גַּשְׁמִיּוּת הָעוֹלָם, וְתַאֲוֹתָיו הָרָעִים וּמֵרִבּוּי הַמַּחֲלוֹקוֹת וְהַלֵּיצָנוּת וְהַקִּנְאָה וְהַתַּאֲוָה וְהַכָּבוֹד, עַל יְדֵי זֶה עֲדַיִן הַדְּרָכִים הַקְּדוֹשִׁים נֶעֱלָמִים מֵרֹב הָעוֹלָם.

וַאֲפִלּוּ מְעַט מִזְּעֵיר הַמְּבַקְשִׁים אֶת יְיָ וְצַדִּיקָיו, וְרוֹצִים לֵילֵךְ בְּדַרְכֵיהֶם הַנּוֹרָאִים, נִסְתְּרָה דַּרְכָּם מֵהֶם בְּכַמָּה הַסְתָּרוֹת.

The Paths of the Tzaddikim

As a result of holy eating on the Shabbat—particularly the holy eating of the greatest Tzaddikim—please expand the holy paths that these Tzaddikim laid down.

You alone know all of their struggles: how they toiled, how many difficulties they suffered, how many hardships they endured, until they forged paths through a desolate desert where no road had ever been before, in regions where no human being had ever passed.

They proceeded with dedication and worked there at length, constructing paths for the masses.

But due to our many sins, due to the coarse physicality of the world and its evil desires, due to a multitude of disputes, scorn, jealousy, lust and honor, these holy paths are hidden from most people.

Almost no one seeks You and Your Tzaddikim with the desire to travel on their awesome paths, which are hidden from us in a variety of ways.

אַךְ אַתָּה יָדַעְתָּ, כִּי כְּבָר גִּלּוּ עֵצוֹת וּדְרָכִים הַרְבֵּה בְּלִי שִׁעוּר, עַד אֲשֶׁר כָּל אָדָם יִהְיֶה מִי שֶׁיִּהְיֶה, יָכֹל לִמְצֹא דֶּרֶךְ וְעֵצָה בְּכָל מָקוֹם שֶׁהוּא. כִּי אֵין מָקוֹם וְאֵין אָדָם וְאֵין שָׁעָה שֶׁלֹּא יוּכְלוּ לִמְצֹא דֶּרֶךְ כְּבוּשָׁה לְהִתְקָרֵב אֵלֶיךָ עַל פִּי דַּרְכֵי עֲצוֹתֵיהֶם וְשִׂיחוֹתֵיהֶם וְתוֹרוֹתֵיהֶם וּרְמָזֵיהֶם, אֲשֶׁר גִּלּוּ לָנוּ בִּסְפָרֵיהֶם הַקְּדוֹשִׁים וְהַנּוֹרָאִים שֶׁנִּתְפַּשְּׁטוּ בְּדוֹרוֹתֵינוּ אֵלֶּה.

"מַה גָּדְלוּ מַעֲשֶׂיךָ יְיָ מְאֹד עָמְקוּ מַחְשְׁבוֹתֶיךָ", אֲשֶׁר זִכִּיתָ אוֹתָנוּ בְּדוֹרוֹת אֵלֶּה לְאוֹר הַסְּפָרִים הַקְּדוֹשִׁים הָאֵלֶּה שֶׁגִּלּוּ לָנוּ הַצַּדִּיקִים לְפָנֵינוּ. אֲבָל כְּבָר גִּלִּיתָ לָנוּ עַל יָדָם שֶׁלְּבַעַל בְּחִירָה קָשֶׁה מְאֹד לַעֲזוֹר, עַל כֵּן דַּרְכֵיהֶם וַעֲצוֹתֵיהֶם הַנּוֹרָאִים הֵם עֲדַיִן בְּהֶעְלֵם וְהֶסְתֵּר מֵאִתָּנוּ. וְדַרְכֵיהֶם הָרְחָבִים הַנּוֹרָאִים וְהַנִּפְלָאִים הֵם עֲדַיִן קְצָרִים וְדַקִּים מְאֹד בְּעֵרֶךְ גַּשְׁמִיּוּתֵנוּ וּבִלְבּוּל דַּעְתֵּנוּ וּכְסִילוּת שִׂכְלֵנוּ, מֵחֲמַת מַעֲשֵׂינוּ הָרָעִים.

עַל כֵּן בָּאתִי לְפָנֶיךָ בַּעַל הָרַחֲמִים, מוֹרֶה דֶרֶךְ לַשָּׁבִים, שֶׁתַּעַזְרֵנִי וּתְזַכֵּנִי לְקַבֵּל שַׁבָּת בִּקְדֻשָּׁה גְדוֹלָה וּבְשִׂמְחָה רַבָּה וַעֲצוּמָה כָּרָאוּי. וּלְהַרְבּוֹת בִּסְעֻדַּת שַׁבָּת, עַד אֲשֶׁר אֶזְכֶּה עַל יְדֵי אֲכִילַת שַׁבָּת קֹדֶשׁ לְהַרְחִיב וּלְהַגְדִּיל אֶת כָּל הַדְּרָכִים הַקְּדוֹשִׁים הָאֲמִתִּיִּים שֶׁאָנוּ צְרִיכִים לֵילֵךְ בָּהֶם לְהִתְקָרֵב אֵלֶיךָ בֶּאֱמֶת.

They revealed an immeasurable amount of counsel; they provided unlimited avenues so that every individual—no matter who he is or wherever he is, whatever the moment in his life—can find a path that will lead him to You, a path that conforms to the advice, teachings and hints of the Tzaddikim, which they revealed in their holy and awesome books that have been published in our time.

"How great are Your deeds, HaShem; how very deep are Your thoughts." This refers to the concepts that have now appeared in the holy books that these Tzaddikim revealed to us.

But it is very hard to help a person who has free will. Therefore, all of their awesome paths still remain concealed from us. These paths seem shrunken in the context of our materiality, the confusion of our minds and the foolishness of our intellect, due to our evil deeds.

The Shabbat and the Paths of Holiness

Master of compassion, You Who show us the path upon which to return to You, help me celebrate the Shabbat in holiness and joy. May I eat freely on the Shabbat so that I will broaden and expand all of the holy paths upon which one can travel to You.

וְנִזְכֶּה עַל יְדֵי קְדֻשַּׁת שַׁבָּת לְהַעֲלוֹת אֶת הָרַגְלִין אֶל הַקְּדֻשָּׁה, כְּמוֹ שֶׁכָּתוּב: "אִם תָּשִׁיב מִשַּׁבָּת רַגְלֶךָ". וְכָל הַמִּצְוֹת שֶׁאָנוּ עוֹשִׂין בְּכָל שֵׁשֶׁת יְמֵי הַחֹל יַעֲלוּ רַגְלֵיהֶם מִן הַקְּלִפָּה וְהַסִּטְרָא אַחֲרָא שֶׁיָּנְקָה מֵהֶם בִּימֵי הַחֹל, בְּאֹפֶן שֶׁתּוּכַל כָּל מִצְוָה וּמִצְוָה לֵילֵךְ וְלַעֲלוֹת לְפָנֶיךָ.

וְאַתָּה בְּרַחֲמֶיךָ הָרַבִּים וּבְאַהֲבָתְךָ הַגְּדוֹלָה שֶׁאַתָּה אוֹהֵב אֶת עַמְּךָ יִשְׂרָאֵל, תְּקַבֵּל כָּל הַמִּצְוֹת וּמַעֲשִׂים טוֹבִים שֶׁלָּנוּ אֲפִלּוּ הַמִּצְוֹת שֶׁל קְטַנֵּי עֵרֶךְ כָּמוֹנִי הַיּוֹם הַנַּעֲשִׂים בְּקַטְנוּת גָּמוּר וּבְלִי שׁוּם שְׁלֵמוּת כְּלָל.

אַתָּה בְּרַחֲמֶיךָ וּבְאַהֲבָתֶךָ תְּקַבֵּל כֻּלָּם בְּאַהֲבָה וּבְחֶמְלָה גְדוֹלָה, וּתְחַבֵּב אוֹתָם וְתִתְפָּאֵר וְתִשְׁתַּעֲשַׁע בָּהֶם בְּשַׁעֲשׁוּעִים גְּדוֹלִים מְאֹד.

וּכְאָב אֶת בֵּן תִּרְצֵנוּ, וּתְחַבֵּב וְתַגְדִּיל וְתַרְחִיב אֶת מְעַט מַעֲשֵׂינוּ הַטּוֹבִים הַקְּטַנִּים בְּמַהוּת וְכַמּוּת וְאֵיכוּת, עַד אֲשֶׁר מֵרֹב הָאַהֲבָה וְהַשַּׁעֲשׁוּעִים תַּגְדִּיל וְתַרְחִיב אֶת הַדֶּרֶךְ הַקֹּדֶשׁ הַנַּעֲשֶׂה עַל יְדֵי מִצְוֹתֵינוּ.

וִיקֻיַּם מִקְרָא שֶׁכָּתוּב: "צֶדֶק לְפָנָיו יְהַלֵּךְ וְיָשֵׂם לְדֶרֶךְ פְּעָמָיו", שֶׁתַּרְחִיב וְתָשִׂים דֶּרֶךְ רְחָבָה וּכְבוּשָׁה מִפַּעֲמֵי

By means of the holiness of the Shabbat, may we raise our feet to holiness. As the verse states, "If you turn your foot aside due to the Shabbat." May all of the mitzvot that we performed on the six days of the week lift their feet from the "husk" and the Side of Evil—which derive energy from them—to stand before You.

In Your love of Your nation, the Jewish people, accept all of our mitzvot and good deeds—even the mitzvot of an unworthy person such as myself, which I performed in a state of constriction and, moreover, imperfectly.

Accept all of them with love and mercy, and take pride and delight in them.

Accept us as a father accepts his son. Love, magnify and broaden our good deeds, which are insignificant and small in character, quantity and quality. Magnify and broaden the holy path that our deeds construct.

May the verse be realized, "Righteousness will go before him and he will place his steps upon the path." May the steps of the mitzvot and good deeds that we Jews perform—particularly that the greatest of the true Tzaddikim perform—construct a broad and paved path.

הָרַגְלַיִן שֶׁל הַמִּצְוֹת וּמַעֲשִׂים טוֹבִים שֶׁלָּנוּ. וּבִפְרָט הַדְּרָכִים הַקְּדוֹשִׁים הַנּוֹרָאִים וְהַנִּפְלָאִים שֶׁעָשׂוּ גְּדוֹלֵי הַצַּדִּיקִים הָאֲמִתִּיִּים בָּעוֹלָם.

תְּרַחֵם עֲלֵיהֶם בִּזְכוּת קְדֻשַּׁת אֲכִילַת שַׁבָּת, וְתַרְחִיבֵם וּתְגַדְּלֵם וּתְגַלֶּה אוֹתָם לָנוּ לְכָל עַמְּךָ בֵּית יִשְׂרָאֵל, בְּאֹפֶן שֶׁנִּזְכֶּה לֵילֵךְ בְּדַרְכֵיהֶם הַקְּדוֹשִׁים בֶּאֱמֶת. וְלָשׁוּב אֵלֶיךָ בִּתְשׁוּבָה שְׁלֵמָה מִכָּל הַמְּקוֹמוֹת וְהַדְּרָכִים רָעִים שֶׁנִּתְעִינוּ בָּהֶם.

רַחֵם עָלֵינוּ וְאַל תַּשְׁחִיתֵנוּ, חוּס וַחֲמֹל עָלֵינוּ וְהוֹלִיכֵנוּ וְהַדְרִיכֵנוּ בְּכָל עֵת בִּדְרָכֶיךָ הַקְּדוֹשִׁים שֶׁגִּלִּיתָ לָנוּ עַל יְדֵי צַדִּיקֶיךָ הַנּוֹרָאִים.

אֲשֶׁר אַתָּה לְבַד יוֹדֵעַ נִפְלְאוֹת אֲמִתַּת דַּרְכֵיהֶם הַנִּפְלָאִים. "הַדְרִיכֵנִי בִּנְתִיב מִצְוֹתֶיךָ כִּי בוֹ חָפָצְתִּי, הַדְרִיכֵנִי בַאֲמִתֶּךָ וְלַמְּדֵנִי כִּי אַתָּה אֱלֹהֵי יִשְׁעִי אוֹתְךָ קִוִּיתִי כָּל הַיּוֹם.

הוֹרֵנִי יְיָ דֶּרֶךְ חֻקֶּיךָ וְאֶצְּרֶנָּה עֵקֶב. הוֹרֵנִי יְיָ דַּרְכֶּךָ אֲהַלֵּךְ בַּאֲמִתֶּךָ יַחֵד לְבָבִי לְיִרְאָה שְׁמֶךָ".

עָזְרֵנִי בַּעַל הַיְשׁוּעוֹת, הוֹשִׁיעֵנִי בְּכָל מַה שֶּׁאֲנִי צָרִיךְ לְהִוָּשַׁע.

In the merit of the holiness of eating on the Shabbat, broaden these paths, expand them and reveal them to Your entire nation, the House of Israel, so that we will proceed upon them and return to You from all of the badlands and roads on which we went astray.

Have compassion on us and do not destroy us. Lead us at every moment upon Your holy paths that You revealed to us through Your awesome Tzaddikim.

"Guide me in the path of Your mitzvot, for that is what I have desired." "Guide me in Your truth and teach me, for You are the God of my salvation; I have hoped for You all day long."

"HaShem, teach me the path of Your laws, and I will keep it at every step." "HaShem, teach me Your ways. I will walk in Your truth. Unify my heart to fear Your Name."

Peace on Every Level

Master of salvation, my needs are many and my mind too limited to express the slightest part of them. Please save me in every way that I require.

כִּי צְרָכַי מְרֻבִּים מְאֹד מְאֹד וְדַעְתִּי קְצָרָה לְבָאֵר וּלְפָרֵשׁ אֶפֶס קָצֶה מֵהֶם.

הַצִּילֵנִי מֵרִיב וּמַחֲלֹקֶת. זַכֵּנִי לְשָׁלוֹם בֶּאֱמֶת בְּכָל הַבְּחִינוֹת. זַכֵּנִי לְאַהֲבַת חֲבֵרִים בֶּאֱמֶת לַאֲמִתּוֹ. זַכֵּנִי לֵילֵךְ בְּדַרְכֵי הַצַּדִּיקִים הָאֲמִתִּיִּים, עַד שֶׁאֶזְכֶּה לִהְיוֹת כִּרְצוֹנְךָ וְכִרְצוֹן יְרֵאֶיךָ בֶּאֱמֶת מֵעַתָּה וְעַד עוֹלָם.

וְתָשִׂים חֶלְקֵנוּ עִמָּהֶם וּלְעוֹלָם לֹא אֵבוֹשׁ כִּי בְךָ בָטַחְתִּי וְעַל חַסְדְּךָ הַגָּדוֹל בֶּאֱמֶת נִשְׁעַנְתִּי.

"יִהְיוּ לְרָצוֹן אִמְרֵי פִי וְהֶגְיוֹן לִבִּי לְפָנֶיךָ יְיָ צוּרִי וְגוֹאֲלִי".

עוֹשֶׂה שָׁלוֹם בִּמְרוֹמָיו הוּא בְּרַחֲמָיו יַעֲשֶׂה שָׁלוֹם עָלֵינוּ וְעַל כָּל יִשְׂרָאֵל, וְאִמְרוּ אָמֵן:

Rescue me from argument and dispute. Help me attain peace, gain the love of friends, and walk on the paths forged by the true Tzaddikim. As a result, may I live in accordance with Your will and with the will of those who fear You.

Place my portion with them. May I never be shamed, for I have trusted in You and relied on Your kindness.

"May the words of my mouth and the meditation of my heart be acceptable before You, HaShem, my Rock and my Redeemer."

"May He Who makes peace in His heights, in His compassion make peace upon us and all Israel, and let us say, 'Amen.'"

108 (84)

Attaining the Secrets of the Torah

The Zohar teaches that if an unworthy person attempts to learn the secrets of the Torah, "snakes and scorpions" confuse his thoughts. But if he becomes worthy, then these accusers turn into defenders that bring him to the hidden good, which proclaims that he should be allowed to enter through the gate of love.

The "hidden good" refers to the secrets of the Torah. When a person wants to contemplate these secrets, unholy thoughts initially come to disturb his mind. But when he yearns deeply enough, the gate of love is opened for him so that all of these foreign thoughts that confused his mind become pure, "as white as silver." Then he sees and attains the secrets of the Torah that pertain to each day, and so he experiences every day as being very broad.

רִבּוֹנוֹ שֶׁל עוֹלָם רַחֵם עָלַי לְמַעַן שְׁמֶךָ, וְעָזְרֵנִי וְהוֹשִׁיעֵנִי שֶׁאֶזְכֶּה לְהַאֲרִיךְ אֶת יָמַי בִּקְדֻשָּׁה וּבְטָהֳרָה גְּדוֹלָה שֶׁאֶזְכֶּה לְקַדֵּשׁ אֶת מַחֲשַׁבְתִּי בִּקְדֻשָּׁה גְּדוֹלָה.

וּתְזַכֵּנִי לֶאֱחֹז בְּמִדָּתוֹ שֶׁל אַבְרָהָם אָבִינוּ אִישׁ הַחֶסֶד, שֶׁאֶזְכֶּה לִהְיוֹת וַתְּרָן בְּמָמוֹנִי, וְלַעֲשׂוֹת טוֹב וָחֶסֶד בֶּאֱמֶת עִם כָּל מִי שֶׁצְּרִיכִין לְהֵטִיב עִמָּהֶם וְלִגְמֹל לָהֶם חֶסֶד כִּרְצוֹנְךָ הַטּוֹב בֶּאֱמֶת.

וְתַצִּילֵנִי מִקְּפֵדוּת וְקִמּוּץ שֶׁהֵם מְבַלְבְּלִין אֶת הַדַּעַת וְהַמֹּחַ מְאֹד. וְלֹא אֶהְיֶה קַפְּדָן וְקַמְצָן כְּלָל, רַק אֶזְכֶּה לִהְיוֹת אִישׁ טוֹב אִישׁ חֶסֶד וַתְּרָן בְּמָמוֹנִי כִּרְצוֹנְךָ הַטּוֹב, עַד שֶׁאֶזְכֶּה לְהִכָּלֵל בְּסִטְרָא דִימִינָא בִּקְדֻשָּׁה גְּדוֹלָה בְּמִדָּתוֹ שֶׁל אַבְרָהָם אָבִינוּ אִישׁ הַחֶסֶד. וְעַל יְדֵי זֶה תְּזַכֵּנִי שֶׁיִּהְיֶה שִׂכְלִי וּמוֹחִי חִוָּרָא כְּכַסְפָּא, שֶׁיִּהְיֶה מֹחִי זַךְ וָצַח וְצָלוּל.

וְאֶזְכֶּה לְהַאֲרִיךְ אֶת יָמַי בִּקְדֻשָּׁה גְּדוֹלָה שֶׁאֶזְכֶּה לַהֲגוֹת וְלַחְשֹׁב בְּתוֹרָתְךָ בְּכָל עֵת וּבְכָל שָׁעָה בִּקְדֻשָּׁה גְּדוֹלָה.

וְלֹא אַנִּיחַ אֶת מַחֲשַׁבְתִּי לַחֲשֹׁב שׁוּם מַחֲשָׁבָה חִיצוֹנָה וְזָרָה כְּלָל. וְתַעַזְרֵנִי וְתוֹשִׁיעֵנִי בִּישׁוּעָתְךָ הַגְּדוֹלָה בְּכָל יוֹם וָיוֹם, לְגָרֵשׁ וּלְסַלֵּק וּלְבַטֵּל מְהֵרָה מִמַּחֲשַׁבְתִּי כָּל הַנְּחָשִׁים וְעַקְרַבִּים שֶׁהֵם כָּל מִינֵי בִּלְבּוּלִים וּמַחֲשָׁבוֹת זָרוֹת הַמְסַבְּבִין אֶת הַמֹּחַ בְּכָל יוֹם.

To Be Like Abraham

Master of the world, for the sake of Your Name, help me live a long life filled with holiness and purity—filled, in particular, with holy thoughts.

Help me emulate Abraham our patriarch, the man of kindness, by being kind and generous with my money, using it to help people in need.

May I not be angry or stingy—two traits that blur a person's mind. Instead, help me be good, kind and generous until I am absorbed into the "right side," the trait of Abraham, the man of kindness. As a result, may my mind be as white as silver—meaning to say, pure, clear and lucid.

May I live a long life filled with holiness. May I contemplate Your Torah at every moment and not indulge in any external, foreign thoughts. Help me quickly expel the "snakes and scorpions"—which is to say, all types of confusion and foreign thoughts that lay siege to a person's mind every day.

וְאֶזְכֶּה לְשַׁבֵּר אֶת כָּל הַגְּדָרִים וְהַמְּחִצּוֹת בַּרְזֶל וְהַמְּסָכִים הַמַּבְדִּילִין וְחוֹצְצִין לִפְנֵי טוּב הַגָּנוּז שֶׁבְּכָל יוֹם וָיוֹם, וְאֵינָם מַנִּיחִים לִכְנֹס אֵלָיו אֶת מִי שֶׁאֵינוֹ הָגוּן וְרָאוּי אֵלָיו.

מָלֵא רַחֲמִים רַחֵם עָלַי, וְלֹא תַעֲשֶׂה לִי כַּחֲטָאַי, וְלֹא תִגְמֹל לִי כַּעֲוֹנוֹתַי. רַק תַּעֲשֶׂה עִמִּי כְּחַסְדְּךָ וּכְנִפְלְאוֹתֶיךָ אֲשֶׁר אַתָּה מַרְבֶּה לְהֵטִיב, וְתִגְמְלֵנִי חֲסָדִים טוֹבִים.

וּתְגַדֵּל חַסְדְּךָ עָלַי בְּכָל עֵת וּבְכָל יוֹם וָיוֹם. וְתוֹשִׁיעֵנִי בְּרַחֲמֶיךָ בַּחֲסָדִים חֲדָשִׁים וְנִפְלָאִים בְּאֹפֶן שֶׁגַּם אָנֹכִי אֶזְכֶּה לְהַטּוֹב הַגָּנוּז שֶׁבְּכָל יוֹם.

וְלֹא יִהְיֶה כֹּחַ לְהָרַע שֶׁלִּי לַחֲצֹץ וּלְהַפְסִיק חַס וְשָׁלוֹם בִּפְנֵי הַטּוֹב הַגָּנוּז שֶׁבְּכָל יוֹם, רַק תִּתֶּן לִי כֹּחַ וְהִתְחַזְּקוּת וְהִתְאַמְּצוּת בְּלִבִּי וּמַחֲשַׁבְתִּי, שֶׁאֶזְכֶּה לְהִתְחַזֵּק בְּכָל יוֹם וָיוֹם לַחְשֹׁב מַחֲשָׁבוֹת וְלַהֲגוֹת בְּתוֹרָתְךָ הַקְּדוֹשָׁה בְּמַחֲשָׁבָה חֲזָקָה וּנְכוֹנָה, בְּהִתְגַּבְּרוּת גָּדוֹל בְּכָל עֹז וְתַעֲצוּמוֹת, וּבְהִשְׁתּוֹקְקוּת נִמְרָץ אֶל הַטּוֹב הָאֲמִתִּי בֶּאֱמֶת. וְלֹא אַנִּיחַ לְשׁוּם מַחֲשָׁבָה זָרָה וְחִיצוֹנָה וּלְשׁוּם בִּלְבּוּל הַדַּעַת לִכְנֹס בְּמַחֲשַׁבְתִּי וּלְבַלְבֵּל אוֹתִי חַס וְשָׁלוֹם. רַק אֶהְיֶה חָזָק בְּדַעְתִּי וְלֶאֱחֹז אֶת מַחֲשַׁבְתִּי לַחְשֹׁב בְּכָל יוֹם וּבְכָל עֵת בְּתוֹרָתְךָ הַקְּדוֹשָׁה עַד שֶׁיִּתְעוֹרְרוּ רַחֲמֶיךָ הָאֲמִתִּיִּים עָלַי.

May I break all of the boundaries, iron walls and curtains that conceal the good hidden within every day, and that do not allow an unworthy person to approach that hidden good.

Pure Thoughts of Torah

Do not treat me in keeping with my transgressions, but only in accordance with Your kindness. Help me attain the goodness that is hidden within every day. May my inclination to do evil not separate me from that goodness.

Give me the strength and firmness of heart to contemplate and study Your holy Torah with proper thoughts and yearning for true goodness.

May I never allow any foreign or external thoughts or confusions to enter my mind. May I be strong in my mind and think only of Your holy Torah.

וּתְצַוֶּה לִפְתֹּחַ לִי שַׁעֲרֵי הַחָכְמָה וְהַשֵּׂכֶל, עַד שֶׁיִּתְגַּלּוּ לִי מֵאִתְּךָ חִדּוּשִׁין אֲמִתִּיִּים בְּתוֹרָתְךָ הַקְּדוֹשָׁה בְּכָל יוֹם וָיוֹם מֵהַטּוֹב הַגָּנוּז שֶׁבְּאוֹתוֹ הַיּוֹם. וְעַל יְדֵי זֶה אֶזְכֶּה לְהִתְקָרֵב אֵלֶיךָ בֶּאֱמֶת מֵעַתָּה וְעַד עוֹלָם.

וְאֶזְכֶּה עַל יְדֵי זֶה שֶׁיִּהְיֶה כָּל יוֹם וָיוֹם מִימֵי חַיַּי אָרֹךְ וְגָדוֹל בֶּאֱמֶת בִּקְדֻשָּׁה וּבְטָהֳרָה גְּדוֹלָה עַל יְדֵי הַחִדּוּשִׁין דְּאוֹרַיְיתָא הָאֲמִתִּיִּים שֶׁתְּחָנֵּנִי בְּכָל יוֹם וָיוֹם מֵהַטּוֹב הַגָּנוּז שֶׁבְּאוֹתוֹ הַיּוֹם. עַד שֶׁאֶזְכֶּה לַאֲרִיכַת יָמִים וְשָׁנִים בֶּאֱמֶת, לִחְיוֹת חַיִּים אֲרוּכִים, חַיִּים טוֹבִים חַיִּים אֲמִתִּיִּים בִּקְדֻשָּׁה וּבְטָהֳרָה גְּדוֹלָה בְּעָלְמָא דֵּין וּבְעָלְמָא דְּאָתֵי לְעוֹלְמֵי עַד וּלְנֵצַח נְצָחִים.

וִיקֻיַּם בִּי מִקְרָא שֶׁכָּתוּב: "אֹרֶךְ יָמִים אַשְׂבִּיעֵהוּ וְאַרְאֵהוּ בִּישׁוּעָתִי". וְנֶאֱמַר: "כִּי אֹרֶךְ יָמִים וּשְׁנוֹת חַיִּים וְשָׁלוֹם יוֹסִיפוּ לָךְ", וְנֶאֱמַר: "כִּי בִי יִרְבּוּ יָמֶיךָ וְיוֹסִיפוּ לְךָ שְׁנוֹת חַיִּים".

וְנֶאֱמַר: "אֹרֶךְ יָמִים בִּימִינָהּ בִּשְׂמֹאלָהּ עֹשֶׁר וְכָבוֹד, דְּרָכֶיהָ דַרְכֵי נֹעַם וְכָל נְתִיבוֹתֶיהָ שָׁלוֹם. עֵץ חַיִּים הִיא לַמַּחֲזִיקִים בָּהּ וְתוֹמְכֶיהָ מְאֻשָּׁר.

יִהְיוּ לְרָצוֹן אִמְרֵי פִי וְהֶגְיוֹן לִבִּי לְפָנֶיךָ יְיָ צוּרִי וְגוֹאֲלִי" אָמֵן:

Arouse Your compassion on my behalf and command the gates of wisdom to open for me, so that I will gain true insights into Your holy Torah every day, from the goodness that is hidden within that day.

As a result of these Torah insights, may I come close to You in truth, now and forever. May every day of my life be lengthened and enhanced with great holiness and purity, and may I live a good, true life both in this world and in the World to Come.

"I will satisfy him with length of days and show him My salvation." "My commandments will give you added length of days and years of life and peace." "Your days will be increased in Me and you will gain years of life."

"Length of days is in her right hand; in her left hand, wealth and honor. Her ways are ways of pleasantness and all of her paths are peace. She is a tree of life for those who grasp her, and those who support her are happy."

"May the words of my mouth and the meditation of my heart be acceptable before You, HaShem, my Rock and my Redeemer." Amen.

109 (91)

Faith Throughout One's Limbs

Sometimes a person's faith resides in his heart. But that is not enough. A person should possess so much faith that it spreads throughout all of his limbs.

For instance, the Ari teaches that when a person washes his hands, he should lift them up to his head to receive holiness from above. For this act to be meaningful, the person needs faith that raising his hands to his head will bring down an influx of holiness. In that sense, his faith resides even in his hands.

When a person has such faith, it is eventually transformed into clear knowledge. Then he rises to a higher level of faith—and this process continues to repeat itself.

"כָּל מִצְוֹתֶיךָ אֱמוּנָה, שֶׁקֶר רְדָפוּנִי עָזְרֵנִי".

אֵל אֱמוּנָה, רַחֵם עָלַי לְמַעַן שְׁמֶךָ, וְזַכֵּנִי לֶאֱמוּנָה שְׁלֵמָה בֶּאֱמֶת. עָזְרֵנִי וְהוֹשִׁיעֵנִי שֶׁאֶתְחַזֵּק בֶּאֱמוּנָה שְׁלֵמָה בֶּאֱמֶת, עָזְרֵנִי וְהוֹשִׁיעֵנִי שֶׁאֶתְחַזֵּק בֶּאֱמוּנָה שְׁלֵמָה בְּכָל עֵת, וְאַכְנִיס אֶת עַצְמִי בְּתוֹךְ הָאֱמוּנָה הַקְּדוֹשָׁה בְּכָל פַּעַם יוֹתֵר וְיוֹתֵר, עַד שֶׁאֶזְכֶּה לַעֲלוֹת בְּכָל פַּעַם לֶאֱמוּנָה גְּבוֹהָה יוֹתֵר וְיוֹתֵר, עַד שֶׁאֶזְכֶּה לָבוֹא אֶל הַשֵּׂכֶל עַל יְדֵי הָאֱמוּנָה, שֶׁאֶזְכֶּה עַל יְדֵי זֶה לְהִתְחַזְּקוּת הָאֱמוּנָה בֶּאֱמֶת, וּלְהָבִין וּלְהַשִּׂיג בְּשִׂכְלִי אֶת הַדְּבָרִים שֶׁלֹּא הָיִיתִי מְבִינָם בַּתְּחִלָּה. וְהָיִיתִי צָרִיךְ לְהִתְחַזֵּק בָּהֶם בֶּאֱמוּנָה לְבַד.

וְעַתָּה אֶזְכֶּה לַהֲבִינָם וּלְהַשִּׂיגָם בְּדַעְתִּי וְשִׂכְלִי, רַק בִּדְבָרִים גְּבוֹהִים וְנֶעְלָמִים יוֹתֵר שֶׁלֹּא אֲבִינֵם עֲדַיִן, אֶתְחַזֵּק בָּהֶם בֶּאֱמוּנָה שְׁלֵמָה. וְכֵן אֶתְחַזֵּק בֶּאֱמוּנָה גְּדוֹלָה בְּתוֹסֶפֶת קְדֻשָּׁה בְּכָל פַּעַם עַד שֶׁאֶזְכֶּה בְּכָל פַּעַם לְהָבִין וּלְהַשִּׂיג בְּשִׂכְלִי וְדַעְתִּי גַּם אֵלּוּ הַדְּבָרִים הַגְּבוֹהִים וְנֶעְלָמִים יוֹתֵר.

וְכֵן בְּכָל עֵת וָעֵת אֶתְחַזֵּק בֶּאֱמוּנָה גְּדוֹלָה יוֹתֵר וְיוֹתֵר, עַד שֶׁאֶזְכֶּה לְהַמְשִׁיךְ הַשֵּׂכֶל וְהַדַּעַת עַל יְדֵי הָאֱמוּנָה, לָבוֹא אֶל הַשֵּׂכֶל שֶׁל הַדָּבָר שֶׁבַּתְּחִלָּה הָיָה נֶעְלָם מִמֶּנִּי וְהָיִיתִי צָרִיךְ לְהַאֲמִין בּוֹ בֶּאֱמוּנָה לְבַד, עַד שֶׁאֶזְכֶּה לָבוֹא לְרֹאשׁ אֱמוּנָה, וּלְדַעַת שָׁלֵם בִּקְדֻשָּׁה גְּדוֹלָה, לָדַעַת וּלְהַכִּיר אוֹתְךָ בֶּאֱמֶת.

Higher Levels of Faith

"All of Your commandments are faithful. When falsehood pursues me, help me, HaShem!"

Faithful God, for the sake of Your Name, help me constantly rise to higher levels of faith. As I do so, may I understand matters that I had not previously understood, at which time I needed to strengthen myself with faith alone.

As for higher and more hidden matters that I do not yet comprehend, may I believe in them with holy faith until I come to understand them as well.

May I finally reach the acme of faith and holy mindfulness when I come to recognize You. May I know all that it is possible for human intellect to understand, as well as that which the mind cannot understand.

וְאֶזְכֶּה לָדַעַת וּלְהָבִין כָּל מַה שֶּׁאֶפְשָׁר בְּשֵׂכֶל אֱנוֹשִׁי לְהָבִין בֶּאֱמֶת. וּמַה שֶּׁאִי אֶפְשָׁר לְהָבִין בְּהַדַּעַת, אֶזְכֶּה לֶאֱמוּנָה שְׁלֵמָה בְּתַכְלִית הַשְּׁלֵמוּת בְּתַכְלִית הַמַּעֲלָה הָעֶלְיוֹנָה כִּרְצוֹנְךָ וְכִרְצוֹן צַדִּיקֶיךָ הָאֲמִתִּיִּים אֲשֶׁר זָכוּ לֶאֱמוּנָה וּלְדַעַת בְּתַכְלִית הַמַּעֲלָה שֶׁאֵין מַעֲלָה אַחֲרָיו. וְאֶזְכֶּה לֶאֱמוּנָה שְׁלֵמָה וַחֲזָקָה כָּל כָּךְ עַד שֶׁתִּתְפַּשֵּׁט הָאֱמוּנָה בְּכָל הָאֵבָרִים.

רִבּוֹנוֹ שֶׁל עוֹלָם, רִבּוֹנוֹ דְעָלְמָא כֻּלָּא, יְיָ עֵינֶיךָ הֲלוֹא לֶאֱמוּנָה, תֵּן לִי אֱמוּנָה שְׁלֵמָה בֶּאֱמֶת.

רִבּוֹנוֹ שֶׁל עוֹלָם, אַתָּה יוֹדֵעַ כָּל מַה שֶּׁעוֹבֵר עַל כָּל הָעוֹלָם בְּעִנְיַן הָאֱמוּנָה הַקְּדוֹשָׁה שֶׁהוּא יְסוֹד הַכֹּל.

וּבִפְרָט מַה שֶּׁעוֹבֵר עַל יִשְׂרָאֵל עַם קָדוֹשׁ שֶׁהֵם כֻּלָּם מַאֲמִינִים בְּנֵי מַאֲמִינִים, אַךְ אַף עַל פִּי כֵן יֵשׁ אֲלָפִים וּרְבָבוֹת מַדְרֵגוֹת בְּעִנְיַן הָאֱמוּנָה הַקְּדוֹשָׁה. וְכָל הַצָּרוֹת וְכָל הַגָּלֻיּוֹת שֶׁעוֹבְרִים עַל יִשְׂרָאֵל הַכֹּל עַל יְדֵי פְּגַם הָאֱמוּנָה שֶׁהוּא יְסוֹד כָּל הַתּוֹרָה כֻּלָּהּ כַּאֲשֶׁר גִּלִּיתָ אָזְנֵנוּ עַל־יְדֵי חֲכָמֶיךָ הַקְּדוֹשִׁים.

(וּבִפְרָט מַה שֶּׁעוֹבֵר עַתָּה עַל יִשְׂרָאֵל אֲשֶׁר יָצָא הַקֶּצֶף מֵאִתְּךָ וְנִגְזְרוּ כַּמָּה גְזֵרוֹת רָעוֹת עַל יִשְׂרָאֵל. [וְנִגְזְרָה הַגְּזֵירָה רָעָה, לִקַּח בְּנֵי יִשְׂרָאֵל לִבְנֵי חַיִל לַמִּלְחָמָה].

May I attain ultimate faith in accordance with Your will and the will of Your true Tzaddikim, who attained the highest levels of faith and knowledge. May I attain a faith so perfect and strong that it spreads throughout all of my limbs.

Blemishes in Our Faith

Master of the world, grant me complete faith.

You know the challenges that the entire world is experiencing in regard to faith, which is the foundation of everything.

In particular, the holy Jewish people are experiencing such challenges. The Jewish people are all believers and children of believers. However, there are tens of thousands of levels of faith. At present, all of the troubles and exiles that the Jewish people are experiencing result from a blemish in their faith, which is the foundation of the entire Torah, as You revealed to us through Your holy sages.

(In particular, at present, You have sent forth Your wrath, so that a number of evil, anti-Jewish decrees have been passed into law, including the conscription of young Jews who are sent into battle. We are broken, and our wounds fester!

(אוֹי לָנוּ עַל שִׁבְרֵנוּ, נַחֲלָה מַכּוֹתֵינוּ, אוֹי מֶה הָיָה לָנוּ, אוֹי מֶה הָיָה לָנוּ, אוֹי, מִי יַעֲמֹד בַּעֲדֵנוּ בְּעֵת צָרָה מָרָה כָּזֹאת. אוֹי מַה נַּעֲשֶׂה לָנוּ. אוֹי אוֹי לְהֵיכָן נִבְרַח, לְהֵיכָן נָנוּס לְעֶזְרָה, וּבִפְרָט שֶׁנִּשְׁמַע שֶׁרוֹצִים לְהוֹצִיא עוֹד חַס וְשָׁלוֹם גְּזֵרוֹת קָשׁוֹת וְרָעוֹת מְאֹד רַחֲמָנָא לִצְלָן, וְכֻלָּם כְּנֶגֶד דַּת יִשְׂרָאֵל. אוֹי אוֹי וַאֲבוֹי אוֹי וָמַר אוֹי וָמַר, וְכָל אֵלּוּ הַצָּרוֹת כֻּלָּם בָּאִים עַל יְדֵי פְּגַם אֱמוּנָה).

וְעַתָּה מַה נַּעֲשֶׂה לְתַקֵּן זֹאת וּבִפְרָט אָנֹכִי אֲשֶׁר הִרְבֵּיתִי לִפְשֹׁעַ נֶגְדְּךָ.

וּבְוַדַּאי הַכֹּל בָּא עַל יְדֵי פְּגַם אֱמוּנָה שֶׁהִיא יְסוֹד כָּל הַתּוֹרָה כֻּלָּהּ.

וּבֶאֱמֶת כָּל אֶחָד תָּלוּי בַּחֲבֵרוֹ שֶׁמֵּחֲמַת רִבּוּי הָעֲוֹנוֹת אֵין הָאֱמוּנָה בִּשְׁלֵמוּת וּמֵחֲמַת חֶסְרוֹן הָאֱמוּנָה שֶׁאֵינוֹ בִּשְׁלֵמוּת בָּאוּ הָעֲוֹנוֹת, רַחֲמָנָא לִצְלָן מֵעַתָּה, אֲבָל אֵיךְ מְתַקְּנִים זֹאת, וּמֵהֵיכָן מַתְחִילִים לְתַקֵּן.

לז׳ אדר הילולא דמשה רבינו ע״ה

רִבּוֹנוֹ שֶׁל עוֹלָם, מָלֵא רַחֲמִים, הַבּוֹחֵר בְּעַמּוֹ יִשְׂרָאֵל בְּאַהֲבָה, אַתָּה חוֹנַנְתָּנוּ לְמַדַּע תּוֹרָתֶךָ, וַתִּתֶּן לָנוּ תּוֹרַת אֱמֶת בִּכְתָב וּבְעַל פֶּה עַל יְדֵי מֹשֶׁה נְבִיאֲךָ נֶאֱמַן בֵּיתֶךָ.

(What has happened to us? Who will stand at our side at this troubled and bitter time? To where will we flee for help? And now we hear that even harsher decrees against the Jewish religion are being contemplated. All of these troubles have resulted from a blemish in our faith.)

What can we do to rectify this—particularly myself, for I have sinned against You so much?

Certainly this is all a result of a flaw in faith, which is the foundation of the entire Torah.

Sin and a lack of faith are dependent on each other. Because we have sinned so much, our faith is not whole; and because of our lack of faith, we have sinned.

How do we begin to rectify this?

Keeping Our Hearts Pure

Master of the world, You lovingly chose Your nation, the Jewish people, and graciously gave us Your Torah through Moses, Your faithful servant.

וּבְרַחֲמֶיךָ וְחֶמְלָתְךָ שָׁלַחְתָּ לָנוּ בְּכָל דּוֹר וָדוֹר צַדִּיקִים וַחֲסִידִים אֲמִתִּיִּים קְדוֹשִׁים וְנוֹרָאִים חֲכָמִים וּנְבוֹנִים בֶּאֱמֶת, אֲשֶׁר זָכוּ לְהַשִּׂיג תְּבוּנוֹת הַתּוֹרָה לְעָמְקָהּ, וְגִלּוּ לָנוּ חִדּוּשִׁים נִפְלָאִים וְנוֹרָאִים וְנִשְׂגָּבִים מְאֹד מְאֹד אֲשֶׁר אֵין לָשׁוֹן בָּעוֹלָם שֶׁיּוּכַל לְסַפֵּר תֹּקֶף רוּם נִשְׂגָּבוּת מַעֲלָתָם וְגָבְהָם וּקְדֻשָּׁתָם וְכֹחָם. וְכֻלָּם מְסַפְּרִים תְּהִלּוֹת יְיָ וֶעֱזוּזוֹ וְנִפְלְאוֹתָיו אֲשֶׁר עָשָׂה, וּמַמְשִׁיכִים וּמְגַלִּים הָאֱמוּנָה הַקְּדוֹשָׁה עַיִן בְּעַיִן לְכָל בָּאֵי עוֹלָם.

וְאַחֲרֵי כָל אֵלֶּה עֲדַיִן לֹא שַׁבְנוּ מִטָּעוּתֵנוּ וּבְכָל הַצָּרוֹת אֲשֶׁר עוֹבְרִים עָלֵינוּ בִּפְרָט עַתָּה בַּעֲווֹנוֹתֵינוּ הָרַבִּים, לֹא דַּי שֶׁלֹּא זָכִינוּ לְהִתְעוֹרֵר לָשׁוּב אֵלֶיךָ בֶּאֱמֶת, אֲשֶׁר רַק בִּשְׁבִיל זֶה שָׁלַחְתָּ עָלֵינוּ כָּל הַצָּרוֹת הָאֵלֶּה.

אַף גַּם בַּעֲווֹנוֹתֵינוּ הָרַבִּים נִתְרַחַקְנוּ מִמְּךָ יוֹתֵר וְיוֹתֵר, עַד אֲשֶׁר נִמְצָאִים כַּמָּה אֲנָשִׁים מִבְּנֵי יִשְׂרָאֵל אֲשֶׁר נִתְעַקֵּם דַּעְתָּם וּלְבָבָם וְנָפְלוּ מֵאֱמוּנָתָם עַל יְדֵי מְרִירוּת הַצָּרוֹת הָאֵלֶּה.

אוֹי מַה נֹּאמַר וּמַה נְּדַבֵּר, רַק אַתָּה לְבַד יוֹדֵעַ כָּל מַה שֶּׁעוֹבֵר עָלֵינוּ עַתָּה בַּדּוֹרוֹת הָאֵלֶּה בְּעִקְבוֹת מְשִׁיחָא, וּמִי יוֹדֵעַ מַה יִּהְיֶה עוֹד חַס וְשָׁלוֹם.

אוֹי מִי יָקוּם יַעֲקֹב כִּי קָטֹן הוּא.

Following that, in every generation, You have sent us holy and awesome Tzaddikim—pious, wise men who have understood the depths of the Torah and have revealed wondrous and elevated insights.

No tongue can describe the holiness and ability of these people. They proclaim Your praises, telling of Your might and the wonders that You have performed. They draw down and reveal holy faith so that all people may experience it.

Yet even so, we have not been inspired to return to You, and we have not repented of our errors. As a result, You have sent us many troubles.

But even worse, there are a number of Jews whose minds and hearts have grown so twisted as a result of their bitter troubles that they have lost their faith.

What can we say? Only You know all that we are experiencing in these generations before the coming of the Mashiach. And who knows what more will occur?

Who will rise up on behalf of the weak Jewish people?

רַחֵם עָלֵינוּ מָלֵא רַחֲמִים, כִּי בְצָרָה גְדוֹלָה אֲנַחְנוּ בִּכְלָל וּבִפְרָט. רַחֵם עָלֵינוּ אֵל אֱמוּנָה רַחֵם רַחֵם, הוֹשִׁיעָה הוֹשִׁיעָה.

"יְיָ שְׁמַע תְּפִלָּתִי הַאֲזִינָה אֶל תַּחֲנוּנַי בֶּאֱמוּנָתְךָ עֲנֵנִי בְּצִדְקָתֶךָ. יְיָ בְּהַשָּׁמַיִם חַסְדֶּךָ אֱמוּנָתְךָ עַד שְׁחָקִים".

עָזְרֵנוּ לְמַעַן שְׁמֶךָ, וְזַכֵּנוּ לֶאֱמוּנָה שְׁלֵמָה בֶּאֱמֶת בְּכָל עֵת, עַד אֲשֶׁר יָבֹא עָלַי אֵימָה וְיִרְאָה וּפַחַד גָּדוֹל מֵאִתְּךָ יְיָ אֱלֹהֵינוּ, אֲשֶׁר מְלֹא כָל הָאָרֶץ כְּבוֹדֶךָ.

וְאַתָּה עוֹמֵד עָלֵינוּ בְּכָל עֵת וְרוֹאֶה בְּמַעֲשֵׂינוּ, וְיוֹדֵעַ מַחְשְׁבוֹתֵינוּ, וּבוֹחֵן לְבָבֵנוּ.

אָדוֹן יָחִיד, מָלֵא רַחֲמִים חוֹמֵל דַּלִּים חַזְּקֵנוּ וְאַמְּצֵנוּ לֵידַע וּלְהַאֲמִין בְּכָל זֶה בֶּאֱמֶת בְּכָל עֵת וָרֶגַע, בְּאֹפֶן שֶׁנִּזְכֶּה לְהִנָּצֵל עַל יְדֵי זֶה מִכָּל מִינֵי חֲטָאִים וַעֲוֹנוֹת וּפְשָׁעִים וּמִכָּל מִינֵי מַחֲשָׁבוֹת וְהִרְהוּרִים רָעִים, וּמִכָּל מִינֵי בִּלְבּוּלִים, וּבִפְרָט מִכָּל מִינֵי עַקְמִימִיּוּת שֶׁבַּלֵּב, מִכָּל מִינֵי מַחֲשָׁבוֹת וְהִרְהוּרִים רָעִים שֶׁהֵם כְּנֶגֶד אֱמוּנָתְךָ הַקְּדוֹשָׁה.

רִבּוֹנוֹ שֶׁל עוֹלָם, אֲדוֹן כֹּל, אַתָּה לְבַד יוֹדֵעַ אֶת עַצְמְךָ, וְאֵין מִי שֶׁיּוֹדֵעַ אוֹתְךָ כְּלָל, רַק אָנוּ מַאֲמִינִים בֶּאֱמוּנָה שְׁלֵמָה שֶׁאַתָּה נִמְצָא הַמְחֻיָּב יָחִיד קַדְמוֹן נִצְחִי בְּלִי רֵאשִׁית בְּלִי

Have compassion on us, God of faith, for we are in great distress—as a nation and as individuals. Save us!

"HaShem, hear my prayer, listen to my supplications; in Your faithfulness, answer me, in Your righteousness." "HaShem, Your kindness is in the heavens, Your faithfulness reaches to the heavens."

For the sake of Your Name, help us attain perfect faith until we feel awe before You Who fill the entire world with Your glory.

You stand over us constantly and look at our deeds. You know our thoughts and investigate our hearts.

Unique Master, full of compassion, Who has pity on the poor, strengthen us so that we will know and believe all of this. May this awareness keep us from committing sins, indulging in evil thoughts, and falling prey to confusion—particularly from every type of crookedness in the heart, from every type of thinking that opposes Your holy faith.

Tzaddikim Throughout History

Master of the universe, You alone know Who You are. We fully believe that You exist, that Your existence is necessary, that You are Unique,

תַּכְלִית, וְאַתָּה בָּרָאתָ הָעוֹלָם יֵשׁ מֵאַיִן הַמְּחֻלָּט זֶה חֲמֵשֶׁת אֲלָפִים וְכוּ', וּבְרַחֲמֶיךָ הַגְּדוֹלִים הִתְחַלְתָּ לְהָאִיר בָּנוּ אֱמוּנָתְךָ הַקְּדוֹשָׁה עַל יְדֵי אֲבוֹתֵינוּ אַבְרָהָם יִצְחָק וְיַעֲקֹב, אֲשֶׁר הִתְחִילוּ לְגַלּוֹת אֱלֹהוּתְךָ בָּעוֹלָם וְאַחַר כַּךְ נָתַתָּ לָנוּ תּוֹרָתְךָ הַקְּדוֹשָׁה בִּכְתָב וּבְעַל פֶּה עַל יְדֵי מֹשֶׁה נְבִיאֲךָ נֶאֱמַן בֵּיתֶךָ. אֲשֶׁר הוּא הֵאִיר עֵינֵינוּ וּפָתַח לָנוּ אוֹר הַדַּעַת לֵידַע וּלְהוֹדִיעַ וּלְהִוָּדַע כִּי אַתָּה הוּא יְיָ אֱלֹהֵינוּ אֵין עוֹד מִלְּבַדֶּךָ, עַל יְדֵי כָּל הַגְּדוֹלוֹת וְהַנּוֹרָאוֹת אֲשֶׁר עָשָׂה עִמָּנוּ לְחַיּוֹתֵינוּ כַּיּוֹם הַזֶּה.

וּבְחֶמְלָתְךָ הַגְּדוֹלָה הוֹסַפְתָּ חֶסֶד וָטוֹב, וְשָׁלַחְתָּ לָנוּ בְּכָל דּוֹר צַדִּיקִים אֲמִתִּיִּים, זְקֵנִים וּנְבִיאִים, רִאשׁוֹנִים וְאַחֲרוֹנִים, תַּנָּאִים וַאֲמוֹרָאִים, וְרַבָּנָן סָבוֹרָאֵי, וּגְאוֹנִים וְרַבָּנִים וַחֲסִידִים צַדִּיקִים וּקְדוֹשִׁים שֶׁהָיוּ בְּכָל דּוֹר וָדוֹר, עַד שֶׁזִּכִּיתָנוּ גַּם בַּדּוֹרוֹת הָאֵלֶּה וְשָׁלַחְתָּ לָנוּ צַדִּיקִים נוֹרָאִים כָּאֵלֶּה.

עַל כֵּן זַכֵּנוּ בְּרַחֲמֶיךָ הָרַבִּים לֵילֵךְ בְּדַרְכֵיהֶם וּלְצַיֵּת אוֹתָם בְּכֹל אֲשֶׁר צִוּוּ אוֹתָנוּ, וְלִהְיוֹת כִּרְצוֹנָם בֶּאֱמֶת בְּכָל עֵת.

Primal, Eternal, without beginning or end, that You created the world out of absolute nothingness over five thousand years ago, and so forth.

In Your compassion, You shone Your holy faith onto us through our patriarchs, Abraham, Isaac and Jacob, who began to reveal Your Godliness in the world.

Afterward, You gave us Your holy Torah through Moses, Your faithful servant. By means of the great and awesome wonders that he performed on our behalf to give us life to this day, he illuminated our eyes and opened the light of knowledge so that we may know that You are HaShem our God, and that there is no one else besides You.

And then, in every generation, You sent us true Tzaddikim—elders and prophets, Rishonim and Acharonim, Tannaim, Amora'im and Rabbanan Savorei, Geonim, Rabbanim and Chassidim, and other holy people in every generation—until You sent us awesome Tzaddikim like those in our generations.

Walking in the Ways of the Tzaddikim

Help us always walk in the ways of these Tzaddikim, obey their directives and live in accordance with their will.

לַמְּדֵנוּ וְהוֹרֵנוּ אֵיךְ לְהַמְשִׁיךְ עָלֵינוּ הָאֱמוּנָה הַקְּדוֹשָׁה שֶׁהִמְשִׁיכוּ אֲבוֹתֵינוּ וְרַבּוֹתֵינוּ הַצַּדִּיקִים הַקְּדוֹשִׁים מִמָּקוֹם שֶׁהִמְשִׁיכוּ עַל יְדֵי קְדֻשָּׁתָם הָעֲצוּמָה עַד שֶׁזָּכוּ לְמַה שֶּׁזָּכוּ.

זַכֵּנוּ לְהַמְשִׁיךְ עָלֵינוּ אֱמוּנָתָם וְחַסְדָּם וְטוּבָם וְצִדְקָתָם אֲשֶׁר יָגְעוּ וְטָרְחוּ בִּמְסִירוּת נֶפֶשׁ בִּיגִיעוֹת וְטִרְחוֹת גְּדוֹלוֹת מְאֹד לְהֵטִיב לְכָל בְּנֵי יִשְׂרָאֵל לְדוֹרוֹת עוֹלָם. וְהָעִקָּר לְהַמְשִׁיךְ וּלְגַלּוֹת הָאֱמוּנָה הַקְּדוֹשָׁה לְכָל בָּאֵי עוֹלָם וּבִפְרָט לְיִשְׂרָאֵל עַם קָדוֹשׁ, עַם קְרוֹבוֹ עַם סְגֻלָּה.

עָזְרֵנוּ וְהוֹשִׁיעֵנוּ בְּעֵת צָרָה הַזֹּאת לְמַעַן כֹּחָם וּזְכוּתָם הַגָּדוֹל וְהַקָּדוֹשׁ הַנּוֹרָא וְהַנִּשְׂגָּב מְאֹד עַד אֵין חֵקֶר. הוֹשִׁיעֵנוּ אֱלֹהִים כִּי בָאוּ מַיִם עַד נָפֶשׁ, זַכֵּנוּ לֶאֱמוּנָה שְׁלֵמָה בֶּאֱמֶת, עַד שֶׁנִּזְכֶּה בְּכָל פַּעַם לָבוֹא עַל יְדֵי הָאֱמוּנָה הַקְּדוֹשָׁה אֶל הַדַּעַת וְתִתְפַּשֵּׁט הָאֱמוּנָה הַקְּדוֹשָׁה בְּכָל אֶחָד וְאֶחָד בְּכָל הָאֵבָרִים.

וְנִזְכֶּה תָמִיד לְדַבֵּר הָאֱמוּנָה הַקְּדוֹשָׁה בְּפֶה מָלֵא וּבְלֵב שָׁלֵם בֶּאֱמֶת כְּמוֹ שֶׁנֶּאֱמַר: "חַסְדֵי יְיָ עוֹלָם אָשִׁירָה, לְדוֹר וָדוֹר אוֹדִיעַ אֱמוּנָתְךָ בְּפִי".

וְנֶאֱמַר: "וְיוֹדוּ שָׁמַיִם פִּלְאֲךָ יְיָ, אַף אֱמוּנָתְךָ בִּקְהַל קְדוֹשִׁים".

Teach us how to internalize the holy faith that our holy fathers and rabbis, the Tzaddikim, drew down to us in their great holiness.

Help us draw onto ourselves their faith, kindness, goodness and righteousness. They toiled to help all Jews for all generations. They worked to draw down and reveal holy faith to all people—particularly to the holy Jewish people, who are special and close to You.

Save us at this time of trouble for the sake of their unfathomable merit. Save us, God, because the waters have risen and threaten to drown us. Help us attain complete faith until we will come to knowledge and our holy faith will spread throughout all of our limbs.

May we always communicate our holy faith clearly and with all our hearts. As the verse states, "I will sing the kindness of HaShem forever; for all generations, I will make Your faithfulness known with my mouth."

"The heavens will praise Your wonders, HaShem, even Your faithfulness amid the holy congregation."

וְנֶאֱמַר: "לְדוֹר וָדוֹר אֱמוּנָתֶךָ, כּוֹנַנְתָּ אֶרֶץ וַתַּעֲמֹד".

וְנֶאֱמַר: "דֶּרֶךְ אֱמוּנָה בָחָרְתִּי, מִשְׁפָּטֶיךָ שִׁוִּיתִי". וְנֶאֱמַר: "כִּי יָשָׁר דְּבַר יְיָ, וְכָל מַעֲשֵׂהוּ בֶּאֱמוּנָה". וְנֶאֱמַר: "וְצַדִּיק בֶּאֱמוּנָתוֹ יִחְיֶה".

וְנֶאֱמַר: "וֶאֱמוּנָתִי וְחַסְדִּי עִמּוֹ וּבִשְׁמִי תָּרוּם קַרְנוֹ. וְנֶאֱמַר: "כִּי טוֹב יְיָ לְעוֹלָם חַסְדּוֹ, וְעַד דֹּר וָדֹר אֱמוּנָתוֹ".

וְנֶאֱמַר: "וְאֵרַשְׂתִּיךְ לִי לְעוֹלָם, וְאֵרַשְׂתִּיךְ לִי בְּצֶדֶק וּבְמִשְׁפָּט וּבְחֶסֶד וּבְרַחֲמִים. וְאֵרַשְׂתִּיךְ לִי בֶּאֱמוּנָה וְיָדַעַתְּ אֶת יְיָ.

בָּרוּךְ יְיָ לְעוֹלָם אָמֵן וְאָמֵן":

"Your faith is in every generation; You have set up the earth and it stands." "I have chosen the way of faithfulness; I have set Your laws before me." "The word of HaShem is straight, and all of His deeds are faithful." "The Tzaddik will live by his faith."

"My faithfulness and My kindness shall be with him, and through My Name, his might shall be elevated." "HaShem is good, His kindness is forever, His faithfulness is in every generation."

"I will betroth you to Me forever. I will betroth you to Me with righteousness and with justice, with kindness and with compassion. I will betroth you to Me with faith, and you will know HaShem."

Blessed is HaShem forever. Amen and amen.

110 (101)

Learning Torah in a State of Holiness / Becoming a True Human Being

When a worthy person learns and understands the Torah, it becomes for him an "elixir of life" and a "shining countenance." But if a person is not worthy, then the Torah becomes for him a "potion of death" and a "dark countenance."

In his essence, a Jew is holy and far from all evil traits and desires. When he sins, however, he is overtaken by the evil traits associated with the seventy archetypal nations. And the evil trait that induced him to sin causes him to fall under the sway of the nation whose leading characteristic is that same trait.

A Jew can free himself only by learning Torah, which is the opposite of all evil traits and desires. He must toil until he attains a true understanding of the holy Torah. And then he is at last considered to be a true "human being."

This prayer was composed by Reb Noson sometime during 1827. During that year, Czar Nikolai II, known as the Iron Czar, instituted the infamous Cantonist decree of forcibly drafting young Jewish boys into the Russian army. These boys were twelve years old (or younger when there were no twelve-year-olds available) and were placed in cantons (military camps) and forcibly trained to act like their hosts. When they reached the age of eighteen, they were then drafted into the czar's army for a period of twenty-five years! Needless to say, the vast majority of these young Jews were torn away from their Jewish roots and never returned home. This is the pain seen in Reb Noson's prayer.

"יְיָ אוֹרִי וְיִשְׁעִי מִמִּי אִירָא, יְיָ מָעוֹז חַיַּי מִמִּי אֶפְחָד. בִּקְרֹב עָלַי מְרֵעִים לֶאֱכֹל אֶת בְּשָׂרִי, צָרַי וְאֹיְבַי לִי הֵמָּה כָשְׁלוּ וְנָפָלוּ".

רִבּוֹנוֹ שֶׁל עוֹלָם מָלֵא רַחֲמִים אוֹהֵב עַמּוֹ יִשְׂרָאֵל הַבּוֹחֵר בְּעַמּוֹ יִשְׂרָאֵל בְּאַהֲבָה, אַתָּה יוֹדֵעַ אֶת רִבּוּי הַצָּרוֹת צְרוּרוֹת וּתְכוּפוֹת שֶׁעָבְרוּ עַל יִשְׂרָאֵל מִיּוֹם הַגָּלוּת, בִּפְרָט מַה שֶּׁעוֹבֵר עָלֵינוּ עַתָּה בַּיָּמִים הַלָּלוּ (מִיּוֹם שֶׁיָּצְאָה הַגְּזֵירָה רָעָה וְהַמָּרָה לִקַּח בְּנֵי יִשְׂרָאֵל לַחַיִל).

וְלֹא דַי לָנוּ מִכָּל הַשָּׁנִים שֶׁעָבְרוּ עָלֵינוּ מֵאָז וְעַד עַתָּה, אֲשֶׁר נִלְכְּדוּ כַּמָּה וְכַמָּה מֵאוֹת נְפָשׁוֹת לַשְּׁבִי וְלָרָעָב וְלַחֶרֶב וּלְהַעֲבִירָם עַל דָּת אֲשֶׁר זֶה קָשֶׁה מֵהַכֹּל, מִלְּבַד הַנְּפָשׁוֹת שֶׁנִּפְחֲדוּ בִּפְחָדִים קָשִׁים וּמָרִים בְּלִי שִׁעוּר אֲשֶׁר כַּמָּה מֵהֶם מֵתוּ עַל יְדֵי זֶה.

וְכַמָּה נֶחְלְשׁוּ בָּחֳלָאִים רָעִים, וְכַמָּה חִבְּלוּ בְּעַצְמָן וְסָבְלוּ יִסּוּרִים קָשִׁים וּמָרִים וַעֲצוּמִים כְּדֵי שֶׁיִּשָּׁאֲרוּ בְּדַת יִשְׂרָאֵל.

וּבִפְרָט הָרַחֲמָנוּת וְהַצַּעַר וְהַמְּרִירוּת הַקָּשָׁה וְהַכָּבֵד שֶׁל נַפְשׁוֹת אֲבִיהֶם וְאִמָּם וּקְרוֹבֵיהֶם וְאוֹהֲבֵיהֶם אֲשֶׁר "כָּשַׁל כֹּחַ הַסַּבָּל".

The Suffering of Exile

"HaShem is my light and salvation. Whom shall I fear? HaShem is the stronghold of my life. Of whom shall I be afraid? Evildoers, my adversaries and enemies crowd against me to eat my flesh, but they will stumble and fall."

Master of the world, You Who have chosen Your nation, the Jewish people, with love, You know how many troubles we have suffered since the day that we went into exile—particularly what we are suffering now, since the promulgation of the evil and bitter edict to conscript twelve-year-old Jewish boys into the army.

Many hundreds of Jewish boys have been conscripted and subjected to hunger and the sword in an effort to remove every vestige of Judaism from them. That is the most bitter decree of all. Some of them have been subjected to terrors so harsh and bitter that they have died. Others were weakened by disease. Some purposely maimed themselves, suffering terribly, in order to stay out of the army and remain Jewish.

In addition to that, the suffering of these boys' fathers, mothers, relatives and others who love them is so great that "the strength of the porter has collapsed."

אוֹי לָנוּ עַל שִׁבְרֵנוּ אוֹי אוֹי וַאֲבוֹי, אוֹי מֶה הָיָה לָנוּ, אוֹי מֶה הָיָה לָנוּ. מַה נֹּאמַר וּמַה נְּדַבֵּר וּמַה נִּצְטַדָּק הָאֱלֹהִים מָצָא אֶת עֲוֹנֵינוּ, מַה נִּזְעַק עַל שִׁבְרֵנוּ, נַחֲלָה מַכּוֹתֵינוּ.

וְלֹא דַי לָנוּ בְּכָל זֶה אֲשֶׁר בְּכָל זֹאת לֹא הֵשִׁיב אַפּוֹ מֵאִתָּנוּ, וְעוֹד הוֹסִיף לְהַכּוֹת אוֹתָנוּ מַכָּה עַל מַכָּה, כִּי עַד לֹא חֻבְּשָׁה מַכָּה הָרִאשׁוֹנָה, אֲשֶׁר עֵינֵינוּ עוֹלְלָה לְנַפְשֵׁנוּ עַל בְּנוֹת עִירֵנוּ, עַל נַפְשׁוֹת הַמֻּכִּים וְהַמְּרוּטִים, נַפְשׁוֹת הַנֶּאֱנָחִים וְהַנֶּאֱנָקִים אֲשֶׁר נִלְכְּדוּ כְּבָר מִכָּל עִיר וָעִיר. עוֹד יָדוֹ נְטוּיָה מִן אָז וְעַד עַתָּה [עַד כִּי יָצָא הַקֶּצֶף לַחֲזוֹר וְלִקַּח בְּתוֹךְ שָׁנָה עוֹד הַפַּעַם].

אוֹי אוֹי אוֹי, אוֹי "מִי יָקוּם יַעֲקֹב כִּי קָטָן הוּא".

אוֹי, אוֹי, מַה נַּעֲשֶׂה, אוֹי אוֹי כִּי נִסְתַּם לִבֵּנוּ וְנֶאֱטַם רוּחֵנוּ אֲפִלּוּ מִלִּצְעֹק אֵלֶיךָ, הֵן מֵרִבּוּי הַצָּרוֹת הֵן מֵרִבּוּי הַהִתְגָּרוּת שֶׁל הַבַּעַל דָּבָר, כִּי הַמִּלְחָמָה מִכָּל צַד, בְּגַשְׁמִיּוּת וְרוּחָנִיּוּת מִבִּפְנִים וּמִבַּחוּץ.

בַּחוּץ שִׁכְּלָה חֶרֶב מְרִירוּת הַגְּזֵרוֹת, וּבְבֵיתוֹ וּבְתוֹכוֹ שֶׁל כָּל אֶחָד וְאֶחָד מִתְגַּבֵּר בִּנְכָלָיו וְעַרְמִימִיּוֹתָיו וְתַאֲווֹתָיו וְהִרְהוּרָיו וּמַחְשְׁבוֹתָיו וְכוּ'.

Woe to us for our catastrophe! What shall we say? How shall we justify ourselves? You have uncovered our sins. How shall we cry out over our disaster? We are crippled by our wounds.

You have not turned Your anger away from us. To the contrary, before the first blow was bandaged, You struck us again—for even after the stricken, moaning children were taken captive from every town, Your hand remained stretched out, and even more Jewish boys are slated to be drafted into the army within the year.

Woe! Woe! Woe! Woe! "How shall Jacob rise, for he is small?"

What will we do? We cannot even cry out to You because our hearts are closed and our spirits sealed due to these troubles. In addition, we suffer due to the enticements of our evil inclination. And so we are under siege from both directions—physical and spiritual, from without and from within.

From without, the sword bereaves us as the bitter decrees are put into effect. From within, our evil inclination grows stronger with its scheming and cunning.

וְלֹא דַי שֶׁאֵין אָנוּ זוֹכִין לְהִתְעוֹרֵר וְלָשׁוּב אֵלֶיךָ בֶּאֱמֶת עַל יְדֵי רִבּוּי הַצָּרוֹת אֲשֶׁר כַּוָּנָתְךָ רַק בִּשְׁבִיל זֶה לְבַד, עוֹד הוֹסִיף לְהָתֵל בָּנוּ, וְרוֹצֶה לְעַקֵּם אֶת לְבַב כַּמָּה מִבְּנֵי יִשְׂרָאֵל בְּכַמָּה מִינֵי עַקְמִימִיּוּת עַל עַקְמִימִיּוּת בְּלִי שִׁעוּר עַד שֶׁהַרְבֵּה מְהַרְהֲרִים אַחַר מִדּוֹתֶיךָ הַיְשָׁרוֹת וְהַנְּכוֹנוֹת בֶּאֱמֶת:

רִבּוֹנוֹ שֶׁל עוֹלָם חַנּוּן הַמַּרְבֶּה לִסְלֹחַ, סְלַח נָא, מְחַל נָא, כַּפֵּר נָא. "סְלַח נָא לַעֲוֹן הָעָם הַזֶּה כְּגֹדֶל חַסְדֶּךָ, וְכַאֲשֶׁר נָשָׂאתָה לָעָם הַזֶּה מִמִּצְרַיִם וְעַד הֵנָּה".

כִּי אַתָּה לְבַד יוֹדֵעַ מַעֲמָד וּמַצָּב שֶׁל יִשְׂרָאֵל עַתָּה, כִּי נִשְׁאַרְנוּ כַּתֹּרֶן בְּרֹאשׁ הָהָר וְכַנֵּס עַל הַגִּבְעָה, "יְתוֹמִים הָיִינוּ וְאֵין אָב, אִמּוֹתֵינוּ כְּאַלְמָנוֹת".

וְאֵין מִי יַעֲמֹד בַּעֲדֵנוּ, שִׁמְךָ הַגָּדוֹל יַעֲמֹד לָנוּ בְּעֵת צָרָה. הַבִּיטָה בְעָנְיֵנוּ כִּי רַבּוּ מַכְאוֹבֵנוּ וְצָרוֹת לְבָבֵנוּ.

וּמַה יַּעֲשׂוּ הֲמוֹן בְּנֵי יִשְׂרָאֵל, כִּי מֵעֹצֶם חֶשְׁכַת הַגָּלוּת וּמְרִירוּת הַצָּרוֹת נֶחְשַׁךְ הַשֵּׂכֶל וְנֶחְסַר הַדַּעַת, עַד אֲשֶׁר נִלְאוּ לִמְצֹא הַפֶּתַח לִתְשׁוּבָה לָשׁוּב אֵלֶיךָ עַל יְדֵי כָּל מַה שֶּׁעוֹבֵר עֲלֵיהֶם, אֲשֶׁר כַּוָּנָתְךָ רַק בִּשְׁבִיל זֶה.

You have only one purpose in subjecting us to this multitude of troubles: to inspire us to awaken and return to You. But we have not done so. To the contrary, the evil inclination mocks us and twists our hearts, so that innumerable Jews question Your straight and proper ways.

A Nation Alone

Gracious and forgiving Master of the world, "forgive the sin of this nation in accordance with the greatness of Your kindness, as You brought this nation forth from Egypt and until now."

You are the only One Who knows how alone we are, "like a beacon at the top of the mountain and like a flag upon the hill." "We have become orphans without a father; our mothers are like widows."

There is no one in the world to stand up on our behalf. In our time of trouble, give us refuge. Gaze upon our suffering and the troubles of our hearts.

What will we do? Because of the darkness of our exile and the bitterness of our troubles, our intellect has become so obscured and our mind so weakened that we grow weary seeking the way to return to You.

חוּס וַחֲמֹל עָלֵינוּ, וּשְׁלַח לָנוּ מוֹשִׁיעַ וָרָב לְהַצִּילֵנוּ מִכָּל הַצָּרוֹת בְּגַשְׁמִיּוּת וְרוּחָנִיּוּת, וְיוֹרֵנוּ הַדֶּרֶךְ הַיָּשָׁר וְהָאֱמֶת, בְּאֹפֶן שֶׁנִּזְכֶּה לְהִתְעוֹרֵר לָשׁוּב אֵלֶיךָ בֶּאֱמֶת עַל יְדֵי כָּל מַה שֶׁעוֹבֵר עָלֵינוּ, הֵן מַה שֶׁעוֹבֵר בִּכְלָלִיּוּת עַל כָּל עַמְּךָ בֵּית יִשְׂרָאֵל, הֵן מַה שֶּׁעוֹבֵר בִּפְרָטִיּוּת עַל כָּל אֶחָד וְאֶחָד בְּכָל יוֹם וָיוֹם כָּל יְמֵי חַיָּיו.

מָלֵא רַחֲמִים יוֹדֵעַ תַּעֲלוּמוֹת, צוֹפֶה נִסְתָּרוֹת, אַתָּה לְבַד יוֹדֵעַ כָּל מַה שֶׁעוֹבֵר עַל יִשְׂרָאֵל עַתָּה בִּכְלָל וּבִפְרָט, מַה נֹּאמַר וּמַה נְּדַבֵּר.

רִבּוֹנוֹ דְעָלְמָא כֻּלָּא, אֲדוֹן יָחִיד נוֹתֵן הַתּוֹרָה, אַתָּה גִּלִּיתָ לָנוּ בְּרַחֲמֶיךָ שֶׁכָּל כֹּחַ הָעֲכּוּ"ם הוּא מֵהָעַיִ"ן [מֵהַשִּׁבְעִים] אַנְפִּין חֲשׁוּכִין.

דְּהַיְנוּ, עַל יְדֵי שֶׁאָנוּ מִתְרַשְּׁלִין בְּעֵסֶק הַתּוֹרָה, וְאֵין אָנוּ מְעַיְּנִין בָּהּ כָּרָאוּי וּמֵחֲמַת זֶה דַּרְכֵי הַתּוֹרָה נִסְתְּרוּ וְנֶחְשְׁכוּ מֵעֵינֵינוּ, וְעַל יְדֵי זֶה מִתְגַּבְּרִים חַס וְשָׁלוֹם כָּל הַתַּאֲווֹת וּמִדּוֹת רָעוֹת שֶׁבָּאִים מֵהָעַכּוּ"ם שֶׁיּוֹנְקִין מֵאַנְפִּין חֲשׁוּכִין. וְעַל יְדֵי זֶה בְּעַצְמוֹ מִתְגַּבֵּר חַס וְשָׁלוֹם מֶמְשַׁלְתָּם וְגוֹזְרִין עָלֵינוּ גְּזֵרוֹת רָעוֹת וּמָרוֹת רַחֲמָנָא לִצְלָן.

Since Your only intent in all of our troubles is for us to come back to You, send us a redeemer to rescue us from all of our troubles, material and spiritual. May he teach us the right path to follow and inspire us to return to You as a result of what we have endured.

You Who know hidden things, You alone know all that we undergo. As for us, what shall we say? How shall we speak?

Overcoming Persecution

Master of the universe, You revealed to us that the gentiles derive their power from the seventy "dark countenances."

When we do not learn Torah properly, its ways are concealed from our eyes. That concealment strengthens the desires and evil traits of the gentiles, who then promulgate evil and bitter decrees against us.

אֲבָל מַה נַּעֲשֶׂה לְתַקֵּן זֹאת, כִּי מֵחֲמַת עֹל הַפַּרְנָסָה וְהִתְגַּבְּרוּת הַיֵּצֶר הָרָע וְרִבּוּי הַצָּרוֹת קָשֶׁה מְאֹד לַעֲסֹק בַּתּוֹרָה כָּרָאוּי.

וַאֲפִלּוּ מְעַט שֶׁעוֹסְקִים בָּהּ, חָשְׁכוּ עֵינֵינוּ, וְנִסְתַּם שִׂכְלֵנוּ מִלְּעַיֵּן בָּהּ כָּרָאוּי, וְעַל פִּי רֹב אֵין אָנוּ מְבִינִים אֲפִלּוּ פְּשׁוּטָן שֶׁל דְּבָרִים, מִכָּל שֶׁכֵּן שֶׁאֵין אָנוּ מְבִינִים עִמְקוֹתֶיהָ וּנְעִימוֹתֶיהָ פְּנִימִיּוֹתֶיהָ וְסוֹדוֹתֶיהָ.

וְאֵין אָנוּ זוֹכִים לִרְאוֹת אוֹר פְּנֵי הַתּוֹרָה הַקְּדוֹשָׁה. וְכַמָּה וְכַמָּה אָנוּ רְחוֹקִים מִשִּׁבְעִין פָּנִים לַתּוֹרָה, מֵעַ"ן אַנְפִּין נְהִירִין, שֶׁהֵם מַכְנִיעִים וּמְבַטְּלִים הָעַ"ן אַנְפִּין חֲשׁוּכִין, שֶׁעַל יְדֵי זֶה מִמֵּילָא נִשְׁבָּרִים וְנוֹפְלִים מֶמְשַׁלְתָּם שֶׁל הָעַ"ן עַכּוּ"ם שֶׁיּוֹנְקִים מֵהֶם, אֲבָל אֵיךְ זוֹכִים לָזֶה.

אֱלֹהֵי עוֹלָם בְּרַחֲמֶיךָ הָרַבִּים רַחֵם עָלֵינוּ וְתֵן חֶלְקֵנוּ בְּתוֹרָתֶךָ, זַכֵּנוּ בְּרַחֲמֶיךָ הָרַבִּים שֶׁנִּזְכֶּה לְהִתְעוֹרֵר מֵעַתָּה אֵלֶיךָ בֶּאֱמֶת, וְנַתְחִיל מֵעַתָּה לַעֲסֹק בַּתּוֹרָה יוֹמָם וָלָיְלָה. וְאַל יַטְרִידֵנוּ וְאַל יְבַלְבֵּל אוֹתָנוּ שׁוּם טִרְדָּא וְעֵסֶק וּמַשָּׂא וּמַתָּן.

רַק תִּהְיֶה מְלַאכְתֵּנוּ נַעֲשֵׂית עַל יְדֵי אֲחֵרִים. וּבְרַחֲמֶיךָ הָרַבִּים תְּפַרְנֵס אוֹתָנוּ בְּהַרְחָבָה גְדוֹלָה, וְתַסְפִּיק לָנוּ כָּל

But how can we rectify this? Because of the difficulties of earning a living, because our evil inclination has grown stronger, and because of the multitude of our troubles, it is very difficult for us to learn Torah properly.

Even those few people who do learn Torah suffer from a dulled intellect, so that for the most part, they do not understand the simple meaning of the words—much less appreciate its depths and sweetness, its inner core and secrets.

We do not have access to the light of the countenance of the holy Torah. We do not realize how far we are from its seventy "shining countenances"—which, ideally, would overcome and eradicate the seventy "dark countenances," thus breaking the power of the gentiles.

How can we attain that?

Making Torah Our Permanent Occupation

Eternal God, have compassion on us and give us our portion in Your Torah. Help us gain the inspiration to learn Torah day and night, without the interference of any troubles or business affairs.

May other people do our work on our behalf. Generously supply us with all that we need even

הִצְטָרְכוּתֵנוּ מֵאִתְּךָ קֹדֶם שֶׁנִּצְטָרֵךְ לָהֶם, בְּאֹפֶן שֶׁלֹּא נִצְטָרֵךְ לַעֲסֹק בְּשׁוּם עֵסֶק בִּשְׁבִיל פַּרְנָסָה, רַק תִּהְיֶה תּוֹרָתֵנוּ אֻמָּנוּתֵנוּ בָּעוֹלָם הַזֶּה וְתִהְיֶה עִמָּנוּ לָעוֹלָם הַבָּא.

וַאֲפִלּוּ מִי שֶׁמֻּכְרָח לַעֲסֹק בְּאֵיזֶה מְלָאכָה וְעֵסֶק וּמַשָּׂא וּמַתָּן בִּשְׁבִיל פַּרְנָסָה, תַּעַזְרֵם וּתְחַזֵּק לְבָבָם, שֶׁאַל יִשְׁכְּחוּ חַס וְשָׁלוֹם אֶת עוֹלָמָם הַנִּצְחִי. וְיָחוּסוּ עַל נַפְשָׁם לִקְבֹּעַ עִתִּים לַתּוֹרָה, וְתִהְיֶה תּוֹרָתָם קֶבַע וּמְלַאכְתָּם אֲרָעִי.

וְלֹא יִתְבַּטְּלוּ מֵעֵסֶק הַתּוֹרָה כִּי אִם בְּעֵת הַהֶכְרֵחַ בִּשְׁבִיל הַמַּשָּׂא וּמַתָּן וְהָעֵסֶק בִּלְבָד, וּבְכָל זְמַן שֶׁיּוּכְלוּ לַחְטֹף אֵיזֶה שָׁעָה אוֹ רֶגַע, מִכָּל שֶׁכֵּן יוֹם אוֹ יוֹמַיִם לַעֲסֹק בַּתּוֹרָה, יִזְכּוּ לַהֲגוֹת בָּהּ בְּהַתְמָדָה גְדוֹלָה.

וּתְרַחֵם עָלֵינוּ, וְתִפְתַּח לָנוּ שְׁבִילֵי הַשֵּׂכֶל הָאֱמֶת שֶׁנִּזְכֶּה לְהָבִין כָּל דִּבְרֵי הַתּוֹרָה עַל בֻּרְיָן וַאֲמִתָּתָן, וְנִזְכֶּה לְהַכְנִיס כָּל מֹחֵנוּ וּמַחְשְׁבוֹתֵינוּ וְשִׂכְלֵנוּ בְּתוֹךְ הַתּוֹרָה וּלְעַיֵּן בָּהּ הֵיטֵב בְּמָקוֹם שֶׁצְּרִיכִין לְעַיֵּן.

וְכָל כַּוָּנָתֵנוּ יִהְיֶה לִשְׁמָהּ בֶּאֱמֶת כְּדֵי לְהָבִין דִּבְרֵי הַתּוֹרָה עַל בֻּרְיָן לַאֲמִתָּתָן וְלֹא לְהִתְיַהֵר וּלְקַנְטֵר חַס וְשָׁלוֹם, וְלֹא בִּשְׁבִיל שֶׁיְּהֵא נִקְרָא רַבִּי, וְלֹא בִּשְׁבִיל מָמוֹן וְכָבוֹד. וְלֹא

before we need it, so that we will not have to engage in any business in order to earn a living. Rather, may Torah constitute our work in this world and accompany us in the World to Come.

Even when we must engage in some work and business in order to earn a living, strengthen our hearts so that we will not forget our eternal world. May we feel pity for our souls and set aside time to learn Torah, so that our learning will be the permanent element of our lives and our work transient.

May we stop learning Torah only when we must take care of our business. Otherwise, whenever we can find a minute, an hour, or a day or two to learn Torah, may we do so with great persistence.

Open the pathways of our minds so that we will understand all of the words of the Torah clearly, and we will put all of our thoughts into the Torah, looking deeply into those parts that require study.

May our intent in learning Torah not be to take pride or prove our superiority, not to be called "rabbi," to earn money or to gain honor—

נַעֲשֶׂה חַס וְשָׁלוֹם דִּבְרֵי הַתּוֹרָה קַרְדֹּם לַחְפֹּר בָּהֶם וְלֹא עֲטָרָה לְהִתְגַּדֵּל בָּהֶם, רַק נַעֲסֹק בְּהַתּוֹרָה בֶּאֱמֶת לִשְׁמָהּ בְּכָל כֹּחֵנוּ וְשִׂכְלֵנוּ וּמַחְשְׁבוֹתֵינוּ, כְּדֵי שֶׁיְּבִיאֵנוּ הַתַּלְמוּד לִידֵי מַעֲשֶׂה, לָסוּר מֵרָע וְלַעֲשׂוֹת הַטּוֹב בְּעֵינֶיךָ תָּמִיד.

וְאַתָּה בְּרַחֲמֶיךָ הָרַבִּים וַחֲסָדֶיךָ הָעֲצוּמִים תָּאִיר עֵינֵינוּ בְּתוֹרָתֶךָ, וְתִפְתַּח לִבֵּנוּ שֶׁנִּזְכֶּה לְהָבִין הֵיטֵב בִּמְהִירוּת גָּדוֹל בְּכָל מָקוֹם שֶׁנִּלְמוֹד שָׁם וּלְהַשִּׂיג דִּבְרֵי הַתּוֹרָה בֶּאֱמֶת, וְנִזְכֶּה לִלְמֹד כָּל סִפְרֵי תוֹרָתְךָ הַקְּדוֹשָׁה בְּכָל יוֹם, תְּנַ"ךְ וְשַׁ"ס וּפוֹסְקִים וּמְפָרְשֵׁיהֶם, וְכָל סִפְרֵי הַמִּדְרָשִׁים, וְסִפְרֵי הַזֹּהַר הַקָּדוֹשׁ וְתִקּוּנִים, וְכָל כִּתְבֵי הָאֲרִ"י זִכְרוֹנוֹ לִבְרָכָה, וְכָל סִפְרֵי הַצַּדִּיקִים הָאֲמִתִּיִּים שֶׁבְּיָמֵינוּ, וְנִזְכֶּה לְגָמְרָם וְלַחֲזֹר וּלְהַתְחִילָם כַּמָּה וְכַמָּה פְּעָמִים כָּל יְמֵי חַיֵּינוּ.

רַחֵם עָלֵינוּ לְמַעַן שְׁמֶךָ, וְזַכֵּנוּ לְהַתְמִיד בְּתוֹרָתְךָ הַקְּדוֹשָׁה בְּהַתְמָדָה גְדוֹלָה, כִּי הֵם חַיֵּינוּ וְאֹרֶךְ יָמֵינוּ וּבָהֶם נֶהְגֶּה יוֹמָם וָלָיְלָה. וְנִזְכֶּה לְהָמִית עַצְמֵנוּ עַל הַתּוֹרָה עַד שֶׁתִּתְקַיֵּם בְּיָדֵינוּ. וְנִזְכֶּה לְשַׁבֵּר וּלְבַטֵּל וּלְהָמִית כָּל הַתַּאֲווֹת רָעוֹת וְכָל הַמִּדּוֹת רָעוֹת שֶׁבְּגוּפֵנוּ, עַל יְדֵי עֵסֶק וְעִיּוּן הַתּוֹרָה בֶּאֱמֶת.

אָבִינוּ אָב הָרַחֲמָן הַמְרַחֵם רַחֵם נָא עָלֵינוּ וְתֵן בְּלִבֵּנוּ בִּינָה לְהָבִין וּלְהַשְׂכִּיל, לִשְׁמֹעַ לִלְמֹד וּלְלַמֵּד לִשְׁמֹר וְלַעֲשׂוֹת וּלְקַיֵּם אֶת כָּל דִּבְרֵי תַלְמוּד תּוֹרָתֶךָ לִשְׁמָהּ בְּאַהֲבָה.

in other words, not to make the words of the Torah "a shovel with which to dig or a crown in which to glory"—but only so that we may understand its words clearly.

May we learn Torah only for its own sake, so that our study will lead to deed and we will turn aside from evil and do that which is good in Your eyes.

Illumine our eyes and open our hearts so that we will quickly understand everything that we learn. May we learn all of the Torah's holy volumes every day: Tanakh, Talmud, Shulchan Arukh, Midrash, the Zohar and Tikkuney Zohar, the writings of the Ari and the works of the Tzaddikim of our days. May we complete these works and review them all the days of our lives.

Help us always learn Your Torah, which constitutes our lives and the length of our days. May we contemplate it day and night and dedicate ourselves to learn until we grasp the Torah and nullify all of our evil desires and traits.

Keeping Our Minds on Torah

Grant our hearts understanding so that we will lovingly comprehend, keep and teach all of the words of Your Torah for its own sake.

רַחֵם עָלֵינוּ לְמַעַן שְׁמֶךָ, וַעֲזוֹר וְהוֹשִׁיעָה לָנוּ בְּכָל מִינֵי יְשׁוּעוֹת בְּאֹפֶן שֶׁנִּזְכֶּה לְהִתְחַזֵּק בְּעֵסֶק תּוֹרָתְךָ הַקְּדוֹשָׁה לִשְׁמָהּ, וְנַכְנִיס כָּל דַּעְתֵּנוּ וּמַחְשְׁבוֹתֵינוּ וְכָל רַעְיוֹנֵנוּ בְּתוֹךְ תּוֹרָתְךָ הַקְּדוֹשָׁה תָּמִיד יוֹמָם וָלַיְלָה, בְּאֹפֶן שֶׁתָּאִיר לָנוּ הַתּוֹרָה הַקְּדוֹשָׁה אוֹר פָּנֶיהָ הַנְּעִימִים הַקְּדוֹשִׁים. וְיָאִירוּ וְיָגֵנוּ עָלֵינוּ כָּל הָעַיִ"ן פָּנִים לַתּוֹרָה שֶׁזָּכוּ הַצַּדִּיקִים הַשְּׁלֵמִים לְהַשִּׂיגָם, וְעַל יְדֵי זֶה נִזְכֶּה לְשַׁבֵּר וּלְבַטֵּל כָּל הַתַּאֲווֹת וְכָל הַמִּדּוֹת רָעוֹת מֵאִתָּנוּ.

וּבְרַחֲמֶיךָ הָרַבִּים וּבְחֶמְלָתְךָ הַגְּדוֹלָה שֶׁאַתָּה חוֹמֵל עַל עַמְּךָ יִשְׂרָאֵל בְּכָל דּוֹר וָדוֹר, תָּחוּס וּתְרַחֵם וְתַחְמֹל עָלֵינוּ עַתָּה בְּעֵת צָרָה הַזֹּאת, וְתַעֲשֶׂה לְמַעַנְךָ וּלְמַעַן אֲבוֹתֵינוּ, וּלְמַעַן כָּל הַצַּדִּיקִים הַקְּדוֹשִׁים וְהַנּוֹרָאִים שֶׁהָיוּ בְּכָל דּוֹר וָדוֹר עַד הֵנָּה. וּתְשַׁבֵּר וּתְבַטֵּל בְּרַחֲמֶיךָ הָרַבִּים וּבַחֲסָדֶיךָ הַגְּדוֹלִים מְהֵרָה מֵאִתָּנוּ כָּל הַגְּזֵרוֹת קָשׁוֹת הֵן אוֹתָם שֶׁכְּבָר נִגְזְרוּ עָלֵינוּ, הֵן אוֹתָם שֶׁרוֹצִים לִגְזוֹר חַס וְשָׁלוֹם, כֻּלָּם תַּעֲקֹר וּתְשַׁבֵּר וּתְבַטֵּל בְּרַחֲמֶיךָ הָרַבִּים וּבַחֲסָדֶיךָ הַגְּדוֹלִים, וְלֹא יִשָּׁאֵר מֵהֶם שׁוּם רֹשֶׁם כְּלָל.

מָלֵא רַחֲמִים, שׁוֹמֵר יִשְׂרָאֵל שְׁמֹר שְׁאֵרִית יִשְׂרָאֵל וְאַל יֹאבַד יִשְׂרָאֵל הָאוֹמְרִים שְׁמַע יִשְׂרָאֵל.

כִּי אֵיךְ שֶׁהוּא, אֵיךְ שֶׁאָנוּ עוֹמְדִים לְהִתְפַּלֵּל עַתָּה בְּיָוֵן מְצוּלָה וְאֵין מַעֲמָד כָּזֶה, עִם כָּל זֶה "הֱקִיצוֹתִי וְעוֹדִי עִמָּךְ".

Help us focus the entirety of our minds on Your holy Torah day and night, so that it will illumine us with the light of its pleasant, holy countenance, and all of the seventy faces of Torah that the perfect Tzaddikim have attained will shine upon us and protect us. As a result, may we eradicate all of our lusts and evil traits.

In every generation, grant us refuge from times of trouble. Act for Your sake, for the sake of our fathers, and for the sake of all of the holy and awesome Tzaddikim in every generation. Quickly nullify all of the harsh decrees against us—those that have already been decreed and those that are being contemplated. Uproot, shatter and nullify them all in Your great mercy and kindness, and may no vestige of them remain.

Save the Remnant of Israel

Save the remnant of Israel who recite, "Hear, Israel."

When we stand up to pray, we are in an uncertain state, in the muddy depths. Despite all of that, we "arise and are still with You"—

כִּי עֲדַיִן אָנוּ אוֹמְרִים שְׁמַע יִשְׂרָאֵל פַּעֲמַיִם בְּכָל יוֹם תָּמִיד. וְעַל זֶה לְבַד תָּמַכְנוּ יְתֵדוֹתֵינוּ לָבוֹא לְפָנֶיךָ אֲדוֹן כֹּל עַתָּה גַּם עַתָּה לְהַפִּיל תְּחִנָּתֵנוּ לְפָנֶיךָ בַּעַל הָרַחֲמִים.

בִּזְכוּת וְכֹחַ הַצַּדִּיקֵי אֱמֶת שֶׁעָבְדוּ אוֹתְךָ בִּקְדֻשָּׁה וּבְטָהֳרָה גְדוֹלָה, וּבִמְסִירַת נֶפֶשׁ, וּבְשֵׂכֶל נִפְלָא, וּבִתְמִימוּת גָּדוֹל כָּל יְמֵי חַיֵּיהֶם, וּבִזְכוּת כָּל הַקְּדוֹשִׁים שֶׁנֶּהֶרְגוּ עַל קְדֻשַּׁת שְׁמֶךָ, וְנִשְׁחֲטוּ וְנִצְלְבוּ וְנֶהֶרְגוּ וּמֵתוּ בְּכַמָּה מִינֵי עִנּוּיִים מְשֻׁנִּים, וְנִשְׁפַּךְ דָּמָם כַּמַּיִם אַלְפֵי אֲלָפִים וְרִבֵּי רְבָבוֹת נַפְשׁוֹת יִשְׂרָאֵל גְּדוֹלִים וּקְטַנִּים נְעָרִים וּזְקֵנִים מִיּוֹם הַחֻרְבָּן עַד הֵנָּה.

הֵן עַל כָּל אֵלֶּה בָּאנוּ לְפָנֶיךָ, הָעוֹנֶה לְעַמּוֹ יִשְׂרָאֵל בְּעֵת צָרָה, שֶׁתִּמָּלֵא רַחֲמִים עָלֵינוּ בְּעֵת צָרָה הַמָּרָה הַזֹּאת, וּתְמַהֵר לְהוֹשִׁיעֵנוּ יְשׁוּעָה שְׁלֵמָה חִישׁ קַל מְהֵרָה, וִיקֻיַּם מְהֵרָה: "וְעֵת צָרָה הִיא לְיַעֲקֹב וּמִמֶּנָּה יִוָּשֵׁעַ". חוּסָה עָלֵינוּ כְּרֹב רַחֲמֶיךָ, יֶהֱמוּ מֵעֶיךָ וְרַחֲמֶיךָ עָלֵינוּ, כִּי צְרָכֵינוּ מְרֻבִּים מְאֹד מְאֹד, בְּגוּף וָנֶפֶשׁ בְּגַשְׁמִיּוּת וְרוּחָנִיּוּת, וְדַעְתֵּנוּ קְצָרָה לְבָאֵר וּלְפָרֵשׁ חֵלֶק אֶלֶף וּרְבָבָה מֵהֶם.

רַחֵם עָלֵינוּ וְהוֹשִׁיעֵנוּ מְהֵרָה לְמַעַן שְׁמֶךָ, בְּכָל מַה שֶּׁאָנוּ צְרִיכִים לְהִוָּשַׁע וְהָגֵן בַּעֲדֵנוּ וְהָסֵר מֵעָלֵינוּ אוֹיֵב דֶּבֶר וְחֶרֶב וְרָעָב וְיָגוֹן, וְהָסֵר שָׂטָן מִלְּפָנֵינוּ וּמֵאַחֲרֵינוּ, וּבְצֵל כְּנָפֶיךָ

we still recite the Shema twice daily.[25] That alone gives us the courage to come and plead before You.

Answer us in the merit of the true Tzaddikim who served You in great holiness and purity, with self-sacrifice, a wondrous consciousness, and a whole heart all the days of their lives. And answer us in the merit of the tens of thousands of holy martyrs who sanctified Your Name—great and small, young and old—who were slaughtered and impaled, who died after every sort of unnatural torment, whose blood was spilled like water from the day of the destruction of the Temple until now.

You Who answer Your nation, the Jewish people, at a time of trouble, hurry to rescue us. "It is a time of trouble for Jacob, but from it, he will be saved." Have pity on us. Our physical and spiritual needs are many, but our minds too limited to express a ten-thousandth of them.

Remove all enemies, epidemics, wars, hunger and grief. Remove Satan from before us and behind us. Conceal us in the shadow of Your

25 See footnote 5, p. 221.

תַּסְתִּירֵנוּ. כִּי אֵין לָנוּ עַל מִי לְהִשָּׁעֵן כִּי אִם עָלֶיךָ אָבִינוּ שֶׁבַּשָּׁמַיִם, "וַאֲנַחְנוּ לֹא נֵדַע מַה נַּעֲשֶׂה, כִּי עָלֶיךָ עֵינֵינוּ.

הִנֵּה כְעֵינֵי עֲבָדִים אֶל יַד אֲדוֹנֵיהֶם, כְּעֵינֵי שִׁפְחָה אֶל יַד גְּבִרְתָּהּ, כֵּן עֵינֵינוּ אֶל יְיָ אֱלֹהֵינוּ עַד שֶׁיְּחָנֵּנוּ. חָנֵּנוּ יְיָ חָנֵּנוּ, כִּי רַב שָׂבַעְנוּ בוּז".

חוּסָה עָלֵינוּ בְּאֶרֶץ שִׁבְיֵנוּ וְאַל תִּשְׁפֹּךְ חֲרוֹנְךָ עָלֵינוּ כִּי אֲנַחְנוּ עַמְּךָ בְּנֵי בְרִיתֶךָ.

"יִהְיוּ לְרָצוֹן אִמְרֵי פִי וְהֶגְיוֹן לִבִּי לְפָנֶיךָ יְיָ צוּרִי וְגוֹאֲלִי", אָמֵן:

wings, for we have no one on whom to rely except for You, our Father in Heaven. "We do not know what we shall do, for our eyes turn to You."

"Behold, like the eyes of servants to the hand of their masters, like the eyes of the maidservant to the hand of her mistress, so are our eyes turned to HaShem our God, until He will be gracious to us. Be gracious to us, HaShem. Be gracious to us, because we have suffered much contempt."

Have mercy on us in the land of our captivity. Do not pour Your wrath upon us, for we are Your nation, the children of Your covenant.

"May the words of my mouth and the meditation of my heart be acceptable before You, HaShem, my Rock and my Redeemer."